Fiona McIntosh a grandi et travaillé en Angleterre jusqu'au jour où elle l'a quittée pour l'Australie. Elle est tombée amoureuse à la fois du pays et d'un homme. Sa carrière dans le tourisme lui a valu de parcourir la planète avant de s'établir comme écrivain à plein-temps. Friande d'explorations en tout genre, Fiona McIntosh ne s'est pas cantonnée à la Fantasy, genre dans lequel elle a rencontré un vif succès avec sa série *Le Dernier Souffle*. En effet, elle n'a pas hésité à explorer d'autres horizons littéraires en s'intéressant aussi bien aux romans jeunesse qu'aux romans historiques dont *La Rose et la Tour* est un brillant exemple. En compagnie de son mari et de ses deux fils, elle partage aujourd'hui sa vie entre la ville et la nature sauvage de Tasmanie.

Fiona McIntosh

La Rose et la Tour

Traduit de l'anglais (Australie) par Fanny Adams

MILADY ROMANCE

Milady est un label des éditions Bragelonne

Titre original : *Tapestry*
Copyright © Fiona McIntosh 2014

© Bragelonne 2015, pour la présente traduction

ISBN : 978-2-8112-1405-0

Bragelonne – Milady
60-62, rue d'Hauteville – 75010 Paris

E-mail : info@milady.fr
Site Internet : www.milady.fr

*Pour notre Will à nous, qui est, lui aussi, plongé dans une quête
fantastique à la découverte des limites de l'esprit.*

Remerciements

On s'accorde à dire que la vie dépasse souvent la fiction. C'est sans doute ce qui rend la véritable histoire du comte et de la comtesse de Nithsdale à la fois si romantique et si convaincante pour la romancière que je suis. Il n'empêche que j'ai pris certaines libertés avec la vérité historique en l'altérant de manière à servir mon intrigue. Je tiens toutefois à signaler aux lectrices et aux lecteurs que certains des passages les plus saisissants – comme ceux qui mettent en scène la courageuse lady Winifred – reposent entièrement sur des faits historiques avérés.

L'écriture de ce roman a été longue et difficile. Fallait-il essayer de recréer la langue de l'époque, n'en tenir aucun compte ou forger un parler hybride ? Une fois encore, c'est la romancière qui l'a emporté. Toute tentative plus ou moins habile de ma part visant à restituer la langue du règne de George Ier n'aurait rien apporté de plus aux dialogues, risquant au contraire de les alourdir. En revanche, j'ai cherché à rendre une certaine saveur propre aux tournures du temps tout en veillant à ne pas faire « ancien », afin que ne s'installe pas de rupture entre les deux époques du roman.

J'ai bénéficié de toutes sortes d'aides inattendues, mais la plus palpitante a sans doute été due à une visite à la Tour de

Londres, où, bravant les pluies automnales, je me suis rendue en touriste ordinaire. J'avais visité la Tour de nombreuses fois auparavant, notamment durant ma jeunesse, mais il me semblait indispensable de la revoir en m'efforçant de l'imaginer telle qu'elle était au début du XVIIIe siècle. Mais quelle ne fut pas ma surprise lorsque je fis la connaissance de son gouverneur, sir Richard Dannatt – ancien général de brigade de l'armée britannique –, et de sa merveilleuse et généreuse épouse Pippa, qui me reçurent comme un membre de la famille. Non seulement j'eus le plaisir de partager avec eux un succulent repas dans la salle à manger des appartements de la reine, mais j'eus également la chance de découvrir la cellule où William Maxwell, comte de Nithsdale, fut emprisonné. La pièce en question sert aujourd'hui de chambre d'appoint confortable et plaisante, en tout point banale. Quoi qu'il en soit, cette visite fut déterminante pour l'écriture de ce roman, et je suis redevable aux Dannatt de m'avoir permis de marcher dans les pas de William et Winifred, ainsi que d'innombrables rois et reines du royaume. J'ai pu arpenter les terrasses où Elizabeth Ire faisait sa promenade quotidienne durant son emprisonnement à la Tour, et j'ai sillonné les entrailles des appartements de la reine (ancien cantonnement du lieutenant de la Tour) où sir Thomas More subit le courroux de Henry VIII. Aucun de ces espaces n'est ouvert au public, c'est pourquoi ce fut un privilège rare de pouvoir les visiter. Ensuite, j'ai assisté à une présentation privée des joyaux de la Couronne et ai été très exceptionnellement conviée à la cérémonie des Clés (là, j'ai dû me retenir de faire un salut royal aux touristes qui grelottaient dans le froid! ☺). Mais rien de tout cela ne serait arrivé sans mon agent Charlie Viney qui m'a signalé un ouvrage stimulant sur la Tour de Londres et a rendu possible la rencontre avec ce couple merveilleux que sont les Dannatt. Merci, Charlie, pour ton dévouement et ton intérêt pour ce récit.

L'écriture de *La Rose et la Tour* a nécessité de nombreuses recherches qui m'ont conduite de la Guildhall Library de Londres au château de Saint-Germain-en-Laye, en région parisienne. Même si j'avais travaillé à Londres dans les années 1970 à la fin de mon adolescence, je n'étais alors pas assez attentive à mon environnement pour en avoir gardé un souvenir précis. Aussi ai-je préféré ne point me fier à mes souvenirs. Merci donc à David Bieda du *Seven Dials Renaissance Partnership* (association caritative qui ranime ce quartier de Londres) pour ses précisions. Toute erreur historique serait de ma seule responsabilité.

Merci de tout cœur à Stephanie Smith pour ses conseils durant la préparation du manuscrit, et plus particulièrement à Emma Dowden pour son travail remarquable ; merci également à l'équipe de HarperCollins pour son enthousiasme à me voir explorer ce nouveau genre de récit fantastique.

Je suis profondément reconnaissante à mon mari, Ian, qui n'a pas économisé son temps durant la phase de documentation et a pris autant de plaisir que moi à voir surgir de l'ombre de nouveaux renseignements précieux, que ce soit en furetant dans les collections du musée de Londres ou du Victoria and Albert Museum, ou encore en lisant tout ce qui a été écrit sur la bataille de Preston, voire en prenant contact avec les actuels occupants de Traquair House où Winifred connut des jours heureux.

Pour la plupart d'entre nous, la Tour de Londres est un lieu touristique agréable. Cependant, au fil de mes recherches et de l'écriture de ce livre, je me suis rendu compte d'à quel point ce devait être un endroit austère et effroyable au cours des siècles passés pour quiconque franchissait la porte des Traîtres en tant qu'«hôte de la Couronne»! À cet égard, on ne saurait minorer ce qu'une dame de la noblesse comme Winifred accomplit en 1716. Son attitude de défi envers la maison de Hanovre est en soi prodigieuse, mais le courage dont elle fit preuve en agissant comme elle le fit l'inscrit au rang des plus grandes héroïnes romantiques de tous les temps.

Bonne lecture.

Fiona

Prologue

Londres, été 1715

WILLIAM TENDIT UNE MAIN TREMBLANTE VERS L'ÉPAULE dénudée de Nancy dont le châle avait glissé. Malgré ses yeux fermés, il imagina sans peine le décolleté pigeonnant dont l'étroite et exquise vallée de chair laiteuse conduisait, entre deux superbes seins qui se dressaient fièrement et servaient d'écrin, au tout petit médaillon en argent qu'il avait lui-même martelé à froid.

Un verger de pommiers situé à la lisière du hameau où ils demeuraient servait de cadre à leurs baisers : le soleil commençait à poindre, transperçant l'air encore frais de cette matinée de printemps. Lorsqu'ils mirent fin à leur étreinte, la condensation de leur souffle s'éleva vers le ciel en dessinant volutes et arabesques. Les fleurs de pommier formaient un tapis mouvant sous leurs pieds, qui n'était pas sans rappeler au jeune homme les pétales de roses dont rêvait sa belle pour leur mariage.

Nancy baissa les yeux et posa la main sur l'entrejambe de son galant...

— Marvell ! gronda quelqu'un.

Le forgeron revint brusquement à la réalité.

— Par ici, Mr Fanning ! cria-t-il à l'intention de son contre-maître afin de se faire entendre malgré le fracas métallique des marteaux sur les enclumes.

Occupé à forger une pièce, Marvell, hypnotisé par la nature répétitive de sa tâche, était parti retrouver Nancy en pensée dans le Berkshire, où celle-ci attendait son retour. Si dans deux ans au moment des récoltes il ne l'avait pas épousée, elle autoriserait le fermier John Bailey à lui faire la cour. Tel était l'ultimatum posé par la jeune femme à son fiancé.

Marvell se saisit d'un chiffon et épongea les gouttes de sueur de son visage tout en chassant de son esprit les images de Nancy allongée nue à côté de son rival. Puis il posa son marteau tandis que son supérieur s'approchait en pointant avec vigueur le pouce dans son dos.

— On te d'mande à l'étage !

Marvell se rembrunit.

— Mais j'ai rien fait ! protesta-t-il, car il savait pertinemment ce que signifiait une convocation de ce genre : une retenue sur ses gages ou quelque autre pénalité !

— J'ai jamais prétendu l'contraire ! grommela Fanning. Nettoie-moi tout ça !

— Pourquoi ?

Je suis renvoyé ! pensa Marvell. Il travaillait pourtant avec beaucoup d'application et ne gaspillait pas son argent ni en achetant de la bière ni aux tables de jeu.

— Je suis arrivé en avance toute cette semaine, Mr Fanning.

— Marvell ! Range ton attirail et présente-toi là-haut ! Et plus vite que ça !

Le contremaître s'éloigna d'un pas lourd, laissant au jeune forgeron la certitude qu'il en serait quitte pour quelque remontrance !

Il alla jusqu'à la vasque creusée dans la pierre et se lava avec la pâte abrasive mise à disposition par la forge, non sans songer de nouveau à sa bien-aimée.

« *Attends-moi, Nancy !* avait-il imploré après avoir mis un terme à leur baiser en cette fameuse matinée de printemps. *Je trouverai un emploi de compagnon forgeron à Londres et gagnerai suffisamment pour assurer notre avenir.* »

Tandis qu'il s'essuyait le visage et les mains, il se souvint de la manière dont la jeune femme l'avait serré contre elle, de son parfum de rose et de l'odeur du pain d'épice qu'elle avait cuit pour lui en prévision de leur rendez-vous matinal ; il se souvint également de la manière dont, les larmes aux yeux, elle avait acquiescé d'un hochement de tête avant de l'obliger à prêter serment.

« *Va, William. Mais ne me fais pas attendre au-delà de la fête* », avait-elle ordonné.

« *Je reviendrai les mains chargées d'argent et nous t'achèterons une robe de soie pour notre mariage. Ensuite, nous organiserons un bon festin. Et nous vivrons dans notre propre maison.* »

Ensuite, William avait embrassé Nancy avec passion, puis celle-ci avait regardé l'imposante silhouette de son bien-aimé s'éloigner à pied en direction de Londres, où il avait finalement trouvé un emploi chez John Robbins, le très prisé forgeron de la capitale.

William soupira, ses souvenirs se dissipant aussitôt. Il déroula ses manches de chemise et fit de son mieux pour se recoiffer, mais il y renonça vite, jugeant qu'on n'attendrait pas de lui d'avoir meilleur aspect un jour de semaine où le travail pressant abondait.

Il gagna le fond de la forge à grandes enjambées et gravit l'escalier le cœur lourd, s'attendant à être réprimandé, même s'il n'avait pas la moindre idée de ce qui pouvait lui valoir cet honneur.

— Mr Fanning…, hasarda Marvell en frappant timidement.

— Entre! s'exclama le contremaître. Voici William Marvell, monsieur, poursuivit-il sur un ton empreint de respect et de prudence en s'adressant à un homme plus âgé qui examinait l'atelier depuis son perchoir.

Au-dessus de sa tête s'étalait en lettres de fer forgé la devise des maîtres forgerons: «La force du marteau et la sûreté de la main sont les piliers de notre art.» Se tournant de nouveau vers William, Fanning enchaîna:

— Sir George Moseley désire s'entretenir avec toi.

— Bonjour monsieur, salua William en clignant des yeux.

— Tu as assurément la carrure d'un forgeron, pas vrai, Marvell? fit remarquer Moseley.

William haussa un sourcil.

— Je manie le marteau depuis l'âge de douze ans et le soufflet depuis que j'ai perdu ma première dent de lait, monsieur! J'imagine que c'est à la forge que je dois mon gabarit!

Il haussa les épaules et s'efforça de ne pas regarder ses mains et ses bras deux fois plus gros que ceux de Moseley et dont les muscles saillants étaient marbrés de grosses veines gonflées. Physiquement, William ne se différenciait pas, à ses propres yeux, des autres compagnons, mais il n'était pas sans savoir qu'il lui faudrait travailler dur pour tenir la promesse qu'il avait faite à Nancy et rentrer au pays les bras chargés d'or.

— Depuis combien de temps travailles-tu pour John Robbins, fiston? s'enquit Moseley.

Ce dernier portait l'uniforme des gardes, ce qui, combiné à son âge, incita William à penser que son interlocuteur était un homme important.

—Ça fait maintenant plus d'un an, monsieur, répondit William, soudain sur la défensive. J'avais prévu de rester au moins deux ans avant de retourner dans mon village du Berkshire.

—Et comment trouves-tu le travail ici?

—Je travaille dur, monsieur. Je ne me mêle pas aux histoires. J'économise le moindre sou gagné. C'est que je suis fiancé, et j'ai l'intention de me marier. Je compte aussi ouvrir ma propre forge dans le Berkshire.

—Voilà qui est bien parlé! Rien ne me fait plus plaisir qu'un homme avec du cran et de l'ambition qui gagne honnêtement sa vie!

Où veut-il en venir? se demanda William. Dans le doute, mieux valait s'abstenir de répliquer plutôt que de passer pour un idiot.

—Que dirais-tu de gagner 10 livres pour un seul jour de travail?

Pas même dans ses rêves, William n'avait imaginé pouvoir gagner une telle somme. Une année complète de labeur chez Robbins rapportait environ 60 livres. Pour toute réponse, le jeune homme fronça les sourcils, soudain incommodé par l'eau qui dégouttait de ses cheveux trempés, et se demanda si cette proposition ne cachait pas quelque mauvais tour. Cela semblait presque trop beau pour être honnête. Le silence s'étira tandis que William s'interrogeait.

—Te voilà dans les transes, Marvell! fit remarquer Moseley, tandis que Fanning foudroyait son ouvrier du regard.

—Je ne comprends pas le sens de vos paroles, monsieur, repartit William, mais si vous voulez dire que je suis méfiant, alors, je m'en excuse, mais c'est exact: cela m'inquiète un peu.

À ces mots, il s'essuya les lèvres à l'aide de sa manche tout en sachant que c'était là un geste rustre, mais n'était-il pas un forgeron après tout ? Que lui voulait cet homme en habit militaire étincelant, sinon qu'il pose de nouveaux fers à son cheval ?

— Je suis désolé, monsieur, mais je ne comprends pas le sens de tout cela, ni pourquoi vous me proposez une telle somme.

Moseley hocha la tête.

— J'aime ton franc-parler, Marvell. En outre, on t'a recommandé à moi pour ton sérieux. Je vais donc t'éclairer au sujet de ma mystérieuse proposition. J'ai pour mission de trouver un nouveau bourreau pour la ville. Notre précédent exécuteur, après s'être échappé de prison où il purgeait une peine pour dettes, a assassiné un homme et a laissé une femme sans connaissance, à tel point que je doute qu'elle se remette un jour de ses blessures. Après avoir occupé les fonctions de bourreau pendant de nombreuses années, Mr Price a été pendu à son tour au terme d'une existence en marge des lois, semblerait-il.

Moseley esquissa un sourire sardonique et acheva :

— Je n'ai pas l'intention de laisser l'exploit se renouveler.

William avait écouté bouche bée.

— Vous me proposez de devenir bourreau ?

— Nous avons demandé partout. Les forgerons semblent tout indiqués pour cette besogne. Tu feras un excellent bourreau pour la ville de Londres !

Le jeune homme fit mine de répondre mais ne réussit qu'à bégayer, et Moseley interpréta cela comme une réponse favorable.

— Tu recevras un salaire pour chaque exécution. Évidemment, il n'y en a pas tous les jours. Nous préférons pendre les criminels par groupes de six, voire davantage, à Tyburn. J'espère que pendre des femmes ne te gêne pas?

Sans attendre la réponse, Moseley sortit une boîte de tabac à priser de sa poche et sacrifia machinalement au rituel consistant à prendre une pincée de tabac entre ses doigts et à l'inhaler par le nez à grand bruit. Puis il se racla la gorge sans se laisser déconcentrer par les deux ouvriers qui attendaient la suite.

—Je présume, Marvell, que si tu manies le marteau avec autant de dextérité que l'affirme ton employeur, tu peux aussi manier la hache?

Encore trop abasourdi pour prononcer le moindre mot, William hocha la tête.

Moseley haussa les épaules.

—Je ne sais pas encore quand nous ferons appel à toi pour cet office en particulier, mais il est de mon devoir de t'avertir que tu devras, à l'occasion, décapiter un prisonnier. Est-ce un problème pour toi?

Cette fois, l'émissaire de la justice attendit la réponse.

—Si le châtiment est à la mesure du crime commis, alors je ne vois pas pourquoi j'hésiterais à punir un homme qui a péché si injustement contre notre roi.

Marvell comprit aussitôt que sa réponse circonspecte plaisait à Moseley. Un simple «non» aurait été plus simple, mais terrible de conséquences.

—Parfait! Tu recevras plus d'argent que tu ne pourras en compter si tu tranches net et sans bavure.

Plus que je ne pourrai en compter…, se répéta William en considérant ses mains de géant et en se souvenant de sa promesse de mariage.

—Je suis plutôt bon en calcul, monsieur.

Moseley lui lança un sourire narquois.

—Si nous disions 12 livres par tête coupée? Plus les biens qui te seront légués par les condamnés, sans oublier les paires de bottes, bien entendu. Pour les pendaisons de criminels de droit commun à Tyburn, tu recevras ton salaire toutes les six exécutions. Nous dirons 10 livres par fournée, cela te convient-il? La première aura lieu dans quelques semaines.

William avait la gorge sèche et ne parvenait plus à déglutir. Il aurait voulu remercier son bienfaiteur et il mourait d'envie de lui serrer la main pour signifier qu'un accord avait été passé entre eux. Mais il craignait de ne pouvoir émettre le moindre son; de plus, il avait les mains excessivement moites et raides. Il se contenta donc de hocher la tête d'un air hébété.

—Excellent! Félicitations pour tes nouvelles fonctions, Marvell. Je reviendrai te voir en temps et heure. En attendant, je t'invite à t'entraîner un peu et à apprendre à manier la hache avec précision.

Moseley sourit jusqu'aux oreilles et ajouta:

—La révolte qui gronde dans le Nord laisse présager que nous aurons bientôt besoin de tes services.

Puis il inhala de nouveau et gloussa dans sa barbe avant de saluer ses compagnons d'un hochement de tête et de lancer une petite bourse à William.

—Entraîne-toi avec des citrouilles! conseilla-t-il.

Puis il sortit à grands pas, et Fanning le suivit avec déférence.

Seul William ne bougea pas. Perplexe, il considéra la petite poche de cuir remplie de pièces sonnantes qui lui serviraient à acheter des citrouilles.

Chapitre premier

WINIFRED ÉTAIT SÛRE DE TROUVER SON ÉPOUX AU SOMMET de la tour, l'humeur mélancolique, plongé dans ses pensées, le regard tourné vers le sud en direction de la rivière, scrutant par-delà les Marches écossaises où la guerre menaçait.

— Avez-vous pris une décision ? s'enquit-elle en veillant à éviter tout accent de reproche.

William baissa les yeux à son approche mais ne se retourna pas.

— Je n'ai pas le choix, Win, répliqua-t-il d'une voix rocailleuse.

Puis il se racla la gorge, dans le but, soupçonna la jeune femme, d'évacuer la tension accumulée. Pour sa part, Winifred, tout en ne laissant rien paraître, fut aussi douloureusement meurtrie par le sens du devoir de son époux que si ce dernier lui avait asséné un coup de poing à l'estomac. Elle comprit au son de sa voix qu'il avait le cœur lourd et qu'il était manifestement en proie au doute, même s'il continuait d'affecter une certaine détermination.

La jeune femme vint se placer tout contre lui et le prit dans ses bras, autant pour le réconforter que pour se rassurer elle-même. Elle se sentit toute petite, ainsi blottie contre le corps trapu et musclé de William Maxwell, tandis que, la joue reposant contre le velours de son habit, elle se demandait si elle aurait le courage de le laisser partir.

—Ce n'est pas parce que vous ne répondriez pas à une assignation d'Édimbourg que…, commença-t-elle.

—Détrompez-vous, l'interrompit William brutalement. Mon nom est cité dans le mandat de recherche comme traître envers la Couronne.

Il secoua la tête et laissa échapper un petit rire moqueur.

—La législation sur les clans est très claire sur ce point, poursuivit-il, et je suis désormais un insoumis aux yeux de la loi. Apparemment, deux possibilités s'offrent à moi : aller en prison ou rejoindre les insurgés et lever mon étendard contre le roi d'Angleterre.

William se retourna sans briser l'étreinte de Winifred et la prit à son tour dans ses bras avant de déposer un baiser sur le sommet de son crâne, à la racine de ses cheveux blonds comme les blés.

—Dans les deux cas, je suis condamné. Pardonnez-moi de vous exposer à cette situation.

Winifred leva les yeux vers celui qui avait ravi son cœur quatorze ans auparavant à la cour de Jacques III d'Angleterre, alors exilé en France – celui-là même que les protestants, ses adversaires, avaient surnommé le « Vieux Prétendant ». Elle fut émue de constater à quel point William était plus beau sans la perruque qu'il avait été contraint de porter tandis qu'il posait récemment pour son portrait. Inspirant profondément, elle comprit que, si grande que soit sa peine de voir son mari rallier cette révolte hasardeuse, elle ne le priverait pas de son soutien, car la décision de William était dictée par le courage.

—William, l'une des raisons pour lesquelles je suis devenue votre femme est qu'à l'instar de ma famille, vous étiez farouchement convaincu de la nécessité de faire revenir le véritable héritier catholique sur le trône d'Angleterre.

—Oh! Et moi qui croyais que c'était parce que j'étais irrésistiblement séduisant! rétorqua William d'un ton pince-sans-rire, pour le plus grand ravissement de Winifred.

Le comte fit de nouveau face à la lande. Devinant une profonde tristesse dans le regard de son mari, Winifred fut saisie de terreur.

—La vie de nos enfants est à présent en danger... La vôtre également, mon amour, fit remarquer Maxwell en abaissant ses épaules sous le poids de la culpabilité. Le roi d'Angleterre sait pertinemment que je suis un jacobite. Je n'ai jamais dissimulé ma foi catholique.

—Pas plus que moi, mon bien-aimé, articula Winifred, en réitérant son soutien à la cause. Venez vous réchauffer en bas. L'été nous fait ses adieux, et si vous devez aller vous battre pour l'héritier légitime, ce n'est pas le moment de tomber malade.

Ils prirent le chemin du retour en échangeant un regard ému. Winifred se souvint de ces instants magiques, en France, durant lesquels William avait posé sur elle son regard bleu avec plus d'insistance que l'étiquette ne le permettait. Elle avait entendu parler de cet élégant courtisan nouvellement débarqué d'Écosse. De fait, comment son arrivée aurait-elle pu passer inaperçue, tandis que toutes les femmes de la cour du «Vieux Prétendant» discouraient au sujet du jeune célibataire venu à Paris présenter ses hommages au roi d'Angleterre en exil?

«Mon Dieu, mais c'est qu'il est bel homme!» avait murmuré la reine Marie Béatrice entre deux battements d'éventail à l'intention de l'impressionnable Winifred, alors âgée de dix-neuf ans.

Une bouffée de chaleur avait alors empourpré les pommettes de la jeune fille qui s'était aussitôt abîmée dans la contemplation de ses souliers.

«Non, non, non, ma chère Winifred, avait poursuivi la reine, ne baissez pas la tête. Vous n'avez pas même besoin d'user des subterfuges habituels de notre sexe pour attirer l'attention de ce galant: il n'a d'yeux que pour vous, même s'il a mis toute la cour sur des charbons ardents, car celle qui l'épousera sera comblée. Soutenez son regard et retrouvez-le dans les jardins s'il vous offre de vous y rendre. Vous pouvez compter sur mon assentiment», avait-elle ajouté d'un air de conspiratrice.

À la mort de la mère de Winifred, laquelle avait été la fidèle amie de la reine Marie Béatrice, cette dernière avait pris la jeune fille sous son aile protectrice. Winifred avait même eu l'insigne honneur d'accompagner la souveraine lors d'un séjour d'une semaine à Versailles. Les deux femmes avaient fait leur entrée par la somptueuse galerie des Glaces où se reflétait le dispendieux décor qui attestait de la richesse et du pouvoir de celui qui avait commandité ce palais. En hiver, on allumait des centaines de bougies aux lustres, et l'éclairage ainsi produit brillait de mille éclats grâce aux miroirs, irradiant la célèbre galerie d'une lumière radieuse digne d'un après-midi d'été.

C'était donc sous les lambris de Louis XIV, le Roi-Soleil, que Winifred avait appris le langage tout en nuances de la cour.

Par exemple, elle avait appris l'art détourné de l'allusion, à mentir avec naturel et élégance, à recourir au trait d'esprit plus volontiers qu'à l'aigreur, à se montrer envers les hommes – à tout instant et tout à la fois – aimablement distante, charmeuse et séduisante.

Sans quitter son mari des yeux, Winifred se demanda si William se souvenait, lui aussi, des jacasseries suscitées parmi les dames de la cour en exil à Saint-Germain-en-Laye par son regard bleu cobalt, ses tenues hors de prix coupées à la dernière mode et sa perruque aux boucles brunes. Le jeune célibataire s'était montré courtois avec toutes, mais Winifred, malgré sa fébrilité, n'avait pu s'empêcher de remarquer qu'il la dévorait de ses yeux avides. Il riait avec moins de retenue avec elle qu'avec les autres courtisanes et la confortait dans tous ses jugements, depuis la cause jacobite jusqu'à la désignation par le roi Charles II d'Espagne de son petit-fils comme héritier du trône. De son côté, Winifred n'ignorait pas que sa conversation plaisait au comte parce qu'elle ne s'en tenait pas qu'aux travaux d'aiguilles et à l'art de gouverner une maisonnée.

« *Il est la joie et l'enchantement de mon cœur* », avait-elle finalement confié à la reine le jour où William l'avait demandée en mariage.

Winifred entendait encore le petit rire de Marie Béatrice.

« *En acceptant sa demande, vous vous apprêtez à briser le cœur de vos adorables rivales, mon enfant. C'est un très bon parti !* »

« *Je n'ai pas l'intention d'imiter ma sœur Lucy et de coiffer la cornette, votre majesté* », avait rétorqué la jeune fille.

« *Dans ce cas, insistez auprès de lui pour que le mariage ait lieu ici* », avait répondu la reine, tout sourires.

C'est ainsi que Winifred Herbert avait épousé William Maxwell dans la chapelle à la beauté austère du château de Saint-Germain-en-Laye. Elle avait gravi les soixante-deux marches du parvis puis s'était avancée jusqu'au pied de l'autel avec une mine enjouée que certains témoins eurent le loisir d'observer encore sur ses joues empourprées plusieurs jours après la cérémonie. Même le froid glacial qui montait entre les dalles grêlées du sol et traversait ses pantoufles ornées de pierreries ne parvint pas à refroidir l'ambiance chaleureuse que son visage rayonnant instaurait parmi l'assistance.

Ensuite, Winifred avait fait ses adieux avec une affection toute particulière à ceux qui, neuf années durant, avaient été sa famille. Puis elle avait embarqué pour l'Écosse en compagnie de William avant d'atteindre Nithsdale, le berceau des Maxwell à Terregles, dans le comté de Dumfries, au cœur des Marches. La maison était une bâtisse pleine de coins et de recoins en pierre locale blanchâtre et silex anthracite. Chaque génération y avait ajouté de nouvelles extensions, et l'une d'entre elles y avait même adjoint une tour au sommet de laquelle William aimait à se retirer. Cet édifice offrait une vue imprenable sur la rivière Nith et au-delà de la mosaïque des champs qui dévalaient vers l'Angleterre.

Terregles faisait partie d'une série d'avant-postes situés sur la ligne de partage invisible qui séparait l'Écosse de l'Angleterre. Ces comtés servaient de base arrière aux bandes de pillards qui s'infiltraient en Angleterre. Quant aux habitants de Nithsdale, ils étaient censés maintenir l'ordre tout en empêchant les Anglais les plus téméraires de venir voler le bétail, les biens et même les femmes des Écossais.

William avait fait remarquer plus d'une fois à Winifred que bien qu'ils aient la réputation d'être les guerriers les plus robustes d'Écosse, les Highlanders de la zone limitrophe devaient faire preuve d'un courage et d'une endurance exceptionnels afin de repousser les escarmouches auxquelles ils étaient régulièrement confrontés. Cependant, il avait toujours pris soin de ne pas troubler le cours ordinaire de la vie familiale en évitant de mentionner les échauffourées des pillards. Quant à Winifred, elle se contentait de panser ses blessures ou de poser une attelle sur un membre brisé au combat, sans poser de questions.

Mais, dans l'ensemble, la vie à Terregles suivait un cours tranquille et joyeux, notamment grâce à la présence de son amie et dame de compagnie galloise, Cecilia Evans. Du moins jusqu'à ce jour… Car William ne lui aurait jamais confié aussi ouvertement ses doutes si la bataille qu'il s'apprêtait à livrer n'avait pas été différente des précédentes.

Cela faisait à peine un an que la maison de Hanovre revendiquait le trône d'Angleterre et que George Iᵉʳ avait quitté l'Allemagne pour en coiffer la couronne. Depuis lors, la révolte n'avait cessé de couver en Écosse.

Winifred s'efforça de réconforter son mari.

—Les lettres que m'envoient mes amis des Lowlands me laissent entendre que le roi protestant n'a aucune conversation, qu'il est rabat-joie et aussi vivant qu'une statue de marbre. On le dit malheureux à Londres. Il aurait le mal du pays.

—Même si le roi George n'a rien d'un monarque charismatique, il n'en reste pas moins, ma chère amie, qu'il s'accroche à sa couronne et qu'il n'est pas homme – son fanatisme aidant – à tolérer une révolte catholique. Mes informateurs en place à Whitehall me laissent penser que sous le morne masque du devoir qu'il affiche en public se cache un homme à l'intelligence redoutable.

Depuis quand l'intelligence fait-elle bon ménage avec le bellicisme? s'interrogea Winifred en passant, tête baissée, sous le linteau de la porte à la suite de William avant de redescendre la volée de marches grinçantes. Elle releva ses jupes de soie brodée, tandis que son mari volait à son secours en serrant doucement le cerceau de sa robe.

Pour le plus grand plaisir de Winifred, William retrouva soudain sa bonne humeur.

— Les concepteurs de ce genre d'ouvertures ont pensé à tout sauf aux dames qui les emprunteraient!

— Oh, mais je ne suis pas n'importe quelle dame!

— Exact! Votre cœur est aussi vaillant que vos jupons sont nombreux!

Cet instant de répit fut le bienvenu pour Winifred qui en profita pour s'arrêter.

— Vous parvenez toujours à me faire rire, William, quelle que soit la situation! déclara-t-elle, le sourire aux lèvres, d'un ton qu'elle aurait voulu moins triste.

William lui baisa la main et prit un air grave.

— Notre autocrate teuton est résolu à tenir l'Écosse pieds et poings liés avec l'Angleterre.

Winifred acquiesça tandis qu'un froid hivernal lui glaçait le cœur.

— Dans ce cas, mon bien-aimé, vous devez obéir à notre souverain légitime et prendre les armes. Vos métayers et vos vassaux vous suivront dans ce combat. Vous souvenez-vous de l'étrange éclipse de soleil observée par Mr Edmond Halley dont je vous ai parlé au printemps dernier? Il semblerait que c'était un signe avant-coureur pour Londres, car le ciel s'est assombri pendant de longues minutes. Il est peut-être écrit quelque part dans les étoiles que le destin de notre famille est de ne pas prêter attention au danger si nous voulons rester intègres et débarrasser le pays de ce roi protestant. N'oubliez jamais que les vôtres sont fiers de vous, qu'ils vous aiment et vous approuvent, et qu'ils seront toujours à vos côtés.

Winifred guida de la main William le long de l'étroit corridor, tandis que le plancher gémissait sous leurs pas. Ils débouchèrent rapidement sur un petit palier attenant à la porte qui donnait accès à l'habitation. Winifred s'arrêta. Les deux époux échangèrent un regard. Derrière cette porte, tous leurs proches – leur fille incluse – attendaient la décision du chef de famille.

— Nos partisans jacobites de Londres sont d'habiles comploteurs, mais ils manquent de détermination. Leur indécision finira par causer la perte des clans ralliés à la cause. D'ailleurs, j'ai des doutes quant aux capacités guerrières de lord Mar. Il n'est pas le guide qu'il faudrait aux chefs de clan.

William poussa un soupir, puis, l'air tendu, il ajouta :

— Bien sûr, il est capable de les fédérer. Cependant, Londres est loin, et il est facile de sembler brave quand les seigneurs de guerre des Highlands entonnent leurs cris martiaux.

— Rallieront-ils la cause ?

William hocha la tête.

— Comme nous tous, ne serait-ce que parce que notre roi l'exige. Mais le problème est que Mar n'appartient pas à la noblesse écossaise. Les Highlanders ne lui obéiront pas de gaieté de cœur.

Haussant les épaules, il enchaîna :

— Quoi qu'il en soit, cela ne change rien. Je lèverai mon étendard, qui que soit notre chef. Mais je crains que, contrairement à nous autres Lowlanders, nos frères du Nord ne sous-estiment la difficulté de l'entreprise.

— Je suis sûre que vous l'emporterez, William.

— Ah oui, et comment savez-vous cela ? s'enquit ce dernier d'un ton taquin en enlaçant sa femme avant de l'embrasser tendrement.

— Je le sais, parce que je l'ai vu en rêve. Je peux vous assurer que vous ne perdrez pas la vie au service du roi Jacques mais que, parbleu, vous l'y risquerez, mon bien-aimé.

Le regard rieur, William sourit, et le cœur de Winifred se glaça de nouveau.

— Seriez-vous devenue astrologue, mon amour ? Lisez-vous dans les flaques ou dans les lignes de la main ?

La jeune femme secoua la tête.

— Tout ce que je sais, c'est que mon amour pour vous est sans bornes, Mr William Maxwell ! Qu'il l'a toujours été et qu'il le sera toujours. Je sais aussi que vous vivrez heureux et longtemps. Je le sais comme je sais que j'ai deux yeux, un nez et une bouche.

— J'ai épousé une voyante ! s'exclama William en frappant dans ses mains, et Winifred partit d'un petit rire nerveux.

— Chuuut, par tous les saints !

— Si vous voulez que je me taise, il va falloir m'y contraindre ! répliqua-t-il en faisant mine de délacer le corsage de sa femme.

— William, ce n'est pas le moment ! gronda-t-elle en l'écartant d'une tape sur la main.

Mais sa voix manquait de conviction, et son geste avait été aussi inoffensif qu'un battement d'ailes de papillon.

— Je saurai me montrer discret si vous me faites tourner la tête…, poursuivit-il en desserrant son corset avec dextérité.

—Êtes-vous donc sérieux ? gloussa-t-elle avant de jeter un coup d'œil à la porte. Ils sont tous là à nous attendre !

William poussa un soupir et tendit la main pour fermer à clé de l'intérieur.

—Voilà. Qu'ils attendent ! Nous voici enfin seuls – heureux prisonniers de notre tour ! – à l'abri des regards et des sollicitations.

—Insinueriez-vous que vous avez l'intention de me faire l'amour ici ? s'enquit Winifred d'un ton amusé.

—Avec vous, je ferais l'amour n'importe où, mon trésor ! Alors pourquoi pas dans mon donjon personnel où je vous tiens à ma merci. N'est-ce pas l'endroit idéal pour oublier les malheurs des jacobites et de l'Écosse ?

Winifred éclata de rire, tout en regardant les pans supérieurs de sa robe s'ouvrir comme une corolle tandis que son mari défaisait d'un geste habile les attaches de son bustier orné de magnifiques broderies.

—Je n'ai pas oublié cette robe. Vous la portiez la première fois que je vous ai vue au château de Saint-Germain-en-Laye.

—J'en ai passé des veillées pour qu'elle soit telle que je la voulais ! se souvint-elle tandis que la dernière attache cédait sous le doigté impatient de William.

Ce dernier posa délicatement le précieux vêtement sur un petit guéridon à proximité, tandis que Winifred laissait échapper un gémissement de plaisir.

—J'aime ces instants volés, susurra-t-il à son oreille.

La jeune femme se laissa bercer par le souffle chaud de sa respiration.

—C'est plutôt romantique, non ? ajouta-t-il.

—Quoi, mon amour, d'être acculée à la muraille? s'enquit-elle d'un ton badin, s'étonnant d'y consentir tout en étant ravie par l'audace de son mari. J'ai l'impression d'être une catin, avoua-t-elle d'une voix lourde de sous-entendus coquins.

William se fendit d'un sourire jusqu'aux oreilles et acheva de lui ôter ses sous-vêtements, libérant les seins de Winifred, toujours généreux et fermes malgré ses deux accouchements. Puis il gémit à son tour en se penchant pour en embrasser les pointes.

—Il me suffit de vous voir nue, Win, pour chasser tous mes démons.

De son côté, Winifred ne fut pas insensible à l'excitation de son mari, dont elle devinait l'intensité au ton soudain guttural de sa voix. Elle le désirait autant qu'il la désirait, et, sans plus y penser, elle s'abandonna à leur joie commune et l'aida à soulever ses jupes ainsi qu'à détacher son cerceau. Pendant tout ce temps, ils étouffèrent mutuellement leurs rires avec des baisers, de crainte d'être découverts.

Après l'amour, tandis qu'ils étaient assis par terre, main dans la main, comme des enfants, le dos contre le sombre panneau de bois de la porte, Winifred, la joue posée sur l'épaule de son mari, prit sur elle de rompre le charme amoureux qui les entourait comme une bulle en cet ultime moment d'intimité.

—Préviendrez-vous notre fils en France?

—Oui, j'écrirai à Willie dès aujourd'hui, répondit William en se mettant debout avant d'aider Winifred à se lever. Il est temps de remettre votre armure! Je ne sais pas comment vous autres femmes faites pour supporter ces tenues! Honnêtement, il est moins incommode de guerroyer!

—Ce n'est pas drôle! J'ai vraiment peur pour vous.

William souleva le menton de la jeune femme et l'embrassa tendrement.

— N'ayez crainte. J'ai votre amour et votre confiance pour me protéger. En plus, vous m'avez dit vous-même avoir vu dans les étoiles que je reviendrais sain et sauf : « Vous ne perdrez pas la vie au service du roi Jacques mais vous l'y risquerez ! »

Tandis que Winifred faisait mine de protester, il prit un air contrit et ajouta :

— Je ne fais que vous citer, mon amour.

— Je ne retire pas un seul mot, confirma-t-elle.

C'est alors qu'il mit un terme au débat par un long et dernier baiser.

— Merci pour ces paroles, conclut-il enfin, car elles m'aident à me souvenir de ce qui prime : ni le roi, ni la patrie, mais la famille. Je vous aime, Winifred Maxwell ! Quand je serai face à l'ennemi et que tout espoir semblera perdu, je penserai à ces minutes délicieuses que nous avons partagées contre la muraille de Terregles, et alors je saurai que nos âmes insouciantes et téméraires ont eu raison d'oser rêver qu'un souverain écossais règne un jour sur l'Écosse.

Les amples jupons de Winifred disparurent sans accroc par l'entrebâillement de la porte qui s'ouvrait sur l'une des ailes du manoir. Le soleil, qui déclinait, fit un dernier salut dans le vaste encadrement d'une fenêtre qui donnait sur la lande, inondant la galerie où le couple se trouvait du doux éclat de l'or rose.

— Quand quitterez-vous Terregles ?

— Au début de l'automne, peut-être, répondit William d'un ton évasif.

Winifred tressaillit, mais n'en laissa rien paraître. William avait l'habitude de dire qu'elle avait la physionomie idéale pour jouer au trictrac, ce jeu de stratégie auquel ils s'étaient adonnés régulièrement en France pendant tout un hiver particulièrement rigoureux et où il ne fallait rien laisser paraître de ses intentions.

—Je n'ai besoin que de quelques personnes pour m'aider à administrer le domaine.

—Il n'en est pas question, madame. L'opération que nous nous apprêtons à mener est un acte de guerre. Je refuse catégoriquement que vous et notre fille restiez ici et deveniez des proies faciles pour la meute gouvernementale. Ils n'hésiteraient pas à se servir de vous pour me faire chanter. C'est une chance que Willie fasse ses études en France, mais nous devrions néanmoins avertir votre sœur de la situation au cas où nous aurions besoin de son aide. J'ai bien peur que mes ennemis ne soient aussi vos ennemis, Winnie chérie.

—Je les attends de pied ferme, William. Où souhaitez-vous que j'emmène notre fille?

—Chez ma sœur Mary. Vous serez en sécurité avec ma famille à Traquair House.

William embrassa de nouveau sa femme, plus longuement cette fois, sans se soucier qu'une servante vienne à passer par là.

Winifred retint ses larmes et maîtrisa sa peur, si bien que lorsqu'elle mit un terme à leur baiser et prit la parole, sa voix ne trembla pas.

—Par pitié, soyez prudent au nom de votre famille qui vous accompagne d'un cœur inquiet.

—Attendez-moi plutôt d'un cœur vaillant et veillez à quitter cette demeure d'ici à la fin du mois.

—Venez, il faut maintenant mettre notre fille au courant de nos projets et faire prévenir votre sœur à Peebles, murmura Winifred, le visage encore rougi par leurs ébats amoureux.

Puis elle le prit par la main et l'entraîna hors de la lumière satinée du couchant vers un avenir incertain émaillé d'actes de rébellion perpétrés contre la couronne d'Angleterre.

Chapitre 2

WILLIAM, JANE S'EN RENDAIT COMPTE À PRÉSENT, l'embrassait toujours de la même façon : avec une intense passion. C'était le genre de baiser qui lui mettait des étoiles dans les yeux et lui faisait oublier la morne bruine glaciale qui recouvrait Londres ce matin-là.

— Pouvez pas faire ça chez vous ! marmonna une passante en les bousculant, rompant ainsi le charme.

Jane esquissa un sourire gêné. La scène se passait à Covent Garden, près du rond-point appelé Seven Dials. Ils se tenaient devant leur hôtel, où ils avaient pris une très jolie chambre.

— J'ai l'intention de l'épouser ! lança Will en s'adressant à la mégère qui filait en direction de Monmouth Street.

Sans doute le couple n'avait-il été pour elle qu'un sujet de mécontentement passager vite oublié, car, si elle entendit la riposte, elle ne se retourna pas.

— Will ! Chuuut…

— Je veux que le monde entier le sache, répliqua ce dernier en serrant la jeune femme contre lui avant de l'embrasser sur le sommet du crâne.

Jane sentit soudain l'aiguillon de la culpabilité piquer son cœur à travers la chimérique enveloppe de sentimentalisme que Will, avec son accord, avait tissée autour d'eux. Chaque jour passé ensemble avait été pour lui une occasion d'en raffermir la consistance par son amour et ses serments, voire par sa possessivité. Jane n'aurait su décrire avec exactitude la situation. Mais elle en avait subi l'irrésistible puissance de conviction et d'attraction jusqu'à ce que les liens invisibles et implicites qui s'étaient noués entre eux dessinent la toile d'une promesse bien réelle de mariage. Pour preuve de la sincérité de Will, Jane portait désormais au doigt une bague en diamant qui avait coûté un prix fou. Par conséquent, pourquoi hésitait-elle ? Pourquoi ne manifestait-elle pas l'enthousiasme que l'on est habituellement en droit d'attendre d'une jeune fiancée ? Pourquoi se servait-elle désormais le moins possible de sa main gauche ? Enfin, pourquoi, lorsque ses yeux tombaient sur le bijou étincelant, avait-elle le souffle coupé à cause d'une angoisse sourde, au point que la simple vue de cette bague extravagante lui devenait presque insupportable ?

Will est-il l'homme qu'il me faut ? osa-t-elle enfin se demander, rompant le sortilège, tandis que son futur époux l'emmenait en bavardant gaiement prendre le petit déjeuner dans un café. Mais la verbosité de ce dernier fut noyée sous l'avalanche de questions qui se dressaient comme autant d'obstacles dans l'esprit de la jeune femme et qui pouvaient se résumer ainsi : *Avons-nous suffisamment de choses en commun pour envisager le mariage, des enfants, les épreuves de la vie, la crise de la quarantaine, la vieillesse ?* Bref, Jane était submergée par un véritable raz-de-marée d'incertitude.

À moins que son vieux démon – celui qui la poussait à vouloir tout contrôler – ne lui joue encore l'un de ses mauvais tours ? Après avoir cédé à l'ingénue demande en mariage de Will, n'avait-elle pas ressenti une sorte de perte de contrôle ? « *Sois mienne…* » avait susurré son fiancé d'une voix débordante d'amour et de tendresse. Pourtant, ces paroles prenaient à présent un accent possessif dans le souvenir de Jane. Et même si elle n'était pas sans savoir que c'était se montrer légèrement paranoïaque que de penser ainsi, elle était indécise et restait dans l'expectative.

Jusqu'à ce jour, elle s'était autorisée à reconnaître l'existence de ce dilemme – était-il sage d'épouser Will ? – seulement pendant que celui-ci dormait et qu'elle jouissait d'une complète solitude. Elle jugea donc préférable de mettre ses doutes sur le compte de l'appréhension légitime de toute future mariée. Néanmoins, elle ne pouvait s'empêcher de remarquer que Will ne donnait aucun signe d'hésitation, et elle se rassurait en se disant qu'il ne manquerait pas lui-même de s'interroger lorsqu'il prendrait peu à peu conscience de la gravité de sa promesse, d'autant plus que familles et amis fêtaient déjà la bonne nouvelle.

Jane et Will ne se connaissaient pas depuis très longtemps. Cela ferait cinq mois le jour suivant. Pour tout dire, certaines fois, Jane se sentait si bien en accord avec elle-même qu'elle aurait volontiers crié son bonheur sur les toits, et c'est sur ce sentiment-là qu'elle comptait pour se donner le courage d'aller de l'avant. Hélas, la plupart du temps, c'était la petite voix du doute qui l'emportait : « *Es-tu sûre que c'est l'homme qu'il te faut ?* » lui répétait-elle inlassablement. « *Te convient-il ?* »

Jane traversait l'une de ces phases d'indétermination lorsque Will, tout sourires, lui confia en marmonnant dans sa barbe qu'il avait de nouveau très envie de lui faire l'amour. L'impression de se mentir à elle-même autant qu'à lui l'oppressa. Elle devina son intention de profiter du fait qu'ils attendaient pour traverser pour l'embrasser à nouveau ; aussi s'écarta-t-elle nonchalamment en le prenant par la main pour lui donner le change.

—Si l'on essayait le nouveau café à deux pas d'ici dont nous a parlé le portier ? suggéra-t-elle.

Pour toute réponse, William émit un grognement.

—Tu n'aurais jamais dû me proposer un chocolat chaud pour démarrer la journée. Je ne pense qu'à ça, maintenant ! ajouta-t-elle.

—C'est de toi que j'ai envie ! susurra-t-il avant de serrer la main de la jeune femme dans la sienne et de calculer le bon moment pour se glisser entre les voitures qui affluaient des sept artères autour du rond-point.

—Allons-y ! s'exclama-t-il.

Puis ils s'engagèrent sur la chaussée, évitant les capots et débouchant d'un bond sur Monmouth Street.

Sautant par-dessus les flaques et se faufilant entre les piétons, ils arrivèrent enfin au café en riant. La devanture était noire, ainsi que l'auvent ; couleur qui conférait à l'entrée de l'établissement des allures de porte de l'enfer. À l'intérieur, le couple fut accueilli par le troublant parfum du chocolat qui venait s'ajouter à la fragrance exotique du café que l'on moud. Tels deux petits enfants, Jane et Will gémirent ostensiblement de plaisir. Derrière le comptoir, une jeune femme découpait un épais gâteau au chocolat. Une tranche tomba sur le passage de la lame. L'air réjoui, elle la divisa en petites portions qu'elle disposa sur une assiette.

— Vous voulez le goûter ? les tenta-t-elle en leur présentant l'assiette.

— Pourquoi pas…, répondit Jane en se forçant à détourner les yeux des rayonnages recouverts de boîtes de truffes enrubannées, de sachets de ganaches à la réglisse ou aux fruits, de bouchées croustillantes et d'assortiments de noix nappées de chocolat.

— Si on achetait de la peinture corporelle au chocolat ? s'enquit Will en soulevant un petit bocal d'un air de conspirateur.

— C'est trop salissant pour une chambre d'hôtel, répondit Jane en haussant un sourcil lorsque la vendeuse sourit.

Puis celle-ci prit une grosse part de gâteau et la dégusta en émettant de petits bruits enthousiastes.

— Notre contrat de mariage devra absolument stipuler une ration quotidienne de chocolat à ton intention ! déclara Will en désignant le fond de la boutique où se trouvaient les tables.

— Mon amour n'en sera que plus éternel, répliqua Jane avec malice.

Tandis qu'ils s'installaient dans un box, Will regarda Jane droit dans les yeux.

— Il faut que tu en sois certaine, parce que l'éternité, c'est long…

Jane dissimula son étonnement face au sérieux soudain de Will en plaquant la main gantée du jeune homme contre sa joue avant de l'embrasser ardemment.

— L'éternité ne dure jamais assez longtemps, répliqua-t-elle, en se maudissant de badiner de façon aussi inepte avec un garçon qui était prêt à l'épouser.

Jane aurait donné beaucoup pour y croire autant que lui.

—Un chocolat chaud et un café! commanda William à l'employé venu en traînant les pieds prendre leur commande.

Il ne se doutait pas le moins du monde du dilemme qui déchirait sa compagne.

—Je prendrai des œufs brouillés avec des toasts. Pour madame, ce sera une part de cet alléchant gâteau avec un filet de chocolat fondu, ajouta-t-il.

—Z'êtes en vacances?

Will ne put s'empêcher de sourire devant la curiosité éhontée du serveur.

—Non, nous sommes là pour le travail. Je dois donner une conférence dans le nord de l'Angleterre. C'est bien comme cela qu'on dit?

L'employé jeta un coup d'œil à Jane qui n'avait pas encore ouvert la bouche, mais qu'il avait malgré tout déjà identifiée comme étant britannique. Sans doute était-ce le ciré jaune à bords bleus de Will qui donnait à celui-ci un air étranger. Le vêtement affichait trop de désinvolture pour un Anglais en ce début d'hiver et classait son propriétaire au rang des touristes. Par ailleurs, il était bien trop bronzé et causant pour un Anglais. Sans compter que son accent du sud des États-Unis le trahissait.

—Ici on dit tout simplement «dans l'Nord», intervint Jane en retirant sa veste marron en toile huilée et en souriant au serveur.

—Et ensuite, reprit Will, j'épouserai mon bel ange.

Jane ne cacha pas son agacement lorsque le serveur la considéra d'un air pince-sans-rire.

—Félicitations! Vous devez être très occupés!

À ces mots, Jane secoua vivement la tête.

—Oh, nous avons encore le…

— Ne lésinez pas sur la dose de chocolat, vous voulez bien ? Ma fiancée aime ce qui a du corps !

Jane ne se laissa pas intimider par le regard lourd de sous-entendus salaces qu'échangèrent les deux hommes, mais elle ne releva pas, car il lui aurait également fallu rappeler à Will qu'elle n'appréciait pas que l'on commande à sa place.

Elle retira ses gants et ôta son écharpe en songeant machinalement que l'irritant, quoique inoffensif, crachin de la matinée risquait de se transformer en neige fondue d'ici à la fin de la journée. On pouvait rêver météo plus clémente pour la venue d'un touriste américain, même si, tout en étant originaire de Floride, Will n'était pas un forcené du bronzage ni du surf. D'ailleurs, tout le monde ne vivait-il pas sur ou près d'une plage dans cet État ?

Will retira à son tour ses gants en tirant sur le bout des doigts avec ses parfaites dents à la blancheur immaculée qui paraissaient encore plus blanches à cause de son hâle naturel. Puis il posa une main sur celle de Jane.

— Tu as froid ?

— Plus maintenant, répondit la jeune femme en secouant la tête alors que Will déposait un baiser sur sa main.

— Retournons faire l'amour après cette petite collation.

— Mais nous mettons à peine le nez dehors après deux jours complets au lit ! rappela Jane.

— Trois ! Mais quand on aime, on ne compte pas.

— Ton père, lui, compte ! répliqua-t-elle d'un ton espiègle.

Will rit à gorge déployée.

— Père ne doute pas que nous nous aimons. Il a seulement émis des réserves parce qu'il pense que nous sommes trop pressés de passer devant le pasteur !

— Il n'a peut-être pas tort…, laissa échapper Jane.

Will lui lança un regard étonné, mais ne se départit pas de sa bonne humeur, car il était certain que la jeune femme ne pensait pas ce qu'elle disait.

— Nos âmes n'en sont pas à leur première incarnation, Jane. Notre rencontre n'était pas le fruit du hasard.

— Vraiment ?

Sommes-nous également destinés à devenir mari et femme ? se demanda-t-elle.

Mais Will enchaîna sans imaginer l'angoisse qui étreignait la jeune femme.

— Je pense que nous sommes deux amants qui ont toujours été ensemble et qui ne trépassent que pour se retrouver dans une nouvelle incarnation. Si notre amour n'est pas prédestiné, comment expliques-tu que je t'aie aimée à l'instant même où je te suis tombé dessus ?

— Et si c'était tout simplement à cause de tout ce satané barda inutile que tu transportes partout ? s'esclaffa Jane. Ce qui est sûr, c'est que nous sommes descendus à un hôtel qui donne sur Seven Dials et ses sept artères parce que tu ne supportes pas de t'éloigner de ce qui te rappelle de près ou de loin tes chers « alignements de sites » !

Will feignit d'être blessé.

— Je préfère les appeler des « lignes radiales ».

— Lignes radiales, lignes de ley… Extraterrestres, occultisme, âmes des morts du temps jadis…, railla-t-elle avant de prendre la main de son fiancé. Je plaisante, ajouta-t-elle. Tu sais que j'ai beaucoup d'admiration pour tes travaux.

— Mais tu n'en saisis pas vraiment les enjeux, n'est-ce pas ? Ce n'est pas faute d'avoir passé deux mois à essayer de t'expliquer.

Jane soupira d'aise lorsque le serveur posa devant elle un petit plateau en bois sur lequel trônait une part de gâteau. Elle aurait préféré petit-déjeuner avec un mets salé, mais maintenant que la pâtisserie était là, elle en eut aussitôt l'eau à la bouche. Les boissons leur furent servies peu de temps après.

—Délicieux ! s'exclama la jeune femme en savourant la petite portion de gâteau, tout en se retenant de planter sa fourchette à dessert dans les œufs suintants de beurre de Will.

—Et qu'as-tu prévu de raconter aux experts des brumes nordiques au sujet de tes lignes bizarres ?

—Elles ne sont pas bizarres ! protesta Will d'un air jovial.

—Et elles ne sont pas non plus occultes. D'ailleurs, croirais-tu en l'occultisme ?

—En tant que géophysicien, rappela-t-il en forçant volontairement le trait, mon travail consiste simplement à rendre compte du monde qui nous entoure grâce à la recherche et à la compréhension des phénomènes.

Puis, haussant les épaules et reprenant son sérieux, il ajouta :

—Ces lignes gardent encore tout leur mystère, même si de nombreuses hypothèses circulent à leur sujet, depuis les plus plausibles jusqu'aux plus farfelues. Quand la connaissance fait défaut, on trouve toujours des esprits imaginatifs pour en appeler au surnaturel. Tandis que d'autres, et j'en suis, cherchent une explication rationnelle.

—Parle-moi de ce qui t'échappe encore, suggéra-t-elle.

Will laissa échapper un soupir et esquissa un demi-sourire.

—Beaucoup de gens pensent que les lignes de ley qui relient les sites religieux, les monuments sacrés de l'Antiquité, les turbulences terrestres, puisent dans des champs magnétiques anormalement élevés. En Chine, on les appelle les «veines du dragon». Les adeptes du feng shui s'y réfèrent depuis des millénaires.

Il reposa son couteau et fit glisser sa fourchette dans sa main droite avant de prendre une bouchée tout en poursuivant son exposé :

— Certains groupes New Age croient que ces grandes concentrations d'énergie magnétique sont des portes ouvrant sur d'autres mondes. Mais ne soyons pas trop prompts à exclure ces derniers du débat sous prétexte qu'ils seraient insensés parce qu'ils envisagent une explication qui dépasse nos connaissances scientifiques.

— Tu plaisantes, rassure-moi ?

Will accueillit cette douce ironie avec le sourire, mais ne put refréner un haussement d'épaules déçu.

— Tu sais, en tant qu'espèce, et malgré toute notre science, nous sommes des animaux superstitieux et mystiques. Il est donc normal que lorsque nous ne parvenons pas à expliquer un phénomène, nous éprouvions le besoin de lui insuffler des qualités surnaturelles. La conférence que je vais donner en Écosse fera l'état des lieux de la recherche mondiale sur la question des lignes de ley.

— Imagine, si je n'avais pas été de passage dans les Cornouailles et que tu n'aies pas séjourné dans le Land's End…, commença Jane.

Pourquoi est-ce que je continue à dire de telles sottises ? se tança-t-elle intérieurement. S'imaginait-elle qu'elle était en train de rêver et que le rêve – ou était-ce une incursion dans une autre dimension ? – prendrait fin de lui-même ?

— *Réveille-toi, Jane,* l'enjoignit une petite voix, *sinon tu risques de te réveiller devant l'autel au moment où la mariée doit dire « Oui, je le veux » Réfléchis-bien avant qu'il ne soit trop tard!*

— *Mais je ne suis pas du tout sûre de vouloir l'épouser! Tout le monde en est convaincu, sauf moi! Et peut-être aussi le père de Will…,* rétorqua-t-elle en silence. *En plus, je ne sais même pas si je suis vraiment amoureuse de Will!*

— *Tic-tac, tic-tac…,* répliqua la petite voix en se faisant de plus en plus indistincte. *Le temps passe, Jane…*

— Le fait est que nous y étions tous les deux, rappela Will. Une ligne de ley nous a rapprochés, et elle relie désormais nos cœurs entre eux; et rien, du temps ni de l'espace, ne pourra jamais la briser.

Quel incorrigible romantique! pensa Jane.

— Et quelle est cette ligne qui nous a rapprochés?

— Celle de Saint-Michel, répondit Will avec un regain d'intérêt. Elle est très longue. Elle va des confins des Cornouailles jusqu'à Saint Michael's Mount, au large de Marazion, que d'aucuns tiennent pour le plus vieux village d'Europe. Puis elle traverse le pays en direction du nord-est et passe par divers édifices séculaires consacrés à saint Michel. S'agit-il d'une coïncidence, d'un tracé intentionnel, d'un présage divin?

Jane s'apprêta à répondre, mais Will enchaîna comme s'il faisait peu de cas de ce qu'elle avait à dire.

— On peut tracer une autre ligne à partir du monastère de Skellig Michael, en Irlande. Elle traverse très nettement la colline sacrée des Cornouailles et coupe en deux le Mont-Saint-Michel en France avant d'aller relier d'autres sites sacrés comme la Sacra di San Michele et Assise en Italie, ou le mont Carmel en Israël.

Jane leva les yeux au ciel.

— Pas étonnant que les gens du New Age adorent ce genre de trucs!

Will hocha solennellement la tête.

— Ce qui m'intéresse, ce sont les faits, mais même les plus grands sceptiques admettent que ces grands sites spirituels sont particulièrement chargés en énergie, indépendamment du fait qu'ils sont alignés selon des axes rectilignes.

Jane secoua la tête en poussant de côté son chocolat qui refroidissait.

— OK, je t'accorde que c'est fascinant.

— Merci. C'est pourquoi il est important d'examiner les différentes hypothèses et d'élargir le champ de la recherche. Et c'est aussi pour cette raison que l'on m'a accordé une bourse internationale.

— Mais quel est réellement le fond de ta pensée, Will? Crois-tu vraiment que ces lignes prétendument fabuleuses qui sillonnent le globe sont porteuses d'un authentique message spirituel? Une correspondance occulte entre tous ces sites, est-ce cela que tu cherches?

Will émit un petit grognement sarcastique, mais Jane soupçonna que c'était une réaction toute prête. À la façon dont il baissa les yeux, elle comprit qu'il ne méprisait pas entièrement son point de vue. Quoi qu'il en soit, elle ne s'attendait pas à ce qu'il fasse preuve d'autant de franchise.

— Je ne sais pas, répondit-il. Je crois ce que je vois et ne tranche jamais sans preuves expérimentales. Mais je crois aussi fortement en la nécessité de rester ouvert d'esprit. J'aime à penser que les forces de l'esprit sont incommensurables, que la seule foi peut soulever des montagnes… que la magie existe.

Surprise, Jane fronça les sourcils en découvrant cet intérêt pour l'occulte sous le masque du savant rationnel qu'elle connaissait jusque-là.

— Tu ne crois pas que les coïncidences existent?

Will esquissa un sourire et leva les yeux de son assiette en continuant de jouer avec sa dernière bouchée d'œufs brouillés qu'il avait découpée avec soin.

— Je ne te savais pas sceptique, fit-il remarquer d'un ton taquin.

— Je ne pense pas l'être. J'aimerais pouvoir croire au surnaturel. Qui refuserait d'y souscrire? Le monde a besoin de miracles! Mais le fait est que les guerres, les famines et la mort ne s'arrêteront pas d'un coup de baguette magique. Si j'avais le pouvoir de recourir à la magie, je mettrais un terme à quantité de malheurs qui arrivent sur cette planète. J'arrêterais le massacre des phoques, je ferais en sorte qu'il ne soit plus nécessaire de faire la grève, j'instaurerais la paix en Irlande du Nord et mettrais la main sur l'éventreur du Yorkshire!

Souriant à son tour, elle ajouta:

— Et, bien sûr, je ferais en sorte de changer ce temps glacial à pleurer!

— Tu utiliserais la magie pour accomplir toutes ces choses parce que tu aimes prendre le contrôle des situations, Jane.

Cette dernière en était abasourdie.

— Que veux-tu dire? s'enquit-elle pour gagner du temps.

— Que tu fais partie de ces gens qui aiment être aux commandes, rien de plus, répliqua-t-il avec un haussement d'épaules. Ce n'est pas un défaut en soi, poursuivit-il. Pour être honnête, je t'envie. Cela fait partie de ton charme.

— Avoir un caractère autoritaire ne m'a jamais paru très enviable ! rétorqua Jane.

Will esquissa un sourire et caressa la main de la jeune femme. Jane s'aperçut alors qu'il se servait de la tendresse comme d'une arme contre laquelle la plupart des femmes – elle y comprise – étaient démunies.

— Tu dis cela parce que tu y vois une critique.

— À moins que ce ne soit un reproche…

— Au contraire, je dis que c'est une qualité rare. Tu n'as pas besoin de baguette magique. Tu es le genre de personne qui obtient des résultats par la seule force de la volonté.

Posant sur Jane un regard inquisiteur, il ajouta :

— Trêve de sentimentalisme ! Je t'aime comme tu es. Et nous serons bientôt mariés.

Est-ce bien raisonnable ? se demanda Jane.

— Par exemple, tu obtiens d'excellents résultats au lit ! renchérit-il avec un regard pétillant d'espièglerie.

Jane éprouva une brusque montée d'adrénaline qu'elle aurait aimé attribuer à l'amour, mais qui, à son grand dam, relevait davantage d'une simple attirance sexuelle pour cet homme qui lui avait demandé sa main quelques jours auparavant. Grisée par le romantisme de l'endroit choisi par Will – la statue d'Éros à Picadilly – pour lui faire sa demande, elle avait répondu « oui » sans réfléchir. Sous les sifflets complices et les applaudissements des passants, le jeune homme avait mis un genou à terre, s'était éclairci la voix et, avec une réelle jubilation, avait fouillé longuement dans sa poche avant d'en retirer un petit écrin de velours vert foncé.

C'est alors qu'un violoniste avait fait son apparition et avait entamé un air gracieux. Puis, sur un signe de Will, quelqu'un avait déroulé, au moyen d'une ficelle attachée au sommet de l'arc d'Éros, un grand cœur de soie rouge brodé à leurs deux noms.

« *Pour la première fois de ma vie, j'ai envie de demander à une femme de m'accorder sa main*, avait-il déclaré. *Veux-tu devenir ma femme et faire de moi l'homme le plus heureux de la Terre? Épouse-moi.* »

Les badauds avaient poussé des hourras tandis que les touristes japonais mitraillaient le couple. Jane se souvint de l'effroi qui avait été le sien en lieu et place de l'émotion amoureuse qui se manifeste en général en de telles occasions.

« *Will…*, avait-elle commencé d'une voix éraillée en jetant un coup d'œil à la ronde, avant de sombrer dans la confusion à cause des sourires joyeux et engageants des spectateurs. *Je ne sais pas quoi dire…* »

En peu de mots, elle avait pourtant dit tout le fond de sa pensée.

Will avait alors ouvert l'écrin, et la foule, qui grossissait à vue d'œil, s'était penchée comme un seul homme en faisant des «Aaah!» et des «Ooooh!» lorsque était apparu le diamant étincelant sur son petit coussin de velours. Il s'agissait d'un énorme solitaire ceint de brillants plus petits taillés en forme de paillettes; le tout scintillait sous les yeux de Jane d'un éclat qui semblait ne rien devoir à la lumière du soleil. Comment aurait-elle pu résister?

Certes, la tentation n'était pas irrésistible. La tendresse qui émanait du regard amoureux de Will l'était bien davantage.

Ce n'était pas la première fois qu'un galant lui déclarait sa flamme, et elle n'avait jamais eu à chercher beaucoup pour trouver un compagnon. Les hommes étaient d'abord attirés par sa beauté, puis sa personnalité les retenait. Néanmoins, elle avait toujours rejeté leurs demandes en mariage. L'un d'entre eux, ce cher David, en avait eu le cœur brisé. Il s'était mis dans la tête que Jane l'épouserait sous prétexte qu'il était très amoureux d'elle, et qu'ils étaient ensemble depuis un an déjà. Comment avait-il pu tirer de telles conclusions ? Jane avait apprécié sa compagnie, ses qualités d'amant, sa bienveillance, mais de là à passer sa vie avec lui… Mais que cherchait-elle au juste ?

Quoi qu'il en soit, Will était différent, et même Jane, malgré son détachement amoureux, avait compris que ce n'était pas le genre d'homme qu'on laisse filer. Rien, chez ce garçon, ne lui semblait contraire à son propre tempérament. En outre, quelle fille croisant de près ou de loin ce grand blond aux yeux bleus typiquement américain n'aurait pas admis qu'il s'agissait d'un excellent parti ? Cerise sur le gâteau : Will Maxwell était riche à outrance, ce qui expliquait le diamant de trois ou quatre carats, sans compter les brillants autour. Deux ans auparavant, Jane avait fréquenté un adorable héritier juif du quartier des joailliers de Hatton Garden, à Londres, et celui-ci lui avait appris à identifier la qualité des diamants en fonction de leur taille et de leur qualité. Même aux yeux d'une néophyte, la pierre que lui avait offerte Will était manifestement de grande valeur.

Les femmes attroupées autour d'elle à Picadilly l'avaient encouragée à accepter en lui donnant de petits coups de coude.

« *Pourquoi hésite-t-elle ?* » s'était enquis quelqu'un.

Oui, pourquoi ? s'était-elle demandé à son tour. Car, c'était indéniable, elle avait bel et bien hésité.

« *Ne m'oblige pas à répéter ma question…* » avait susurré Will, mi-sérieux, mi-badin.

Et Jane avait compris à son regard qu'il n'avait pas envisagé qu'elle puisse refuser.

Elle avait donc accepté. Mais était-ce par inconscience, à cause de son naturel impétueux ou bien tout simplement pour relever le défi ? Pour le meilleur et pour le pire, ces tendances de son caractère avaient convergé sous la forme d'une flèche plantée dans son cœur par Cupidon. Jane avait regardé les visages réjouis des badauds avant de hocher simplement la tête, car elle n'était pas assez sûre de ses sentiments pour dire quoi que ce soit en cet instant. Ne s'inquiétant nullement de son silence, Will l'avait prise dans ses bras et l'avait embrassée fébrilement sous les cris perçants des jeunes filles émues et le déclic des appareils photo, tandis que le violoniste entamait un nouvel air enjoué.

« *Je t'aime, Jane* », lui avait-il glissé à l'oreille.

« *Je t'aime aussi* », avait-elle répondu en haletant sous le coup de l'émotion et en espérant de tout cœur ne pas mentir, même s'il lui semblait être sincère.

Du reste, n'avait-elle pas dit ce que Will voulait entendre, ce qu'elle-même avait besoin de s'entendre répondre pour justifier sa décision de l'épouser ? Tout était donc pour le mieux. Hormis à son père et à sa mère, elle n'avait jamais dit « je t'aime » à personne. Et encore, la dernière fois qu'elle l'avait fait remontait probablement à l'époque des colonies de vacances et des voyages scolaires.

Le cœur lourd, Jane avala sa dernière bouchée de gâteau en songeant à leurs parents respectifs qui séjournaient à ce moment-là à Londres. Les Maxwell étaient arrivés par avion trois jours auparavant en vue de la petite cérémonie de fiançailles, tandis que ses propres parents avaient débarqué du pays de Galles.

Tout était arrivé très vite, et Jane avait eu l'impression d'être emportée par un tourbillon qui ne lui laissait aucun contrôle sur les événements.

Leurs deux mères avaient conspiré pour organiser un somptueux mariage qui aurait lieu en été, six mois exactement après les fiançailles. Les noces elles-mêmes auraient lieu, comme il se devait, au pays de Galles. Puis d'autres festivités suivraient en Floride, dans la maison balnéaire des Maxwell, si tant est que l'on puisse désigner ainsi une aussi belle demeure.

Quant à leurs pères, ils avaient eu le genre de conversation superficielle qu'ont en général deux hommes qui ne se connaissent pas ; puis tous deux avaient gratifié le futur marié d'une tape amicale dans le dos et d'une poignée de main. Le père de Will s'était quelque peu détendu après sa rencontre avec la famille de Jane, car il avait pu constater que son fils était résolu à fonder un foyer avec une jeune femme de bonne famille dont les finances n'avaient rien à envier aux siennes. En conséquence, Jane s'était sentie inutile dès l'instant où la mécanique nuptiale s'était mise en branle pour de bon.

Elle observa Will pendant qu'il badinait de manière innocente avec la fille du café en réglant l'addition, et elle se souvint du jour où il avait imité son propre père en énumérant sur ses doigts la liste des avantages que présentait le fait d'épouser Jane.

« *Elle n'est pas divorcée ; elle n'a pas d'enfants ; elle est, à mon avis, ravissante, jeune, en bonne santé… Ce sont des aspects qu'il ne faut pas négliger, Will !* » Puis, prenant l'air sérieux et la voix grave que son père affectait habituellement dans ce genre de circonstances, Will avait ajouté : « *Mais surtout, elle descend d'une excellente lignée. Ces gens sont de notre rang ! L'argent ne lui montera pas à la tête parce qu'elle y est habituée.* »

Depuis, Jane avait rencontré John Maxwell et avait pu vérifier les talents d'imitateur de Will.

Indubitablement, les Maxwell et les parents de Jane s'étaient montrés circonspects quant à l'empressement de leurs chers enfants à franchir le pas décisif du mariage, même si, d'un autre côté, Jane et Will avaient, semblait-il, immédiatement su gagner l'affection de leur belle-famille réciproque. Finalement, tous avaient levé leur coupe et trinqué, scellant ainsi leur accord tacite autour des bulles de champagne.

Will tira Jane par le bras.

— À quoi penses-tu ? s'enquit-il, en savourant un morceau de gâteau offert par la vendeuse avec un bruit de succion suggestif.

— Hein ? sursauta Jane qui avait perdu le fil de la conversation.

— Je disais que tu obtenais d'excellents résultats au lit…

Jane ne put qu'en convenir.

— Quand je suis au lit avec toi, je me sens en sécurité, rien ne peut nous faire souffrir.

— « Nous faire souffrir » ? Oh là là, Jane, sortons nos mouchoirs !

— Et moi qui croyais faire preuve de romantisme ! s'esclaffa-t-elle.

— Tu n'as absolument rien à craindre.

— Je ne m'angoissais pas auparavant, avoua-t-elle. Jusqu'à maintenant, je n'ai jamais eu à penser qu'à moi-même, parce que personne n'a jamais vraiment compté. D'ailleurs, je ne me suis jamais vraiment souciée de rien.

Jane passa la main dans ses cheveux châtain clair.

— Mon père et ma mère sont des gens solides et généreux, et rien de mal ne m'est jamais arrivé, si tu vois où je veux en venir.

Will acquiesça, mais Jane ne put se résoudre à le regarder dans les yeux.

— Je n'ai jamais eu peur, même quand je voyageais seule. Mais depuis que tu es entré dans ma vie, je suis pleine d'une appréhension que je n'aurais jamais cru ressentir un jour.

Était-ce tout ? Redoutait-elle qu'une déconvenue vienne anéantir la joie et la confiance ? Était-ce la peur qui l'empêchait d'éprouver ces nobles sentiments ? Ou bien se voilait-elle la face en refusant d'admettre sa réticence à épouser Will ?

— Jane…, commença ce dernier d'une voix emplie de supplication, rien de mal ne va nous arriver, ni à toi ni à moi. Nous deux, c'est pour toujours ! Viens.

La jeune femme ne protesta pas.

— Dans ce cas, ennuie-moi encore un peu avec tes lignes de ley. Il ne sera pas dit que je suis une mauvaise fiancée qui ne sait pas écouter attentivement.

Will ne se fit pas prier. Il était passionné par son sujet, et Jane aimait son enthousiasme, ainsi que sa manière d'agiter ses longues mains graciles. Elle l'imagina en train de prendre sa croupe entre ses mains tandis qu'elle lui faisait l'amour et rougit. Elle aimait quand les cheveux de Will effleuraient doucement sa peau nue. Sa chevelure était ce que Jane avait remarqué en premier chez Will Maxwell, lorsque celui-ci avait buté cul par-dessus tête sur la jeune femme, tandis que, penchée sur sa chaussure, elle refaisait son lacet. Il avait d'épais cheveux d'un blond magnifiquement doré qui retombaient en une cascade de boucles rebelles. Pour faire plaisir à Jane, il les avait fait couper en prévision de la rencontre avec ses parents. Mais Will préférait les porter longs et indisciplinés, jusqu'à avoir des touffes surgissant de derrière ses oreilles et encadrant l'ovale de son beau visage généralement couvert d'une barbe de trois jours au poil sombre en broussaille. Jane n'ignorait pas qu'il plaisait aux femmes. Pour preuve, les serveuses du café n'avaient d'yeux que pour lui tandis qu'ils sortaient.

Mais tout cela n'était rien en comparaison de sa voix! Veloutée sans être trop grave, elle conférait à son rire un timbre semblable à celui des ruisseaux. Son accent d'outre-Atlantique avait quelque chose d'attachant et contrastait avec l'accent gallois de Jane, qui n'avait jamais complètement perdu ses intonations chantantes malgré ses années de scolarité dans une prestigieuse école privée d'Angleterre. Elle s'amusait parfois à exagérer les inflexions de sa propre voix ou à imiter l'anglo-américain du sud des États-Unis que parlait Will, ou encore à reproduire sans peine l'accent des Cornouailles de son cousin. Jane avait l'oreille pour les langues.

—... des lignes obscures à polarité négative, lignes de radiation géopathique de Curry, lignes d'énergie magnétique de Hartmann...

Jane se laissa bercer par sa douce voix en se demandant laquelle de ces lignes les avait fait se rencontrer. À vingt-sept ans, la jeune femme commençait à croire qu'elle n'était qu'une amante en série dépourvue d'amour, comme sa sœur le lui avait dit un jour en plaisantant.

L'obtention de son diplôme en histoire sociale et culturelle du XVIIIᵉ siècle avait été une étape importante de sa vie. Elle avait pris un immense plaisir à se pencher sur les mœurs de l'époque, sa langue et ses progrès. Mais que gagnait-on à savoir qu'en ce temps-là on plaçait la soupe à un bout de la table et le poisson à l'autre, que les condiments et les légumes n'occupaient jamais le centre de la tablée, ou que John Wesley avait fondé l'Église méthodiste à la fin des années 1730 et que la Royal Academy of Arts avait été fondée en 1768, ou encore à connaître les détails du lancement du vaccin contre la variole ? Elle avait étudié la peinture de Gainsborough et de Reynolds, mais leur préférait Hogarth, dont les sujets satiriques et graves reflétaient une vision trouble de la vie. Ses études lui avaient assurément permis de s'enrichir intellectuellement, mais en dehors de cela, à quoi lui avaient-elles servi, sinon à pouvoir enseigner l'histoire, si toutefois elle obtenait un poste. À moins qu'elle ne devienne historienne ? Mais aucune de ces deux possibilités ne l'attirait vraiment. En outre, l'argent n'était pas un problème.

Elle était retournée au pays de Galles pour les vacances d'été mais avait décliné l'invitation de ses parents à les rejoindre en Bretagne, où ils possédaient une maison de campagne, préférant accepter celle de son cousin qui l'avait conviée à explorer les Cornouailles et à profiter des beaux jours à Penzance, où elle aurait tout loisir de réfléchir à son avenir. C'est là qu'elle avait pris la décision d'écrire un roman, projet dont elle ne s'était encore ouverte à personne. La perspective était enthousiasmante et promettait d'être passionnante. Il ne restait donc plus à Jane qu'à s'asseoir à sa table de travail et à écrire. Son premier opus serait naturellement une œuvre de fiction. S'agirait-il d'un roman historique ? Cela restait à déterminer…

Quatre mois auparavant, elle ne savait toujours pas ce qu'elle voulait faire de sa vie. Était-elle carriériste ? Souhaitait-elle rester dans le monde universitaire ou bien s'associer au commerce de détail de sa famille ? Et si elle prenait une année sabbatique pour faire le tour du monde ? Cela n'était pas hors de portée, car l'allocation que lui versaient ses parents était confortable. En plus, ces derniers avaient proposé à leurs deux filles de leur acheter une maison à chacune, ou un appartement, au choix, dans leur ville de prédilection. Confuse par tant de facilités, elle avait tardé, malgré l'insistance de son père, à se lancer dans la recherche d'un bien à vendre.

« Londres, New York, Paris, Rome, que sais-je moi, Cardiff ? avait-il énuméré au téléphone avec une pointe de malice. Il ne te reste plus qu'à trouver ce qui te convient et tu seras chez toi. » Oubliant à quel point les téléphones étaient sensibles, la mère de Jane n'avait cessé de souffler mille bonnes raisons à son mari pendant toute la conversation pour encourager Jane, et la jeune femme lui en avait été reconnaissante, car Mrs Granger, tout en ayant du mal à rompre le cordon et en souhaitant que Jane s'installe non loin de chez eux, voulait que sa fille vole de ses propres ailes.

— … quant aux sourciers, leur popularité ne fait que grandir, poursuivit Will. Mais l'eau n'est pas autre chose que de l'énergie, et les animaux se déplacent depuis toujours selon des routes que leur indique leur instinct. Qui peut affirmer qu'ils ne se repèrent pas grâce à des sortes de lignes énergétiques pour trouver des points d'eau, des sols où la nourriture abonde, ou des lieux de nidification ?

Jane se força à revenir à la réalité et esquissa un sourire.

— Tu as du travail en perspective ! s'exclama-t-elle de manière évasive.

— Et moi, je crois que tu n'as rien écouté de ce que je viens de dire…, la tança Will.

— Je suis suspendue à tes lèvres, William Maxwell de Nithsdale !

—Aurais-tu fait des recherches sur ma famille?

Jane haussa les épaules.

—Non, mais peut-être le devrais-je? Que sais-tu de ton ancêtre?

Will s'arrêta devant un magasin de chaussures et de sacs à main scandaleusement chers. Jane fut immédiatement captivée par la vitrine.

—Ce que je sais sur son compte? Mais ma mère en parle matin, midi et soir, Jane. William Maxwell de Nithsdale : aristocrate écossais ; il participa à la bataille de Preston ; fut emprisonné à la Tour de Londres par le roi d'Angleterre ; condamné à mort pour trahison, et patati et patata…

—Tu plaisantes! s'écria Jane en tournant le dos aux mocassins en cuir qui avaient attiré son attention dans la vitrine.

—Pas du tout, répliqua Will, tout sourires.

—Et après «patati patata», s'enquit la jeune femme en secouant imperceptiblement la tête, qu'est-il arrivé?

Jane éprouvait un intérêt sincère pour les origines de Will. Quel étudiant en histoire ne se serait pas laissé captiver par un tel arbre généalogique?

—J'en ai assez de mon glorieux ancêtre! répliqua le jeune homme en écartant le sujet d'un geste de la main. Ma mère ne peut pas s'empêcher de raconter à toutes mes petites amies que nous descendons des illustres Nithsdale. Et tu sais à quel point nous autres Américains nous nous accrochons aux liens les plus ténus avec l'aristocratie anglaise. Je crois même que certaines femmes se sont intéressées à moi, non parce qu'elles me trouvaient irrésistible, mais à cause du parfum aristocratique de mes aïeux.

—Je regrette d'avoir évoqué le sujet, s'excusa Jane. Je ne voudrais pas ressembler à toutes tes autres conquêtes, ajouta-t-elle en affectant un air pincé.

Mais Will ne tint pas compte de la pique.

—Tu es loin de leur ressembler. Et c'est pour ça que je t'aime. C'est avec toi que je veux faire ma vie, fonder une famille, vieillir et…

—Et explorer les lignes magiques de ley, l'interrompit-elle en retrouvant soudain sa bonne humeur.

—Absolument! Nous suivons une ligne droite tous les deux. Même la mort ne pourra la briser.

Voyant que la jeune femme paraissait agitée, il soupira et ajouta:

—Viens, que dirais-tu de visiter la Tour de Londres? Ensuite, je t'offre un bon déjeuner au *Arts Club*.

Jane haussa les épaules.

—Je connais la Tour de Londres comme ma poche. Es-tu membre du *Arts Club*?

Jane n'était pas sans savoir que Will connaissait parfaitement Londres.

—Cotisation entièrement payée par mon père, naturellement. Il n'est pas homme à négliger ce genre de détail…

Soudain, un conducteur arrêta sa Porsche au feu rouge en faisant crisser les pneus, et deux jeunes, à peine sortis de l'adolescence et vêtus à la manière agressive du mouvement punk alors naissant, donnèrent un grand coup de poing sur le capot. Jane songea que le propriétaire du véhicule, qui portait une chemise disco orange foncé à paillettes et une veste bordeaux, avait tout l'air d'un agent de change. Il portait sûrement un pantalon à pattes d'éléphant assorti à la veste. De quoi provoquer encore plus l'ire de ses agresseurs. Le conducteur lança à ces derniers un regard noir, mais s'abstint de dire ce qu'il pensait à ce couple à l'allure intimidante dont les tee-shirts arboraient des croix gammées. Le jean du garçon avait été volontairement lacéré, de même que le collant résille de la fille qui dépassait d'une minijupe en cuir trop serrée. *Ils doivent se geler dans ces fringues!* songea Jane en remarquant la présence de bracelets hérissés de clous autour de leurs poignets et de chaînes qui pendaient à leur taille. Mais elle fut surtout impressionnée par les iroquoises qui se dressaient sur leurs crânes rasés. Elle n'osa pas les regarder avec plus d'insistance et dut attendre, pour satisfaire sa curiosité, que Will et elle se soient suffisamment éloignés.

Le feu passa au vert, et la Porsche de l'amateur de disco démarra en trombe. Jane ne put s'empêcher de se demander si l'appel à la modération lancé par les autorités politiques avait le moindre impact sur la population. C'était «l'Hiver du mécontentement». Les conflits sociaux prenaient de plus en plus d'ampleur, affaiblissant tous les domaines de la vie quotidienne. Les élections législatives approchaient, et cela entraînerait probablement une plus grande incertitude financière encore, chacun se sentant menacé. Non seulement le parti travailliste traversait une crise de leadership, mais le parti tory n'était pas encore assuré de gouverner, faute de proposer un chef charismatique. «Margaret Thatcher est formidable!» s'enthousiasmait le père de Jane. «Même si ce n'est qu'une femme… Il va enfin y avoir du changement!» avait-il annoncé, tandis que les tories lançaient des formules telles que «Les travaillistes ne sont pas les travailleurs!» et «Le travaillisme ne marche pas!»: les mots d'ordre de leur campagne. À vrai dire, le constat n'était pas erroné. Et même si Jane ne s'intéressait guère à la politique, ses études d'histoire lui avaient appris que quelle que soit la nature du gouvernement, les gens trouvaient toujours quelque chose à redire.

« Les riches s'enrichissent toujours plus, Jane », lui avait fait remarquer un collègue de l'université d'un ton malicieux. C'était une manière détournée de lui reprocher son origine sociale, qu'elle se gardait habituellement de mettre en avant. Mais ne suffisait-il pas de jeter un coup d'œil à la marque de ses jeans pour se faire une idée de ses revenus ? En conséquence, Jane n'essayait même pas de participer aux discussions politiques. Personne ne l'aurait prise au sérieux.

Leur déambulation entraîna Jane et Will hors du quartier de Seven Dials. En passant sous la fenêtre de leur chambre qui surplombait le centre névralgique vers lequel convergeaient les sept artères, ils échangèrent un sourire complice et prirent la direction du Royal Opera House.

— Tout ce quartier sera bientôt complètement rénové, fit remarquer Jane. Pour ma part, j'ai toujours aimé Covent Garden avec sa patine. J'espère qu'ils ne feront pas trop le ménage…

Ils passèrent devant des pubs où régnait une animation tapageuse. Jane, qui avait vécu à Londres, n'ignorait pas que ce quartier ne semblait jamais dormir ni désemplir quelle que soit l'heure de la journée, l'époque de l'année ou le gouvernement en place.

Ils flânèrent jusqu'au Strand où des bus à deux étages pulvérisaient des records de bruit. Jane aperçut sur deux d'entre eux une publicité pour la comédie musicale *Evita*, avec une chanteuse peu connue du nom d'Elaine Paige dans le rôle-titre d'Eva Perón.

Elaine Paige faisait sensation dans la rubrique «Spectacle» des journaux. En plus, la musique était signée Andrew Lloyd Webber! Ce serait sûrement un succès. Jane se promit de profiter de son séjour à Londres pour assister au spectacle.

Des taxis noirs londoniens à la conduite étonnamment souple filaient de toutes parts, déboîtant puis réintégrant la houle des voitures dès qu'une brèche se créait de nouveau dans le flux du trafic. Le couple fit le tour de Trafalgar Square puis longea Piccadilly Circus avant de rejoindre enfin la marée de piétons qui alimentait la station de métro du même nom.

Ils n'avaient qu'un seul arrêt avant de pouvoir reprendre leur déambulation jusqu'au *Arts Club* de Mayfair en traversant Green Park. Dans le hall de la station, l'attention de Will fut attirée par l'horloge linéaire qui s'étend le long d'une mappemonde. Jane était passée devant cette horloge un nombre incalculable de fois… sans la voir.

—J'aurais dû m'en douter… C'est une autre ligne? s'enquit-elle d'un ton taquin.

—Exact! Le temps est une ligne entre deux infinis, déclara Will en serrant Jane contre lui, sans quitter l'horloge des yeux. Regarde cette merveille! s'enthousiasma-t-il. Le soleil brille toujours quelque part dans le monde!

—De toutes les lignes de ley les plus chargées en énergie, laquelle aimerais-tu suivre? s'enquit Jane en prenant le jeune homme par la taille.

—Bonne question… Mais il me semble que tu fais allusion aux turbulences terrestres de première magnitude que d'aucuns considèrent comme extrêmement importantes parce qu'elles sont des points d'intersection pour les lignes de ley. N'est-ce pas?

—Ce n'est pas à moi qu'il faut le demander, répliqua-t-elle en secouant la main. Choisis-en une.

—Voyons… Rapa Nui – l'île de Pâques – dans le sud-est de l'océan Pacifique me tenterait beaucoup.

—Oh, l'île où se trouvent ces incroyables statues! s'exclama Jane qui se souvenait d'avoir vu des photos des fameuses idoles polynésiennes au visage sibyllin.

—Lhassa, au Tibet, est un autre endroit que j'aimerais voir.

—Il faut choisir! insista-t-elle. Juste pour la forme.

Will interrogea la carte pendant quelques instants, tandis que Jane couvait son profil anguleux des yeux. Les sourcils froncés, il semblait prendre sa question puérile très au sérieux. Finalement, il désigna le centre d'un continent où Jane n'était encore jamais allée.

—Je crois que tout en haut de ma liste de sites incontournables, je mettrais Ayers Rock.

—L'Australie?

Will hocha la tête, et ses yeux se perdirent dans le lointain, mais ils brillaient d'un éclat nouveau.

—Chaque jour que Dieu fait, je lutte contre l'irrépressible envie de me rallier aux adeptes du New Age et de l'occultisme. Ces gens-là attribuent à ce rocher, que les Aborigènes nomment Uluru, un pouvoir et une énergie spirituelle tout particuliers.

Il embrassa Jane, puis revint aussitôt à son sujet.

—Ce monolithe en particulier m'a toujours fasciné. Si l'on en croit les aficionados, ce qui confère à Uluru sa prodigieuse puissance magique, c'est le fait qu'y convergent des lignes de ley de première importance. Même si je suis un scientifique, je n'en suis pas moins homme, et le désir de croire dans le surnaturel est tout aussi fort chez moi que chez n'importe qui. Ayers Rock revêt divers aspects à différents moments de la journée et en différentes périodes de l'année. Tel un îlot rocheux, il se dresse en plein désert… Il faudra bien qu'un jour je me rende sur place pour vérifier par moi-même si c'est vraiment un endroit magique. En cela, je suis plutôt un sceptique qui vérifie la validité de ce genre d'affirmation, tu ne crois pas? Mais ce que j'aimerais le plus, c'est grimper jusqu'au sommet et ajouter mon nom à la liste de ses visiteurs.

— Vraiment?

Will hocha la tête d'un air songeur.

— Ce roc a probablement trois cents millions d'années.

— Autant dire une éternité!

Will esquissa un sourire.

— C'est exactement la durée de mon amour pour toi, déclara-t-il.

Jane lui donna une tape affectueuse.

— Quel baratineur! Descendons sur le quai avant que ce soit l'heure de pointe!

Ils reprenaient leur route lorsque des éclats de voix résonnèrent alentour tandis qu'un groupe de jeunes gens – sans doute des supporters de football à en juger par leurs écharpes identiques – déboulaient au pas de course dans la station. Les usagers s'arrêtèrent pour les laisser passer, mais reçurent pour tout remerciement une volée d'insultes, et beaucoup prirent peur. Plusieurs supporters se chahutèrent les uns les autres, et ce qui avait commencé comme un jeu menaça rapidement de dégénérer en bagarre. Sentant venir le danger, Jane se réfugia derrière la carrure imposante de Will.

Quatre jeunes, hilares et désinhibés par l'alcool (ils portaient des bouteilles à la main), s'approchèrent en titubant de l'horloge près de là où se tenait encore le couple.

— Merde, on est où ? C'est où l'Angleterre là-d'ssus ? lança l'un d'entre eux en montrant la carte du doigt.

Tous s'esclaffèrent, et les noms d'oiseaux fusèrent.

C'est alors que Jane croisa brièvement le regard échauffé par l'alcool de l'un des trublions.

— Qu'est-ce que vous r'gardez comme ça, connards ?

— Rien, on vous laisse la place, répondit Will d'un ton aimable. Viens, Jane, ajouta-t-il avec fermeté avant de pousser la jeune femme en avant.

— Eh, Jane, l'imita un deuxième supporter, tu nous donnes ton portefeuille ? Sois sympa ! Moi et mes potes on est à sec…

Jane poursuivit sa route sans répondre, mais, soudain, quelqu'un lui arracha son sac. Bizarrement, sa seule pensée fut, en cet instant, pour l'argent qu'elle avait dépensé pour l'achat de son sac la veille à Knightsbridge. Et, naturellement, elle tira à son tour d'un coup sec.

— Lâchez-moi ! cria-t-elle d'un ton cassant.

Will fit aussitôt volte-face.

— Eh, les gars, soyez cool, on ne veut pas d'embrouilles, intervint-il sans s'énerver, en présentant ses mains ouvertes en signe de paix.

— Ah ouais ? Dommage, mon pote, parce que nous on aime bien les embrouilles ! En plus, j'ai horreur des salauds d'Ricains !

Le type en question était corpulent et aussi grand que Will. Il semblait également le plus vieux de la bande, et le gabarit de ses cuisses et de ses biceps laissait supposer qu'il faisait de la musculation. Une violence trop longtemps contenue couvait visiblement en lui, à la manière d'un ciel orageux dont les coups de tonnerre annoncent la foudre. *Ne nous faites pas de mal*, implora Jane intérieurement. *Nous allons nous marier.*

La peur d'être agressée lui rendait cette idée soudain très enviable. *Quelle ironie!* pensa-t-elle.

Pendant ce temps, l'attroupement qu'ils formaient continuait d'attirer les regards des curieux ; certains voyageurs faisaient demi-tour, parfois pour gagner un téléphone public d'où, avec un peu de chance, ils appelleraient la police, tandis que d'autres se hissaient sur la pointe des pieds, probablement à la recherche d'un agent de la sécurité.

Will haussa les épaules en faisant preuve d'un flegme héroïque.

—J'ai du sang écossais, si ça peut me faire monter dans votre estime…

Jane trouva sa remarque prudente, voire drôle, jusqu'à ce que l'éclair d'une lame croise son champ de vision. *Ça se gâte*, pensa-t-elle. *Ils ont trouvé une cible!* Will allait devoir se battre. Jane ne doutait nullement de ses capacités. Ils ne se connaissaient pas depuis longtemps, mais ils s'étaient beaucoup confiés au cours de leurs interminables conversations, lesquelles duraient parfois jusqu'au petit matin. Ainsi, Will avait été un étudiant sportif, et sous son col pelle à tarte hors de prix et son jean à pattes d'éléphant se cachait un corps musclé. Il s'exerçait en soulevant de la fonte, courait plusieurs miles chaque matin et n'était pas malhabile de ses poings, ayant été champion dans la catégorie poids moyens à la fin du lycée. Mais il s'y entendait également en arts martiaux, si toutefois ce qu'il avait raconté à Jane au sujet du Japon était exact. Quoi qu'il en soit, cette dernière n'était pas pressée qu'il fasse ses preuves en ce domaine.

—Tenez, prenez-le! intervint-elle en sortant son vieux portefeuille en cuir de son sac avant de le lancer à leurs agresseurs.

De toute façon, il était temps qu'elle en change, et puis il ne contenait tout au plus que 40 livres en liquide. Avec un peu de chance, les hooligans prendraient l'argent et jetteraient le portefeuille, et tant pis s'ils prenaient aussi sa carte de crédit de chez *Barclays*! Elle l'annulerait en un clin d'œil. En revanche, elle regrettait de perdre les autres papiers qu'elle transportait avec elle. Mais soudain, cela aussi lui fut indifférent.

Les supporters ricanèrent et commencèrent à éparpiller le contenu du portefeuille par terre, faisant voler dans les jambes des passants, comme des galets ricochant à la surface de l'eau, sa carte bancaire, sa carte de bibliothèque et sa carte American Express, que son père alimentait en cas d'urgence et dont Jane avait oublié jusqu'à l'existence. Personne n'intervint. Certains se figèrent, tandis que d'autres s'éloignaient discrètement pour ne pas s'attirer d'ennuis. Jane aurait aimé pouvoir en faire autant plutôt que d'assister impuissante au pillage mesquin de son portefeuille.

—Merci conasse! finit par cracher leur agresseur.

—Enfoiré! marmonna Will.

Jane jeta un regard terrifié à son fiancé qui n'avait vraisemblablement pas pu se contenir.

—Qu'est-ce que t'as dit, l'Amerloque? s'enquit le voleur en gonflant ses muscles couverts de tatouages.

—Rien, répondit Will. Vous avez ce que vous vouliez. Maintenant on s'en va.

Jane ne vit rien venir, et même lorsqu'elle perdit l'équilibre, tandis que Will la poussait derrière lui, elle ne comprit pas ce qui se passait. Elle vit seulement que la tête de Will basculait d'un côté tandis que sa chevelure coupée en dégradé se soulevait de l'autre. Son cou craqua dans un bruit sourd, mais ce n'était rien en comparaison du second craquement qui retentit lorsque sa tête percuta un pilier. Will s'effondra comme un arbre qu'on abat. Pendant tout ce temps, Jane n'avait pas lâché son bras et fut ainsi aux premières loges lorsque le crâne du jeune homme heurta le carrelage crème de la station de métro. Son visage, si engageant d'habitude, ne souriait plus, ses beaux yeux bleus étaient clos. De sa bouche s'écoulait un filet de sang. Il s'était mordu la langue en tombant.

Les supporters s'enfuirent en riant, non sans d'abord jeter le portefeuille vide à la figure de Jane. Mais plus rien n'avait d'importance aux yeux de cette dernière, si ce n'était que Will ouvre les yeux et lui sourie à nouveau. Elle évita de prêter attention aux commentaires inquiets des badauds, à la sirène d'une ambulance qui approchait, et fut indifférente aux mains secourables des voyageurs qui faisaient mine de l'aider.

— Ne le bougez pas! implora-t-elle en s'adressant à la foule, tandis que l'on faisait rouler Will sur le dos, révélant un creux dans le crâne du jeune homme à l'endroit où il avait percuté le pilier.

Alors que le bruit des sirènes s'intensifiait, Jane se mit à suffoquer.

Chapitre 3

Écosse, septembre 1715

L'INSURRECTION JACOBITE AVAIT ÉTÉ OFFICIALISÉE PAR UNE déclaration publique de lord Mar :

« [...] ayant pris connaissance des derniers ordres en date que Sa Majesté nous a fait parvenir, nous déclarons que le moment est venu de nous soulever officiellement en son nom, car cela nous semble absolument indispensable non seulement au service de Sa Majesté, mais également en vue de soulager notre pays natal de tous les malheurs qui l'accablent. En conséquence, tous les fidèles et loyaux sujets de Sa Majesté, ainsi que tous les patriotes, doivent, le plus rapidement possible, prendre les armes. »

Le comte de Nithsdale se tenait sur le perron du manoir de Terregles où il attendait avec appréhension de faire ses adieux à sa femme. Tout aurait été beaucoup plus facile pour lui si sa domesticité ne s'y était pas alignée, si sa fille ne s'était pas endimanchée pour l'attendre, main dans la main avec Cecilia, la dame de compagnie de son épouse, et si celle-ci ne l'avait pas regardé avec autant d'amour dans les yeux. Il savait que Winifred était fière de lui, mais également qu'elle craignait pour sa vie. Il n'était plus question ici d'embuscades contre des pillards, mais d'une guerre contre les tuniques rouges de l'armée régulière anglaise, avec son affreuse musique militaire, son armement sophistiqué et ses bataillons bien entraînés, par opposition à la cohorte de fermiers, de forgerons, de boulangers et de meuniers écossais qui s'apprêtaient à leur livrer bataille avec des armes de seconde main. William chassa ces pensées de son esprit et s'appliqua à quitter les siens sur une note réconfortante.

L'imposante demeure des Nithsdale était entourée de bosquets clairsemés au-delà desquels s'étendait la lande couverte de bruyère aux minuscules fleurs roses en forme de clochettes dont le parfum d'humus et de verdure flottait dans la brise légère qui s'engouffrait dans le vallon. William emplit ses poumons de ces effluves.

— Cela me manquera! s'exclama-t-il.

— Vous serez très bientôt de retour, mon ami, assura sa tendre épouse en serrant la main de son mari. Adieu, William, ajouta-t-elle en plaquant la main de celui-ci contre sa joue avant de l'embrasser.

William se doutait qu'elle avait pleuré et lui fut reconnaissant de l'avoir dispensé de toute démonstration devant des tiers. Il pouvait toujours compter sur Winifred pour faire preuve de courage pour deux.

— Vous saviez que les choses pouvaient en arriver là, susurra-t-il. La situation exige que nous prenions les armes.

Winifred signifia d'un hochement de tête qu'elle comprenait. Dans toute l'Écosse, les familles étaient divisées, et même les plus jacobites d'entre elles voyaient une partie de leurs membres rallier la rébellion tandis que l'autre restait fidèle au roi George. Pour Winifred, cela signifiait qu'en vérité ces familles se moquaient de savoir qui monterait sur le trône dans la lointaine Londres, même si tout le monde, en Écosse, souhaitait sincèrement l'indépendance. La foi ardente de la jeune femme l'avait poussée à encourager son mari à se ranger du côté du roi Jacques, tandis que son beau-frère, qui était tout aussi patriote que William, comptait rester fidèle à la couronne d'Angleterre.

Ainsi, lord Charles de Traquair ne se battrait pas aux côtés de Mar, mais assumerait ses obligations auprès de Winifred et des enfants sur lesquels il veillerait. William sut gré à sa femme de ses gages de confiance et de le laisser partir sans l'accabler sous le poids de la culpabilité.

—Charles a beaucoup plus à perdre financièrement, et il a une grande famille sous son aile. Je sais qu'il prendra soin de nous.

Winifred entendait ainsi faire comprendre à son époux qu'elle le soutenait.

—Je sais que je peux aussi compter sur votre courage, Win, déclara Will.

Puis il l'embrassa tendrement sans plus se soucier des domestiques, ni de la troupe de ses vassaux et de ses métayers enrôlés de force à sa suite.

William mit fin à leur baiser et s'accroupit devant l'enfant.

—Anne, ma chérie, sois gentille avec ta tante, recommanda-t-il en pinçant la joue rebondie de la seule de ses filles qui avait survécu, non sans se forcer à sourire pour lui cacher son inquiétude. Je veux que tu me promettes de prendre soin de ta mère pour moi. Tu me le promets, mon trésor ?

Anne hocha la tête et esquissa un sourire timide en serrant un petit lapin en tricot dans ses bras.

Refusant que leur fils puisse servir de monnaie d'échange au cas où ils subiraient une attaque violente, Winifred avait fait évacuer Willie, car la région de Terregles passait pour la plus puritaine du pays. Les catholiques y étaient considérés comme des idolâtres dont on s'arrogeait le droit de fouiller les maisons régulièrement. Au moment de partir en guerre, William fut reconnaissant à Winifred pour sa prévoyance, car il aurait été désormais quasiment impossible de mettre l'enfant à l'abri à cause des nouveaux blocus.

Maxwell et ses hommes partirent enfin en serpentant à faible allure. Hormis quelques cavaliers, l'essentiel de la troupe était constitué d'une populace armée de pioches, de piques et occasionnellement d'une épée. William s'était laissé dire que le duc d'Argyll, ce fervent partisan de la maison de Hanovre, était déjà arrivé à Stirling Castle où il rassemblait des troupes, et où affluaient chaque jour des volontaires anti-jacobites prêts à soumettre, en les massacrant, des escadrons semblables au sien regroupés autour de lord Mar.

Dans les deux jours qui suivirent, William se trouva au cœur de l'action, rejoignit la rébellion à Perth et remporta rapidement quelques belles victoires dans les Highlands. Les clans poussaient vers le sud avec comme objectif de gagner le nord-est de l'Angleterre, où la révolte jacobite couvait. Le bruit circulait que lord Derwentwater, entre autres, s'était finalement déclaré en faveur du roi Jacques, qu'il avait levé des troupes et attendait à présent l'arrivée de ses frères venus d'Écosse.

Le premier vrai coup dur arriva avec la mort de Louis XIV, qui survint quelques jours avant son soixante-dix-septième anniversaire au terme d'une atroce agonie causée par une gangrène sénile. Le puissant souverain avait gardé la chambre, où il avait sombré dans le coma avant de rendre l'âme le premier jour de septembre. Son arrière-petit-fils fut désigné pour sa succession, tandis que son neveu, le duc d'Orléans, fut nommé régent.

— Le duc est d'une autre trempe que son oncle le roi, et il ne se sent guère d'obligations à notre égard, déclara William à ses compagnons de l'aristocratie. Il ne fait aucun doute pour moi qu'il cherche déjà à se rapprocher de la couronne d'Angleterre, ajouta-t-il avec dégoût, car il présageait que l'ambassadeur d'Angleterre à Paris intriguait déjà auprès du duc pour que celui-ci fasse décharger les cargaisons que le Roi-Soleil avait fait embarquer sur des navires en partance pour l'Écosse, où les rebelles les attendaient avec impatience.

La rébellion avait misé sur le soutien de Louis XIV, mais avec sa mort la campagne contre les Anglais s'annonçait incertaine.

Chapitre 4

Muette, recroquevillée sur elle-même, Jane était assise entre son père et sa mère dans une salle d'attente étonnamment lumineuse réservée aux familles des patients. Un nécessaire à thé et à café d'une qualité à peine supérieure à celle du jus de chaussette que crachaient les distributeurs des étages inférieurs avait été mis à disposition des visiteurs. De ce point de vue, les couloirs feutrés et confinés du service des urgences neurologiques n'étaient pas favorisés par rapport au reste de l'hôpital. Cela faisait deux jours que la famille Granger était sous le choc de l'attaque subie par Will dans le métro ; aussi avaient-ils eu le temps de s'habituer à ces breuvages insipides et aux gobelets en plastique qui menaçaient de se refermer comme des accordéons à chaque gorgée.

— John a dit qu'ils arriveraient vers 14 heures, annonça le père de Jane.

— Où étaient-ils dans le Nord ? s'enquit la mère de cette dernière.

Quelle importance! songea Jane. Mais après tout, ses parents n'avaient-ils pas le droit de discuter ?

Son père haussa les épaules et consulta sa montre.

— À Argyll quelque chose… sur la côte Ouest, je crois. Ils passaient d'excellentes vacances, jusqu'à ce qu'on les prévienne. Apparemment, Diane était impatiente de visiter les ruines du manoir de Terregles.

— Oh, tu veux parler du… du manoir du comte de Nithsdale ?

— Le seul et l'unique !

— Elle ferait n'importe quoi pour que John entre dans la généalogie de Burke[1], fit remarquer Mrs Granger d'un ton sarcastique.

— Ne recommence pas, maman, murmura Jane.

— Je suis désolée, ma chérie. Nous sommes tous sur les nerfs.

— On dirait que voilà le médecin, glissa son père en se levant tandis qu'un homme barbu d'âge mûr s'approchait.

— Jane…, commença l'homme de science, en tendant sa main à la jeune femme et en arborant un sourire chaleureux au-dessus d'une épaisse et large cravate, ressemblant davantage à un gentil présentateur de télévision qu'à un éminent neurologue.

Will avait été transféré dans son service depuis les urgences du St Thomas Hospital où l'avait d'abord emmené l'ambulance, alors qu'il était sans connaissance et ne réagissait pratiquement plus. L'équipe chargée des traumatismes crâniens de St Thomas avait rapidement choisi de l'envoyer en soins intensifs à l'institut de neurologie de Queen's Square qui était spécialisé dans ce genre

---

1. Cette liste recense la généalogie des grandes familles aristocratiques de Grande-Bretagne ainsi que leurs armoiries. Débutée en 1826 par John Burke, elle comprend aujourd'hui les grandes familles de la plupart des pays du monde. (*NdT*)

de pathologies et restait la meilleure solution pour quelqu'un dans son état.

Mais pour Jane, cela revenait à le condamner. Pourquoi Will ne se réveillait-il pas tout simplement, pourquoi ne rouvrait-il pas les yeux en s'excusant de l'avoir laissée toute seule ? *On était en vacances, bon sang !* pesta-t-elle intérieurement. *On faisait des projets de mariage ! Nos parents apprenaient à se connaître. Une vie s'ouvrait à nous, composée de conversations sur l'Australie…* Elle aurait même accepté de faire l'ascension de son fichu rocher pour leur lune de miel, si cela n'avait tenu qu'à ça ! Elle aimait le plaisir ingénu que prenait son fiancé à coudoyer les mystères qui étaient comme autant de défis à sa raison, à sa formation scientifique et à son savoir.

Soudain, Jane suffoqua sous le poids de la culpabilité, et des larmes de honte naquirent sans toutefois réussir à couler. L'agression de Will était-elle sa punition pour l'avoir aimé moins qu'il ne l'aimait ?

La jeune femme aurait préféré que ses parents ne s'installent pas dans le même hôtel qu'elle après avoir appris l'horrible nouvelle. Par ailleurs, elle n'avait aucune envie de serrer la main du médecin, si charmant qu'il paraissait. Elle se refusait même à lui adresser la parole, car, dans son esprit, cela serait revenu à renoncer à tout espoir de guérison pour Will. Tout ce que Jane voulait, c'était arpenter les rues de Londres avec son fiancé, se régaler d'un gigot d'agneau au *Arts Club* avec lui, déambuler à son bras dans Green Park, voire l'accompagner en train jusqu'en Écosse où il était attendu la semaine suivante pour donner une conférence.

Jane sentit la main potelée du docteur se poser sur son épaule.

— Si nous nous asseyions ici ? suggéra-t-il en indiquant une pièce plus petite d'un geste de la main.

La jeune femme s'était levée à son insu, et il lui avait échappé que le médecin s'était déjà présenté à ses parents, lesquels se perdaient en formules de salutations dans le but de combler l'abîme vertigineux qui s'ouvrait devant eux du fait qu'ils étaient dans l'ignorance et redoutaient de savoir. Jane constata qu'elle s'était rassise sans même s'en apercevoir et scruta désespérément un point invisible au-delà de la vue qui s'étendait, identique à tous les étages, derrière la fenêtre. Des arbres gris balançaient leurs branches dénudées dans le vent d'un des pires hivers que Londres ait connu depuis les années 1920. C'était du moins ce qu'affirmaient les présentateurs de la météo. Quoi qu'il en soit, leurs ramures ressemblaient à des fidèles en prière levant les bras au ciel. *Je vous en prie, faites qu'il se réveille !* implora Jane en se joignant au chœur des arbres. Soudain, la voix du docteur Harris – était-ce bien son nom ? – retentit à ses oreilles. Le médecin sollicitait son attention avec ménagement.

— Jane, mon devoir est de vous expliquer ce qui arrive à Will. Il est important que vous compreniez.

— Est-il mourant ? s'enquit-elle, à fleur de peau, en défiant le docteur du regard afin de préserver la bulle protectrice dont elle s'était entourée pour se protéger des tentatives d'intrusion de l'extérieur – fussent-elles délicates comme celle du docteur.

Mais ce dernier ne prononça pas un mot, ne détourna pas les yeux et ne laissa paraître aucun signe d'irritation.

— Mon diagnostic est qu'il est déjà mort, répondit-il d'un ton trop doux pour une si cruelle nouvelle. Pardonnez ma franchise, mais je pense que vous préférez connaître la vérité.

Harris considéra les trois visages bouleversés des Granger. Sans doute par habitude de ce genre de situation, il ne renouvela pas ses excuses, ne se racla pas la gorge et ne joua pas non plus avec le bout de sa cravate flamboyante, dont le motif psychédélique donnait le tournis à Jane. Au contraire, il continua sur le même ton à énoncer des faits.

— Il a reçu ce que nous appelons, dans le jargon, une contusion majeure, infligée par un tiers qui, à mon avis, savait pertinemment ce qu'il faisait.

— Mais ce n'était sûrement pas un coup mortel, intervint le père de Jane.

Harris parut songeur.

— Au contraire, même si, en l'occurrence, le coup ne l'a pas tué mais lui a fait perdre connaissance. Les principales lésions ont d'abord été causées par le choc contre le pilier, puis lorsque sa tête a heurté le carrelage. C'est un triple coup de malchance, pour ainsi dire.

— Will est cinquième dan de karaté, argua Jane en réprimant sa colère sans vraiment y parvenir.

Elle était dans la position du conducteur qui essaie de plaider avec un agent de la circulation qui a déjà rédigé le procès-verbal. À l'instar du policier qui a la loi de son côté, Harris ne fléchit pas.

— C'est tout simplement incompréhensible ! s'exclama-t-elle en secouant la tête de dépit. Il respire, non ?

Harris répondit par un timide haussement d'épaules.

— Oui, grâce aux machines, Jane. Mais je crois qu'il faudra prendre une décision lorsque…

— Non ! s'écria la jeune femme avant de se tourner vers ses parents. C'est absolument hors de question. Will va se réveiller !

—J'en doute, Jane, en tout cas pas dans un futur proche, répliqua Harris d'une voix si douce que la jeune femme eut envie de le frapper. L'expérience montre que, même s'il se réveillait par miracle, les séquelles risqueraient d'être trop lourdes pour vous, pour sa famille et, assurément, pour Will lui-même. Vous m'avez dit que c'était quelqu'un de très actif. Aimeriez-vous le voir vivre à l'état végétatif ? Parce que c'est ainsi que les choses risquent de se passer, qu'il respire de façon autonome ou que nous l'y aidions.

Ça dérape ! s'exclama une petite voix dans la tête de Jane. Malgré sa résolution de ne plus pleurer parce que cela l'affaiblissait au moment où elle avait besoin de toutes ses forces, deux larmes traîtresses coulèrent sur ses joues lorsque le médecin eut prononcé son verdict. Elle s'empressa de les essuyer.

Retrouvant soudain courage, elle dit :

—Je veux que vous gardiez Will en vie.

À ces mots, elle se leva et se dégagea lorsque ses parents, pris d'affolement, essayèrent de la retenir. Enfin, elle ajouta d'un ton suppliant :

—J'ai besoin d'air !

Puis elle ouvrit la porte sans laisser le temps à quiconque d'émettre un avis contraire.

Elle entendit Harris marmonner des paroles lénifiantes à ses parents, puis elle fut rapidement trop loin pour entendre quoi que ce soit. Elle longea une enfilade de couloirs d'un pas rapide et traversa des sas à la recherche d'un peu d'air frais pour se sortir de l'hébétude qui lui faisait croire que Will se tirerait d'affaire.

Jane déboucha en trombe dans le parc de l'hôpital où elle emplit ses poumons d'air glacé en s'appuyant d'une main contre le mur du bâtiment. À son doigt, sa bague de fiançailles brillait d'un éclat insolent. Le bijou avait été, naturellement, dessiné par Will, universitaire de son état, mais aussi un brin artiste et versé dans les choses de l'esprit – bref, un scientifique avec un penchant pour l'irrationnel, voire pour l'occulte. La jeune femme secoua la tête. L'effet de surprise une fois passé le matin où Will lui avait demandé sa main sous la statue d'Éros, Jane avait été immédiatement touchée par ce gage d'amour, de même qu'elle était tombée amoureuse du jeune homme au premier regard, sans doute à cause de son sourire ravageur et de ses excuses affolées. Will avait eu le même sourire ravi lorsqu'il avait passé le diamant à son doigt, après qu'elle eut accepté sa demande en mariage un peu trop lestement et sans vraiment y croire.

Et voilà que ce médecin lui affirmait qu'il était comme mort. *N'importe quoi!* s'indigna-t-elle intérieurement. Tout cela aurait pu prêter à rire, si ce n'avait pas été aussi tragique. Soudain, Jane n'eut plus de doute : elle aurait pu aimer Will, ou du moins apprendre à l'aimer. Le temps l'y aurait aidée. Avec lui, elle riait ; et il la faisait hurler de plaisir au lit. Avec Will, Jane se sentait en sécurité. Non, leur rencontre n'était pas un hasard : ils étaient faits l'un pour l'autre. Si seulement la vie tenait ses promesses à leur égard, elle s'accoutumerait à lui comme on s'accoutume à un vieux jean confortable qui moule bien sans trop serrer. Pourquoi ne lui avait-elle pas dit qu'elle l'aimait de tout son cœur ? *Par faiblesse!* s'exclama Jane intérieurement en faisant les questions et les réponses. Si elle avait douté, c'était purement par habitude ; elle le voyait clairement à présent. N'avait-elle pas la réputation de ne jamais s'engager à cent pour cent dans quoi que ce soit ? Mais elle en avait désormais la certitude : elle voulait devenir la femme de Will, faire sa vie avec lui, ne plus le quitter et explorer à ses côtés toutes les lignes magiques de la Terre !

— Ma chérie ? l'interrompit sa mère.

— Maman… Je ne peux pas !

Sa mère, sans se départir de sa bienveillance naturelle, se contenta de hocher la tête.

— Non, bien sûr, pas encore, concéda-t-elle en laissant toutefois entendre que le docteur Harris leur avait demandé de prendre une décision au sujet de Will.

De son côté, Jane comprit le message, mais elle fit comme si de rien n'était.

— Les Maxwell sont arrivés, ajouta Mrs Granger.

Jane hocha la tête, la mort dans l'âme, en proie à une profonde lassitude.

— Où sont-ils ?

— Ils sont allés directement voir Will. Te sens-tu le courage de les rencontrer ? Ou bien souhaites-tu que je…

— Non, non… Je veux dire, oui, bien sûr, je veux les voir. Il faut que je leur parle. J'imagine qu'ils sont sous le choc autant que nous tous.

Mrs Granger prit sa fille dans ses bras, et Jane eut de nouveau les larmes aux yeux.

— Nous devons faire preuve de courage et nous serrer les coudes, ma chérie. Il te faudra du temps pour accepter ce qui s'est passé. Ensuite, seulement, quand tu te sentiras prête, je te promets que nous t'aiderons à trouver une solution. Tu es d'accord ? Gardons-nous de prendre des décisions trop hâtives.

Jane aperçut son père qui hésitait à se joindre à elles. La situation était inédite pour les parents de la jeune femme, qui, eux aussi, avaient l'habitude de tout contrôler. Jamais de sa vie, Jane n'avait vu son père aussi indécis. Finalement, celui-ci s'approcha de sa fille, et son geste fut le bienvenu.

—Allons ma chérie, je sais que tu as de la ressource. La route sera longue, et tu auras besoin de toutes tes forces. Arme-toi de courage et prends le taureau par les cornes.

Jane renifla et opina. Son père avait prononcé les paroles dont elle avait besoin. Tandis que la compassion de sa mère ne faisait que rendre sa douleur plus aiguë, les manières bourrues de son père lui avaient toujours mieux convenu.

—Tout est arrivé si brusquement! Je le tenais dans mes bras, et l'instant d'après il avait perdu connaissance. Tu sais, papa, que Will aurait pu tuer ce type d'une seule prise de karaté? Je n'arrête pas d'y penser…

—Il vaut mieux pour l'instant que tu oublies tout ça, sinon tu t'y perdras. Nous prions tous pour qu'il se réveille, assura son père d'une voix tremblotante malgré son expression impassible.

Soudain, un effluve d'eau de toilette épicée que Jane connaissait bien lui chatouilla les narines et l'odeur familière l'apaisa.

—De toute façon, il est encore beaucoup trop tôt, poursuivit-il. Il faut d'abord que tu surmontes ce traumatisme. Ensuite seulement tu auras les idées claires.

Jane se demanda si la formule venait du docteur Harris, car ce n'était pas la manière habituelle de s'exprimer de son père. Idées claires ou non, une chose était certaine: elle ne demanderait pas que l'on débranche son fiancé. *Il se réveillera!* trancha-t-elle en silence. Le reste était affaire de détermination en attendant qu'il rouvre les yeux et prononce son nom de sa belle voix.

Penchée avec les autres au-dessus du lit de Will, Jane se demanda pourquoi ils parlaient tous à voix basse, elle-même y comprise, car dans les cas de coma le personnel hospitalier incitait les familles à parler au malade.

—On ne sait jamais…, dit l'une des infirmières à Jane en lui serrant le bras après avoir changé les draps de Will.

Elle portait un badge sur lequel était inscrit son prénom : Ellen. Elle devait avoir l'âge de Jane et son uniforme trop ample ne retirait rien à la séduction qui émanait de son doux visage rond au sourire éblouissant. Son teint hâlé ne faisait que rajouter à l'éclat de sa présence.

—Il a l'air si jeune, fit remarquer la mère de Will en laissant couler ses larmes. Je le revois petit garçon, comme sur la photo que nous avons sur le piano…

Puis elle se mit à sangloter en silence.

Jane déglutit et se détourna d'Ellen pour prendre la main de sa belle-mère dans l'espoir de lui apporter quelque réconfort.

—Les infirmières ont dit que ce serait une longue épreuve pour tout le monde. D'après elles, il vaut mieux ne pas penser au passé mais au présent en nous concentrant sur chaque petit signe d'amélioration comme autant de jalons pour l'avenir.

À ces mots, Jane chercha l'approbation d'Ellen, qui acquiesça d'un hochement de tête encourageant.

—À chaque jour suffit sa peine, convint Diane Maxwell, en tamponnant un mouchoir brodé sous ses narines, non sans jeter un coup d'œil à son mari.

Ce dernier, qui n'avait pas encore ouvert la bouche tant son émotion était vive, se mordait les lèvres sans quitter son fils des yeux.

Tout se passa soudain comme s'il avait attendu le signal de sa femme pour donner libre cours à son exaspération.

—Mon fils était ceinture noire, cinquième dan! Une arme ambulante! bredouilla-t-il. Personne n'aurait jamais pu lui faire une chose pareille! Personne! Bon Dieu, Jane, qu'est-ce qui s'est passé dans la station? s'enquit-il d'un ton hargneux.

Exténuée, Jane ne trouva rien à répondre qui eût pu apaiser son beau-père.

—Tout est arrivé très vite, John. Je n'ai pas vu ce qui s'est passé parce que Will s'est interposé entre moi et l'agresseur. Ça n'a duré qu'une fraction de seconde. Je crois qu'il a voulu me protéger, et qu'il n'a pu assurer ses arrières.

—Will n'est pas un débutant, répliqua Maxwell d'un ton sec sans cacher son indignation. Il a choisi de ne pas se protéger, et ça a toujours été son problème! C'est un faible! Une arme mortelle ambulante qui refuse de se déclencher!

Jane ferma un instant les yeux pour garder son calme.

—Pour Will le karaté est une philosophie dont il se sert dans un but spirituel, non comme d'une arme.

Maxwell la fusilla du regard.

—Le karaté est un sport de combat, Jane. Il sert à se protéger, ainsi que ceux qui nous sont chers!

La mère de Will hoqueta et sanglota avec encore plus d'intensité. À l'évidence, John Maxwell était habitué à avoir le dernier mot. Quant à Jane, elle se serait volontiers passée de son acrimonie, mais elle avait assez de bon sens pour comprendre qu'elle était confrontée à la souffrance d'un père touché au vif. Aussi s'abstint-elle de répondre et se contenta-t-elle de soupirer en approuvant d'un hochement de tête.

—Bon, quoi qu'il en soit, il ne peut pas rester ici, grommela Maxwell, comme si le silence de Jane lui servait de prétexte pour rompre toutes les digues de la décence. Je n'abandonnerai pas mon fils ici.

Jamais l'accent américain n'avait paru à Jane aussi dur et agressif.

Conciliant, Mr Granger cligna des yeux.

—Que proposez-vous, John ? s'enquit-il de son accent gallois velouté propre à désamorcer toutes les bombes.

—Que nous le ramenions à la maison.

Alarmée, Jane chercha le regard de ses parents, puis fit signe à sa mère, juste à temps, de ne pas opposer d'argument contraire.

—Il me semble que c'est à moi d'en décider, non ? intervint la jeune femme.

La fiancée n'a-t-elle pas son mot à dire ?

—J'ai passé quelques coups de fil, annonça Maxwell, comme si sa belle-fille n'avait pas ouvert la bouche. J'ai pris contact avec l'un des meilleurs neurologues des États-Unis, et il veut que nous fassions transférer Will à l'hôpital John Hopkins, à Baltimore. Mon fiston y recevra les meilleurs soins que l'on puisse obtenir avec de l'argent.

C'est alors que la mère de Jane prit la parole comme on implore la clémence d'un juge.

—Le personnel soignant d'ici est très comp…

—C'est notre fils qui est cloué dans ce lit, Catelyn, l'interrompit brutalement le père de Will. Si nous étions aux États-Unis et qu'il s'agissait de votre fille, ne voudriez-vous pas la ramener chez vous ? demanda-t-il d'une voix tremblante.

La remarque était pertinente, et il était difficile de lui donner tort.

— Nous voulons qu'il reçoive les meilleurs soins, insista lourdement Diane d'une voix presque inaudible. Le John Hopkins est le meilleur hôpital neurologique d'Amérique !

Jane remercia le ciel que ni son père ni sa mère ne se donne la peine de relever. Elle aperçut soudain Ellen, l'infirmière, qui l'observait depuis le poste de soins à quelques pas de là. Celle-ci esquissa un sourire qui semblait vouloir dire : « Tenez bon ! »

— Écoutez, poursuivit Maxwell en levant l'index sans toutefois désigner personne, j'ai parlé aux employés de ce service. Ils veulent débrancher Will. Eh bien moi je dis : « Non monsieur, cela n'arrivera pas ! »

Il jeta un regard inquisiteur à Jane, qui ne put qu'acquiescer. Le père de Will sembla y voir un encouragement. Son animosité se dissipa et, lorsqu'il s'adressa aux parents de la jeune femme, ce fut sur un ton plus aimable :

— Ils ont un labo de pointe en ce moment à Hopkins. Tout ce que je veux, enchaîna-t-il avec un haussement d'épaules, c'est guérir le fiancé de votre fille. Ce sont nos enfants, et même s'ils nous paraissent encore jeunes et qu'ils ne se connaissent que depuis quelques mois, eh bien, il ne fait aucun doute que Will est follement épris de Jane, et tout indique qu'elle aime notre fils tout autant.

À ces mots, Jane fut de nouveau torturée par sa mauvaise conscience.

— Eh quoi ! Diane avait à peine dix-huit ans quand nous nous sommes mariés ! Et elle n'avait pas vingt et un ans lorsque Will est né. Qui sommes-nous pour leur apprendre la vie ?

Notre rôle est de faire tout notre possible pour offrir un avenir à nos enfants afin qu'ils nous donnent de beaux petits-enfants, poursuivit John Maxwell.

Dévisageant l'assistance de ses yeux fous furieux, il ajouta :

— Nous voulons tous la même chose, non ? Or, il se trouve que Diane et moi-même pouvons nous occuper au mieux de Will chez nous. Ils ne feront rien de plus ici. Il faut que vous le compreniez. Je n'enlève pas le fiancé de Jane. Au contraire, j'ai l'intention de trouver un moyen de le ramener à la vie pour le lui rendre.

John Maxwell avait habilement déplacé le débat, et, poussant le menton en avant et faisant la moue, il semblait à présent mettre Jane et ses parents au défi de répliquer.

Jane considéra les joues creuses de Will où un filet de salive, qui s'était écoulé le long de la sonde respiratoire, entachait sa barbe épaisse. Quelques jours auparavant, emporté dans son élan, il avait voulu mimer une scène qu'il avait vue dans un film, et son visage, qui était alors recouvert d'une barbe naissante, avait râpé la peau de son ventre, l'obligeant à se cambrer et déclenchant chez elle un fou rire qui avait anéanti toute possibilité de faire l'amour avec sérieux. Ensuite, Will avait continué à la chatouiller, si bien que les couloirs de l'hôtel avaient résonné des supplications hilares de Jane. Mais à présent, la barbe de trois jours de Will était devenue une barbe d'une semaine, preuve que la vie continuait derrière le masque impassible du jeune homme.

— Quand envisageriez-vous de l'emmener ? s'enquit la jeune femme en s'efforçant d'y mettre le ton adéquat et assez d'assurance.

John Maxwell ne se déroba pas.

—Dès que l'hôpital nous donnera le feu vert.

—Son état est stable à présent. L'emmèneriez-vous dès demain ?

—Oui, Jane, si c'est possible, répondit Maxwell sans hésitation, parce que, tant qu'il est dans le coma, qu'il soit ici ou ailleurs… Sauf que s'il reste ici, autant débrancher tout de suite cette fichue machine !

Jane recula, mais, manifestement, le père de Will ne se rendait pas compte de la dureté de ses paroles.

—Le moins que l'on puisse dire, poursuivit-il, est que l'équipe soignante anglaise ne me laisse pas beaucoup d'espoir, c'est pourquoi je veux que nous mettions toutes les chances de notre côté. Et ce n'est pas ici que cela risque d'arriver ! Mais à Baltimore !

—Jane chérie, tu sais que tu es la bienvenue, naturellement, précisa Diane, comme si tout était déjà prêt pour le départ.

La jeune femme jeta un coup d'œil à ses parents qui affichaient une mine atterrée, même s'ils gardèrent leur opinion pour eux. Jane leur fut reconnaissante de ne pas intervenir. Sans s'en apercevoir, elle avait lâché la main de sa belle-mère, et elle prit celle de Will. Celle-ci était anormalement sèche au toucher.

—Je vais rentrer à notre hôtel pour prendre un somnifère et essayer de récupérer un peu. J'en profiterai pour réfléchir à votre proposition !

John Maxwell approuva d'un hochement de tête.

—Voilà qui est sage ! Merci. Même si ce n'est pas ce que j'appelle un accord enthousiaste, fit-il remarquer tandis que Jane s'apprêtait à lui répondre. Mais je suis content que nous nous comprenions.

Puis, se penchant pour l'embrasser avec la délicatesse d'un ours, il ajouta :

—Repose-toi. Nous le veillerons ce soir.

Jane se tourna vers Will, prit son visage entre ses mains et déposa un baiser sur sa bouche. Il était encore plus beau endormi. Mais elle ne sentit que le goût du baume à lèvres qu'Ellen lui avait délicatement appliqué quelques instants auparavant.

—À demain matin, lui glissa-t-elle à l'oreille.

Tandis que Jane quittait le service en compagnie de ses parents, Ellen attira son attention.

—Le doyen de nos neurologues, le docteur Evans, viendra examiner Will cet après-midi. Vous le rencontrerez demain, sans doute. Je sais d'avance qu'il vous plaira. C'est un esprit impertinent qui se refuse à bousculer les malades.

Serrant le bras de Jane, elle ajouta :

—Il pense que les patients sont leurs meilleurs médecins ! Fiez-vous à lui.

Jane acquiesça, et une lueur d'espoir naquit en elle.

—Merci de veiller sur Will.

—Oh, j'ai le beau rôle. Il vaut la peine que l'on se batte pour lui. Je l'embrasserai pour vous ce soir.

Jane esquissa un sourire un peu forcé en se disant que cela ne déplairait probablement pas à son fiancé.

Chapitre 5

Écosse, automne 1715

LE CARROSSE DE WINIFRED ÉMERGEA DE SOUS LES feuillages de la forêt royale d'Ettrick où de nombreux cerfs s'ébattaient. La jeune femme et sa dame de compagnie, Cecilia, posèrent alors pour la première fois les yeux sur Traquair House, demeure sise sur une élévation en surplomb du fleuve Tweed. Cette ancienne tour de défense faisait partie d'un chapelet de donjons qui courait le long des Marches écossaises dans le but de prévenir les incursions anglaises. Elle était désormais le domicile familial de lord Charles, quatrième comte de Traquair, de Mary, son épouse (la sœur de William) et de leurs enfants.

Winifred fut frappée par la ressemblance entre Mary et William, et elle fut également aussitôt conquise par le naturel chaleureux et compatissant de sa belle-sœur. En outre, l'amour qui régnait entre Charles et Mary sautait aux yeux.

— Je suis si heureuse de vous accueillir chez nous, chère Winifred, commença Mary en lui serrant les deux mains.

Je veux qu'en l'absence de ce cher Will, vous considériez Traquair comme votre maison.

Et c'est ainsi que la vie reprit son cours pour Winifred et Cecilia, tandis qu'elles adoptaient le rythme quotidien de Traquair et satisfaisaient aux exigences de la gestion du domaine en aidant Mary à s'en acquitter, ce qui s'étendait à presque toutes les tâches depuis le recrutement du personnel de maison jusqu'aux commandes auprès des échoppes d'Édimbourg.

—Cela fait déjà deux mois, rappela un jour Mary. J'ai peine à le croire, ajouta-t-elle en secouant la tête.

Winifred n'eut pas besoin de lui demander à quoi elle faisait allusion, car elle-même ne cessait de penser à William du matin au soir et du soir au matin.

—J'essaie de ne pas y penser, mentit-elle avant de changer promptement de sujet. Il faut que nous ajoutions du macis et des clous de girofle à notre liste, ma sœur. Je vais le noter avant d'oublier.

Comprenant que le sujet était délicat, Mary n'insista pas et se contenta d'acquiescer.

—Quant à moi, je ne dois pas oublier de me procurer le papier à lettres gris de Charles dans Canongate. Parole, il se mettra dans tous ses états si je ne reviens pas avec.

Winifred lança à Mary un regard faussement amusé.

—Mary, votre cher mari ne saurait se mettre en colère contre vous pour quelque raison que ce soit. Il vénère le sol que vous foulez.

Mary sourit.

—Et si nous allions à Édimbourg faire nos emplettes nous-mêmes ? Un peu de distraction ne vous ferait pas de mal.

Winifred ne se le fit pas dire deux fois.

—Oh, oui, comme cela nous pourrons choisir les bougies nous-mêmes ! s'enthousiasma-t-elle. Vous disiez justement que les mèches de coton que l'on vous a envoyées ne vous disaient rien qui vaille.

Elle se pencha de nouveau sur sa liste et ajouta :

—Je note aussi du bleu d'azur. Les lingères en auront besoin quand elles s'occuperont de ranger le linge pour l'hiver.

Elles se rendirent à Édimbourg, puis l'automne arriva, et Winifred se félicitait un peu plus chaque jour que Will soit un épistolier régulier. Lorsque ses lettres arrivaient, elle s'asseyait avec Mary et lui en lisait certains passages à voix haute. Pendant ce temps, Anne gloussait à la vue des petits personnages «fil de fer» que son père dessinait à la fin de sa correspondance. Ils représentaient généralement lui-même et sa fille cueillant des pommes, montant à cheval ou tenant des papillons dans le creux de la main.

La dernière missive en date arriva au terme d'une journée que Winifred avait passée à la laiterie à superviser la fabrication du fromage. Ce fut Linton, le fils de Mary, qui lui apporta le pli.

—Tante Win, une autre lettre de lord Nithsdale, annonça le jeune garçon, tout excité.

Winifred remonta ses jupons et rentra en courant à la maison avec son neveu.

Mary et Cecilia ne tardèrent pas à l'imiter au pas de course.

—J'ai entendu la nouvelle ! s'écria Mary.

Winifred déchira l'enveloppe sans même prendre le temps de s'asseoir. Puis elle commença à lire à voix haute, savourant chaque mot avec avidité.

— « Ma bien-aimée… » commença-t-elle avant de s'arrêter, le rouge aux joues, en passant sur les marques d'affection de son mari et ses demandes concernant la santé de leur fille Anne. Il demande également des nouvelles de Willie, poursuivit Winifred en levant les yeux vers sa belle-sœur qui la gratifia d'un sourire bienveillant, tandis que Cecilia l'engageait à continuer sa lecture d'un signe de la tête.

— Il faudra que je lui annonce que notre fils a participé à sa première chasse ! intervint Mary avant que Winifred ne reprenne sa lecture.

— « L'armée de Mar voit grossir ses effectifs tandis qu'elle dévale vers le sud à travers l'hiver comme une gigantesque boule de neige. À l'arrière, nous occupons Perth, ainsi que toutes les villes qui se trouvent sur la rive nord de la Forth. Notre étendard flotte sur les suzerainetés de Fife, de Forfar, de Kincardine, d'Aberdeen, de Banff et de Moray. Même Inverness s'est crânement ralliée à la cause jacobite. Les lords Kenmure et Carnwarth et moi-même avons pris Moffat, et nous faisons actuellement route en direction de Dumfries. »

Les trois jeunes femmes échangèrent un regard qui exprimait leur soulagement fébrile.

— Il est sain et sauf ! murmura Mary.

Lorsque Winifred reprit sa lecture, elle semblait plus détendue.

— « Il est à déplorer, enchaîna-t-elle, que l'armée jacobite ait échoué à prendre le château d'Édimbourg, échec survenu au dernier moment par pure sottise, mais nous gardons néanmoins espoir que le roi Jacques, notre monarque, arrivera bientôt de France avec des renforts et des armes, dont nous avons tant besoin ici. On nous assure qu'une dizaine de navires chargés d'environ deux mille hommes et d'armement attendent à quai au Havre-de-Grâce de lever les voiles pour Dumbarton. Mar et son armée sont cantonnés à Perth. Quant aux Highlanders, leur nombre s'élève à près de cinq mille. Les forces de lord Argyll sont amplement surpassées en nombre ; aussi suis-je de ceux qui pensent que nous devrions en profiter pour prendre l'avantage sur les Anglais sans tarder, car nous manquons d'armes et de munitions pour soutenir un tir nourri. Quoi qu'il en soit, ma chère Win, notre moral est au beau fixe, même si le plus difficile est de garder les hommes alertes au combat et la poudre au sec. Vous connaissez l'état d'esprit du Highlander : son attention se relâche facilement, et si l'on ne lui rend pas la marche et le combat plaisants, il s'ennuie et se disperse dans toutes sortes de distractions. »

— Ça c'est bien vrai ! confirma Mary, et Winifred retourna la feuille.

— « Le temps est exécrable, et les mauvaises routes que nous empruntons ne valent guère plus que des chemins muletiers. En d'autres circonstances, je les éviterais comme le diable en personne. Nous nous gelons la plupart du temps et sommes souvent trempés jusqu'aux os, si bien que c'est à peine si nous parvenons à nous sécher devant le feu. Cependant, nous débordons d'optimisme, mon amour. Je vous écrirai de nouveau bientôt, probablement d'Angleterre, et en vainqueur ! »

La voix de Winifred faiblit légèrement à la lecture de la phrase suivante, mais elle se reprit aussitôt lorsque Cecilia l'y encouragea en lui serrant doucement le bras.

— « Embrassez Anne pour moi, et transmettez mes meilleurs sentiments à cette chère Mary et à Charles. Je vous envoie tout mon amour et vous enjoins avec ardeur de vous tenir en joie et de garder courage. Je vous aime de... »

Rouge comme une pivoine, Winifred haussa timidement les épaules, et Mary s'empressa de la prendre dans ses bras.

— Ces paroles d'amour sont à vous seule destinées, ma sœur. Viens Linton, nous avons du travail.

Cecilia leur emboîta le pas.

Debout dans l'entrée principale de Traquair House, les mains encore transies de froid et engourdies par l'air de l'extérieur, Winifred profita de la lumière trouble du soleil qui filtrait à travers les nuages pour relire la lettre de celui qui lui manquait si cruellement. Elle relut notamment ses témoignages d'amour pour elle et leurs deux enfants.

Il va bien et reste optimiste..., songea Winifred, pour qui ces deux points étaient les plus importants. Puis elle ferma les yeux et serra la lettre de William contre son sein. Une prière s'éleva soudain de son cœur : *Oh, Seigneur Dieu, faites que Will reste en vie.*

Chapitre 6

Londres, décembre 1978

UNE FOIS DANS LE TAXI, JANE EUT LA NETTE IMPRESSION qu'une voix très lointaine murmurait à son oreille. Ne sachant que penser, elle crut que c'était la petite voix intérieure de l'espoir qui nourrissait sa prière.

Faites que Will reste en vie! se répéta-t-elle en essuyant une larme à la volée avant que celle-ci ne coule sur sa joue.

Elle regarda défiler les vitrines des magasins et en voulut soudain au monde entier pour les pleurs de ses proches, pour leurs regards compatissants lancés à la dérobée, pour la pitié dont ils l'accablaient dans sa détresse. Même les murmures et les chuchotements de ses parents sur la banquette arrière commençaient à l'agacer.

— Ma chérie? l'interpella Mrs Granger tandis que Jane demandait au chauffeur de s'arrêter.

Le mot « chérie » contenait tant de significations possibles, depuis la simple interrogation jusqu'à la réprimande en passant par l'expression de tendresse propre à ce terme.

—Je vais continuer à pied jusqu'à l'hôtel, annonça la jeune femme d'un ton qui se voulait affable, mais qui, en réalité, n'appelait aucune repartie.

Sa mère ne se laissa pas décontenancer.

—C'est à plusieurs miles d'ici! En plus, il pleut!

—Maman… s'il te plaît… Nous sommes sur le Strand. C'est à deux pas. Dix minutes tout au plus, et puis il pleut toujours à Londres. J'ai un parapluie.

—Tu es sûre? intervint son père, mais uniquement parce que sa femme lui avait lancé un regard noir afin qu'il dise quelque chose.

Jane dut recourir à un prétexte.

—J'ai simplement besoin de prendre l'air.

Par bonheur, Catelyn Granger comprit que sa fille avait, en fait, besoin de solitude.

—Ne te perds pas, ma chérie.

—Tu as besoin de repos, Jane, la mit en garde son père en se penchant par la fenêtre du taxi. Ce qui veut dire «dodo»! Bonne nuit les petits!

Jane esquissa un sourire crispé empreint de tristesse pour signifier qu'elle était d'accord.

—Je serai vite requinquée! assura-t-elle en levant la main en guise d'au revoir pendant que le taxi réintégrait doucement la circulation.

Sans se soucier réellement de savoir où elle se trouvait, elle marcha sans but aucun, suivant le premier venu. Elle en était à emboîter le pas à une paire de basquets rouges lorsque des talons noirs qui claquaient sur le bitume attirèrent son attention. Peut-être leur fracas l'aiderait-il à garder les idées claires? Quoi qu'il en soit, elle avait l'esprit anormalement vide. Et tout son être semblait tendu vers un seul objectif: ne pas penser et ne pas lever les yeux du trottoir qui l'hypnotisait. Inopinément, les basquets rouges obliquèrent pour traverser à toute vitesse le Strand surencombré. Jane en profita pour se laisser diriger par les talons noirs.

Marche et ne te pose pas de questions! s'admonesta-t-elle.

Soudain, la sirène assourdissante d'une ambulance la tira en fanfare de son hébétude, ce que rien ni personne n'avait pu accomplir jusque-là. Une brume de souvenirs séparait Jane de la réalité tandis qu'elle songeait aux baisers de Will, aux sentiments que lui vouait le jeune homme, aux rires partagés, à leurs ébats… Mais tout cela avait une odeur de renfermé. Les hurlements de la sirène achevèrent de l'extraire du vide mental où elle s'était réfugiée et la renvoyèrent en pensée à la station de métro quelques jours auparavant. La police recherchait les agresseurs. Au cas où Will viendrait à décéder, les autorités émettraient alors un mandat de recherche pour homicide volontaire, c'était du moins ce qu'un inspecteur avait dit à son père.

Quoi qu'il en soit, Will ne mourrait pas, et elle se fichait comme d'une guigne que les responsables soient arrêtés ou non. La vengeance était le cadet de ses soucis. Tout ce que désirait Jane, c'était revenir au moment du petit déjeuner au café de Seven Dials, au délicieux gâteau au chocolat, aux baisers échangés, à leur conversation sur l'occultisme et à leur projet de passer encore toute la journée au lit. Pourquoi n'étaient-ils pas rentrés à l'hôtel ce jour-là au lieu de passer devant sans s'arrêter?

Un passant que Jane remarqua à peine lui glissa un prospectus dans la main. C'était le cinquième du genre. Elle tenait à présent une publicité pour une nouvelle pizzeria, une pour un court spectacle donné non loin de Drury Lane, une autre annonçait que tel pub servait désormais son menu d'hiver, une quatrième encourageait les badauds à se rendre au marché de Noël qui soulevait alors l'enthousiasme des Londoniens, et enfin, la cinquième invitait, sur papier mauve, à consulter un voyant. Les cinq premiers clients porteurs du tract se verraient offrir une consultation gratuite.

Des questions sans réponses?
Besoin de faire le point?
Vous êtes à la veille de prendre une décision importante?

L'adresse était située à Covent Garden. *Pourquoi pas?* pensa Jane. *Cela me changera les idées.* De fait, elle aurait pu répondre «oui» à chacune de ces trois questions. Et puis un avis extérieur ne pouvait pas faire de mal. Jane retrouva soudain toute sa vivacité d'esprit et jeta les autres prospectus dans une poubelle, puis elle tourna le dos au Strand et à son flot de voitures et de piétons et dirigea ses pas vers le marché couvert.

La pièce où recevait le voyant se trouvait sous les toits, à cheval au-dessus d'un restaurant marocain et d'une boutique de vêtements de sport. C'était un lieu exigu desservi par deux volées de marches espacées où flottait une odeur de cuisine épicée.

Jane consulta sa montre. Elle avait une bonne heure devant elle avant que ses parents ne commencent à s'inquiéter. C'était mieux que rien. Elle frappa à la porte – celle-ci était recouverte d'une épaisse couche de peinture brillante couleur crème – et attendit. Elle recommença, et la porte s'ouvrit enfin sur un homme d'un âge incertain qui posa sur elle des yeux inquisiteurs qui pouvaient être bleu clair. Ses cheveux châtains étaient presque tondus et son visage rectangulaire arborait une barbe rase et taillée avec minutie qui semblait tout droit sortie d'une autre époque. *Il ne lui manque plus qu'un sabre et un caftan fermé au col par un brandebourg!* songea Jane avec soulagement en constatant qu'elle avait retrouvé sa bonne humeur. Dès le premier coup d'œil, elle fut frappée par l'aspect racorni de son hôte, depuis sa mince silhouette jusqu'à sa figure remarquablement symétrique. L'intéressé sembla lire l'étonnement de la jeune femme sur son visage.

— Vous vous attendiez à un vieux schnock ? s'enquit-il d'un ton espiègle en esquissant un rictus.

Jane hésita pendant une fraction de seconde, mais cela suffit à déclencher le rire du voyant. Des rides de sourire se formèrent au coin de ses yeux, et son visage s'égaya d'une douce lumière. À sa façon quelque peu efféminée de s'exprimer, Jane supposa qu'il était gay, et tandis qu'elle s'efforçait de tordre le cou à ce stéréotype, le corps mince et la petite taille du devin aux vêtements bien ajustés achevèrent de la convaincre.

— Je m'attendais à une femme, reconnut-elle en retrouvant enfin l'usage de la parole.

— Désolé de vous décevoir. Même si c'est volontaire… d'omettre de préciser sur le flyer que mon nom est Robin. Cela vous aurait-il empêchée de venir ?

Jane opina.

Le voyant esquissa un sourire aussi lumineux que désarmant.

— Et si vous entriez ? suggéra-t-il.

— Euh…

— Que risquez-vous ? la défia complaisamment Robin. Vous ne vous seriez pas lancée à l'assaut de mon escalier si vous n'aviez pas des questions qui vous taraudent. Voyons ensemble si je peux vous aider à trouver des réponses.

Le visage rayonnant, il ajouta :

— C'est gratuit, vous vous en souvenez ? Vous êtes la première ! Qui plus est, je possède un véritable don.

Les manières convaincantes du mage mirent la jeune femme en confiance.

— Pourquoi ne pas faire payer ? s'enquit-elle en entrant, tandis que Robin refermait la porte derrière elle avant de la délester de son manteau. Waouh ! C'est joli et accueillant chez vous, fit-elle remarquer sans lui laisser le temps de répondre à la première question.

Ravie par la luminosité et l'étendue de la vaste salle de consultation, elle désigna de grandes baies cintrées dont l'arche était ornée de carreaux opaques multicolores.

— J'adore vos fenêtres, ajouta-t-elle.

— Elles sont intéressantes, j'en conviens, répliqua-t-il.

Tout en continuant d'admirer les fenêtres, Jane enleva son foulard, que le voyant prit.

— J'imagine que vous vous attendiez à trouver une roulotte avec des tentures et des boules de cristal, voire de l'encens…

Tout se passait comme s'il lisait dans ses pensées, et Jane pria pour qu'il ne remarque pas sa confusion.

— Pour ma part, je trouve qu'un endroit dépouillé est plus propice à la réflexion, enchaîna-t-il d'une voix douce en plaçant le manteau de Jane sur un cintre de bois avant de le draper minutieusement de son foulard et de suspendre le tout à la patère.

—Vous voulez un café? J'ai du vrai café en grain extrêmement savoureux. Là, asseyez-vous, mettez-vous à l'aise.

Le voyant se rendit dans sa minuscule kitchenette.

—Vous l'aimez comment?

—Serré et fort, mais avec du lait et du sucre, s'il vous plaît.

—En Italie, ils appellent cela un *caffè machiatto*!

—Jamais entendu parler, répliqua Jane en cillant.

—L'essayer, c'est l'adopter!

Robin n'était-il pas chaleureux et charmant? Mieux, il était un véritable baume pour l'âme. Dès l'instant où elle avait posé les yeux sur lui, sa gorge s'était dénouée.

—Je m'appelle Jane, annonça-t-elle.

Il arbora un sourire accueillant.

—Vivez-vous ici?

—Non, j'habite à deux pas. Je préfère ne pas mélanger travail et vie personnelle.

Jane aurait bien aimé savoir comment un voyant s'y prenait pour gagner assez d'argent pour exercer dans un bureau aussi élégant et vivre à quelques encablures de Covent Garden. Peut-être était-ce un très riche héritier que la nature avait doté de pouvoirs médiumniques? À moins qu'il ne s'agisse d'un escroc faisant très bien illusion auprès des esprits inquiets en quête de réponses?

—Comment diable faites-vous pour gagner votre vie? s'enquit-elle à brûle-pourpoint.

—J'ai des clients réguliers qui me paient affreusement cher pour que je leur dise mot pour mot ce qu'ils veulent entendre. J'ai aussi des clients réguliers qui me paient tout aussi cher pour découvrir la vérité.

Un silence s'ensuivit durant lequel Jane regarda Robin moudre le café puis verser quelques cuillerées de mouture dans sa cafetière italienne. Une minute ou deux plus tard, le bruit caractéristique du café qui monte en gargouillant se fit entendre, et l'arôme alléchant dégagé par la percolation se fit sentir. Robin se saisit d'un torchon à l'aide duquel il souleva la petite cafetière de la minuscule gazinière.

—Je l'ai achetée en Italie, expliqua-t-il. Je préfère ce procédé au café filtre que je trouve insipide. Vous m'en direz des nouvelles, de celui-là! promit-il en plaçant sur la table une soucoupe où étaient posés une serviette, une petite cuillère étincelante et un petit verre strié. *Il ne manque pas de classe, c'est certain!* songea Jane. La seule fois où elle avait bu du café dans un verre, ç'avait été en Turquie.

—J'ai également fait chauffer le lait.

—Merci, tout cela me semble délicieux, constata-t-elle.

—Je vous le confirme. Même si c'est meilleur en Italie. Régalez-vous!

Jane fit lentement tourner sa petite cuillère dans son café afin d'y mélanger le sachet de sucre en poudre fourni par son hôte. Puis une intense saveur de réglisse envahit ses papilles, et elle parvint enfin à se détendre après une semaine de tension nerveuse.

Robin l'accompagna, sirotant son propre café en souriant.

—Osez me dire que ce n'est pas un nectar digne des dieux!

Jane ne put réprimer un sourire: c'était le premier depuis des jours.

—C'est délicieux, merci!

—Bon, tout n'est donc pas perdu: j'aurai au moins réussi à vous faire sourire et à vous offrir un café pour lequel vous auriez été prête à dépenser une fortune!

Une fois de plus, il sembla à Jane que Robin lisait dans ses pensées.

— Il faut que vous m'expliquiez pourquoi, puisque vous avez de riches clients prodigues, vous démarchez dans la rue auprès de passants égarés tels que moi, qui non seulement ne vous paient pas, mais encore prennent votre temps et boivent votre café ?

Le voyant inclina la tête de côté et haussa les épaules.

— Eh bien, voyez-vous, c'est un peu comme pour un avocat. Il se trouve que j'ai des compétences dont tout un chacun peut avoir besoin à un moment ou à un autre de son existence, mais que seule une minorité peut s'offrir. Jusqu'ici, j'ai été gâté par la vie, mais il me suffit de descendre dans la rue pour voir à quel point beaucoup de gens souffrent. À chaque changement de saison, j'offre donc une session gratuite à cinq inconnus, et si l'un d'entre eux éprouve le besoin de revenir, je le reçois en lui concédant un important rabais pendant la durée nécessaire. Je conçois ces consultations de la même manière qu'un avocat pourra envisager de défendre bénévolement un client qu'il croit innocent. C'est important, et cela vaut bien que l'on y consacre un peu de son temps.

— C'est très, euh… comment dirais-je ? altruiste.

— C'est surtout un bon moyen de dormir en paix la nuit, répliqua-t-il en levant son verre avant d'en vider un bon tiers du contenu d'un seul trait.

Puis il épongea sa barbe à l'aide de la serviette en papier.

— Comment vous sentez-vous ? s'enquit-il.

— Que voulez-vous dire ?

— Depuis votre arrivée ici.

Jane se remit aussitôt sur la défensive.

—Euh, bien, merci.

Il esquissa un doux sourire, et elle fut de nouveau éblouie par le caractère communicatif de sa bonne humeur.

Baissant les yeux, elle demanda :

—Cela se voit-il ?

—Quoi ? Que vous cherchez des réponses ou que vous êtes sous le coup d'une vive émotion ?

—Les deux, répondit-elle en levant brusquement les yeux vers lui.

—Oui.

—Oui ? Oui quoi ?

—Oui à la question que vous m'avez posée. Ces deux éléments sont devenus comme un ennemi intime qui vous suit comme une ombre partout où vous allez. Mais je discerne également un troisième élément.

—Et de quoi s'agit-il ?

—De la culpabilité.

Le mot resta en suspens tandis que Jane cherchait une explication sur le visage du médium sans s'effrayer du silence qui s'étirait, alors que, d'ordinaire, elle se serait empressée de le combler.

—Ainsi vous n'avez même pas besoin de lire dans des feuilles de thé ou dans les lignes de ma main...

—Ni de scruter votre magnifique bague de fiançailles toute neuve, l'interrompit-il de manière sarcastique. Pas le moins du monde...

Jane tressaillit en l'entendant évoquer sa bague.

—Je suppose que n'importe qui pourrait s'apercevoir qu'elle sort de chez le joaillier, nuança-t-elle d'un ton incrédule.

— Oui, naturellement. Mais « n'importe qui » vous dirait-il que la personne qui vous l'a offerte est grièvement blessée ?

Jane manqua de s'étrangler et réprima un cri de stupéfaction en plaquant sa main devant sa bouche. Voyant les larmes couler sur les joues de la jeune femme, Robin comprit qu'il avait vu juste. Néanmoins, ses manières dégagées, son air légèrement amusé et énigmatique, donnèrent à Jane le sentiment désagréable qu'il pensait déjà tout savoir sur elle.

— Pardonnez-moi, c'était mon ego qui parlait. Je ne suis pas un charlatan, même si d'aucuns pensent le contraire. J'aimerais vraiment pouvoir vous aider. Que puis-je faire pour vous, Jane ? Que voulez-vous savoir ?

Jane ignorait comment le voyant s'y était pris pour découvrir l'existence de Will et s'en moquait, même si, une fois l'étonnement passé, elle trouva cela plutôt réconfortant.

Soudain, des pigeons s'envolèrent en roucoulant quelque part au-dessus des vitres colorées des fenêtres, et leurs battements d'ailes prirent un tour symbolique pour la jeune femme qui se lança à son tour.

— Pourquoi est-ce que je me sens coupable ?

— Vous seule en connaissez les raisons, mais quelque chose me dit que votre culpabilité est sincère. À mon avis, vous vous interrogez sur la logique de l'amour.

Jane déglutit en s'efforçant de ne laisser rien paraître de son trouble.

— Quelque chose me dit que c'est la première fois que vous êtes amoureuse, même si vous avez connu assez d'hommes pour ne plus être une oie blanche.

Il guetta les réactions de la jeune femme pendant que celle-ci respirait à pleins poumons. Elle garda le silence.

—Vous êtes à présent à un carrefour de votre vie. Votre fiancé est le genre d'homme dont une fille célibataire et intelligente tombe facilement amoureuse.

Jane parut interloquée mais ne releva pas.

—En outre, vous vous plaisez sincèrement avec lui. Vous aimez l'amour qu'il vous porte. Tant physiquement que financièrement et sexuellement, vous êtes faits l'un pour l'autre. Intellectuellement, vous êtes singulièrement bien assortis, car tout universitaire qu'il est, il a aussi la tête dans les étoiles, tandis que vous, Jane, vous avez les pieds sur terre. Vous êtes pragmatique, et probablement la plus volontaire des deux. Vous vous équilibrez mutuellement. C'est pourquoi, voyant que tout s'emboîte parfaitement et qu'il vous a manifesté son désir de s'engager, vous avez un peu peur, car vous n'êtes pas du tout certaine d'être prête pour cette union. C'est votre subconscient, j'imagine, qui vous met en garde contre ce qui vous semble trop simple, trop parfait, trop facile. Sans doute pensez-vous que l'amour dont vous rêvez devrait se faire désirer un peu plus, que vous devriez vous battre pour l'obtenir, prendre des risques.

Le voyant avait prononcé ces paroles en l'observant avec tant d'acuité que Jane en eut le souffle coupé. Mais il fit aussitôt retomber la tension par un sourire.

—Concrètement, poursuivit-il d'un ton plus badin, c'est vous qu'il veut, et pas une autre! Tandis que vous, vous préféreriez le fréquenter pendant quelque temps encore sans bague de fiançailles, sans projet de mariage, sans tous ces chichis et ces déclarations d'amour éternel.

Jane acquiesça. Il lisait en elle comme dans un livre ouvert.

—Est-ce mal?

— J'aimerais que ce soit vous qui me le disiez…, suggéra le voyant. Dites-moi simplement ce que vous en pensez.

— Vous avez tout dit. Will possède d'innombrables qualités, et il a tant à offrir… Nous nous entendons à merveille. Qui plus est, il m'aime et ne cesse de m'en donner la preuve. Aucune femme sur Terre ne rejetterait un homme comme Will dans ma position.

— Vous non plus d'ailleurs.

— Peut-être, mais je ne l'aime pas autant qu'il m'aime, Robin, avoua-t-elle. Je le voudrais. Mais ça ne veut pas sortir, ni par des mots, ni par des actes, et finalement je m'interdis d'éprouver cet amour.

— Comment expliquez-vous cela ?

Jane haussa les épaules.

— Ce n'est pas suffisant, Jane. Vous devez régler cette question une fois pour toutes.

Elle but son café, mécontente de se trouver ainsi dos au mur.

— Il passe commande à ma place.

Robin haussa un sourcil et attendit la suite.

— Par exemple, quand nous sommes au café, c'est lui qui décide ce que nous devons prendre.

— Et vous ne protestez pas ?

— J'aurais l'air mesquin. En plus, il tombe souvent juste.

— Mais vous n'aimez pas qu'on choisisse pour vous.

— Non. J'ai l'habitude de décider par moi-même. En acceptant cette bague, j'ai l'impression d'avoir renoncé à ma liberté.

— Voilà qui est tragique. Mais c'est bien un peu le cas, non ?

Jane fit la moue.

— Je n'ai pas l'intention de me faire marcher sur les pieds comme sa mère !

À ces mots, Jane ressentit un immense soulagement. Décidément, c'était l'heure de vérité.

Robin, qui ne cessait de l'observer, lui laissa le temps de se reprendre.

— Il semblerait que votre penchant naturel à prendre les choses en main soit l'un de vos atouts majeurs dans la vie.

Jane tiqua, car il touchait du doigt l'endroit qui lui faisait mal.

— Vous êtes de celles qui obtiennent habituellement ce qu'elles veulent pour peu qu'elles s'y consacrent avec opiniâtreté.

Jane haussa les épaules.

— Je n'avais jamais vu les choses sous cet angle, répliqua-t-elle.

— Vous êtes-vous donné beaucoup de mal pour séduire Will?

Elle hésita un instant.

— Il ne m'a pas semblé, répondit-elle enfin.

— Vous croyez au coup de foudre?

— Je m'y efforce.

— Ça n'a pas été le cas pour vous deux?

— Je pense que ça a été le cas pour Will, répondit Jane, soudain mal à l'aise, en détournant le regard.

— Dites-moi ce qu'est l'amour pour vous, Jane…

— De la chimie, résuma-t-elle. Mon idée est que rien ne peut l'expliquer. Ça arrive, c'est tout. L'amour est invisible, puissant, et l'on n'y résiste pas. Il est sans rime ni raison. Vous croisez le regard de quelqu'un, vous lui parlez, et soudain vous perdez tous vos moyens, sans raison apparente.

— Continuez…, l'encouragea-t-il en esquissant un sourire.

— Will réussit tout ce qu'il entreprend. C'est difficile de vivre dans l'ombre du soleil.

— Vous vous sentez éclipsée ?

— Non… Mais je me demande si je suis capable d'être à la hauteur de l'idée qu'il se fait de moi. Je suis volontariste, mais il y voit un caractère bien trempé. Quant à mon esprit d'indépendance, c'est pour lui le signe d'un courage inépuisable ! Il faut croire qu'il n'a jamais rencontré une femme comme moi auparavant ! Sans compter que je ne fais rien pour détromper quantité d'attentes que Will et sa famille projettent sur moi.

Secouant la tête, elle ajouta :

— Je parle comme si j'analysais froidement la situation. Mais j'en suis loin. Même si…

— Même si c'est votre sentiment ?

Jane hocha la tête.

— Sa fortune ne m'impressionne pas, ni la particule attachée à son nom, ni ses relations, confia-t-elle, avant de frapper le bras du fauteuil de dépit. On s'amusait bien ! Pourquoi fallait-il qu'il parle mariage ?

Le médium ne répondit pas, se contentant d'observer la jeune femme avec attention.

— J'ai l'impression d'être chez le psy, ajouta cette dernière avec un regard triste.

Robin haussa les épaules.

— C'est une manière de voir les choses. Quoi qu'il en soit, cela ne cause préjudice ni à vous, ni à moi. Continuez.

— Will représente tout ce que je suis censée désirer : il est intelligent, c'est un universitaire, il est gentil, il possède un magnifique loft dans l'une des rues les plus prisées de New York et une maison de vacances dans le nord de l'État, énuméra-t-elle en esquissant une moue de regret. Il veut fonder une famille, mais pas avant que je sois prête. Il a même évoqué la possibilité d'acheter pour nous deux un manoir dans un village qui s'appelle East Aurora.

Elle mesura Robin du regard, puis enchaîna :

— Il est en adoration devant mon corps et l'honore chaque nuit de ses attentions ; il rit de ma susceptibilité, comprend mes changements d'humeur et encense la spontanéité que mes parents confondent avec de la témérité. Eux-mêmes étaient au comble de la joie quand nous leur avons annoncé nos fiançailles.

— Avez-vous peur qu'il finisse par ressembler un peu trop à son père ?

— J'ai rencontré son père pour la première fois il y a seulement quelques jours, mais vous avez raison, je suis anxieuse à l'idée qu'il devienne autoritaire. Will parle de moi en utilisant la troisième personne lorsque je suis là. Je déteste ça ! Même si c'est sans doute une habitude américaine.

Robin confirma d'un hochement de tête.

— Mais maintenant, Will est mort… cliniquement mort. Et j'ai l'impression de l'avoir souhaité, que c'est moi la responsable. Vous croyez que c'est possible ?

Pour toute réponse, il se contenta d'émettre un soupir.

— Et vous aimeriez revenir en arrière…

— Bien sûr !

— Pensez-vous que vous surmonteriez vos réserves si vous pouviez remonter le cours du temps ?

Jane et Robin échangèrent un long regard. *Comment répondre à cela ?* se demanda la jeune femme.

— C'est vous le médium ! Dites-moi pourquoi je n'arrive pas à m'engager.

— Parce que vous freinez des quatre fers, Jane. Voilà tout.

À ces mots, Robin but une petite gorgée de café en silence, non sans jeter un coup d'œil à Jane par-dessus son verre.

— Certes, mais j'ai l'impression d'être une usurpatrice. Pourquoi est-ce que je freine des quatre fers, comme vous dites ?

— Par simple prudence. D'aucuns, tels que moi, jugeront favorablement le fait que vous vous interrogiez au sujet de votre relation. Le mariage n'est pas chose facile. Et je ne doute pas que n'importe quelle personne mariée, ou qui l'a été, serait d'accord avec moi. Les premiers émois et les transes de l'amour ne suffisent pas pour qu'un mariage dure.

— Alors, d'après vous, je suis tout simplement prudente ?

— Peut-être avez-vous besoin de prendre votre temps, de vous assurer, avant de vous engager, que Will est bien l'homme de votre vie.

— J'ai accepté sa bague. Nous projetons de nous marier. Vous appelez ça prendre son temps, vous ?

Jane remarqua que le bruit de la circulation s'amplifiait, l'augmentation du volume sonore des klaxon étant un indice avéré que l'on s'acheminait vers l'heure de pointe. *Je ferais mieux de m'en aller...*, pensa-t-elle. Robin, quant à lui, semblait intarissable.

— Je vous concède que le véritable amour est un mystère. Qui sait quand et en faveur de qui sa flèche nous atteindra ? Personnellement, j'ai l'intime conviction que l'amour ne dépend pas de nous, Jane. Deux personnes apparemment faites en tout point l'une pour l'autre peuvent très bien se croiser et ne pas se rencontrer au sens fort du terme. À l'inverse, deux autres, qui nous paraissent à maints égards ridiculement dépareillées, ne pourront résister au charme l'une de l'autre.

Jane acquiesça d'un hochement de tête.

—Je suis d'accord, souligna-t-elle. Je connais des gens que personne n'aurait pu imaginer ensemble – et ce pour tout un tas de raisons – mais qui, pourtant, entretiennent d'excellentes relations.

—Exactement !

Jane eut soudain le sentiment que Robin attendait qu'elle fasse avancer la conversation. Mal à l'aise, elle but une gorgée de café, mais sa gorge se noua lorsqu'elle se décida à poser la question qui la préoccupait le plus.

—Will en réchappera-t-il ? demanda-t-elle en s'éclaircissant la voix.

—Cela dépend de vous, répondit le voyant d'un ton posé, s'étant visiblement préparé à arrondir les angles lorsque la jeune femme poserait l'inévitable question.

Jane retint son souffle, prit la serviette en papier que Robin avait placée sous son verre et essuya ses larmes ; puis, faisant soudain fi de cette entorse à la bienséance, elle se moucha devant l'étranger.

—De moi ? répéta-t-elle. Vous voulez dire que ça dépend de la décision que je prendrai ?

—Vivre, c'est prendre des décisions. À chaque instant, nous faisons des choix. Certains d'entre eux sont minuscules, d'autres plus intimidants, mais tous sont déterminants pour l'avenir. Vous êtes venue me voir aujourd'hui à cause d'une série de décisions qui ont une origine probablement lointaine.

Jane se souvint avec un nœud dans la gorge du baiser qui leur avait valu l'indignation de la passante à Seven Dials, du petit déjeuner qui avait suivi, de sa propre irrésolution… Puis elle leva de nouveau les yeux vers Robin dans le but de rompre le sortilège du souvenir. Elle n'avait déjà que trop ressassé ces pensées.

—Oh, oh, vous êtes de nouveau en train de céder à la culpabilité. Vous en êtes venue à penser que l'accident affreux dont votre fiancé a été victime a complètement changé la donne. Il vous semble à présent qu'il est de votre devoir de vous engager. En outre, vous êtes convaincue que vous l'aimez – ou plutôt que vous pourriez l'aimer comme il vous aime.

—Ce dont je suis convaincue, c'est que je veux que tout redevienne comme avant, gémit-elle.

La tête inclinée, il l'examina avec attention.

—Hum, hum… il est intéressant que vous éludiez si soigneusement la question en la reformulant à votre manière.

—Où voulez-vous en venir ? demanda Jane d'un air outré.

—Au fait que c'est révélateur.

—Robin, je ne sais plus quoi penser. Je ne sais plus où j'en suis. Je suis à la dérive. N'est-ce pas pour les gens dans ma situation que vous lancez des bouées de sauvetage dans la rue ?

—Vous avez raison, répliqua-t-il, et Jane éprouva le genre de soulagement qu'éprouve tout naufragé que l'on hisse à bord d'un canot de sauvetage.

—Maintenant que je suis là, dites-moi ce que je dois faire. Aidez-moi !

—Je suis un voyant, Jane. Savez-vous ce que cela signifie ?

—Que vous pouvez prédire mon avenir ? hasarda la jeune femme en haussant les épaules.

Robin s'esclaffa, mais sans aucune moquerie, plutôt avec bienveillance.

—Dans « voyance », il y a « vision ». Mon rôle se borne à vous aider à identifier plus clairement les possibilités qui s'offrent à vous. Je ne peux pas prendre de décisions à votre place.

— Bon, très bien. Et quelles possibilités voyez-vous pour moi ?

— La mort et le malheur, déclara-t-il en levant une paume vers le ciel.

Puis, ouvrant le poing de l'autre main, il ajouta :

— Ou la vie.

— Et assez de bonheur pour deux ? s'enquit Jane en regardant avec méfiance le plateau de la balance qui représentait la vie, car elle flairait un piège.

Robin lui fit soudain penser à l'un de ces lutins espiègles des contes populaires qui harponnent leurs victimes au moyen de pseudo-vérités à base de jeux de mots. Néanmoins, elle accepta de le suivre jusqu'au bout de son raisonnement.

— Oh, bien sûr, pas seulement pour une personne, répondit-il d'un ton égal avant d'avaler sa dernière gorgée de café et de reposer son verre vide.

Pour sa part, Jane continua de penser qu'il la manipulait.

— Ne laissez pas votre café refroidir, lança Robin, et la jeune femme vida son verre à son tour.

— Et si vous me parliez de vos possibilités immédiates ? suggéra-t-il.

— Comme vous l'avez signalé, j'ai une décision à prendre, rappela-t-elle.

— Mais encore ?

— C'est d'ailleurs une responsabilité dont je suis fière, d'une certaine manière.

— Pourquoi ?

Jane haussa les épaules.

— Parce que c'est l'occasion pour moi d'exercer un certain contrôle sur les événements, j'imagine.

Les yeux du voyant se mirent à briller avec un regain d'intensité rieuse, et cela n'échappa pas à sa cliente.

Derrière son masque impassible, il s'amuse ! pensa Jane.

— Pouvoir quand tu nous tiens !

— Comment ?

Robin se renversa sur son siège en affectant un air innocent.

— Bon, il semblerait que nous approchions du cœur du problème.

Un long silence s'installa. Au fond, ne l'avait-elle pas toujours su ? Mais la vérité paraît toujours plus évidente lorsqu'un tiers nous la révèle.

— Je reconnais que c'est plus facile pour tout le monde si c'est moi qui commande.

— Excellent ! s'exclama Robin, et Jane ne sut si elle devait prendre la chose comme un compliment pour sa franchise ou s'il la félicitait d'avoir répondu correctement à quelque test de voyance. Et quelle est cette décision que vous serez amenée à prendre ?

— Je dois décider si, oui ou non, je dois laisser mon fiancé partir avec ses parents en Amérique, où ils pensent qu'il a de meilleures chances de guérison.

— Est-ce exact ?

Jane se rembrunit.

— Je ne peux pas en être sûre, mais le fait est que les médecins d'ici ne se démènent pas beaucoup. En fait, ils veulent que je réfléchisse à la possibilité d'arrêter les machines qui le maintiennent en vie.

— Et de l'autre côté de l'Atlantique ?

— Ils veulent tenter une thérapie nouvelle, répondit-elle en se mordant la lèvre inférieure. Les docteurs d'un hôpital de pointe à Baltimore prétendent qu'ils disposent de nouveaux procédés grâce auxquels ils pourraient sauver Will.

—Je ne vois pas où est le dilemme…, répliqua Robin.

Ce n'était pas un reproche, mais c'était néanmoins une déclaration catégorique qui fit regretter à Jane son hésitation.

—Eh bien… c'est que…

—Vous voulez qu'il vive, non?

—Bien sûr! répondit-elle, outrée par le simple fait que le voyant ait osé poser la question.

—Dans ce cas, pourquoi ne feriez-vous pas tout ce qui est en votre pouvoir pour lui offrir cette chance? Si l'hôpital de Londres ne peut vous garantir sa guérison, et si par ailleurs celui de Baltimore assure le contraire, à mon avis, vous ne devriez pas hésiter une seconde.

—Je ferais n'importe quoi pour Will. Je mettrais ma propre vie en jeu s'il le fallait.

Une lueur malicieuse traversa soudain les yeux clairs du voyant.

—« N'importe quoi »? répéta ce dernier d'un air espiègle qui évoqua à Jane le nain Tracassin des frères Grimm.

—Oui, susurra-t-elle. N'importe quoi, pourvu qu'il redevienne comme avant.

—Seulement qu'il redevienne comme avant?

Trop désarçonnée par la crainte que ce soit un piège pour articuler le moindre mot, elle hocha simplement la tête.

—Je veux que Will recouvre la santé, et si je peux faire quelque chose pour que cela arrive, je n'hésiterai pas, assura-t-elle, convaincue à présent que c'était bien un piège.

Voilà qui était net et précis, et sans ambiguïté.

Robin acquiesça.

— Votre loyauté est votre plus grand atout, Jane.

Aussitôt, cette dernière prit un air sévère.

— Qu'est-ce que ça veut dire?

Le voyant se pencha en avant et fit comme s'il n'avait rien entendu.

— Quel est l'endroit préféré de Will?

La perplexité de la jeune femme ne fit que s'accroître.

— Je ne vois pas où vous voulez en venir, dit-elle en secouant la tête.

— Ma foi, il me semble que ma question est assez simple. De tous les endroits que Will connaît et apprécie, quel est celui qui compte le plus pour lui?

— Partout où je suis, bien sûr, répondit Jane avec désinvolture en s'efforçant de dissimuler son irritation.

Robin sembla faire peu de cas de sa réponse – c'est du moins ainsi que Jane interpréta le demi-sourire du voyant, qui l'assurait pourtant de sa compassion. Non, il ne jouait pas avec sa corde sensible, mais il la soumettait bien à un test. Tel était le sens du regard qu'il posait sur elle : il essayait de lui faire entrevoir quelque chose. Hélas, elle n'avait aucune idée de ce dont il s'agissait.

— Naturellement, puisqu'il vous aime, Jane. Il sait que vous feriez n'importe quoi pour lui, qu'il peut compter sur votre amour, sur votre ingéniosité et votre autonomie pour tirer votre couple d'affaire. Il sait que vous avez assez de courage pour deux et que vous n'hésitez pas à prendre les choses en main quand, d'aventure, tout semble perdu.

— Comme dans le cas présent? s'enquit Jane d'un ton pressant, car elle ignorait s'il parlait de la situation présente où en général.

Elle opta néanmoins pour la deuxième éventualité.

Robin secoua la tête en signe de dénégation.

—Rien n'est jamais perdu. Mais la vie de Will est suspendue à votre courage, à votre imagination, à votre capacité à vous détacher d'un certain nombre de liens le moment venu, à accepter d'autres personnes que vous ne comprendrez pas nécessairement, et à prendre des décisions qui pourront vous sembler inaccoutumées et risquées. Sa vie future et son bonheur éventuel reposent également sur votre probité.

Jane était complètement désorientée à présent. *De quoi parle-t-il ?* se demanda-t-elle. *Des médecins américains ?*

—Vous essayez de me dire que je devrais laisser ses parents le ramener aux États-Unis ? s'enquit-elle.

Robin haussa les épaules.

—Je m'emploie à vous indiquer les directions possibles. À vous de peser le pour et le contre à partir des données dont vous disposez ; vous seule pouvez décider de la marche à suivre. Je ne suis qu'un panneau indicateur.

—Un panneau qui pointe dans quelle direction ?

Le voyant esquissa un rictus empreint de tristesse.

—En direction des fils qui tissent la grande trame de la vie.

Jane le dévisagea, et ses yeux s'emplirent de larmes. Sans doute le voyant s'en aperçut-il, mais il demeura impassible. Il semblait désormais plongé dans une sorte de rêverie.

—Nous sommes tous interdépendants, à plus d'un niveau, et nos vies s'entremêlent pour le meilleur et pour le pire, mais le lien le plus solide est celui qui relie une génération à une autre. La descendance est le fil d'Ariane qui relie les mailles de nos vies ensemble.

«*Descendance… générations… fil d'Ariane…*» Cette fois, la pauvre Jane était perdue. *Où veut-il en venir ?* se demanda-t-elle. Pour augmenter ses chances de se faire comprendre, elle reformula très précisément sa question :

—Dois-je laisser Will retourner en Amérique pour y être soigné ?

Avec ça, pensa-t-elle, *il répondra forcément par «oui» ou par «non».*

—Qu'il soit ici ou ailleurs, tant qu'il est dans le coma…, répliqua Robin sans sourciller, l'œil de nouveau vif et pétillant.

Jane parut dubitative.

—Ce sont les propres paroles du père de Will ! s'indigna-t-elle.

—Qu'il soit sans connaissance ici ou là ne vous le ramènera pas. De plus, j'imagine que vous avez les moyens financiers de rester auprès de lui où qu'il se trouve ?

—Qu'est-ce qui vous fait dire cela ? s'enquit Jane d'un ton cassant, car elle était toujours chatouilleuse au sujet de la situation financière de sa famille.

—Supposons que vous portiez un manteau Chanel rétro, Jane, alors je penserais que vous avez dû économiser pour vous l'offrir, ou bien que c'est un cadeau qu'on vous a fait. Mais à vous voir vous débarrasser du vôtre aussi négligemment, ainsi que de votre carré Hermès, sans un regard pour l'endroit où je les ai rangés, me laisse penser que vous avez l'habitude des beaux vêtements très chers. Votre sac hobo arlequin en cuir orné de pierreries de chez Chanel est également un indice révélateur.

Jane sentit le rouge lui monter aux joues.

—Personne ne porte ce genre d'accessoires à Londres, sauf peut-être quelques célébrités entourées de gardes du corps et des femmes qui, comme vous, disposent d'une fortune dont elles n'ont que faire. À eux seuls, ces trois objets valent des milliers de livres. Peu de gens ont autant de moyens.

Jane eut l'élégance de manifester sa gêne en regardant ses mains. Où ce voyant avait-il appris à reconnaître un carré Hermès ?

— Bon, très bien, balbutia-t-elle en se raclant la gorge. Je peux le veiller ici ou en Amérique.

— Il n'en reste pas moins que ce n'est pas ça la question essentielle, fit remarquer Robin en chassant d'une chiquenaude un morceau de peluche de son chandail vert.

Au premier abord, Jane avait d'abord cru que le voyant avait les yeux bleus, mais elle s'apercevait à présent qu'ils étaient verts, et que son pull en fil d'Italie leur était donc assorti. Robin rajusta le nœud de sa cravate en soie multicolore. Dans la mesure où celle-ci venait de chez Paul Smith, elle en conclut qu'il n'y avait rien d'étonnant à ce qu'il reconnaisse un manteau Chanel. La jeune femme avait acheté exactement la même cravate pour Will, mais elle n'avait pas encore eu le temps de la lui offrir. En outre, elle refusait qu'il la porte à son propre enterrement.

— Et donc ?

— C'est à vous de voir, répliqua Robin en clignant des yeux. Soit vous acceptez la réalité, soit vous faites en sorte de la changer.

— Robin, je ne comprends pas où vous voulez en venir !

— C'est agaçant, n'est-ce pas ? fit-il remarquer. Mais c'est mon rôle. Comme je vous l'ai dit, je ne peux que vous indiquer les directions.

— Sauf que je n'en discerne aucune !

— Je vous ai déjà donné un indice. Songez à l'endroit où Will aimerait le plus se retrouver à son réveil.

Il lui fit un clin d'œil et ajouta :

— Hormis dans vos bras.

— Je ne vois pas, répliqua Jane avec un air déconfit. Partout sauf dans son lit d'hôpital. Non, je ne vois vraiment pas…

— Réfléchissez…, suggéra le voyant en lui tendant une carte de visite sortie de nulle part.

Puis il se leva. Manifestement, la séance d'essai était terminée.

— Vous ne m'avez indiqué aucune direction, protesta Jane en allant chercher ses affaires.

Robin l'aida à enfiler son manteau.

— Une fois de retour à votre hôtel, vous y verrez plus clair, je vous en fais la promesse. Vous repenserez à ce que nous avons dit et vous vous apercevrez que je vous ai donné les informations nécessaires pour discerner une voie à emprunter, une ligne droite…, insinua-t-il. Faites confiance à votre intuition, Jane.

Cette dernière se tourna face au voyant tout en achevant de nouer son foulard, puis elle lançant son sac sur son épaule et lui tendit la main.

— Eh bien, je vous remercie. C'était intéressant…

— Instructif, j'espère.

— L'avenir le dira, répliqua-t-elle, le sourire aux lèvres.

Robin lui serra la main.

— Puisque vous êtes venue, servez-vous de ce que vous avez appris ici. Je vous assure que vous seule êtes en mesure de protéger William.

William ? Tiens, je n'ai jamais prononcé son prénom en entier…, s'étonna la jeune femme, la gorge serrée.

— Dommage que… que je ne sache pas comment.

Le voyant prit la main de Jane.

—Cherchez en vous-même. Vous détenez toutes les réponses, et même si vous n'êtes pas encore en mesure de le voir, croyez-moi : je vous ai indiqué la marche à suivre. Je sais que vous avez besoin de vous sentir en confiance, d'être aux commandes, mais il dépend de vous à présent de vous engager sur ce chemin. Ce ne sera pas facile. Ah, autre chose : la vie est faite de tensions qui se compensent.

Jane haussa les épaules en signe d'incompréhension.

—Toute action entraîne une réaction, expliqua-t-il.

—Oui, répliqua-t-elle en s'efforçant de lui montrer qu'elle suivait le fil de sa pensée.

—Si l'on fait tomber un tout petit caillou dans une eau étale…

—… il se produit un faisceau d'ondes, acheva-t-elle.

Jane comprenait l'idée mais non la manière dont elle s'appliquait à sa situation.

—Parfait ! s'exclama Robin comme s'il se réjouissait d'avoir réglé cette question.

Esquissant un sourire mélancolique, il ajouta :

—Tout se paie, n'est-ce pas…

—Robin, je…, commença-t-elle.

Voilà que le voyant s'exprimait à la manière des mystiques, et sans doute était-ce bien ainsi. Elle n'était pas venue dans l'espoir d'obtenir des réponses, mais pour faire diversion, ce que Robin lui avait assurément procuré. Jane consulta sa montre. Ses parents devaient s'inquiéter.

—Il faut que je m'en aille, annonça-t-elle.

Il hocha la tête, et, une fois encore, Jane décela une certaine lueur dans ses yeux, comme s'il la comprenait, comme s'il lisait dans ses pensées, anticipait ses réactions, souffrait d'un même chagrin.

— Vous avez ma carte. Nous nous reverrons peut-être…

Jane esquissa un sourire attristé.

— Vous vous êtes montré charitable envers une étrangère. On dit qu'on récolte ce qu'on sème. Espérons que cela se vérifiera.

— Rien n'est plus vrai ! gloussa Robin. Faites attention à vous, Jane. Votre route sera jonchée d'ornières, mais vous avez l'instinct de survie très développé. Ne l'oubliez jamais.

Jane s'en alla en lui faisant un signe de la main, puis elle disparut dans un tournant de l'escalier, se posant mille questions au sujet de l'étrange personnage dont elle venait de faire la connaissance et s'étonnant du regain d'énergie que ce dernier lui avait communiqué en si peu de temps. Elle devrait s'accrocher à ce sentiment de sécurité et, si possible, se laisser porter par cette vague dans les épreuves à venir.

Chapitre 7

Écosse, automne 1715

Début septembre, rien n'avait semblé pouvoir arrêter les troupes de Mar, si bien que le duc d'Argyll avait été envoyé à Édimbourg pour prendre le commandement de l'armée gouvernementale anglaise en Écosse, armée qui fut irrémédiablement surpassée en nombre par le déferlement d'une multitude d'Écossais dont les effectifs et l'assurance croissaient de jour en jour.

Mais moins d'un mois plus tard, Nithsdale déchanta, ainsi que les autres membres de l'état-major. Le nouveau régent du royaume de France s'avérait bien plus enclin à rester en bons termes avec George Ier d'Angleterre qu'à soutenir la cause jacobite, et ainsi que William et ses compagnons de révolte l'avaient craint, les navires français et leur précieuse cargaison restèrent à quai jusqu'à nouvel ordre.

Tandis qu'octobre approchait, le roi en exil Jacques III d'Angleterre n'était toujours pas rentré triomphalement en Écosse, malgré le soutien de ses partisans catholiques qui annonçaient son retour en maintes villes du pays et l'appui de ceux qui venaient d'Angleterre grossir leurs rangs.

Les Highlanders défendirent avec ferveur l'indépendance de leur nation, mais si lord Mar s'y entendait en matière de recrutement, il fit rapidement la preuve de son incompétence en matière de stratégie et de commandement.

— Il va tous nous faire tuer! grommela William en s'asseyant près du feu.

Les troupes étaient installées à Perth, où elles souffraient d'une insuffisance de ravitaillement et d'intendance. Il lança un regard furieux aux autres aristocrates qui partageaient avec lui sa maigre pitance composée de lapin et de bière. Leurs visages avaient quelque chose de fantomatique dans le rougeoiement des flammes, et il vit à leur expression qu'il prêchait des convertis. William indiqua du doigt les autres petits feux de camp où, le dos voûté, faisaient cercle des grappes d'hommes à l'air morose. Certains fredonnaient des airs à voix basse, d'autres jouaient aux dés à la lumière d'une chandelle, mais la plupart restaient cois.

— Voilà notre belle armée! s'exclama William. Affamée, gelée et trempée jusqu'aux os, pendant que les tuniques rouges ont l'estomac bien rempli, ne souffrent pas du froid et sont bien entraînés. Comment peut-on demander à des fermiers de rester assis à ne rien faire pendant que leur bétail et leurs familles sont privés de nourriture dès le début de l'hiver à cause des insuffisances de notre chef?

Comme personne ne prenait la peine de lui répondre, William revint à la charge:

— J'écrirai à Mar ce soir même. Il n'a aucune idée des dégâts que peut causer l'absence de commandement et, pour finir, le désœuvrement. Surtout dans la tête d'un Highlander!

Mais personne n'écouta l'annonce de William ; son excès de franchise ne lui valut pas même un blâme.

Vers la fin du mois, avec l'arrivée des premiers frimas, une petite unité jacobite avait opéré une marche forcée jusqu'en territoire anglais, que William vécut comme la percée de la victoire finale.

La journée du samedi 9 novembre commença sous un ciel d'ardoise et se poursuivit par une pluie violente et un froid glacial qui se glissaient insidieusement sous le tartan des Highlanders, faisant frissonner jusqu'aux plus aguerris d'entre eux. Ce temps maussade mit à bas le moral des troupes jacobites dans leur mouvement vers ce qu'elles espéraient être un triomphe supplémentaire.

L'un des vassaux de William, un fils naturel de la famille Pollock, avec laquelle les Maxwell étaient liés depuis des siècles, vint ranger son cheval à hauteur de celui de son seigneur, et tous deux avancèrent d'un pas lourd au sein de la colonne des Écossais en guenilles.

—J'ignore comment nous tenons, mais nous tenons, monsieur, fit remarquer le bâtard. Les hommes disent que tout se passe comme par magie !

À ces mots, William s'esclaffa.

—Non, Pollock, ce serait plutôt par la grâce du Tout-Puissant. Rappelle aux hommes que les voies du Seigneur sont impénétrables et qu'ils doivent s'accrocher à leur foi. Cela me dépasse aussi, tu sais, que nous ayons réussi à accomplir autant avec aussi peu, alors même que notre propre commandement tâtonne, au point qu'il en deviendrait presque aussi dangereux que l'ennemi.

Pollock accueillit cette démonstration d'humour noir avec un grand sourire.

— Sans doute, monsieur, mais nous vous suivrons jusqu'au bout du monde.

William secoua la tête, car il maudissait la responsabilité qui pesait sur ses épaules nuit et jour, et surtout le mauvais pressentiment qui s'imposait à lui à mesure qu'ils couvraient les vingt-cinq miles de boue glissante et d'embûches qui les séparaient de Preston.

— Exhorte les hommes à avancer, Pollock! Remonte le moral des troupes en leur assurant que notre étendard flottera bientôt au-dessus des toits de Liverpool!

William entra dans Preston au son de la bonne nouvelle que deux régiments de dragons à la solde du gouvernement avaient fui la ville en apprenant l'arrivée des Écossais. Ce qui n'était d'abord qu'un bruit parmi les jacobites se transforma rapidement en une franche rumeur et, pour finir, en certitude : les partisans du roi protestant ne leur opposeraient pas de résistance.

— Eh bien, pour une surprise! s'exclama un autre cavalier tandis que les sabots des catholiques foulaient les pavés du bourg sans rencontrer de menace.

William acquiesça d'un hochement de tête.

— J'étais loin de m'imaginer que Preston possédait de si beaux édifices! s'exclama-t-il en désignant le magnifique hôtel de ville et les résidences cossues des propriétaires terriens.

— Je crois qu'il est temps de laisser nos hommes se divertir un peu…, suggéra le compagnon de William.

Mais ce dernier était d'un autre avis, même s'il préféra ne pas se prononcer sur la question.

—Cette ville doit échapper à la destruction, déclara-t-il néanmoins. Je vais parler au général Forster pour qu'il donne l'ordre de modérer les pillages.

Cependant, il apparut rapidement qu'il n'y avait rien à craindre de ce côté-là, car le général Forster – un politicien conservateur qui commandait l'arrière – décida de prendre deux ou trois jours de repos pour jouir des plaisirs de la ville, encourageant ses hommes à en faire autant.

Mais, lorsque ce même général, ayant satisfait tous ses appétits, traversa le pont sur la Ribble en compagnie de l'état-major dans le but de reconnaître les environs, quel ne fut pas son étonnement de constater que les armées gouvernementales s'y regroupaient en nombre.

Si William ne croyait guère en Forster, il avait en revanche toute confiance en celui qu'on appelait le «Vieux Borlum». William Mackintosh, laird de Borlum et oncle du chef de clan des Mackintosh, avait deux mille hommes sous ses ordres qui comptaient parmi les guerriers les plus endurcis et les plus braves des Highlands. C'était en grande partie grâce à eux que les jacobites avaient pu se réjouir des défaites infligées aux Anglais.

William se sentait proche du Vieux Borlum, d'autant que cet homme plus âgé avait servi auprès de Louis XIV et avait hanté les couloirs de Versailles où le comte avait rencontré et aimé celle qui allait devenir sa femme. William accepta de passer une nuit de réjouissances avec ses compagnons de la noblesse et les membres du clan Mackintosh dans un bois pentu en surplomb du cantonnement anglais.

—Quel imbécile! Ce type a le cerveau ramolli! tempêta le Vieux Borlum à propos de Forster. Il est aussi timoré que Mar quand il s'agit de prendre une décision! Il aurait dû couvrir le pont!

Puis il remonta la pente d'un pas lourd jusqu'à l'endroit où William sirotait sans plaisir un verre de vin.

—Ce pont est notre talon d'Achille, Maxwell! ajouta Mackintosh en désignant l'édifice. S'ils le prennent, nous sommes cuits.

William acquiesça. Le Vieux Borlum disait vrai.

—Les hommes ont passé tout l'après-midi à construire des ouvrages défensifs dans la ville, conformément à vos instructions, Mackintosh. Lord Derwentwater a même augmenté leur solde pour les y encourager, rappela William dans l'espoir de rassurer quelque peu le vieux chef quant à leur capacité à faire face.

Un troisième homme, qui était assis à côté de Maxwell, hocha la tête, signifiant par là qu'il était du même avis.

—Derwentwater a même quitté son manteau et retroussé ses manches pour leur donner un coup de main, révéla ce dernier. Si vous l'aviez vu s'activer comme un beau diable!

Mais le Vieux Borlum ne s'en laissa pas conter.

—Pendant ce temps, Mar s'attarde à Perth, comme fasciné par le ralliement des Fraser, des MacDonald et des Mackenzie! répliqua-t-il.

Quoi qu'il en soit, ils seraient fixés dès le lendemain sur leur capacité à protéger le pont. Lorsque William annonça qu'il passerait la nuit avec ses hommes à même le sol d'une grange, Pollock s'éleva contre cette idée, mais William eut le dernier mot.

—En temps de guerre, nous sommes tous égaux, Pollock. Nous avons tous le sang rouge quand il coule.

Le lendemain matin, qui fut aussi glacé que les précédents, bien qu'il ne plût pas, William se mit en quête de Mackintosh, non sans donner l'ordre à ses hommes de se tenir prêts.

Le Vieux Borlum avisa le jeune Maxwell et cracha par terre. Quant à ce dernier, il jeta un coup d'œil à l'armée anglaise qui se préparait également au combat de l'autre côté du champ.

— C'est de faire une aussi belle cible qui vous rend anxieux ? s'enquit Maxwell en désignant le tartan vert vif, bleu et rouge de son aîné.

Le vieux chef bourru fit la moue.

— Ouais, c'est comme si j'invitais à ce qu'on me tire dessus, mais plutôt recevoir une pique dans mon tartan que de mourir dans du velours !

William se racla la gorge et ébaucha un sourire ému.

— Les Highlanders sont assurément redoutables ! répliqua-t-il.

Soudain, le Vieux Borlum prit un air renfrogné.

— Mar a obtenu plus d'hommes en une semaine que n'en compte l'armée d'Argyll au complet, et il tergiverse encore ! déplora-t-il. Il sera responsable de la mort de mes hommes !

— Nos défenses sont fiables sur quatre fronts, annonça William.

— Dans ce cas, il ne te reste plus qu'à prier pour que cela suffise, mon garçon, parce qu'ils passeront ce pont avant la fin de la journée, crois-moi !

Chapitre 8

Londres, décembre 1978

JANE SE FRAYA UN CHEMIN JUSQU'À SON HÔTEL À SEVEN Dials en s'efforçant de conjurer ses souvenirs lorsqu'ils se présentaient.

Le portier lui ouvrit.

—Bonjour, Miss Granger, la salua-t-il avec un air sombre.

Manifestement, la nouvelle de l'accident de Will avait circulé.

—Vos parents vous ont laissé plusieurs messages.

Jane traversa le hall en toute hâte en évitant délibérément de croiser le regard des réceptionnistes qui essayaient d'attirer son attention en agitant des petits bouts de papier. Puis elle bifurqua à vive allure en direction des ascenseurs. La montée jusqu'au troisième étage lui parut durer une éternité. De retour dans sa chambre, elle se laissa choir sur le lit sans quitter son manteau et ferma les yeux pour retenir ses larmes. Elle respira lentement, profondément, jusqu'à ce que son cœur ralentisse.

Robin a raison, pensa-t-elle. Dans quel but résistait-elle ? Le mieux était de laisser John et Diane emmener Will. Il était inutile qu'il reste à Londres. Une fois que sa décision fut prise, Jane se sentit libérée d'un poids immense. Craignant de changer d'avis, elle prit le téléphone et appela ses parents.

Son père l'écouta jusqu'au bout sans rien dire.

— Tu me sembles très sûre de toi.

— Je le suis, papa. Les autres possibilités ne me disent rien qui vaille. Je dois lui accorder cette chance. Si c'est un échec, alors il sera temps pour moi de prendre l'autre décision importante.

Le père de Jane soupira dans le combiné avant de murmurer quelque chose à son épouse.

— Tu es à l'hôtel ? s'enquit-il enfin.

— Oui, j'essaierai de dormir un peu dès que j'aurai annoncé ma décision aux Maxwell, répondit-elle.

— Je suggère que tu laisses passer une nuit de sommeil avant de le leur annoncer. Mais c'est à toi de voir, ma chérie. Ta mère et moi serions vraiment rassurés si tu consultais un dénommé Hollick. C'est l'oncle Dick qui nous l'a recommandé.

Ce n'était pas une grande surprise pour Jane, qui avait entendu ses parents échanger des messes basses au sujet d'une aide psychologique pour leur fille.

— Papa… c'est un psychiatre ?

— Un psychologue, rectifia son père, en sous-entendant que la différence était de taille.

— Je ne suis pas folle, juste un peu molle.

La rime involontaire rendit le propos comique, mais aucun des deux ne rit, comme ils auraient pu le faire en d'autres circonstances.

—Je n'ai pas dit que tu étais folle, s'empressa de répliquer son père, sans parvenir à totalement dissimuler son exaspération. Je dirais même que tu es la personne la plus réfléchie que je connaisse. C'est pourquoi je t'ai toujours soutenue dans tes choix, même au sujet de ce mariage précipité avec Will.

—Que suis-je censée en déduire?

—Jane…, commença Mr Granger d'une voix autoritaire avant de s'adoucir quelque peu. Tu as toujours été indépendante. Et Will me paraissait étouffer ton penchant naturel à…

Tiens donc! songea-t-elle. *Je reconnais bien là mon petit papa. Nous sommes pareils toi et moi.*

—À quoi?

—À être toi-même. J'ai remarqué qu'il parlait à ta place.

—Ça ne se passe pas toujours ainsi quand deux personnes tombent amoureuses? Ne commencent-ils pas rapidement à penser l'un pour l'autre? répliqua Jane sur la défensive.

—Bien sûr, ma chérie. Pardonne-moi, je suis juste habitué à ce que ma fille adorée s'exprime sans détour, pas à ce qu'elle s'en remette à un tiers.

—Je t'assure que ce n'est pas le cas.

—Alors, je suis rassuré. Mais ne te laisse pas non plus marcher sur les pieds par Maxwell premier du nom. Quoi qu'il en soit, je crois que confier ta souffrance à un professionnel pourrait t'aider.

Jane n'eut pas la force de le contredire. Sans compter qu'elle ne voulait plus faire diversion.

—Quand? s'enquit-elle.

—Ta mère t'a pris rendez-vous pour demain à 10 h 30. Son cabinet se trouve sur Harley Street.

—Normal, puisque c'est là que sont tous les médecins! fit-elle remarquer d'un ton sarcastique. C'est d'accord, ajouta-t-elle d'une voix plus amène. Si cela peut vous rassurer…

Jane imagina ses parents, assis côte à côte sur le lit de leur chambre d'hôtel située un étage plus bas, tendant tous deux l'oreille vers le récepteur téléphonique.

—Oui, nous serions rassurés.

—C'est entendu. Ne m'attendez pas pour dîner.

—Je t'en prie, ma chérie, tu dois prendre des forces, supplia sa mère après avoir pris le combiné. En plus, c'est ce soir que ta sœur arrive. Elle demandera à te voir.

—Je veux juste me reposer un peu. Promettez-moi de ne pas vous inquiéter. Si je me réveille à temps, je descendrai vous rejoindre. Sinon, on se verra demain au petit déjeuner.

Un silence suivit, puis son père s'empara de nouveau du téléphone.

—Nous reviendrons aux nouvelles un peu plus tard, annonça-t-il. En attendant, prends tout ton temps, repose-toi.

Manifestement, ils doutaient de sa santé mentale!

—Merci, papa. Je t'aime, déclara-t-elle.

Jane entendit le petit bruit sec du combiné lorsque son père raccrocha. Puis elle écouta au loin le vrombissement des ascenseurs, le bourdonnement du chauffage dans sa chambre, le ronron de la circulation en bas dans la rue et surtout le roucoulement des colombes ou des pigeons qui se posaient sur le balcon et s'envolaient à intervalles réguliers. Un couple de ces tourtereaux se pavanait sur la rambarde, le mâle faisant à la femelle une cour de tous les diables en la suppliant de céder à ses instances. La jeune femme se demanda s'il était exact que les pigeons s'accouplaient pour la vie. Malgré ses doutes, l'idée n'était pas pour lui déplaire. Par ailleurs, elle avait appris que certains oiseaux – c'était assurément le cas des cygnes – sacrifiaient leur vie pour leur compagnon. Si l'un des deux venait à disparaître, l'autre se laissait mourir de chagrin comme le prétendaient les âmes romantiques.

Tu divagues! se tança-t-elle. *Will n'est pas mort. Il dort et t'attend.*

Mais il m'attend pour quoi faire? se demanda-t-elle une fois recentrée.

« *Quel est l'endroit préféré de Will?* » avait demandé Robin.

J'aimerais bien le savoir! répondit-elle. Puis, l'esprit trop agité pour pouvoir trouver le sommeil malgré sa fatigue, elle se redressa et se hissa sur les coudes. Ne savait-elle pas d'expérience que, dans la plupart des cas, mieux valait agir que de rester inactif? Or, le problème qui l'occupait ne faisait pas exception à la règle.

Se souvenant des parents de Will, Jane les appela aussitôt au *Claridge* où ils étaient descendus, mais elle dut se contenter de leur laisser un message, car ils étaient probablement au chevet de leur fils.

—Oui, merci. Pouvez-vous dire à Mr Maxwell que j'ai pris une décision? Demandez-lui, s'il vous plaît, ou à Mrs Maxwell, de m'appeler dès qu'ils pourront.

Puis le réceptionniste lui demanda son nom.

—Bien sûr, répondit-elle. C'est de la part de Jane… Non, Jane tout court… Ils savent qui je suis… Oui, ils ont mon numéro.

Jane était certaine que le père de Will avait déjà contacté ses propres parents.

Une fois qu'elle eut raccroché, elle quitta son manteau, enleva son écharpe, retira ses bottes et jeta un coup d'œil circulaire à la chambre jonchée d'affaires appartenant à son fiancé. Son intention était de prendre une douche, mais elle se laissa distraire par ce désordre familier et alla même jusqu'à humer l'un de ses pulls afin de s'imprégner de son odeur. Puis elle effleura du doigt sa vieille mallette de cuir qui était pleine à craquer de livres et de dossiers. Jane retint son souffle en se souvenant soudain de la conférence que Will devait donner en Écosse. Quelqu'un avait-il prévenu les organisateurs ? Dans le doute, elle fouilla dans la sacoche à la recherche de l'agenda du conférencier.

Quelques minutes plus tard, elle raccrochait de nouveau le téléphone en chancelant après avoir dû expliquer à deux reprises les circonstances de l'accident, d'abord à l'organisatrice de l'événement, puis à un professeur de l'université. Tous deux avaient entendu parler de l'agression aux informations, sans toutefois connaître l'identité de la victime, gardée secrète par les autorités.

Essuyant ses larmes d'une main tremblante, Jane songea au silence abasourdi de l'organisatrice à l'autre bout du fil et à la manière dont celle-ci s'était efforcée de la rassurer avec son adorable accent écossais. La jeune femme n'ignorait pas que c'était déjà beaucoup de la part d'une étrangère, mais les paroles de celle-ci lui semblaient néanmoins vides de sens et impuissantes à soulager sa peine. À vrai dire, la compassion, le ton bienveillant et les vœux de retour à la normale que formulaient les gens ne faisaient qu'aggraver son état.

Jane arracha deux mouchoirs en papier du distributeur en carton et sanglota. Elle ouvrit un dossier appartenant à Will et feuilleta les pages contenant les notes de son intervention. Elle eut le cœur serré en songeant à l'énergie qu'avait déployée son fiancé pour donner le ton juste à une conférence qu'il ne ferait jamais.

Dans un moment de folie, elle envisagea de la donner elle-même. Mais elle se ressaisit vite lorsqu'elle comprit qu'il lui serait impossible de prononcer trois phrases sans fondre en larmes. Sans compter qu'elle n'entendait rien aux lignes de ley et à peine plus au projet de recherche de Will dans son ensemble.

Elle laissa errer distraitement son regard sur ces notes soigneusement rédigées en gros caractères pour en faciliter la lecture lors de l'allocution.

« Quoi qu'il en soit, Alfred Watkins, l'archéologue amateur qui a forgé le concept de "ligne de ley", désignait par là une clairière, conformément à l'étymologie saxonne du mot "ley". Watkins put ainsi cartographier des tracés rectilignes dont il soutenait qu'elles correspondaient à d'anciennes routes commerciales. Ensuite, les adeptes du New Age, les ufologues, les radiesthésistes, les sorcières et les sorciers affirmèrent que ces lignes recélaient une énergie mystérieuse à laquelle seule une minorité d'initiés aurait accès. De nos jours, le concept de lignes de ley s'étend à ce que d'aucuns appellent les grands centres énergétiques, ces lieux où la planète concentrerait des quantités considérables et exceptionnelles d'énergie. Parmi les plus grands "centres énergétiques", on compte Sedona en Arizona, le mont Everest, les géoglyphes de Nasca au Pérou. Mon favori, Ayers Rock en Australie – Uluru comme je préfère l'appeler par respect pour les Aborigènes Anangu qui en sont les gardiens –, est censé récapituler les activités millénaires du Temps du Rêve[1] des ancêtres de cette tribu. Uluru relie les

---

1. Période mythique qui aurait précédé l'apparition de l'univers selon les Aborigènes d'Australie. Le Temps du Rêve continue d'exister et peut faire l'objet d'une quête spirituelle. (*NdT*)

Anangu à leurs ancêtres, comme le sang qui coule dans leurs veines et rougeoie d'un même feu que la montagne…»

Soudain le téléphone sonna. Jane décrocha d'un geste brusque. Comme elle s'y attendait, c'était le père de Will.

— Bonjour John.

— Je suis désolé, Jane, mais je viens seulement d'avoir ton message.

L'espace d'un instant, la jeune femme fut gênée par cette voix qui ressemblait de manière inattendue à celle de Will. *C'est à cause de l'accent américain…*, se rassura-t-elle. Un silence pesant s'ensuivit durant lequel – si bref fût-il – tout devint clair comme de l'eau de roche dans l'esprit de Jane qui voyait désormais une issue s'offrir à elle.

La place de Will était en Amérique… et la sienne était en Australie, si elle voulait le sauver. Quel était l'endroit préféré de Will? Mais Uluru, bien évidemment! Cela ne faisait pas l'ombre d'un doute. Will ne lui avait-il pas assuré avec enthousiasme que ce lieu hautement sacré était investi d'un immense pouvoir spirituel? De plus, n'avait-il pas répondu Uluru, lorsqu'elle lui avait demandé lequel de tous les «centres énergétiques» les plus chargés il aurait aimé visiter? Comment un détail aussi important avait-il pu lui échapper?

Sans doute le désert australien lui réservait-il d'autres surprises. Du moins était-ce ce qu'avait insinué Robin. La ligne de ley qui menait à Ayers Rock et à la rédemption était-elle l'indice auquel le voyant avait fait allusion, la route qu'il s'était efforcé de lui indiquer? La délivrance l'attendait-elle au sommet de ce point nodal? En des circonstances moins tragiques Jane aurait pouffé, tant elle semblait s'être approprié les termes mêmes de la discipline.

—Alors comme ça, Jane, tu… euh, disais que tu avais pris une décision ? bafouilla John d'un ton embarrassé.

Jane émergea de ses pensées et s'étonna de son calme soudain.

—Oui. Je… je suis d'accord pour que vous l'emmeniez. C'est une chance à saisir.

Le père de Will poussa un soupir de soulagement qui fit grésiller le combiné.

—Merci, Jane. Waouh, tu m'épates ! Je veux que tu saches, ma fille, que je crois sincèrement que c'est la meilleure solution. Nous accompagneras-tu ?

—Non, répondit la jeune femme d'une voix plus ferme et spontanée qu'elle ne l'aurait voulu. C'est-à-dire que je vais faire autre chose pour Will.

—Tu ne viendras pas ? s'étonna son beau-père. Comment l'aideras-tu si tu n'es pas auprès de lui ? Tu es sa fian…

Stop ! s'exclama intérieurement Jane. *Ne sapez pas ma détermination !*

—Will désirait se rendre à Ayers Rock.

—Ayers Rock ? Tu veux parler de cet immense monolithe au pays des kangourous ?

Les Américains avaient décidément du mal avec tout ce qui ne se trouvait pas entre New York et Los Angeles.

—Visiter le désert australien était l'une de ses priorités. Il voulait m'y emmener.

—Et donc ? lança sèchement Maxwell.

—Et donc, je vais là-bas, John. Je m'y rends pour lui et pour moi, insista Jane avec encore plus de fermeté.

—Mais pourquoi ?

Elle ne le savait pas. Mais comment avouer à son beau-père que l'idée lui avait été suggérée par un voyant ?

— Parce que c'est ce qu'il voudrait que je fasse, répondit-elle avec une légère irritation dans la voix. Nous devions nous y rendre pour notre lune de miel, mentit-elle en saisissant au vol la seule excuse plausible qui se présenta à elle. Je dois y aller. C'est là qu'il voulait m'emmener, et c'est l'objet de l'une des dernières conversations que nous avons eues avant qu'il… De toute façon ma décision est prise ! s'exclama-t-elle avec plus d'assurance qu'elle n'en possédait en réalité. J'emporterai avec moi quelque chose qui lui appartient.

— Je ne savais pas qu'il projetait d'épouser une illuminée !

Prise au dépourvu, Jane reçut l'insulte de plein fouet. Cependant, ayant encore à l'esprit la mise en garde de son propre père au sujet de John, elle ne se laissa pas intimider.

— Il ne m'avait pas dit qu'il avait un père aussi étroit d'esprit ! Bon, maintenant que vous avez ce que vous vouliez…

— Apparemment, nous ne voulons pas tous la même chose ! l'interrompit-il.

— Je ne suis d'aucune utilité à Will dans son état actuel.

— Qu'en sais-tu ? Je suis sûr que les médecins recommanderaient la présence de la femme de sa vie à ses côtés pour lui parler et essayer de communiquer d'une manière ou d'une autre.

John Maxwell n'avait pu s'empêcher d'employer un ton railleur, ce qui lui valut l'exécration de Jane qui se demanda comment un être aussi désagréable avait pu engendrer la crème des hommes qu'était Will.

— Peux-tu m'expliquer en quoi le fait de se rendre en Australie pour aller voir un satané caillou rouge au milieu du désert peut aider mon fils ?

— Écoutez, John, manquez-moi encore une fois de respect et vous pouvez dire adieu à notre relation, ainsi qu'à mon autorisation d'emmener votre fils en Amérique! Je vous rappelle que c'est vous qui avez eu l'idée de le faire hospitaliser à Baltimore.

C'était extrêmement libérateur de s'affirmer. C'était ainsi qu'elle se préférait.

— Si je vous soutiens, c'est parce que je pense que nous devons tout tenter pour Will, poursuivit-elle. Il est peut-être votre fils, mais ne perdez pas de vue qu'il est aussi mon fiancé. Je ne vous conteste pas le droit de le confier à la science et à la médecine de votre pays, alors, s'il vous plaît, accordez-moi celui d'agir sur un plan plus spirituel.

Jane respirait bruyamment et avait de plus en plus de difficulté à contenir sa colère. Elle n'accordait aucune foi aux croyances psychédéliques de Will, mais elle ne pouvait plus faire marche arrière. Soit elle tenait tête à John Maxwell, soit elle se soumettait.

— Et n'allez pas croire que Will ne partageait pas ces convictions, ajouta-t-elle. En tant que savant, il cherchait des preuves, mais le mysticisme ne lui était pas étranger.

— Tu veux parler de prières?

— Oui, confirma Jane, trouvant en cela une manière simple d'expliquer à son beau-père une réalité qu'il n'essaierait sans doute pas de comprendre ni même de considérer.

Malgré sa détermination à démontrer scientifiquement l'existence des lignes de ley, Will n'en était pas moins fasciné par leurs supposées propriétés ésotériques. En lisant ses notes, Jane s'était souvenue de l'expression employée par lui au cours de leur discussion: «*Des portes ouvrant sur d'autres mondes…*» avait-il dit.

—Je vais prier pour lui dans un lieu particulier qui lui était très cher. Puisqu'il ne peut pas m'accompagner, je ferai ce pèlerinage toute seule en son nom.

—C'est quoi ce charabia, Jane? Tu me déconcertes. Je n'aurais pas cru que tu faisais partie de ces illuminés! Mais bon, tu es d'accord pour qu'on l'emmène, et c'est tout ce qui compte à mes yeux. Fais en sorte d'être à l'hôpital demain pour signer l'autorisation de sortie.

—J'avais prévu d'y aller de toute manière. La police a encore des questions à me poser. Ils auront interrogé tous les témoins potentiels, et beaucoup de gens ont dû assister à la scène.

John Maxwell attendit qu'elle poursuive mais comme elle demeurait silencieuse, il reprit la parole, un ton plus bas.

—Écoute, petite. Will t'a élue pour devenir notre belle-fille. Nous n'avons pas encore eu le temps de faire vraiment connaissance, mais je suis sûr qu'avec le temps nous apprendrons à mieux nous connaître. Pardonne-moi si je te parais un peu excessif, mais pour l'heure, mon fils est tout ce qui compte. Si tu veux te lancer dans une aventure loufoque parce que ça t'aide à mettre de l'ordre dans tes idées, je n'y vois aucun inconvénient. Tout ce que je te demande, c'est de ne pas t'éterniser. Will aura bientôt besoin de toi à ses côtés. Il se pourrait bien que toi seule puisse le ramener à la vie.

C'est bien mon intention! pensa Jane.

—Je dois faire ce voyage, répéta-t-elle en s'éclaircissant la voix. Et maintenant que ma décision est prise, je sais que c'est la bonne. Vous avez dit vous-même que nous ne devions rien négliger pour le sauver. Eh bien, c'est exactement ce que je fais. Je le laisse partir avec vous pendant que je vais chercher une autre solution.

Ils se quittèrent sur une note tendue, mais dès que Jane eut raccroché, elle sentit naître en elle une énergie nouvelle.

Destination Ayers Rock ! songea-t-elle.

Elle avait désormais un plan d'action, un but. Elle reprenait le gouvernail ! Elle ferait l'ascension de ce grand noyau énergétique et inscrirait le nom de Will au sommet. Ensuite, son fiancé ouvrirait les yeux et prononcerait son nom.

Jane n'ignorait pas que c'était une étrange certitude que la sienne, mais elle avait la conviction qu'elle était, d'une manière ou d'une autre, dans le vrai. C'est à cela que le voyant avait voulu en venir. Elle le comprenait à présent. Elle avait enfin les idées claires – ou plutôt elle voyait distinctement la marche à suivre.

Le mieux était donc de ne pas tenir compte de la petite voix qui lui disait qu'elle agissait comme une insensée.

Chapitre 9

Geoffrey Hollick était plus jeune que Jane ne l'aurait cru. Il devait avoir dans les quarante ans et n'était pas dépourvu de charme, avec sa raie au milieu bien nette et ses joues rasées de près. La jeune femme le soupçonna d'avoir vieilli prématurément sans connaître la fougue de la jeunesse ni jamais contrarier ses parents. Il portait une cravate à larges rayures dont il avait desserré le nœud pour en atténuer le côté guindé. Son sourire, qui était franc et éclatant, rasérénait ses interlocuteurs.

Il invita la jeune femme à s'asseoir et lui offrit une tasse de thé qu'elle refusa d'un sourire poli pour finalement accepter un verre d'eau glacée. Hollick la servit à l'aide d'une carafe posée sur un buffet à côté de son bureau. Jane en profita pour se débarrasser de son manteau tandis que les glaçons tombaient en s'entrechoquant dans le verre avec un délectable bruit sourd.

Enfoncés dans leurs fauteuils club, ils étaient assis de part et d'autre d'une petite table basse. Hollick n'avait rien pour prendre des notes, ce qui ne manqua pas de rassurer Jane.

Malgré cela, le praticien semblait lutter contre l'envie irré-pressible de mettre ses mains l'une contre l'autre, même si c'était sans doute plus une position naturelle chez lui qu'une déformation professionnelle. Une fois les présentations faites et les indispensables banalités sur le temps échangées, ils entrèrent dans le vif du sujet.

— Votre mère m'a expliqué ce qui est arrivé, Jane, et je suis content que vous ayez pris l'initiative de venir aujourd'hui. Parler permet d'évacuer la pression, évidemment.

Jane attendit quelques instants avant de nuancer :

— Il arrive parfois que l'on se noie sous un flot de paroles, docteur Hollick.

— Oh, je vous en prie, appelez-moi Geoffrey. Ou Geoff, c'est encore mieux, suggéra-t-il en optant pour une formule encore plus familière qui lui semblait mieux correspondre à l'âge de la jeune femme.

Cette dernière lui rendit son sourire, qui était l'arme principale de Hollick. Mais en avait-il conscience ?

— Je n'ai déjà que trop parlé et trop pensé, Geoff. C'est pourquoi j'aimerais mettre mon cerveau en vacances, à présent. Le coma de Will est dévorant, et par moments l'injustice de tout cela m'oppresse. Et je ne cesse de me répéter : « Si seulement… »

Hollick hocha la tête d'un air grave.

— Voyons si je peux vous aider à quitter ce bureau mieux armée pour affronter cette sensation d'oppression. Je comprends ce que vous ressentez. Cette impression que les murs se referment sur vous…

Jane acquiesça à son tour.

— Tout le monde croit bien faire. Et tous abondent dans le même sens. Mais l'apitoiement de mes parents m'étouffe.

Je les aime, docteur Hollick, euh… Geoff… oui, Geoff, se reprit-elle, le sourire aux lèvres, avant de rassembler ses idées. Mais ils ne peuvent pas m'aider. Tout se passe comme si je devais chercher ma propre voie de guérison.

— Pour vous guérir de quoi ?

— De mon manque de confiance en moi.

— Et c'est pourquoi vous laissez les parents de Will le ramener aux États-Unis pour le soumettre à un traitement de pointe.

Jane resta bouche bée.

— Votre mère y a fait allusion au téléphone, expliqua Hollick en hochant la tête.

— Mais ce qu'elle n'a pas pu vous dire, parce qu'elle l'ignore encore, c'est que je n'ai pas l'intention d'accompagner Will. J'ai d'autres projets pour calmer ma douleur.

Jusque-là, le docteur Hollick avait regardé Jane avec une sorte d'insouciance, mais, à ces mots, son attention redoubla.

— Jane, c'est pour cela que vous êtes venue aujourd'hui, rappela-t-il sur un ton pressant. Il est capital que vous compreniez que vous avez reçu, tant du point de vue psychique qu'émotionnel, le choc le plus violent qui soit peut-être. De plus…

— Soyez certain que nul ne le sait mieux que moi, l'interrompit-elle. Mais je n'ai pas d'autre choix que de l'accepter, même si cela ne rend pas le chagrin plus supportable.

Geoff se racla la gorge.

— Et comment envisagez-vous de vous guérir ? s'enquit-il, plein d'appréhension.

C'est alors que Jane prit conscience du malentendu.

— Docteur Hollick, commença-t-elle, je n'ai pas l'intention de me suicider.

—Mais personne n'a suggéré cela…, se défendit le psychologue en clignant des yeux.

Tout s'expliquait à présent! Comment n'avait-elle pas compris plus tôt que ses parents craignaient une tentative de suicide de sa part?

—Si, mes parents! protesta-t-elle. Je les soupçonne de s'angoisser à l'idée que cet accident m'ait peut-être désaxée au point que je commette un geste irréparable. Ils auront cru que je voulais mettre fin à mes jours pour arrêter de souffrir! C'est pour ça qu'ils m'ont envoyé chez vous.

Forte de cet éclairage nouveau, Jane lança au thérapeute un regard qui se voulait rassurant.

—Au contraire, j'ai l'intention d'assister au réveil de Will et de l'entendre prononcer mon nom de nouveau. Mais en attendant, je vais prendre du recul et m'efforcer d'agir en me rendant dans un endroit où nous avions l'intention d'aller ensemble. C'est une sorte de pèlerinage que je fais pour lui.

—Oh, je vois… et, euh, puis-je vous demander quel est cet endroit?

Jane expliqua point par point son projet, et le médecin s'égaya de nouveau.

—C'est une histoire assez fantasque, en fait, admit-il lorsqu'elle eut terminé.

Jane ne s'était pas attendue à une réaction aussi favorable, mais plutôt au dédain propre aux professionnels, et voilà que Geoff la regardait avec des yeux pétillants d'admiration.

—Loin de me considérer moi-même comme un croyant, je dois admettre qu'en vieillissant, il m'est de plus en plus difficile d'écarter le pouvoir de la foi, de n'importe quelle foi d'ailleurs – comme la foi entre individus –, car elle permet parfois d'obtenir des résultats remarquables.

Geoff secoua la tête pour marquer son enthousiasme, et Jane ne l'en estima que davantage, car il lui avait laissé entrevoir un peu de sa propre personnalité.

— Et vous vous sentez assez forte, émotionnellement j'entends, pour faire ce voyage?

Jane laissa échapper un soupir.

— Je refuse de rester assise à son chevet ici ou ailleurs et à le regarder dormir pendant que les médecins lui font des injections et évaluent son activité cérébrale. Je refuse également d'accepter l'idée que Will ne se réveillera plus. Je ne laisserai personne le débrancher sans livrer bataille. Je partage votre foi dans l'être humain, Geoff. De plus, je suis convaincue que le cerveau recèle bien plus de ressources que nous le supposons, et j'ai l'intention de mettre les miennes à contribution pour en faire reculer les limites. Je vais me rendre en un lieu où l'âme de Will m'attend. Je sais que ça paraît farfelu. Mais j'entrerai en contact avec lui. Il se réveillera.

Cette fois-ci, Geoff mit ses mains l'une contre l'autre et parut enfin pleinement à son aise.

— Vous vous souvenez de la grande question que vous n'avez cessé de vous répéter : « Si seulement… » ?

Jane hocha la tête.

— Eh bien, votre plan me plaît parce que c'est une manière de la transformer en « Et si… ». C'est le signe d'un renversement important chez le sujet dès lors qu'il refuse son état de victime pour prendre le taureau par les cornes.

Jane sourit et aurait pu prendre le docteur dans ses bras si elle avait osé.

—Je conseille toujours à mes patients de prendre des mesures actives, de s'approprier leurs émotions, d'affronter le dragon qui les défie et de lui rugir à la face, poursuivit Geoff avec emphase.

Jane eut envie de rire mais préféra faire le dos rond.

—Et c'est exactement ce que vous vous apprêtez à faire, Jane. Vous rendez coup pour coup au dragon! Devant votre enthousiasme pour cet endroit que Will désirait tant visiter, il m'est apparu que votre projet mettra le feu à votre amour pour lui. Si vous pensez que vous êtes en état, si vous vous sentez émotionnellement forte, si votre motivation ne faiblit pas et que vous fassiez l'aller-retour et acceptiez de rester joignable pendant la durée du séjour, je ne vois aucune raison d'essayer de vous en dissuader.

—Merci!

Qu'y avait-il d'autre à répondre? Jane prit son verre et but un peu d'eau glacée aromatisée grâce à une goutte de citron.

Secouant de nouveau la tête avec exaltation, Geoffrey jouta :

—Comme j'aimerais que plus de gens se battent comme vous le faites. À leur décharge, ce n'est pas facile lorsqu'on souffre et qu'on est submergé par le chagrin. Je suis sûr que vous serez une autre femme quand vous rentrerez d'Australie, promit-il, tout sourires. J'ai lu quelque chose au sujet des lignes telluriques, avoua-t-il enfin.

—Ah oui? Et qu'en pensez-vous?

Le docteur Hollick haussa les épaules.

—Bah, pas grand-chose, si ce n'est qu'elles ont forcément une signification et que le fait que celle-ci nous échappe encore est une preuve de notre ignorance qui ne justifie pas de regarder de haut les hypothèses avancées à leur sujet. Personnellement

– que cela reste entre nous – je suis assez friand de merveilleux. Je crains d'en être resté aux contes de fées…, gloussa-t-il en se replongeant dans ses souvenirs d'enfance. Même si le psychologue que je suis a pour patients un certain nombre de gens en vue qui feraient la grimace s'ils m'entendaient! Car mon rôle se borne à aider les personnes à prendre des décisions, à les assister afin qu'elles le fassent en toute connaissance de cause.

—À leur indiquer les directions possibles? s'enquit Jane en reprenant mot pour mot la formule de Robin.

—Exactement!

—Et pensez-vous que je m'apprête à agir en connaissance de cause?

—Oui. Je ne crois pas que vous agissiez par hostilité envers vous-même ni par auto-apitoiement. Au contraire, je décèle chez vous de la rage et du courage… et aussi le désir de réparer le tort causé. Mais je ne remarque aucune connotation vengeresse dans votre propos. Pas une seule fois vous n'avez mentionné les agresseurs de Will.

—C'étaient des gens cruels et stupides, et surtout ivres. Je n'ai rien à leur dire. Je n'ai même pas envie de perdre mon temps à penser à eux.

—Vous êtes merveilleuse! Vous êtes exemplaire! s'exclama Geoffrey en se levant. Promettez-moi de prendre le plus grand soin de vous là-bas.

—Je vous le promets, assura-t-elle en se levant à son tour pour lui serrer la main. Merci d'avoir cru en moi.

—Quand partez-vous?

—Dès que possible. Dans une semaine environ. Après les fêtes de Noël. Ma mère ne me laissera pas partir avant.

—Alors bonne chance!

—J'en aurai besoin quand j'expliquerai mon projet à mes parents, répliqua Jane en soupirant.

Chapitre 10

Lancashire, novembre 1715

L'ÉGLISE PAROISSIALE DE PRESTON AVAIT ÉTÉ CONVERTIE EN quartier général par les jacobites qui utilisaient sa flèche comme leur principal poste d'observation. Quant à lord Derwentwater et à ses cavaliers de réserve – tous gentilshommes volontaires –, ils s'installèrent dans l'enclos attenant. Une demeure crénelée appartenant à sir Henry Houghton fut également réquisitionnée par une soixantaine de Highlanders du régiment de Mar, situation qui offrait à ces derniers une vue imprenable sur l'étroit sentier qui descendait jusqu'au pont. D'autres édifices de défense avaient été érigés en maints endroits stratégiques où diverses ligues jacobites étaient placées sous différents commandements dont chacun entretenait une conception personnelle de la stratégie à employer pour le combat qui s'annonçait. Le Vieux Borlum contestait désormais ouvertement les ordres du général Forster.

William n'était pas sans savoir qu'une autorité divisée signifiait le désastre militaire, mais il n'eut pas d'autre choix que d'alimenter la division. À la tête d'un petit commando d'une douzaine d'hommes tous bien armés, il prit d'assaut l'une des demeures de prestige de Church Street, qui était l'artère principale de la ville et où l'armée anglaise devait donner son premier assaut.

Criant pour se faire entendre malgré les tirs en provenance des soupiraux et des fenêtres voisines, William exhorta ses hommes à la riposte.

—À mon commandement! cria-t-il. En joue. Feu!

Mais il dut toutefois rappeler à l'ordre les quelques soldats qui se montrèrent trop prompts à appuyer sur la détente. Finalement, lorsque les tuniques rouges déferlèrent sur la barricade, William ordonna à ses troupes de faire feu à volonté. Face à l'incapacité de ses soldats à opérer un tir précis, il les entraîna sans tarder hors du manoir dans une charge de tous les diables – laquelle n'avait rien à envier aux hurlements de fous furieux de leurs cousins des Highlands – avant d'engager le combat au corps à corps dans les rues de Preston.

Au beau milieu de la bataille, tandis que la lutte faisait rage et que les jacobites causaient de lourdes pertes dans les rangs anglais, William eut, pendant un court instant seulement, le sentiment que la victoire était imminente. Son épée frappait juste, et ses hommes se battaient avec courage à ses côtés, stimulant son assurance croissante.

C'est alors que les Anglais tentèrent d'incendier la ville, mais les vents furent favorables aux jacobites, même si la fumée des brasiers fournissait aux tuniques rouges un camouflage dont ils avaient grandement besoin. Les troupes du général anglais Wills furent alors en mesure de s'infiltrer dans les ruelles qui donnaient sur l'arrière des maisons et de prendre progressivement un nombre toujours plus important de demeures seigneuriales, dont Patten House, qui avait jusque-là offert le meilleur poste de tir aux hommes de William.

Le soir descendait lorsque ce dernier jugea plus prudent d'envoyer deux éclaireurs – l'un d'entre eux était Pollock – pour se renseigner sur ce que préparaient les Anglais pour la nuit qui s'annonçait.

—Ne serait-il pas plus sage d'attendre que…

—Personne ne viendra, Mr Pollock, rétorqua William. La fumée ne nous permet pas de distinguer nos alliés. Nous devrons donc nous débrouiller tout seuls !

Pollock s'évanouit dans le voile brumeux pour revenir à la nuit tombée en contournant la gueule des canons dont les tirs illuminaient le ciel d'éclairs rougeoyants pareils à de brèves apparitions.

—Les soldats anglais ont reçu l'ordre d'allumer une bougie à la fenêtre de chaque maison occupée par les troupes gouvernementales, expliqua l'éclaireur.

—Dans ce cas, semons la confusion en faisant de même, suggéra William.

Pollock fit une moue dubitative, mais Maxwell, qui préférait l'action à la passivité, se faufila sans bruit de maison en maison pour allumer une bougie partout où il savait que des jacobites avaient la situation en main, essuyant les tirs intermittents des Anglais et se mettant à couvert derrière tout ce qui était susceptible de lui offrir un abri lorsque les déflagrations lumineuses menaçaient de le signaler à l'ennemi.

—Faites prisonnier tout individu en tunique rouge ! commanda-t-il en faisant un clin d'œil à ses soldats.

Mais pendant que William risquait sa vie pour dérouter un ennemi de plus en plus sûr de lui, son supérieur hiérarchique, le général Forster, se mettait au lit.

Pour sa part, le comte passa la nuit à féliciter les résistants jacobites pour le faible nombre de pertes qu'ils avaient essuyé. Il fit l'expérience de l'odeur du sang qui souille l'uniforme et en chassa le goût métallique dans sa gorge à grandes gorgées de vin. Guerrier assiégé, il dormit d'un sommeil léger, appuyé contre un coin de mur dans le salon d'un riche aristocrate malchanceux de Preston.

Le lendemain, le mercredi 13 novembre, le soleil se leva sur une tout autre configuration. Le général Carpenter entra dans la ville à la tête de trois unités de dragons en renfort des troupes du général Wills. La situation tourna rapidement au désavantage des soldats écossais harassés. Les troupes anglaises commencèrent par les encercler avant de les maintenir prisonniers dans Preston assiégée.

Tous acclamèrent Maxwell lorsqu'il exhorta ses supérieurs à préparer l'évasion de leur armée.

— Nous voulons vivre et combattre jour après jour! Ne bradez pas notre liberté! implora-t-il au risque de paraître lâche.

Hélas, il était déjà trop tard. L'infanterie montée avait bloqué la route de Liverpool, piégeant les courageux Écossais. On réunit un conseil de guerre et, dans une ambiance malsaine où volaient accusations et menaces, Forster et Mackintosh réglèrent leur différend aux poings jusqu'à ce qu'une aube maussade se lève sur Preston, en harmonie avec le désarroi de William lorsque Forster capitula au nom des jacobites, qui eux, ne décoléraient pas. Le général fit cependant transmettre leur acte de reddition, cédant en cela aux exigences des Anglais.

— Pourquoi ? s'indigna rageusement William auprès du Vieux Borlum.

— Parce que les tuniques rouges ont le dessus, soupira ce dernier. J'étais l'un des otages dont ils avaient exigé la remise pendant les négociations. Wills m'a dit que si je ne tenais pas parole, il raserait la ville et n'épargnerait aucun rebelle. De cette façon, nous obéissons à ta logique, petit : peut-être devrons-nous affronter une autre bataille !

William était d'un autre avis, mais c'était sans importance à présent.

Le jour suivant, mille cinq cents compatriotes écossais défilèrent tête baissée devant le général Wills et ses hommes sur la place du marché de Preston où les vaincus déposèrent les armes. William surprit les rires des tuniques rouges qui échangeaient des plaisanteries au sujet du pitoyable amas de piques, d'épées, de baïonnettes, de mousquets, de fourches et de haches.

— Ces outils de paysans auront pourtant fait reculer les poltrons que vous êtes pendant assez longtemps ! s'écria William, tout en sachant que c'était inutile et que cela ne ferait que nuire à son avenir.

— Monsieur ! implora Pollock, dont la pâleur attestait de sa crainte pour son supérieur. Pensez à votre famille !

— Si je meurs, dites à mon fils que son père a craché au visage de ces bâtards de protestants ! cria-t-il dans une légitime attitude de défi.

Soudain, une détonation retentit, et le tir passa si près que William s'étonna d'être encore debout – ce qui n'était pas le cas de Pollock qui gisait sur le pavé dans une flaque de sang, ses yeux vitreux tournés vers le ciel.

Sous le choc, William s'accroupit à son côté et posa la tête du jeune homme mourant sur ses genoux.

— Pollock…, gémit-il.

— Je suis désolé, mons…

Pollock ne termina jamais sa phrase. Sa tête roula sur le côté tandis que la vie le quittait sans faire de bruit et qu'une colère impuissante s'emparait de William.

— Je ne voulais pas tirer sur vous, monsieur le comte, lança d'un ton mielleux et moqueur un officier anglais à la voix efféminée. Le général Wills affirme que vous êtes bien trop précieux. Toutefois, nous ne saurions tolérer de telles manifestations d'insubordination, même de la part d'un prisonnier appartenant à l'aristocratie. Cela méritait une sanction exemplaire à l'intention des paysans jacobites.

L'Anglais souligna ses paroles d'un crachat qui atterrit non loin de l'endroit où William était accroupi.

— C'est donc votre homme qui écope de la punition à votre place, en bon et loyal vassal. Je ne doute pas que vous ne trouviez les mots pour expliquer les circonstances de son décès à sa famille.

William se leva en tremblant de rage. Le général s'approcha sur son cheval.

— Ne faites pas l'imbécile, Nithsdale. Chaque fois que vous offenserez mes hommes, je ferai exécuter dix de vos paysans ici présents.

Les deux hommes se défièrent du regard, mais le général resta de marbre et ne cilla pas.

Haussant les épaules, ce dernier ajouta :

— Je peux vous assurer que les bonnes gens de Preston s'accommoderont très bien de quelques bouches en moins à nourrir.

Puis il se tourna vers ses hommes en grimaçant :

— Emmenez ces messieurs de la noblesse.

Effaré et sans recours, William se laissa emmener à coups de crosse, soudain pris de nausée au spectacle des officiers jacobites qui rendaient les armes dans l'enclos de l'église. Le comte et ses pairs furent dirigés vers l'*Auberge de la Mitre* qui donnait sur la place principale.

— Ici, vous pourrez supporter votre humiliation en toute intimité, déclara l'officier.

Mais William ne l'écoutait déjà plus. En revanche, il prêta attention à la tirade de lord Derwentwater.

— Mieux vaut ne pas les fâcher davantage. C'est sans espoir maintenant, Maxwell. J'imagine qu'ils nous renverront bientôt chez nous. Nous nous consolerons en nous souvenant que nous avons risqué notre vie pour notre roi.

On les fit entrer sous les poutres basses de l'auberge lambrissée, et une odeur de bière rance et de tabac froid remplaça celle, plus âcre, de la sueur et du désespoir. Le général Wills procéda en personne à l'inspection des prisonniers sans cacher sa profonde satisfaction.

— Où est Mackintosh ? s'enquit William tandis qu'une bonne dizaine d'officiers anglais venus assister à la reddition des chefs de la rébellion se mettaient au garde-à-vous en faisant cliqueter leurs épées.

— S'il était là, son odeur vous en aurait averti, lord Nithsdale, répondit froidement Wills. Le barda antédiluvien qui lui sert de manteau le jour et de couverture la nuit, et peut-être aussi de nappe et de serviette de table, produit de funestes relents.

Les autres officiers anglais s'esclaffèrent.

— Nous l'avons expédié à la prison de Newgate, poursuivit le général sur le ton de la conversation. Et vous ne tarderez pas à l'y rejoindre, monsieur le comte.

— Je croyais que vous nous renverriez chez nous, mon général, s'irrita Derwentwater. Ma famille paiera…

— Sachez, monsieur, que votre famille ne pourra jamais s'acquitter du coût que représente votre trahison envers le souverain légitime. J'ai ordre de Sa Majesté d'emmener tous les chefs de la rébellion à Londres afin qu'elle puisse contempler vos visages perfides avant que vous soyez jugés.

— Vous plaisantez! s'indigna Derwentwater d'une voix qui trahissait son impuissance, en jetant un coup d'œil inquiet vers ses compagnons d'infortune.

William se dit qu'il n'y avait là rien de bien surprenant, même si son cœur battait la chamade à l'idée que le roi George exigerait une punition exemplaire pour leur sédition. De cette manière, le souverain romprait avec la tradition d'amnistie. Mais sans doute la cruauté faisait-elle partie du souvenir qu'il entendait laisser de lui à l'Angleterre?

— Je ne vois pas en quoi nous sommes des traîtres, général, dans la mesure où nous obéissons, tout comme vous, aux ordres de notre roi, le souverain légitime de l'Écosse, fit remarquer William.

Wills esquissa un sourire moqueur.

— Je loue votre courage, Maxwell, et aussi votre logique coupable d'Écossais, mais je doute que l'un ou l'autre suffise à vous éviter la peine capitale.

Il dévisagea le comte avec un plaisir manifeste, et celui-ci ressentit un frisson lui parcourir l'échine.

—Auriez-vous l'intention de faire pendre des pairs du royaume ? s'étonna William.

—Qui a parlé de pendaison ? Toutes mes excuses si je vous ai induit en erreur, cher comte, répliqua Wills d'un air songeur avant de regarder son interlocuteur droit dans les yeux. Et à présent, messieurs, si vous le permettez, je vais officier au dépôt de vos armes. Si nous commencions par vous, lord Nithsdale ?

Lorsque pistolets, épées et dagues furent entassés sur la table de l'auberge, Wills gratifia ses prisonniers d'un sourire satisfait.

—Merci !

Puis, se tournant vers l'aubergiste qui se tenait à sa gauche, il ajouta :

—Vous aurez bien une chope de bière pour noyer le chagrin de nos rebelles, Mr Cotesworth ? Ensuite, nous ferons monter tout ce petit monde en selle, et nous confierons chaque équipage à l'un de nos fantassins. Je ne permettrai pas qu'ils entrent la tête haute dans notre belle capitale. Ils feront leur entrée sous les huées de la foule comme les traîtres qu'ils sont, la corde au cou et les mains attachées dans le dos.

Jetant un dernier coup d'œil aux prisonniers, il ajouta :

—Régalez-vous, messieurs, c'est la tournée du roi !

Chapitre 11

LES ASTRES ME SONT FAVORABLES! SONGEA JANE TANDIS QUE les portes du Boeing 747 se refermaient, et qu'elle pouvait enfin souffler, sachant qu'elle ne serait dérangée par le bavardage d'aucun voisin de cabine. Les places en classe affaires étaient presque toutes inoccupées. Le vol jusqu'à Singapour s'annonçait donc des plus calmes.

— Vous avez quinze heures de tranquillité devant vous, annonça l'hôtesse de l'air, comme si elle avait lu dans les pensées de Jane. Mais vous aurez de la compagnie dès que nous quitterons l'Asie pour l'Australie, ajouta-t-elle en posant un verre de jus d'ananas sur un sous-verre en papier. Je m'appelle Pearl. Je suis à votre service pendant toute la durée du vol, Miss Granger.

Jane admira ses cheveux bruns raides coupés au carré. À coup sûr, la coiffure de l'hôtesse serait encore irréprochable à leur arrivée à Singapour, tandis que celle de Jane ne ressemblerait plus à rien. Cette dernière n'avait pas quitté les lunettes de soleil qui masquaient ses yeux gonflés et rougis par les larmes et le manque de sommeil.

—Merci, Pearl, mais j'ai l'intention de profiter du voyage pour dormir.

L'hôtesse au maquillage impeccable et aux traits réguliers et graves – elle avait probablement des origines indiennes ou chinoises – acquiesça en esquissant un sourire.

—Souhaitez-vous être réveillée pour les repas?

Jane secoua la tête.

—J'ai pris un demi-somnifère, expliqua-t-elle.

—Êtes-vous sûre que vous ne voulez rien manger avant de dormir, Miss Granger? Que diriez-vous d'une collation dès que nous aurons décollé?

—Ça ira, merci, répondit Jane en se forçant à sourire.

Pearl déchira une pochette en plastique d'où elle tira une couverture qu'elle tendit à Jane de ses mains ravissantes aux ongles recouverts d'un vernis brillant couleur prune qui contrastait avec son uniforme.

Jane pria pour que l'hôtesse ne remarque pas ses ongles cassés. Cela faisait quinze jours qu'elle ne s'en était plus occupée.

—Je vais revenir avec un kit d'accessoires de toilette au cas où vous voudriez enlever vos chaussures et mettre des chaussettes et un masque de repos, enchaîna l'hôtesse d'une voix douce tandis qu'un sourire chaleureux qui invitait à se laisser dorloter se dessinait sur ses lèvres et qu'apparaissaient des dents d'une blancheur éclatante. Nous éteindrons la lumière dans environ deux heures, ajouta-t-elle.

Pearl s'éloigna, comprenant que Jane avait besoin de solitude. Quelques minutes après que l'avion eut manœuvré au sol, Jane remarqua que l'hôtesse avait discrètement déposé un petit sachet de friandises ainsi qu'un menu à côté d'elle, au cas où…

Déjà somnolente, elle avait hâte de goûter un moment de repos et d'oubli à la faveur d'un sommeil artificiel. Mais en attendant, elle mit en application les suggestions de l'hôtesse et retira ses chaussures, plaça l'oreiller sous sa tête, puis se mit à l'aise sous la couverture. Ensuite, elle recula le plus possible son fauteuil et contempla les lumières scintillantes de l'aéroport plongé dans la bruine nocturne de Manchester.

Jane n'avait aucune intention de descendre de l'appareil à l'aéroport de Changi-Singapour, même pour se dégourdir les jambes. Elle resterait à bord pendant que le personnel ferait le ménage autour d'elle avant de repartir pour un vol de sept heures à destination de Sydney.

Jane s'était persuadée qu'elle ne pourrait dormir sans somnifère, et elle avait d'autant plus besoin de sommeil qu'une fois sur le tarmac de Sydney, elle n'aurait que peu de temps pour attraper le vol intérieur qui l'emmènerait jusqu'à Alice Springs. De là, elle louerait une voiture qu'elle avait réservée en vue d'accomplir les trois heures de route qui la sépareraient encore d'Uluru, si toutefois elle était suffisamment reposée pour cela.

D'après ses calculs, Will serait déjà en Amérique, entouré de ses parents qui veilleraient sur lui à l'hôpital du Maryland. Il n'y avait donc pas de temps à perdre, et elle tiendrait sa promesse en réalisant ce désir incongru – presque obsessionnel – de faire l'ascension d'Uluru et de prendre position sur la ligne de ley, au sommet de l'un des sites les plus énergétiques à en croire les adeptes du New Age. Là, elle se laisserait traverser par le magnétisme du monolithe et entendrait les voix des ancêtres qui, selon les Aborigènes, résonnaient à travers les millénaires.

Puiser directement à la source spirituelle de l'univers et de sa magie, songea-t-elle, la voix de Robin résonnant dans sa tête. «*La descendance est le fil d'Ariane qui relie les mailles de nos vies ensemble*», avait-il dit. Sur le moment, Jane n'avait pas compris où il voulait en venir, mais il est vrai que durant son entretien avec le voyant, elle s'était sentie flotter, tant il lui avait donné l'impression de savoir des choses sur son propre compte, et sur celui de Will, qu'il voulait l'amener à découvrir par elle-même. Tel était du moins le sentiment de Jane. Mais y croyait-elle? Ça, c'était une autre histoire. À moins qu'elle n'ait déjà complètement adhéré aux vues de Robin? Sinon, pourquoi voyagerait-elle jusqu'aux antipodes? Par lubie? À cause de sa croyance naïve dans la réversibilité du cours de l'existence universelle, ainsi que l'avait adroitement suggéré Robin?

C'était assurément une folie. Pourtant, elle se sentait investie d'une nouvelle énergie. Comme on pouvait s'y attendre, ses parents avaient rechigné à la laisser partir, et Jane remerciait Hollick d'avoir réussi à les convaincre de ne pas dramatiser ni protester. Elle leur avait fait la promesse de les tenir quotidiennement au courant de ses déplacements, et ils disposaient de tous les codes et de tous les numéros permettant de la joindre à chaque étape, depuis les différents aéroports jusqu'au motel qui se trouvait au pied d'Ayers Rock, en passant par le loueur de voiture. Son père avait pris des dispositions pour qu'une limousine vienne la chercher au terminal de Sydney afin de l'emmener à l'aéroport national prendre son vol intérieur. C'était légèrement excessif, mais Jane n'avait pas été en position de protester. Elle devait les appeler deux fois par jour.

Pour leur montrer qu'elle prenait leur inquiétude très au sérieux, elle se plia à toutes leurs exigences, ou presque… car sa sœur refusa poliment de l'accompagner lorsqu'elle lui en fit la demande sur les instances de ses parents. Jane et Juliette s'aimaient sincèrement, mais elles étaient extrêmement différentes, et l'air incrédule qu'affecta Juliette lorsque Jane lui fit part de ses intentions aurait été très comique si elle n'avait pas, de surcroît, accusé sa sœur de se montrer égoïste et puérile. Les mots « ridicule » et « risée de tous » avaient également fusé.

Jane songea à Will qui avait passé Noël emmuré dans son silence tandis qu'un essaim de médecins tournait autour de son lit, évaluant ses réactions vitales et surtout le préparant pour le voyage vers les États-Unis. Elle espérait qu'il l'avait entendue et s'était réjoui du fond des ténèbres, quand, le matin de Noël, elle lui avait confié son intention de partir le 27 décembre pour Ayers Rock.

« À mon retour, tu te réveilleras et tout redeviendra comme avant… » avait-elle glissé à son oreille.

Puis elle repensa au Noël glacial qu'elle avait passé en famille au pays de Galles, sans que nul ose prononcer un mot plus haut que l'autre. Jane n'aurait su dire si sa mère avait servi de la dinde ce jour-là. En fait, elle ne s'en souvenait pas et s'en moquait totalement. *Ah, oui, elle a fait un jarret de porc!* se souvint-elle subitement. « *Ce serait dommage qu'il se perde!* » s'était exclamée Catelyn Granger. Mais Jane n'avait aucune envie de revenir sur ces deux pénibles journées. Le lendemain de Noël, elle avait dormi le plus clair de son temps et n'était descendue que pour accueillir les visiteurs venus présenter leurs respects à la famille et compatir à sa douleur.

Quelqu'un secoua Jane par l'épaule. «Aaah! Laisse-moi dormir, maman!» fut-elle sur le point de s'exclamer. Mais comme sa mère ne l'appelait jamais «Miss Granger», elle retira son masque de repos et découvrit Pearl qui attendait pour récupérer la couverture et l'oreiller. L'avion avait entamé sa descente sur Singapour. Jane remit ses accessoires à l'hôtesse. Une quinzaine d'heures avaient filé sans que Will s'en aperçoive, pendant lesquelles la jeune femme avait dormi.

Après l'atterrissage, Jane bâilla tandis que les autres passagers rangeaient leurs affaires avec empressement avant de se diriger vers la sortie. L'équipage — Pearl y comprise — lui sourit avec complaisance en quittant la cabine. Un nouvel équipage prendrait la relève. Lorsqu'une femme de ménage en blouse bleue qui portait un aspirateur sur le dos arriva pour nettoyer, Jane se sentit coupable de l'obliger à la contourner. Elle se leva pour s'étirer, puis elle prit le temps d'arranger ses cheveux et ses vêtements avant de remettre ses chaussures. Elle aurait aimé se brosser les dents, mais devait attendre pour cela que l'avion redécolle.

Deux passagers que Jane reconnut regagnèrent leurs places, et la cabine fut rapidement remplie de nouveaux voyageurs, dont un homme en costume qui vint s'asseoir à côté d'elle. Elle lui fut reconnaissante de ne pas souhaiter, visiblement, engager la conversation, car il se contenta d'un: «Bonjour» avant de se plonger dans un livre en faisant comme si elle n'était pas là.

Parfait! se réjouit Jane. Elle ferait de même pour la dernière partie du voyage.

Le vol se déroula sans difficulté pour la jeune femme grâce à la lecture des aventures de Jason Bourne — héros amnésique traversant de multiples péripéties. Contemplant pour la première fois l'éclatante Sydney, elle se demanda si Will souffrirait de pertes de mémoire s'il se réveillait – ou plutôt quand il se réveillerait.

Les eaux scintillantes du port de la ville laissèrent la place au miroitement des gratte-ciel. Jane ne s'était pas attendue à trouver une métropole aussi moderne et étincelante. Après la crasse et la langueur londoniennes, Sydney s'affirmait telle une incarnation de la jeunesse.

Une faible lueur d'espoir commença à égayer son cœur, qui se mit à battre la chamade lorsque le train d'atterrissage entra en contact avec le tarmac, en cette brûlante matinée du 28 décembre. Elle songea avec horreur que Will commencerait la nouvelle année sanglé sur un lit d'hôpital. Peut-être aurait-elle le temps d'inscrire leurs deux noms au sommet d'Ayers Rock avant le 31 décembre à minuit, et d'invoquer les forces spirituelles, magnétiques, astrales et archaïques afin qu'elles rétablissent la destinée de deux fiancés à qui la vie avait fait un croche-pied?

À l'institut neurologique de Queen's Square, Ellen ne s'était pas encore remise des réjouissances de Noël. *Pfff! J'étais quand même un peu trop pompette!* pensa-t-elle. Aussi la reprise du travail avait-elle été plus difficile que prévu, même après quelques jours de vacances. Quoi qu'il en soit, elle était contente de retrouver son patient. *Le pauvre... en plus il est vraiment très beau... dommage que ça lui soit arrivé dans la fleur de l'âge!* songea-t-elle en esquissant un sourire chagriné face au visage impassible du jeune homme, avant de jeter un coup d'œil à son dossier.

— Salut, Ellen! lança une de ses collègues des soins intensifs.

— Oh, salut, Gail! Comment s'est passé Noël?

—J'étais d'astreinte! répliqua l'autre infirmière en haussant les épaules. Mais je ne me plains pas. Les enfants ont fêté ça avec leur père. C'était son tour cette année, et celui de leur odieuse belle-mère! Je les vois demain, et ils rentreront après la soirée du 31.

Ellen hocha la tête en signe de compréhension et serra le bras de sa collègue.

—Alors comme ça on travaille ensemble pour le nouvel an?

—J'en ai bien peur! gloussa Gail avant qu'elles se remettent toutes deux au travail.

—Rien de nouveau ici, à ce que je vois, fit remarquer Ellen en désignant Will de la pointe du menton.

—Non, rien, confirma Gail en secouant la tête. Son transfert est prévu pour la semaine prochaine. Ses parents le ramènent en Amérique.

—Déjà? s'étonna Ellen.

Gail opina.

—Waouh, j'ai perdu la notion du temps!

—C'est triste. Je veux dire, de s'imposer ce voyage désagréable alors qu'il est évident qu'il n'est pas près d'en sortir.

Elle inclina la tête et fronça les sourcils.

—Ce sont des situations qui laissent toujours perplexes. Personne ne peut dire avec certitude ce qui arrivera.

—Le père est un crétin qui ne décolère pas, expliqua Gail en regardant par-dessus son épaule au cas où des oreilles indiscrètes approcheraient. Je suis sûre qu'il bat sa femme!

Ellen lui jeta un regard désapprobateur.

—Je n'ai pas d'enfants, mais j'imagine ce qu'on doit ressentir en voyant son fils dans cet état. Sa rage est compréhensible.

Au moins, il tente quelque chose. Si Will Maxwell se réveille la semaine prochaine, son irascible papa pourra clamer haut et fort qu'il avait raison depuis le début.

Gail acquiesça.

— En tout cas, si c'était mon mari, je le garderais comme ça, déclara-t-elle en faisant un clin d'œil coquin à Ellen.

Ellen la réprimanda en faisant claquer sa langue.

— Vilaine! D'un autre côté, il est beau comme tout... Comment va sa fiancée?

— Elle est partie! s'exclama Gail avec une lueur d'espièglerie dans le regard. C'est sa mère qui me l'a dit. Comment elle s'appelle déjà?

— Jane, répondit Ellen.

— Oui, c'est ça, Jane. Eh bien, apparemment, Jane n'a pas tenu le coup et elle a décidé d'aller se promener à l'autre bout du monde pour... pour se retrouver, ou quelque fadaise mystique du genre.

Tandis qu'Ellen ouvrait de grands yeux étonnés, Gail ajouta:

— Je ne te raconte pas d'histoires: elle est partie!

— Ce n'est pas le problème. Je lui ai parlé la veille de Noël au matin et elle semblait bien encaisser le coup, du moins c'est ce que j'ai cru. Elle a dit qu'elle s'absenterait peut-être pendant quelque temps, mais j'ai pensé qu'elle parlait du pays de Galles, où vit sa famille.

— Eh bien, il semblerait que ce soit l'Australie. Bon, il faut que j'y aille. Je te le laisse pour la nuit, petite veinarde! Je vais m'occuper de Mr Stephens pendant que tu dorlotes Monsieur Canon!

Elle retourna au chevet de Will et considéra le patient allongé. La proposition que lui avaient faite les parents du jeune homme la veille de Noël continuait de la travailler.

« *Accompagnez-nous en Amérique. Vous savez comment vous occuper de lui, Ellen* », avait supplié Diane d'une voix chevrotante.

« *Assistez-nous au moins pour le transfert jusqu'à Baltimore*, avait suggéré l'irascible chef de famille en haussant les épaules. *Puis restez pour quelques jours de vacances tous frais payés. Vous rentrerez quand il vous plaira.* »

Depuis, la jeune infirmière n'avait plus cessé d'y penser. La perspective de rompre la routine était plus qu'alléchante. Elle avait espéré pouvoir en discuter avec Jane, mais voilà que celle-ci était partie à l'étranger. Son départ donnait d'elle l'image d'une personne sans cœur, mais durant ses entrevues avec elle, Ellen avait pu constater que la fiancée du jeune patient était dévastée.

Quoi qu'il en soit, tout se passait comme si Ellen avait pris sa décision. À vrai dire, cela n'avait pas été très difficile. Son chef de service lui devait tant de jours de repos qu'il ne lui refuserait probablement pas un long congé. Elle avait toujours rêvé de visiter New York, Chicago, et pourquoi pas Los Angeles et San Francisco, où l'on tournait tant des séries télévisées dont elle était friande. En plus, elle serait payée pour être en vacances !

—Hum…, soupira-t-elle sans pouvoir contenir sa joie.

Elle annoncerait le soir même aux Américains, quand ils viendraient voir leur fils, sa décision de les accompagner.

Ellen revint à Will. Ce dernier avait perdu du poids, mais il n'avait rien perdu de sa charpente aux muscles bien découpés, et sa peau n'avait pas encore perdu tout son hâle. L'infirmière songea à son propre petit ami – Adam –, à son ventre bedonnant, à son corps couvert de taches de rousseur et à ses cuisses risiblement maigrelettes. Ce n'était pas vraiment de l'amour qu'elle ressentait pour lui. Cela ne faisait que treize mois qu'ils se fréquentaient, mais leur idylle avait perdu depuis longtemps tout caractère romantique pour ne plus tourner qu'autour de quelques habitudes commodes mais néanmoins ennuyeuses. Souffrirait-il si elle le quittait, ou bien reprendrait-il volontiers sa liberté? *Les deux, probablement*, songea Ellen.

—Je vais prendre bien soin de toi…, murmura-t-elle d'un ton calme en épongeant le visage de Will.

Ellen avait l'habitude de parler à ses patients dans le coma. Elle se saisit d'un peigne et lui lissa les cheveux avant de les ébouriffer un peu, ainsi qu'elle avait vu Jane le faire.

« *Il n'aime pas quand ils sont trop bien peignés* », avait expliqué cette dernière en s'efforçant à grand-peine de retenir ses larmes.

—Voilà, exactement comme tu aimes, Will, fit remarquer Ellen en prenant du recul pour admirer son travail. C'est le jour le plus froid de l'année aujourd'hui. La météo a décidé de nous envoyer un dernier courant glacial avant la nouvelle année. 1979! s'exclama-t-elle à l'intention du malade d'une voix cristalline. Je crois qu'il va neiger ce soir, ce qui ne m'arrange pas parce que je dois venir en bus demain matin. Grelotter dans le froid me fera peut-être du bien, qui sait? J'ai vraiment trop mangé pour les fêtes de Noël! Bon, en attendant que je te retourne pour éviter les escarres, contrôlons à nouveau ces fonctions vitales! »

Soulevant son poignet afin de lui prendre le pouls, elle ajouta:

—Oui, je sais, tu ne risques rien avec ces machines sophistiquées qui te gardent en vie, mais une bonne vérification à l'ancienne ne peut pas faire de mal. En plus, tu trouveras peut-être ça agréable, qui sait? Maintenant, motus! Je compte…, ironisa-t-elle, tout sourires, en posant les yeux sur le visage inerte de Will.

Ellen surveillait sa deuxième montre-bracelet tandis que le pouls du jeune homme battait faiblement sous ses doigts lorsque, soudain, elle avisa du coin de l'œil qu'il fronçait légèrement les sourcils, à l'instar de quelqu'un qui fait un gros effort de concentration. Tout se passa si vite qu'Ellen crut avoir rêvé. Et, de fait, une demi-seconde plus tard, le front du patient était de nouveau lisse. En revanche, il n'y eut plus de doute possible lorsqu'il serra et desserra brusquement le poing, car elle en ressentit la tension.

— Will..., commença-t-elle en s'agitant. Will, vous m'entendez ? C'est Ellen, votre plus grande fan ! Allez, Will, faites-moi un signe.

Puis elle se pencha vers le lit pour activer la sonnette d'urgence.

Une équipe ne tarda pas à arriver. Ellen se réjouit de constater que le docteur Evans était de garde. La jeune infirmière vouait un véritable culte au médecin, d'autant qu'il était, lui aussi, plaisant à regarder et qu'il rendait ainsi les postes de nuit plus agréables.

— Ellen ?

— Il a bougé. Des gestes volontaires.

— Décrivez-moi les événements, ordonna Evans en se saisissant de la sortie papier de l'électroencéphalogramme.

La jeune femme lui résuma ce qui s'était passé.

Le médecin hocha la tête.

— En effet, il recommence.

— Je lui parlais, mais je n'ai pas l'impression qu'il réagissait à mes paroles. Quand il a froncé les sourcils, c'était comme s'il se concentrait sur quelque chose de lointain.

Haussant les épaules, elle ajouta :

— Je suis désolée. Je ne peux que vous dire ce que j'ai vu et ce qui m'a frappée.

— Au contraire, ce sont des informations précieuses, assura Evans. Il arrive que nous ne prenions pas assez en compte les signaux visuels. Nous faisons trop confiance aux machines, ajouta-t-il en écartant la feuille d'une chiquenaude. Ma foi, tout cela me semble très positif. Bien, nous allons procéder à une batterie de tests et voir si nous pouvons provoquer quelque réaction. Avec un peu de chance, il est sur le point de sortir du coma.

Ellen acquiesça, soudain au comble de l'optimisme en ce qui concernait l'état de santé de Will, et au comble de la déception vis-à-vis de ses vacances en Amérique.

— Faut-il prévenir la famille ? s'enquit-elle.

Evans secoua la tête.

— Ne leur donnons pas de faux espoirs. Si j'arrive à provoquer la même réaction chez lui, nous aurons peut-être une base de travail.

— Allez, Will, accroche-toi à ton idée, quelle qu'elle soit, murmura Ellen. Peu importe ce que tu as ressenti ou la personne à qui tu as pensé, mais retrouve-la ! Et ce sera mon plus beau premier janvier !

Chapitre 12

Jane était descendue dans un motel tapi dans l'ombre d'Uluru. Le roc dominait le bâtiment tel un vieux sphinx endormi. Le propriétaire du motel – un dénommé Baz selon ses propres dires – lui avait dit, tandis qu'il prenait sa commande pour le petit déjeuner et avec un accent qui demandait un gros effort pour être compris, que le gouvernement cherchait actuellement à «faire dégager» l'établissement dont elle était l'heureuse cliente.

«*Heureuse*»? Jamais Jane n'avait logé dans un endroit aussi rudimentaire. D'un autre côté, sa chambre, bien que loin de posséder le chic auquel elle était habituée, était impeccablement propre et coquette. En bref, elle ne manquait de rien et avait, pour tout dire, passé une nuit reposante pour la première fois depuis l'agression. Elle avait dormi sans interruption et sans faire de rêves. C'était également la première fois depuis que Will était dans le coma qu'elle se réveillait sans pleurer. La nuit avait été claire et froide, illuminée par des milliards de petits diamants qui scintillaient sur le velours noir de la voûte céleste. Mais, surtout, quel silence! Un silence que seuls étaient venus troubler le pas précipité des petites créatures sauvages qui hantaient les abords de l'hôtel et le cri étrange et envoûtant d'un oiseau nocturne. Certes, l'établissement était simple, mais c'était aussi, tout bien considéré, l'un des avant-postes touristiques les plus perdus au monde. Aussi Jane n'avait-elle sincèrement à se plaindre de rien, outre le fait qu'elle concentrait toute son attention sur l'objectif de son voyage et que peu lui importait le prix à payer pour l'atteindre.

—Ouais…, marmonna le propriétaire en déposant devant Jane une petite tasse épaisse qui contenait un jus de chaussette qui n'enchantait guère la jeune femme. Ils construisent un gigantesque complexe hôtelier. Un satané village, qu'ils l'appellent! Un hôtel avec piscines! Au pluriel, s'il vous plaît! Et des fontaines en veux-tu en voilà! Et du personnel en uniforme! Mais vous savez quoi? L'plus beau, c'est que…, s'interrompit-il, tel un acteur de théâtre désireux de capter toute l'attention de son public. L'plus beau, c'est qu'c'est à neuf miles d'ici! Avec eux, pas question d'buter sur le caillou l'soir à la fraîche! Faudra qu'on y emmène ces m'ssieurs-dames en bus parce que c'est trop loin!

—Ce n'est pas une mauvaise idée de transformer Uluru en parc national, fit remarquer Jane en haussant les épaules et en s'apercevant, trop tard, que cette observation avait toutes les chances de déclencher les foudres de Baz. Parce que c'est vraiment très beau par ici! s'empressa-t-elle d'ajouter.

—Ouais, faut dire qu'on n'arrête pas l'progrès, hein?

Jane acquiesça. Mais Baz resta planté là. La jeune femme cligna des yeux et attendit en buvant à petites gorgées son café, qui était aussi imbuvable qu'elle l'avait redouté. On entendait en bruit de fond la climatisation qui grondait tel un réacteur d'avion.

En comptant Jane, ils étaient quatre clients à prendre leur petit déjeuner sur les nappes plastifiées de la salle à manger. Celle où déjeunait Jane était collante, car elle n'avait pas été nettoyée depuis la veille au soir. Elle s'abstint de vérifier la nature de ce qui retenait son bras à la table.

—La plupart des gens viennent pas ici à c't'époque de l'année, poursuivit Baz en se grattant le ventre. Y fait légèrement trop chaud en c'moment! Faites gaffe, ça monte jusqu'à des 40 °C sur le caillou en plein été! C'est pas banal qu'vous soyez là! Même si ça m'regarde pas... Vous les Angliches, vous vous mettez à poil dès qu'y fait 15 °C pour vous faire griller au soleil.

Jane esquissa un sourire forcé, ne sachant pas convertir les degrés Celsius en degrés Fahrenheit. Quoi qu'il en soit, elle saisit ses propos.

—Vous grimpez là-haut, aujourd'hui. C'est pour ça qu'vous vous êtes levée si tôt?

Jane opina.

—Je veux inscrire mon nom au sommet.

—Ouais, d'acodac! Mais c'est plus dur qu'il y paraît! J'l'ai fait un paquet d'fois, et j'peux vous dire qu'ça s'arrange pas! Suivez mon conseil: lâchez pas la chaîne, pour rien au monde! Mais j'suis même pas sûr qu'ce soit l'bon jour aujourd'hui.

—Ah oui? Et pourquoi? s'enquit Jane.

—Y a d'l'orage dans l'air! Ça va sûrement péter un peu plus tard dans la journée.

Jane tamponna sa bouche à l'aide d'une serviette en papier couleur jaune d'œuf, s'apercevant seulement alors, tandis que l'article bon marché collait à ses lèvres, qu'il avait été choisi parce qu'il était assorti aux jonquilles artificielles dans le pot en fausse terre cuite qui trônait à côté de la salière et de la poivrière en plastique imitation cristal.

— C'est quand, «un peu plus tard»?

— Bah, l'vent s'lèvera probablement c't'après-midi ou p'têt' à la mi-journée, qu'y z'ont dit. Mais moi j'parierais qu'ça éclatera avant. En plus, la pluie arrive!

Jane était dépitée. Pourquoi n'avait-elle pas pensé à vérifier la météo? L'Australie n'était-elle pas ce pays de cocagne caniculaire où il faisait toujours beau? Ne se trouvait-elle pas en plein désert?

— Pour quand la pluie est-elle annoncée?

— Z'ont dit qu'c'était pour ce soir. Ou pour d'main matin!

Il lança un petit coup d'œil apitoyé à la jeune femme tout en commençant à débarrasser son assiette et ajouta:

— C'est la saison des pluies, ma p'tite dame. Faut vous y faire.

— En résumé: du vent cet après-midi et de l'orage demain?

— C'est c'qu'a dit la météo, répliqua Baz en haussant les épaules, mais ces abrutis s'trompent tout l'temps! Mon arthrite des genoux est plus fiable!

— Et que disent vos genoux?

— Que l'vent s'lèvera avant midi!

La jeune femme lança un regard au-delà des moustiquaires qui pendaient à la fenêtre jouxtant sa chaise. Il était presque 5 h 45, et l'aube montait lentement dans le ciel au-dessus de l'ombre massive de la montagne endormie.

— Et eux? s'enquit Jane en désignant les autres clients d'un signe de tête.

— Une équipe de tournage de Tokyo. Ils montent pas là-haut. Ils sont v'nus pour les vieilles peintures rupestres. Ils attendent un Noir qui va arriver d'un moment à l'aut' pour les guider.

Jane tressaillit en constatant qu'apparemment, il était permis de s'exprimer ainsi en Australie à propos des Aborigènes… Du moins, à l'intérieur du pays. Elle n'eut pas de peine à imaginer le tollé qu'une telle façon de parler aurait soulevé à Londres.

Jane réfléchit un instant à la prévision météorologique de Baz.

— Il est encore tôt. En tout cas, le ciel me paraît encore assez dégagé.

Faisant une moue dubitative, elle ajouta :

— D'après vous, il faut une heure pour monter et une autre pour redescendre ?

— Ça dépend si vous marchez vite ou si vous traînez en haut, répondit Baz en haussant les épaules, mais c'est à peu près ça, ouais. J'connais quelqu'un qui est monté en dix-sept minutes.

Jane scruta de nouveau le ciel découvert qui s'était encore éclairci pendant qu'ils parlaient.

— Je vais tenter ma chance ! J'ai l'habitude de randonner dans les environs du mont Snowdon.

Baz demeura impassible, ne sachant pas manifestement où se trouvait cet endroit. De son côté, Jane s'abstint de lui dire que c'était au pays de Galles pour ne pas relancer la conversation.

Elle se leva de table et ajouta :

— Je partirai dès que le jour se lèvera et serai de retour avant 9 heures.

— J'dois aller à Erldunda, mais vous faites pas d'bile, y aura du thé quand vous rentrerez, promit l'hôtelier avec un clin d'œil. Oh, j'allais oublier, en cuisine y veulent savoir si vous déjeunerez ici. C'est juste que les Japs mangent pas là et qu'vous s'rez toute seule.

« *Les Japs* » ! s'indigna Jane en silence avant de répondre :

—Je ne mangerai pas là non plus, confirma-t-elle. Je crois que je vais essayer de garder mon avance sur la pluie et rentrer à Alice Springs aussitôt redescendue.

L'hôtelier haussa un sourcil en signe d'étonnement.

—Déjà ? Bon, pas d'problème ! Soyez prudente ! Et faites le plein d'eau !

—Comptez sur moi.

Jane remonta en vitesse dans sa chambre pour prendre une veste de pluie légère et remplir d'eau une ancienne bouteille de soda. Elle en but la moitié et renonça à emporter le reste. Elle portait un short, de robustes chaussures de sport, un tee-shirt à manches longues pour se protéger des coups de soleil et une casquette avec un rabat sur la nuque. Se souvenant du conseil de Baz lorsqu'elle s'était présentée à la réception, elle se passa de l'écran solaire sur le nez.

Jane était bouillante d'énergie, voire surexcitée, lorsqu'elle monta dans sa voiture de location pour se rendre au parking d'où partait le chemin conduisant au point de départ de l'ascension.

—Nous y voilà, Will…, murmura-t-elle en se garant en toute hâte.

Avec une bonne heure d'avance sur les cars de tourisme, Jane arriverait la première au sommet, sans personne pour troubler sa paix ou détourner son attention de ce centre énergétique qu'était Uluru et de la ligne de ley qui était censée le traverser.

Elle éteignit le moteur et sortit du véhicule pour se laisser submerger par l'impressionnant silence du lieu. Uluru l'attendait dans son enveloppe nocturne et violette. Malgré la fraîcheur du petit matin, l'aride fournaise du désert s'avançait déjà sur la pointe des pieds. D'un instant à l'autre, le soleil ferait son apparition dans le ciel, transformant cette terre bistre en un brasier incandescent. Alors, tel un titan, Uluru étirerait ses membres engourdis et se débarrasserait de son vêtement de nuit pour s'embraser dans toute la gloire d'un jour nouveau.

À quelques pas de là, un énorme gecko à la peau recouverte d'écailles rayées se déplaça sans bruit sur le sable. L'animal s'arrêta, soudain aux aguets, et nettoya ses gros yeux globuleux avec sa langue sous le regard amusé de Jane. Levant de nouveau les yeux vers le monolithe, celle-ci jugea que les photos d'Uluru qui circulaient dans les magazines ne lui rendaient pas justice, et elle commença à comprendre ce qui fascinait Will à ce point. Ayers Rock s'élevait majestueusement, détonnant presque avec l'absence de relief de son environnement, comme s'il avait surgi d'un coup de baguette magique.

De loin, sa surface paraissait parfaitement lisse, même si ce monument naturel était tout en plis et crevasses, et portait la marque de méandres et de sillons étranges causés par l'érosion. Jane se plut à imaginer que les éléments s'étaient servis d'Uluru comme un peintre d'une toile pour y inscrire les légendes du Temps du Rêve interprétées et transmises par les ancêtres de génération en génération. Puis elle se demanda, avec l'espoir secret que ce soit le cas, si la ligne de ley qui traversait ce site passait sous ses pieds, car cela faciliterait le contact avec l'âme égarée de Will.

— Retrouve ton chemin! implora-t-elle en désirant de tout son cœur que l'esprit de Will suive l'antique ligne pour entrer en communication avec elle.

« *Nos âmes n'en sont pas à leur première incarnation!* » avait dit le jeune homme.

Jane regarda par-dessus son épaule tandis qu'un vent léger soulevait ses cheveux. Quelques nuages en formation baignaient dans une lumière rose qui les faisait ressembler à de grosses barbes à papa, attestant de l'exactitude des prévisions météorologiques. Quoi qu'il en soit, ils semblaient, pour l'heure, inoffensifs.

« *Roses le soir, espoir ; roses le matin, chagrin !* » se souvint-elle en silence. C'était un vieux proverbe qu'elle tenait de sa grand-mère qui le répétait sans cesse.

Pourtant, Jane n'était pas d'humeur chagrine. Les nuages étaient encore haut dans le ciel, et elle était trop près du but pour se laisser décourager par un ciel maussade ! *En avant !* s'admonesta-t-elle. *Plus le temps de traînasser !* De minuscules oiseaux voletaient en pépiant tandis que les insectes s'éveillaient en saluant le jour de leur tonitruant bavardage. De légères empreintes ornaient le sable fin et luisant. Lézards, volatiles, petits rongeurs et serpents avaient foulé longtemps auparavant ces anciens fonds marins.

La fraîcheur du petit matin avait disparu pour laisser la place à une température idéale qui s'accordait en tout point au métabolisme de la jeune femme, de sorte que celle-ci se sentit rassérénée. Il lui sembla entendre Uluru gémir d'aise à son approche dans une tentative visant à communier avec l'intruse. Cette dernière n'était d'ailleurs pas sans savoir que les Aborigènes n'appréciaient pas que les touristes fassent l'ascension de leur sanctuaire.

—Rien que moi…, susurra-t-elle égoïstement. Si ce n'est l'inscription de nos deux noms, tu ne t'apercevras même pas de ma présence.

Au pied du rocher, elle leva les yeux vers les crevasses et les plis du grès rouge tavelé qui semblait être une couverture jetée sur un savoir immémorial.

Depuis que Jane était arrivée à Alice Springs, les mises en garde n'avaient pas manqué :

« *Il s'élève à une centaine de mètres de haut !* »

« *Vous êtes trop menue ! Si le vent se lève, vous allez vous envoler !* »

« *J'espère que vous êtes entraînée…* »

« *Un peu de respect pour les Anangu ! Est-ce qu'il vous viendrait à l'idée de grimper sur l'autel de l'église paroissiale ?* »

« *N'oubliez pas le stylo !* »

Jane avait emporté un stylo et ne ressentait aucun scrupule à profaner un sanctuaire religieux pour la raison qu'il en allait de la vie d'un être humain. De plus, elle avait la certitude que les Aborigènes et les esprits qu'ils protégeaient lui pardonneraient.

Enfin parée, elle commença l'ascension en vidant son esprit de toute pensée hormis le souvenir de Will et son désir de le ramener à la vie. Depuis son départ de Londres, l'idée que son propre salut était également en jeu s'était peu à peu insinuée en elle. Avec un peu de chance, elle rentrerait changée en Angleterre et adopterait une tout autre attitude envers Will dont elle serait éperdument amoureuse.

Jane passa à proximité d'un groupe de rochers rouges qu'elle identifia comme étant les fameuses « pierres des poules » mentionnées avec espièglerie la veille au soir par Baz.

« *Les pierres des poules ?* » avait répété Jane.

« *Ouais,* avait expliqué, tout sourires, l'hôtelier, *c'est là que les poules mouillées se dégonflent ! Bien avant d'arriver à la chaîne.* »

Jane les dépassa, bien résolue à ne pas se « dégonfler » ! Une chaîne avait effectivement été placée là pour une excellente raison qui s'imposa à Jane après seulement dix minutes d'utilisation.

Uluru était beaucoup plus abrupt et glissant qu'il n'y paraissait, si bien que la jeune femme ne se sentait pas en sécurité malgré les semelles à crampons de ses chaussures. Elle se hissa donc pas à pas à la force du poignet en s'agrippant aux gros maillons d'acier. Le soleil était déjà haut dans le ciel et dardait ses rayons, mais malgré la difficulté de l'entreprise, Jane se sentait investie d'une mission que semblaient ratifier le désert et ses habitants, qu'ils soient vivants ou morts depuis des millénaires. La brise oxygénait agréablement ses poumons, et elle se sentit forte pour la première fois depuis une éternité. Elle eut une pensée pleine de gratitude pour Robin et Geoff qui l'avaient encouragée à faire ce voyage.

L'ascension s'étendait sur environ un mile et demi. Aussi, lorsque la chaîne s'arrêta au terme de ce qui avait été probablement la portion la plus ardue de l'escalade, Jane fut-elle quelque peu déconcertée de constater qu'elle n'avait parcouru qu'un tiers du chemin. Tout se passait comme si le monolithe l'avait narguée en ne lui révélant qu'une toute petite partie de lui-même lorsqu'elle l'avait contemplé depuis sa base.

L'air était également plus vif à présent, et Jane se sentait plus vulnérable, même si elle appréciait la caresse du vent sur son visage en sueur. Elle s'arrêta pour enlever son coupe-vent imperméable qu'elle noua autour de sa taille en regrettant d'avoir laissé sa bouteille d'eau à l'hôtel; puis elle respira un grand coup et continua de grimper. Malgré la faible déclivité de cette portion-là, Jane, qui commençait à fatiguer, décida de ménager ses forces, car elle savait qu'elle n'était pas au bout de ses peines. Les randonnées qu'elle avait faites sur le mont Snowdon lui avaient appris qu'il ne fallait jamais regarder devant soi, mais seulement ses pieds, en veillant à ne pas glisser, de manière à progresser doucement mais sûrement.

Ses oreilles bourdonnaient, et elle était essoufflée, mais gardait le sourire, l'effort fourni lui redonnant le sentiment d'exister. Elle regretta, cependant, de n'avoir pas attaché ses cheveux en arrière, car le vent lui fouettait le visage avec ses mèches. S'arrêtant de nouveau, elle les coinça dans son tee-shirt. Ce n'était pas très efficace, mais cela devrait faire l'affaire. Jane jeta un regard furtif alentour et s'émerveilla de la distance parcourue, ainsi que de la vue imprenable sur le désert qui la cernait de toutes parts. Elle reconnut les monticules d'herbes drues, les mimosas dorés et les chênes grêles dont elle avait vu des photos dans le guide qu'elle avait acheté pour l'occasion. Les fleurs sauvages du printemps étaient fanées depuis longtemps, mais Jane n'eut aucune difficulté à imaginer la beauté de leur efflorescence sur la toile de fond cramoisie du désert.

L'esprit libre, elle poursuivit son ascension en focalisant son attention sur les menus détails corporels de sa marche, tels que la tension de ses mollets, la sueur qui coulait sur son front, la fraîcheur causée par le dos mouillé de son tee-shirt ou les picotements de son cuir chevelu… Ses lèvres avaient un goût de sel, et la sueur lui piquait légèrement les yeux. Elle avait oublié d'emporter des lunettes de soleil et fut reconnaissante à celui-ci de ne pas darder tous ses rayons, au point de rendre – comme cela avait été le cas le jour précédent – son éclat violent douloureux pour la rétine.

Un aigle glatit dans le ciel, tirant la jeune femme du vide mental dans lequel elle se complaisait. Elle mit sa main en visière et chercha la silhouette sombre du grand prédateur qui planait au-dessus d'elle. *Le voilà!* s'exclama-t-elle intérieurement. C'était un grand aigle australien à queue cunéiforme, connu sous le nom de «walawuru» par les Aborigènes, selon son guide touristique. Son cri avait quelque chose de mélancolique et de terrifiant, comme un hurlement de femme qui n'était pas sans rappeler à Jane sa propre fêlure. *Étrange… comme l'esprit passe de la gaieté au désarroi en quelques secondes…*, songea-t-elle. Comment le cri perçant du volatile avait-il soudain pu provoquer en elle cette sensation d'effroi et de confusion que rien ne justifiait?

Jane s'accorda un moment de répit en s'asseyant sur un rocher. La température grimpait à toute allure et l'air devenait humide et lourd. La météo avait changé du tout au tout depuis l'arrivée de la jeune femme à Alice Springs, moins de vingt-quatre heures auparavant. La moiteur s'était installée subrepticement durant son ascension, et le vent était entré dans la danse en rugissant comme un fauve contre la paroi. Un peu plus loin en contrebas, il sifflait avec virulence en s'engouffrant dans les cavités de l'antique monolithe.

Les rafales avaient cessé de caresser agréablement son visage, si bien qu'elle se surprit à regretter l'absence de chaîne pour garder l'équilibre. Le sommet n'était plus qu'à quelques encablures, et ce n'était pas le moment de ralentir. Elle vérifia si son stylo se trouvait toujours dans sa poche. Survolant de nouveau Jane, l'aigle poussa un cri spectral recouvrant pendant un instant le gémissement du vent, qui soufflait pourtant avec plus de force.

Tu fuis dans le désert! crut déceler la jeune femme dans le glatissement de l'oiseau de proie qui décrivait des cercles au-dessus de sa tête.

Mais elle écarta aussitôt l'idée fantasque selon laquelle l'oiseau la narguait. Mieux valait chercher un appui. Elle avait désormais la certitude que les rumeurs alléguant que des marcheurs avaient été soulevés par les rafales de vent n'étaient pas des affabulations. En tout cas, ce n'étaient pas ses cinquante-cinq kilos qui l'auraient maintenue au sol! D'autant qu'il n'y avait aucune prise où se raccrocher au cas où elle trébucherait. Elle prit donc la résolution de ne pas regarder en contrebas, ni même alentour, tant qu'elle n'aurait pas atteint terrain plat du sommet. Ancrant chaque pas aussi fermement que possible, elle avançait, courbée presque à angle droit contre le vent en risquant à chaque instant de basculer dans la ravine et de dégringoler le long de la paroi.

Tu n'as rien à faire ici! Ceci est un sanctuaire! la provoqua l'aigle railleur.

Jane poursuivit sa pénible marche presque à quatre pattes en ralentissant toutefois considérablement et en s'assurant à chaque pas de la stabilité du terrain avant de poser le pied. Elle ne transpirait plus. Elle était glacée d'effroi. Quelle était la cause de sa peur? Quand celle-ci s'était-elle immiscée en elle? Un chœur tout entier porté par le vent lui faisait à présent des reproches lancinants sans qu'elle puisse en identifier la teneur exacte. *Ce n'est que le vent!* se rassura-t-elle. *Ton imagination te joue des tours! Tu as fait le bon choix. Robin t'a conseillé de choisir la voie à suivre, et tu la suis!*

Il ne faisait aucun doute pour Jane qu'elle arpentait la ligne de ley qui la reliait à Will et qu'Uluru était le centre énergétique qui les rendrait l'un à l'autre.

Finalement, elle gravit à tâtons et à son plus grand étonnement les derniers mètres avant de se hisser, pantelante, à plat ventre, au sommet du monolithe. *Ce n'était pas la mer à boire!* se dit-elle. *Pourquoi suis-je si épuisée?* Ses parents s'étaient efforcés de la convaincre de sa propre vulnérabilité. « *Tu es fragile* », avait même affirmé son père. Quant à sa mère, elle avait vitupéré au sujet de son manque de sommeil, de sa perte de poids et des marques d'épuisement et de chagrin sur son visage. Sa sœur y était, elle aussi, allée de son conseil, arguant que Jane n'était pas encore assez forte, tant sur le plan physique qu'émotionnel, pour entreprendre ce voyage. Mais Jane n'avait rien voulu entendre et n'avait tenu aucun compte de leurs recommandations.

En revanche, elle avait tenu sa promesse de les appeler dès son arrivée. Mais la ligne avait été si mauvaise que la jeune femme avait dû hurler dans le téléphone. Adoptant un ton désinvolte qui n'était pas complètement feint, elle avait réussi à les rassurer quelque peu en leur annonçant qu'elle était arrivée sans encombre à bon port. Mais de là à leur faire admettre la nécessité de ce voyage et comprendre son désir irrépressible d'escalader un monolithe gigantesque en plein cœur du désert australien…

De fait, cela pouvait sembler étrange, mais plus du tout farfelu depuis qu'elle avait atteint son but, le corps battu par les rafales de vent, sans aucun recours en cas d'accident. Non, l'entreprise n'était pas farfelue, elle était plutôt follement dangereuse! Seul Baz savait où elle était. Mais celui-ci, s'étant absenté du motel, ne pourrait donner l'alerte avant plusieurs heures si un malheur arrivait. *Tout ira bien!* se rassura-t-elle en levant les yeux vers la liste des visiteurs. *Je vais inscrire nos deux noms et redescendre aussitôt.*

C'était une idée de dingue! convint-elle enfin. *Ils avaient raison, tous. Le chagrin et la culpabilité te font faire n'importe quoi!* Tout se passait comme si Jane retrouvait peu à peu la raison après des jours de délire et de divagations au sujet de magie et de miracles. Il lui avait fallu aller jusqu'au bout de son idée pour enfin prendre conscience du danger auquel elle s'était exposée.

Elle essaya de se tenir debout mais tomba aussitôt à genoux lorsqu'une puissante rafale lui taquina l'échine.

Tu n'es qu'une simple brindille pour moi, semblait insinuer le vent. *Tu ne serais pas le premier touriste imprudent, sacrilège et orgueilleux, à perdre la vie faute d'avoir su écouter à temps la voix de la raison…*

Soudain, Jane poussa un cri inarticulé qui exprimait tout ce qu'elle ressentait.

— Ne fais pas attention ! s'exclama-t-elle tout haut en se parlant à elle-même.

Rassurée par le son de sa propre voix, elle se calma enfin malgré les assauts répétés du vent. — Signe et rentre chez toi !

Baz lui avait conseillé de redescendre en lacet, à la manière des ânes. « *C'est plus long, mais c'est plus sûr ! N'essayez même pas de descendre en ligne droite. Et n'ayez pas honte de glisser sur les fesses* », avait-il ajouté avec un clin d'œil.

Jane se ressaisit malgré l'aspect soudain menaçant du ciel et les nuages noirs qui s'accumulaient furtivement mais sûrement au-dessus de sa tête sous l'effet du vent qui soufflait en violentes rafales au sommet d'Uluru, rendant sa situation précaire. Aux prises avec les éléments, dont le vent n'était pas le moindre, elle crapahuta jusqu'au livre d'or en s'écorchant les genoux.

D'une main tremblante, elle prit le stylo qui pendait au bout d'une ficelle usée par les intempéries. En temps ordinaire, elle aurait pris le temps de lire les observations de ses prédécesseurs, mais elle était trop préoccupée et apeurée pour cela.

Elle appuya la pointe du stylo contre le papier réglé du registre pour y inscrire la date dans la colonne correspondante. Mais la bille griffa la feuille sans y laisser de marque. *Plus d'encre !* songea Jane après avoir gratté la pointe et tracé des gribouillis invisibles.

— Merde ! cria-t-elle en rejetant le traître de côté.

Puis elle mit la main à sa poche pour en extraire son propre stylo.

Judicieux conseil ! pensa-t-elle.

Haletant, elle retira le bouchon avec les dents et s'apprêta de nouveau à écrire. Elle était sur le point de griffonner la date lorsqu'une violente bourrasque – qualifiée plus tard de « tsunami » par un chauffeur de car qui entrait alors sur le parking – s'abattit sur elle en hurlant et lui arracha un cri d'épouvante.

En bas, où s'ébattaient les lézards et voletaient les oiseaux, le même coup de vent emporta quelques chapeaux et provoqua de petits cris aigus chez les touristes ainsi poussés en avant, mais surtout, il provoqua des rires et les incita à reporter leur escalade.

Au même moment, il en allait tout autrement au sommet d'Uluru, où la rafale redoubla de violence. Rien d'étonnant, donc, à ce que Jane ait aussitôt perdu l'équilibre précaire qui était le sien sur la surface lisse du rocher. Elle appela à l'aide, mais ses cris furent étouffés par le vent et se perdirent dans l'immensité.

Elle fit plusieurs roulés-boulés sur le roc meurtrier avant de se sentir soulevée par la bourrasque qui la projeta au bord du précipice. Puis elle dévala la pente en courant et en trébuchant, consciente de se diriger vers une mort certaine. Pourquoi n'avait-elle pas écouté les mises en garde de ses proches ?

Non seulement elle avait laissé les parents de Will emmener celui-ci en Amérique, mais elle n'avait jamais été plus éloignée de lui qu'en cet instant où elle s'apprêtait à mourir. *Nous sommes un couple pour tragédien! Un Shakespeare des temps modernes en ferait sûrement son miel!* se dit-elle en tombant. Les Maxwell maintiendraient leur fils en vie en y voyant une preuve d'amour et de dévouement pendant qu'il dépérirait sous leurs yeux jusqu'à n'être plus qu'une coquille vide. La mort était plus souhaitable que cette existence de mort-vivant. Pourtant, Jane gardait encore espoir…

Devant elle s'étendait l'immense cœur désertique de l'Australie bruissant de savoirs occultes. Quelle était la volonté de ces forces cachées? Attirer une jeune Anglaise dans leurs griffes pour la tuer? Simple brindille sous la cruauté implacable des éléments qui la poussaient au bord de l'abîme, Jane maudit la prétendue magie ancestrale de ces lieux…

—Will, dis-moi comment te sauver? s'exclama-t-elle avec l'énergie du désespoir.

En faisant preuve de courage! comprit-elle soudain en suffoquant comme si la réponse lui avait été soufflée directement par le vent.

—*Mais je me demande si tu en es capable, Jane,* s'interrogea le vent.

—*Pour Will, je peux me montrer aussi courageuse que n'importe qui sur cette Terre,* grommela Jane en pensée.

—*La magie a un prix!*

—*Je suis prête à le payer!* cria-t-elle. *Guérissez Will!*

Soudain, le vent se mit à gémir comme un loup qui hurle à la mort; les nuages explosèrent, et des cataractes se déversèrent sur Uluru, recouvrant la masse incarnate de la montagne d'une teinte gris violacé. Les anfractuosités du rocher se remplirent d'eau qui s'épanchait le long de la surface glissante sous forme de ruisselets et de minuscules cascades.

Cependant, Jane ne s'aperçut de rien, car déjà le vent précipitait sa chute. Un cri de plus en plus faible se fit entendre avant de sombrer dans le néant. Le silence et l'abîme béant de la mort lui tendirent les bras. Le plus grand regret de la jeune femme fut de n'avoir pu inscrire le nom de Will ou le sien sur le registre des visiteurs. Tous deux n'étaient plus désormais que des ombres en marge de l'existence. Jane imagina son corps chuter à l'aplomb de la ligne de ley qui les avait déjà réunis une fois. Peut-être leurs âmes s'y rencontreraient-elles à nouveau... Car la vie et la mort n'étaient que les deux pôles d'une même trajectoire cosmique.

Chapitre 13

DES FEMMES PÉPIÈRENT AU LOIN AVEC ENTHOUSIASME, PUIS l'une des voix se détacha en une exclamation ferme malgré son timbre agréable.

— Elle s'est évanouie ! Vite Cecilia, allez chercher les sels !

L'odeur nauséabonde de l'ammoniaque réveilla Jane en sursaut, puis elle toussa et crachota en repoussant les mains secourables qui s'agitaient autour d'elle. Derrière un voile nébuleux, elle remarqua qu'elle portait des manches à volants et s'en étonna.

— Elle revient à elle, Mary, grâce au ciel !

À ces mots, la jeune femme reprit son souffle et ouvrit de grands yeux ébahis.

— Où suis-je ? s'enquit-elle.

Deux femmes l'entouraient de leurs soins. Elle ne connaissait ni l'une ni l'autre. *Pourquoi portent-elles des costumes d'époque ?* se demanda-t-elle en clignant des yeux. *Pourquoi me regardent-elles avec cet air inquiet ?* L'une d'entre elles lui tenait la main.

— Vous vous sentez mieux ? s'enquit cette dernière.

Elle avait les yeux couleur chocolat et une épaisse chevelure noire séparée en deux par une raie au milieu. Le tout était approximativement ramené en arrière sous une petite coiffe de lin à volant de dentelle d'où s'échappaient quelques petites mèches bouclées autour d'un visage plutôt carré. Jane la trouva plus coquette que jolie.

Son amie, en revanche – celle qui tenait l'horrible bouteille –, arborait, par contraste, un visage de poupée, avec ses grands yeux bleus, ses cheveux couleur de blé et son sourire à damner un saint. Elle avait ramené ses cheveux délicatement en arrière et ne portait pas de coiffe.

Toutes deux ressemblaient à des actrices de films d'époque.

Malgré son trouble, Jane se désintéressa des deux femmes pour tourner son attention vers les lambris, la cheminée en pierre sculptée et les rayonnages de livres qui tapissaient la pièce. L'odeur dominante – hormis celle du bois dans l'âtre et celle, persistante, de l'ammoniaque – était celle du cuir, sans doute à cause de la reliure en pleine peau des ouvrages.

— Où suis-je ? répéta Jane.

— Dans la bibliothèque, ma chère sœur, répondit son hôtesse au visage poupin.

Elle ne portait ni maquillage, ni bijoux, mais une robe d'un grand raffinement que l'atelier costumes de la BBC aurait sans doute volontiers récupérée.

— Qui êtes-vous ? s'enquit Jane à mi-voix.

— C'est moi, ma chère Winifred, Mary. Ne me reconnaissez-vous pas ? Vous vous êtes évanouie. C'est une nouvelle terrible, je sais, mais vous devez garder courage.

—Will…, commença Jane.

—Oui, Winifred chérie, nous sommes au courant, l'interrompit la fille à la coiffe. Je vous en prie, ne vous agitez pas. Ç'a été un terrible choc. Après de pénibles moments, la mauvaise tournure qu'ont prise les événements… Mais William n'est pas blessé.

—Il s'est réveillé? s'enquit Jane, à la fois ébranlée par son nouvel environnement et heureuse d'apprendre que son fiancé avait peut-être repris conscience.

Toutefois, sa question resta sans réponse, car ses hôtesses se tournèrent pour accueillir un visiteur qui venait d'entrer. Un grand ténébreux qui portait une longue perruque châtaine entra à grandes enjambées. Jane laissa échapper un petit gloussement mi-amusé mi-surpris.

—Il n'a que quelques coupures et contusions sans gravité, annonça-t-il d'un ton las en réponse à la question muette que lui posaient les deux amies. Cependant, la situation est grave. Ils s'apprêtent apparemment à le transférer à Londres.

Jane, qui était également vêtue à la façon d'antan, fut chagrinée de constater que son corsage dévoilait presque entièrement sa poitrine. De plus, elle était gênée par une structure en triangle inversé recouverte de tissu brodé ayant pour fonction de maintenir la robe fermement en place contre sa poitrine. Pour couronner le tout, on l'avait allongée sur une méridienne.

C'est sûrement un rêve! pensa-t-elle, mais jamais ses rêves n'avaient semblé aussi réalistes.

—Pourquoi Will est-il de retour à Londres? Il devrait être aux…

—Il n'y est pas encore, ma sœur, l'interrompit Mary. Il est en route avec l'armée anglaise. Promettez-moi de ne pas vous inquiéter. Vous êtes terriblement affaiblie, et vous savez que nous nous sommes fait un sang d'encre pour vous.

Très bien, c'est un rêve ! trancha Jane intérieurement, au comble du désarroi. *Ce ne peut être qu'un rêve ! Il faut que je me réveille !*

Elle essaya, mais sans succès.

De vagues souvenirs d'une immense paroi rocheuse, d'une tempête, puis d'une chute vertigineuse lui revinrent peu à peu en mémoire. Elle s'accrocha à ces images comme un naufragé désireux d'échapper à la noyade se cramponne au radeau. Mais ses réminiscences s'évanouirent lorsque la jeune femme au sourire extrêmement bienveillant s'assit au bord de la méridienne et lui prit de nouveau la main.

— Winifred, vous avez toujours été la plus forte d'entre nous toutes, et je sais que vous ferez face, pour Will et pour la famille.

Qu'est-ce qu'elle me chante ? se demanda Jane. *Qui est cette Winifred ? Et surtout…*

— Qui êtes-vous ? répéta-t-elle.

L'inconnue la dévisagea d'un air qui trahissait son trouble, et ses yeux s'embuèrent.

— Je suis Cecilia, Cecilia Evans, votre dame de compagnie et votre plus vieille amie. Vous ne me reconnaissez pas ?

— Je ne reconnais personne dans cette pièce, avoua Jane subitement en se redressant.

Cecilia fit la moue.

— Ce doit être à cause de la fièvre, supposa-t-elle en s'adressant aux autres avant de revenir à Jane. Nous vous avons cru mourante, et voilà que vous avez perdu la mémoire.

Jane avait l'impression d'avoir la gueule de bois, tant elle avait le cerveau brumeux.

—Je ne comprends pas comment je suis arrivée ici, ni pourquoi je porte ce déguisement de carnaval, ni pourquoi vous vous adressez à moi comme si nous sortions tout droit d'un roman de Jane Austen, et encore moins d'où vous connaissez Will, ou pourquoi il est à Londres.

Cette fois, Cecilia ne cacha pas sa peine.

—Oh, ma chère Win. C'est à cause de cette maudite fièvre. Mais vous avez déjà repris des forces, même s'il faut bien avouer que la maladie vous a quelque peu embrouillé l'esprit.

—Winifred…, commença Mary.

—Je ne suis pas Winifred. Je m'appelle Jane! Vous êtes tous cinglés! C'est un week-end costumé ou quoi?

Mary et Cecilia échangèrent un regard des plus inquiets.

—Est-elle tombée? S'est-elle cogné la tête? s'enquit l'homme qui venait d'entrer.

—Non, Charles, répondit Cecilia. Elle se reposait sur le sofa lorsque la nouvelle est arrivée. Elle a lu la lettre et s'est évanouie. Mais, ma foi, notre chère Winifred a enfin repris des couleurs.

Charles inclina son énorme perruque dans le champ de vision de Jane afin de mieux se rendre compte de l'état de la convalescente.

—Je vous le confirme, madame, vous semblez en bien meilleure santé qu'hier. La fièvre est tombée, et l'on dirait que vous reprenez peu à peu des forces, ce en quoi nous devons remercier le ciel, car vous devrez faire preuve de courage pour affronter les épreuves à venir.

Incapable de se retenir plus longtemps à la vue des grosses boucles postiches qui pendaient autour du visage de l'inconnu, Jane éclata de rire.

—Cette perruque est une véritable choucroute, Charles, fit-elle remarquer. Vous ne vous trouvez pas un peu grotesque ?

Charles la regarda comme on regarde quelqu'un qui a perdu la raison.

—Vous feriez mieux de faire venir le médecin, Mary. Peut-être une saignée lui ferait-elle du bien.

—« Une saignée » ? répéta Jane avec épouvante en recouvrant promptement ses esprits.

Debout dans la bibliothèque, elle se débattit avec sa robe de soie qui froufroutait à chacun de ses gestes. Puis elle passa la main sur le corset rigide qui lui enserrait la taille et découvrit le grand cerceau qui gonflait ses jupons.

—J'étouffe dans cet accoutrement ! Il faut que vous le desserriez, sinon je vais m'évanouir pour de bon.

Mary se tourna vers Charles, qui se retira aussitôt.

—Bien sûr, naturellement, Winifred, acquiesça-t-elle en commençant à défaire quelques boutons. Nous allons desserrer le bustier.

—Serait-ce trop demander qu'on me donne des nouvelles de Will ? s'enquit Jane. Je veux tout savoir.

Cecilia s'en chargea.

—Je ne vous cacherai rien, Win, car je sais que vous placez la franchise au-dessus de tout. Votre seigneur et époux nous a annoncé que la rébellion avait été divisée. Il a été emprisonné avec les autres membres de l'aristocratie, ainsi que l'Anglais Derwentwater. Ils ont rendu les armes à l'*Auberge de la Mitre*, à Preston, où ils ont été placés sous surveillance.

Jane en était restée à « Votre seigneur et époux », expression qui l'avait rendue perplexe. Cecilia s'interrompit pour laisser le temps à sa maîtresse d'intervenir. Devant le silence de celle-ci, la bonne enchaîna :

— Lorsque le messager a quitté le Lancashire avec la lettre, cela faisait plusieurs jours que William attendait à Preston, même si quatre officiers du rang étaient déjà passés en cour martiale et avaient été exécutés. C'est du moins ainsi que nous nous sommes figuré les événements.

Jane posa des yeux ébahis sur la jeune femme. Elle n'avait pas compris un traître mot de son exposé et s'en fichait éperdument, l'important étant à ses yeux la santé de Will.

Après un temps d'arrêt de circonstance, Cecilia poursuivit :

— Nous avons appris qu'ensuite William et les autres nobles avaient été transportés sous escorte en chariot jusqu'à Wigan.

— Wigan ! gloussa Jane avec scepticisme, non sans toutefois s'efforcer de trouver un sens à cette avalanche d'informations.

— Une chose est sûre : ils sont en route pour Londres, intervint Mary en continuant de desserrer son corsage. Ils ont fait halte à Middlewatch, d'où William a pu vous envoyer cette lettre. Je crois que vous vous êtes évanouie avant d'en achever la lecture. C'est pourquoi je me suis permis de la lire à votre place. Il demande que vous lui fassiez parvenir de l'argent à Barnet par messager.

— Il suggère également que vous le rejoigniez à Londres, ajouta Cecilia.

Lorsque Mary revint se placer face à Jane, celle-ci pouvait à nouveau respirer. Les deux inconnues en costume esquissèrent un sourire timide dans l'attente d'une réaction.

—Écoutez-moi bien, vous deux, commença Jane en détachant ses mots. Il me semble que vous me confondez avec quelqu'un d'autre. Je vous parle de Will Maxwell!

Ses hôtesses parurent chagrinées par cette remarque. Cette fois, ce fut Mary qui prit la parole :

—Bien sûr, ma chère sœur, William Maxwell, comte de Nithsdale, mon frère et votre bien-aimé époux, le père du jeune William et d'Anne, énuméra-t-elle d'un ton engageant, comme si elle s'efforçait de convaincre son interlocutrice.

Face au silence stupéfait de Jane, Mary en profita pour poursuivre dans un tourbillon de boucles blondes.

—Même si je préférerais ne pas vous tourmenter avec de tristes nouvelles, il me faut pourtant vous les annoncer. William est en grande difficulté avec le roi George, car celui-ci cherchera à faire un exemple en se montrant sans pitié avec les pairs du royaume qui ont fomenté la rébellion.

Mary s'interrompit afin de laisser le temps à Jane de mesurer la gravité de la situation.

—Le gouvernement retient six nobles dans ses geôles, acheva-t-elle.

—Le comte de Nithsdale…, répéta Jane doucement d'une voix incrédule, comme si tout ce qui avait suivi était tombé dans l'oreille d'une sourde.

Mais c'est l'ancêtre dont Diane est si fière, celui dont ils étaient allés rechercher les traces en Écosse quand Will a été agressé!

Will ne lui avait jamais raconté l'histoire de sa famille, préférant éluder le sujet qui l'ennuyait d'autant plus que sa mère en parlait du matin au soir. Mais qu'en était-il au juste? Qu'était-il arrivé à son aïeul accusé de haute trahison?

—Non, c'est impossible…, murmura Jane en sentant le sol se dérober sous ses pieds.

L'inquiétude s'empara de nouveau des deux jeunes femmes, mais ce fut Cecilia qui intervint :

—Winifred, vous vous êtes sûrement cogné la tête. Comment cela a-t-il pu nous échapper ?

Jane prit une longue respiration et, sans crier gare, se pinça le bras de toutes ses forces jusqu'à s'enfoncer les ongles dans la peau. Mais au lieu de se réveiller, elle eut la confirmation que ce n'était pas un rêve : elle se trouvait bel et bien dans une bibliothèque qui sentait le renfermé en compagnie de deux femmes bizarrement vêtues qui avaient manifestement de bonnes intentions à son égard, même si elles ne faisaient qu'ajouter à son trouble.

Il y a un bon moyen de savoir…, songea Jane en se souvenant qu'elle avait quitté son motel le 29 décembre 1978 au matin pour se lancer à l'assaut d'Ayers Rock.

—Pourriez-vous me dire quel jour on est, s'il vous plaît ? s'enquit-elle.

—Bien sûr, répondit Mary en fronçant les sourcils, nous sommes le 19 novembre.

Quelque chose ne cadre pas ! s'exclama Jane intérieurement. *Je serais revenue un mois en arrière !*

—Le 19 novembre 1978 ? marmonna-t-elle.

Les deux femmes émirent un petit rire forcé qui trahit, une fois de plus, leur désarroi.

—Non pas l'an 1978, ma chère sœur. Nous serions tous morts depuis longtemps ! Mais 1715, naturellement, assura Mary.

— Quoi, « 1715 » ? répéta Jane en manquant de s'étrangler, tandis que ses deux aimables hôtesses acquiesçaient d'un air alarmé. Mais c'est impossible !

— Voici sa lettre, poursuivit la sœur du comte de Nithsdale en lui tendant la missive de ce dernier, sans relever ce qu'elle considérait comme des paroles délirantes dues à la fièvre. William dit qu'il n'a personne pour œuvrer à sa libération, et qu'on lui interdit tout contact avec l'extérieur. Il demande que vous intercédiez en son nom à Londres.

Malgré le désordre qui régnait dans ses pensées, Jane se contraignit à croire que tout s'expliquerait bientôt. En attendant, ces gens, qu'ils appartiennent au monde du rêve ou de la réalité, représentaient tout ce qui la raccrochait au fil de l'existence. Le mieux était de jouer le jeu jusqu'à ce qu'elle y voie un peu plus clair.

— Puis-je lui rendre visite ? s'enquit Jane d'une voix qui lui sembla venir d'outre-tombe.

Jamais son équilibre mental ne lui avait paru aussi précaire, ni ses perceptions plus déconnectées de la réalité.

— Bien sûr, ils n'oseraient pas interdire à sa famille de le voir.

— Viendrez-vous avec moi ?

Mary parut interloquée.

— Je ne m'y risquerais pas. Vous n'ignorez pas que Charles et moi devons paraître soutenir le roi George. Nous en avons discuté. Vous vous en souvenez sûrement.

— Je… je…, balbutia Jane tandis que les nuages commençaient à se dissiper dans son esprit et qu'un souvenir étrange lui revenait en mémoire.

Laissant s'épanouir cette évocation qui appartenait sans doute à cette fameuse Winifred avec qui on la confondait, Jane distingua le visage d'un homme en perruque – vraisemblablement son mari – répondant au nom de Will, même s'il ne s'agissait pas de son fiancé. Dans son souvenir, cet homme évoquait leur décision de se séparer délibérément en deux camps. Au fil de la conversation, Winifred s'était farouchement prononcée en faveur des jacobites, car leur famille avait moins à perdre et était déjà très engagée dans le soutien à la cause catholique.

« *Charles se fiche de savoir qui est assis sur le trône d'Angleterre, du moment que Londres n'interfère pas dans ses intérêts en Écosse*», avait déclaré Winifred, et ses paroles résonnaient à présent dans la mémoire de Jane.

« *Oui, c'est pourquoi il est préférable que nous levions notre étendard en faveur de notre souverain en exil, le roi Jacques, plutôt que de compter sur la famille de ma sœur*», avait répondu William d'une voix qui ressemblait à s'y méprendre à celle de Will, à l'exception de son accent écossais prononcé. Tandis qu'elle explorait les souvenirs de Winifred, Jane constata que le comte avait le même petit sourire espiègle que son fiancé.

Ils sont tous deux dans la fleur de l'âge…, songea Jane-Winifred.

Puis d'autres faits lui revinrent peu à peu en mémoire : les images d'une vie passée aux côtés du comte William de Nithsdale, d'enfants morts prématurément et du martyre d'enterrer son bébé à peine baptisé. Jane apprit ainsi l'existence d'un garçon en pleine santé qui faisait ses études en France, et à qui une sœur rendait parfois visite – pas Juliette, qui avait accueilli avec dédain son projet de se rendre à Ayers Rock, mais une sœur de Winifred. Par ailleurs, Jane-Winifred et le comte avaient également une fille prénommée Anne.

Ils s'agissait là d'authentiques souvenirs, de pensées de première main qui, certes, appartenaient à une autre, dans la peau de laquelle Jane était entrée. Cette autre femme – Winifred – était également présente en Jane. Flottant comme une âme égarée, elle observait de loin ce qui se passait dans l'esprit de son double. Winifred était terrifiée, aux abois, et s'affaiblissait de minute en minute comme si elle se trouvait sous l'emprise d'un mal mystérieux. Une inquiétude germa soudain dans le cœur de Jane au sujet d'un enfant.

—Où est Anne? s'enquit-elle à brûle-pourpoint.

—Pardieu, Winifred, la mémoire vous revient! Hourra! s'exclama Cecilia. Nous l'avons confiée à notre amie Bess. Elle sera plus en sécurité chez elle. Je ne voulais pas qu'elle vous voie malade et délirante de fièvre. Mais si vous vous souvenez de votre merveilleuse enfant, alors vous vous souvenez sûrement de nous…

Les deux jeunes femmes attendirent en retenant leur souffle. Le plus effrayant pour Jane – ou pour Winifred, qui prenait de plus en plus possession d'elle – était que la mémoire lui revenait à présent. Tout devenait, en effet, de plus en plus clair, et les souvenirs de sa vie dans ce monde qui n'était pas le sien affluaient sans qu'elle puisse s'expliquer comment de telles réminiscences étaient possibles, ni comment elle avait atterri dans une autre époque.

—Oui, Mary, je me souviens de vous; ainsi que de Cecilia, la meilleure amie qui soit! déclara-t-elle enfin avec la maîtrise de la langue du XVIIIe siècle.

Les deux amies la prirent dans leurs bras en soupirant de soulagement.

—Sur ma vie, assura Mary en agitant ses boucles, votre rétablissement est un miracle! Le médecin vous avait déjà mis les deux pieds dans la tombe.

—Vraiment?

Cecilia et Mary hochèrent la tête.

—Tout ce qu'il restait à faire était d'apaiser le plus possible vos souffrances. Vous avez même insisté pour qu'on vous habille pour votre dernière demeure, ajouta Mary.

—Vous avez même dit que, quitte à mourir, vous préfériez trépasser dans vos plus beaux atours en tournant vos regards vers Preston où Will se trouvait alors, plutôt que de vous morfondre dans votre lit, rappela Cecilia, tout sourires.

Frappant dans ses mains, elle ajouta:

—Et à présent vous voilà de nouveau belle et rayonnante!

—Ainsi, je dois me rendre à Londres, dites-vous?

Mary acquiesça.

—Mais en aurez-vous la force? je me le demande.

—Je me sens parfaitement rétablie! déclara Jane en s'étonnant secrètement de la formule. Après tous ces jours de confinement, un peu d'air frais me ferait le plus grand bien. Je crois que je vais aller marcher un peu.

Mary parut hésiter, mais Cecilia considéra que c'était une bonne idée.

—Je vais chercher votre manteau, annonça cette dernière. Mais n'allez pas plus loin que le ruisseau! Voulez-vous que je vous accompagne, Winifred?

Jane secoua la tête.

—Non merci. J'ai besoin d'y voir plus clair…

Jane se savait observée, mais elle feignit de l'ignorer. Bien protégée contre la morsure du froid grâce à une écharpe rentrée dans le col d'une houppelande de velours à la capuche digne d'un conte de fées, elle se serait presque prise pour Elizabeth Bennet. Des gants fourrés, un manchon et des bottes à lacets à talons complétaient sa tenue. Elle s'imagina qu'elle se rendait à un rendez-vous secret avec Darcy, même si l'époque où elle était arrivée par accident était bien antérieure à celle de l'histoire de Jane Austen… Toute perplexité mise à part, elle éprouvait également le besoin de prendre du recul pour réfléchir à la situation surréaliste qui était la sienne.

La raison voulait que ce soit un rêve, mais la conscience aiguë qu'elle avait de son environnement tendait à lui prouver le contraire. Quelque chose s'était produit pendant qu'elle redescendait d'Ayers Rock qui – si invraisemblable que cela puisse paraître – l'avait projetée au début des années 1700 en Écosse. Pour couronner le tout, son mari – elle ne put s'empêcher de glousser en évoquant ce détail – avait de graves ennuis. *Diane aurait adoré!* songea Jane en se flattant de rencontrer les aïeux dont s'enorgueillissaient les parents de Will. Ces derniers avaient fait le voyage jusqu'au fief des Nithsdale sur la simple supposition que John Maxwell était un lointain descendant du comte écossais.

Toutefois, cela n'expliquait pas pourquoi elle était entrée dans le corps de Winifred. Qu'était devenue cette dernière? On l'avait cru perdue. Jane l'aurait-elle ramenée à la vie en lui insufflant sa propre vigueur? Et surtout, comment réintégrerait-elle sa propre vie?

Jane marcha sans but, jusqu'à ce qu'elle arrive en vue du lavoir où elle avait dirigé ses pas sans même s'en rendre compte, obéissant à l'habitude qu'avait Winifred de s'y rendre pour superviser le travail des blanchisseuses employées à la journée. Seulement deux d'entre elles s'activaient, mais aucune trace de savon ni de soude et nul linge n'était étendu sur l'herbe pour blanchir au soleil ce jour-là. Malgré le temps froid et maussade, quelques poules grattaient la terre de leur bec. Les souvenirs de Winifred lui apprirent que l'on ne blanchissait le linge que deux fois par an, au milieu du printemps et à la fin de l'été, car cela nécessitait un beau temps sec.

L'une des lavandières se redressa au-dessus de son essoreuse à rouleaux et regarda Jane avec insistance. Sa comparse fit un pas en avant et une petite révérence.

— Bonjour madame, salua cette dernière. Vous allez beaucoup mieux, à ce que je vois.

Jane parut s'amuser de l'incrédulité de la servante.

— Excusez-moi, mais c'est que vous étiez sur le point de passer de vie à trépas, expliqua l'autre.

— Il semblerait que la mort n'ait pas voulu de moi, répliqua Jane.

— Le ciel soit loué! renchérit la lavandière, qui répondait au nom d'Aileen selon les souvenirs de Winifred. Les nappes seront bientôt prêtes pour Hogmanay.

Le nouvel an écossais…, songea Jane.

— N'avez-vous pas froid, Aileen? s'enquit-elle en avisant les bras nus de la jeune femme vêtue d'un simple châle.

Aileen gloussa, sans toutefois dissimuler son trouble.

— Oh, je n'y prête pas attention, madame, répondit la domestique.

Jane s'aperçut alors qu'elle avait involontairement enfreint l'étiquette et esquissa un sourire pour donner le change.

— On m'aura sans doute trop couverte, voilà tout, répliqua-t-elle, non sans savoir qu'elle aggravait son cas, se mettant elle-même dans l'embarras.

Mais Aileen se montra bienveillante.

— C'est que, madame, vous avez été très malade ! Vous ne devriez pas rester trop longtemps dans ce froid. On pourra y arriver. D'ailleurs, on a presque fini…

Jane acquiesça, puis elle s'avança sous le petit abri de pierre et effleura de la main les rouleaux de l'essoreuse en admirant la simplicité du mécanisme et son efficacité. La deuxième lavandière, à laquelle Jane souriait à présent, était un petit bout de femme et paraissait plus jeune, même s'il était difficile de lui donner un âge. Elle avait une peau parfaite et arborait des yeux verts translucides qui dévisageaient l'intruse avec intérêt. Sa physionomie n'était pas étrangère à Jane.

— C'est assurément un miracle, fit soudain remarquer la jeune fille d'un ton qui fit tiquer Jane.

— Faites pas attention à Robyn, intervint Aileen en entrant dans le lavoir. Elle est nouvelle. Murdina est malade, alors j'ai dû faire venir une de ses amies qui s'est proposée.

— Nous sommes-nous déjà rencontrées ? s'enquit Jane d'un air rembruni en s'adressant à Robyn.

La lavandière esquissa un sourire entendu et se pencha de nouveau sur l'essoreuse. Jane ne put s'empêcher de remarquer ses mains rêches, sans doute à cause de la soude caustique utilisée pour blanchir les draps.

Jane n'aurait su dire comment toutes ces pensées lui venaient à l'esprit, mais elle comprenait à présent qu'elle aurait plus de chance de surmonter cette épreuve en se laissant inspirer par l'âme de Winifred. Sans cette dernière, elle était condamnée à se heurter au moindre obstacle dans cette époque qui n'était pas la sienne. En d'autres termes, seule Winifred pouvait lui indiquer ce qu'on attendait d'elle.

Jane s'était livrée à ces réflexions sans quitter Robyn des yeux.

—Si vous voulez bien m'excuser, madame…, commença maladroitement Aileen en s'inclinant de nouveau. Il faut que je rapporte ces draps à la lingerie pour les y étendre.

Elle avait, en effet, les bras chargés de linge humide.

—Naturellement, répliqua Jane en hochant la tête.

Aileen s'éloigna, et Jane comprit que la logique voulait qu'elle l'imite. Elle s'attarda néanmoins encore un peu avec Robyn, car son intuition lui disait que la jeune fille savait quelque chose qu'elle ignorait. Robyn s'était remise au travail en silence, mais la tension entre les deux femmes était palpable.

—Souhaitez-vous me dire quelque chose? s'enquit Jane, rompant un long et pesant silence.

—Je crois au contraire que vous aimeriez me poser une question, madame.

—Oui, confirma Jane en clignant des yeux. Mais je vous l'ai déjà posée. Nous sommes-nous déjà rencontrées?

—Pas dans cette vie, répondit Robyn avec promptitude.

Jane retint son souffle sous le regard scrutateur de la lavandière.

—Vous êtes Robin? Le… le voyant? balbutia-t-elle enfin.

La domestique se contenta de hausser les épaules.

—Comme vous le voyez, je ne suis qu'une lavandière.

—C'est vous qui m'avez fait venir ici? s'enquit Jane, sous le coup de l'émotion.

Robyn secoua la tête en ébauchant un sourire mélancolique.

— Non, Mrs Nithsdale. Vous avez toujours été ici.

— Vous me connaissez sous le nom de Jane. Mon fiancé est…

— Je sais que vous accomplissez un étrange pèlerinage. Mais vous seule en choisissez l'itinéraire.

— C'est vous qui m'avez montré le chemin ! répliqua Jane d'un ton sec.

Une fois encore, Robyn haussa les épaules.

— Il est vrai qu'on vous a montré le chemin, mais vous vous y êtes engagée volontairement.

— Et maintenant, que suis-je censée faire ? s'enquit Jane.

— Suivez votre route ! la défia Robyn.

— Mon futur mari est dans le coma à l'hôpital.

— Non, madame. Il ne l'est pas encore. Cela n'arrivera pas avant deux cents ans. Pour l'instant, votre mari est prisonnier du roi George Ier d'Angleterre.

Jane eut soudain des sueurs froides, et elle eut honte de porter des vêtements chauds tandis que la lavandière aux bras nus avait les mains plongées dans l'eau glacée.

— Voudriez-vous m'accompagner à l'intérieur ? s'enquit Jane, la gorge serrée.

— Ce n'est pas un endroit pour une domestique, répondit Robyn en secouant la tête.

— Alors peut-être à l'office… ou dans l'une des remises. Il faut que nous parlions, mais il semblerait que j'aie eu la fièvre, et je ne peux pas me permettre de faire une rechute. Vous en profiterez pour vous réchauffer les mains. J'insiste.

La lavandière accepta à contrecœur, et toutes deux gagnèrent le corps de logis en silence. Jane se souvint spontanément de la distribution des pièces mais se garda bien de se demander par quel prodige cela était possible. *Ne te pose pas de question!* s'admonesta-t-elle. *Laisse-toi guider par Winifred.*

—Attendez-moi ici, ordonna-t-elle à Robyn, lorsqu'elles furent parvenues dans l'arrière-cour, en faisant entrer la jeune fille dans l'écurie qui servait de résidence à deux chevaux et à un âne.

À l'intérieur régnait une chaleur sèche embaumée par le bon foin odorant.

Pendant ce temps, Jane courut jusqu'au salon où elle intercepta une servante.

—Apportez-moi une tasse de thé avec du sucre à l'écurie, s'il vous plaît.

La bonne dévisagea sa maîtresse en se demandant si celle-ci n'avait pas de nouveau perdu la raison.

—Faites ce que je vous dis, insista Jane. L'une des lavandières se sent faible.

Sans attendre la réponse, elle rejoignit en toute hâte Robyn.

—Qui êtes-vous, demanda-t-elle à cette dernière en cédant à un doute lancinant.

—Nulle autre que celle que vous voyez, madame.

Résignée à ne jamais découvrir toute la vérité au sujet de cette lavandière, Jane n'en était pas moins convaincue que Robyn pouvait l'aider à sauver Will.

Le silence de l'écurie fut rompu lorsque l'âne se mit à braire avant de se taire aussi soudainement.

—Will a besoin de moi, implora Jane.

—Deux Will ont besoin de vous, rétorqua Robyn.

—Que voulez-vous dire? s'enquit Jane, perplexe.

—Cherchez…

Des pas résonnèrent dans l'écurie.

—J'ai dit que vous vous sentiez mal, expliqua Jane.

Robyn fit signe qu'elle avait compris et s'appuya contre une stalle en prenant un air étourdi.

—Merci, Catriona, dit Jane en se souvenant sans effort du nom de la servante, comme si donner des ordres était chez elle une seconde nature.

Puis elle prit le gobelet en étain que Catriona lui présentait sur un plateau.

—J'espère que tu as une bonne raison d'importuner madame? lança cette dernière en fusillant Robyn du regard.

—Ne vous inquiétez pas, Catriona, intervint Jane. Je m'en occupe. Retournez à votre travail.

La servante s'inclina et prit congé. Jane savait que Catriona ne tiendrait pas sa langue, et qu'une délégation de curieux ne tarderait pas à venir les espionner.

—Rassurez-moi, je ne rêve pas…, commença Jane d'un ton catégorique.

La lavandière secoua la tête.

—Vous avez dû vous rendre en un lieu extrêmement puissant.

—J'accomplissais un rite, pour contribuer concrètement à la guérison de Will.

—Mais vous avez sollicité des forces occultes. Vous étiez au bon endroit avec au cœur une intention juste. Vous avez été exaucée.

—En m'expédiant près de trois cents ans avant ma naissance? Vous voulez me faire croire que la solution à mon problème se trouve en 1715?

—Je vous assure que c'est ici et maintenant que votre aspiration sera comblée, répondit Robyn d'une voix empreinte de mystère, dont le calme exaspéra Jane. Mais surtout, c'est ici que commence votre pèlerinage pour sauver Will.

Elle but une petite gorgée de thé et ajouta :

— Lady Nithsdale se mourait, Jane. Winifred a toujours été forte émotionnellement, mais physiquement, elle est fragile. Vous devrez surmonter cette faiblesse, si vous tous – elle, les deux William et vous-même – voulez survivre.

— Que vient faire mon fiancé dans tout ça ?

— Il est le descendant direct du comte William Maxwell de Nithsdale.

— Et alors ? insista Jane, qui était déjà au courant.

— Le comte est accusé de haute trahison, annonça Robyn en serrant sa tasse pour se réchauffer les mains. On l'emmène en ce moment à Londres pour qu'il y soit jugé.

— Très bien, mais en quoi cela nous concerne-t-il, Will et moi ?

— En ceci : si le comte est exécuté, votre Will mourra aussi. Leurs destinées sont indissociablement liées.

— Quoi ? éructa Jane.

— « La descendance est le fil d'Ariane qui relie les mailles de nos vies ensemble. » Vous vous en souvenez ?

— Oui, vous… enfin, il… mais…, gémit Jane, en proie à la plus grande incertitude.

— Chuuut… madame ! ordonna Robyn en jetant un coup d'œil par-dessus l'épaule de la jeune femme. Courage !

— Will va mourir ?

— Oui, à moins que vous ne sauviez son aïeul. En fait, il vous faudra les sauver tous les deux : William et Winifred, si vous voulez revoir votre fiancé. Le temps est différent. Prenez garde, il s'écoule même de manière contradictoire.

Quelques minutes dans votre époque peuvent durer plusieurs jours, voire plusieurs semaines, dans la nôtre. Mais parfois le cours du temps s'accélère… ou ralentit… Je n'ai aucun moyen de le savoir à l'avance. Tout dépend du genre de magie qui vous a envoyée ici.

De toutes ces paroles, Jane n'en retint qu'une : « *Il vous faudra les sauver tous les deux : William et Winifred, si vous voulez revoir votre fiancé.* »

— Pourquoi moi ? s'enquit-elle en se tenant à une barrière en bois.

L'âne recula. Il n'appréciait guère cette soudaine proximité, et il le fit savoir en renâclant.

Par crainte des oreilles indiscrètes, Robyn entraîna Jane vers la sortie.

— Vous êtes allée à Ayers Rock en quête d'une solution. Vous vouliez infléchir le destin. Vous étiez prête à tout pour sauver votre fiancé.

— Oui, mais…, commença la jeune femme.

— Oubliez les « mais », l'interrompit Robyn. Vous avez désormais la possibilité de changer le cours de l'histoire. Votre destin, celui de Will et celui des Nithsdale sont entre vos mains. Par vos choix, vous tisserez quatre vies.

— Je n'ai jamais voulu cela ! Ce voyage était symbolique ! mentit Jane.

— C'est peut-être ce que vous avez fait croire à votre famille, mais dans votre for intérieur, vous désiriez que votre pèlerinage redistribue les cartes.

— Oui, mais tout ça…, balbutia-t-elle en jetant un regard circulaire. C'est de la pure folie !

—Plus bas, madame. On vient. «La magie a un prix!» Vous vous en souvenez, je vous ai prévenue en pensée. Et ce n'est ni vous ni moi qui en fixons le montant. Vous avez invoqué une énergie redoutable pour parvenir à vos fins. Alors ce n'est plus le moment de pleurnicher parce que vous avez peur ou que la tâche est trop ardue.

À ces mots, Robyn posa sa tasse par terre et secoua Jane par les épaules. Celle-ci se sentit toute molle entre les mains puissantes de la lavandière.

—Écoutez-moi attentivement, Jane, car il est d'une importance vitale que vous compreniez.

Jane leva la tête et regarda Robyn dans les yeux.

—Les grâces surnaturelles ne sont jamais accordées à la légère, commença la jeune fille d'un air désabusé. Vous êtes à présent la comtesse Winifred de Nithsdale. Jane n'est pas encore née. Et à moins d'éviter à votre mari, William Maxwell, la hache de Tower Hill...

Jane suffoqua et posa la main sur son cœur qui battait la chamade.

—... vous ne réussirez pas à sauver Will, acheva la lavandière.

Prenant la main de la jeune femme, elle ajouta:

—Laissez Winifred vivre en vous, et si votre entreprise réussit, alors Jane Granger et William Maxwell se rencontreront de nouveau. Le reste sera une affaire de choix.

—Vous en êtes sûre? insista Jane en haletant.

La jeune fille hocha la tête.

—À chaque jour suffit sa peine, Jane. Demain est un autre jour. Il faut que j'y aille.

—Robyn! s'exclama Jane en agrippant la main de la lavandière. C'est au-dessus de mes forces...

La domestique esquissa un sourire radieux, et Jane crut pendant un instant reconnaître le voyant de Covent Garden.

—Vous êtes plus forte que vous ne le pensez. Vous allez vous surprendre vous-même. C'est pour accomplir cette tâche que vous êtes venue ici, Jane. Prenez les choses en main ! C'est pour cela que Winifred a fait appel à vous et que les deux Will comptent sur vous. Mais on vient… Mieux vaut nous séparer, si vous ne voulez pas passer pour folle auprès de votre belle-sœur et de votre amie, suggéra Robyn en libérant sa main de l'emprise de Jane. Courage !

La gorge serrée, Jane la laissa filer, tandis qu'un sentiment d'abandon et d'angoisse s'emparait d'elle.

Soudain, des voix résonnèrent au-dehors appelant Winifred, et Jane s'affermit dans sa décision de sauver Will coûte que coûte. Démunie dans sa propre temporalité, elle ne l'était pas au cœur de l'hiver 1715.

Elle n'avait plus un, mais deux hommes à sauver ! Le premier d'entre eux était un inconnu pour Jane, mais pas pour Winifred. Cette dernière était-elle morte lors de son arrivée ? Elle regretta de ne pas avoir posé la question à Robyn. Peut-être que son âme continuait de vivre en elle, et qu'elles ne faisaient plus qu'une…

—Winifred ! s'exclama Cecilia d'un ton inquiet en faisant claquer ses talons sur le pavé avant de passer la tête dans l'entrebâillement de la porte. Vous voilà enfin ! On m'a dit que vous étiez avec la lavandière. Vous êtes encore en convalescence…

—Je suis là… Désolée, j'étais… je pensais à Will.

—Évidemment…, renchérit Cecilia en prenant son amie dans ses bras. Mais vous ne devez pas oublier qu'en tant qu'amie intime, mon rôle est de vous aider. Nous ferons le nécessaire ensemble.

— Êtes-vous sérieuse?

Cecilia, qui était plus grande que la moyenne, avait le menton carré et des yeux marron bienveillants, sourit avec tendresse.

— On ne peut plus sérieuse! confirma-t-elle en serrant plus fort son amie dans ses bras. Je vous accompagnerai à Londres si vous le désirez.

— Je vous remercie.

— Nous devrons nous organiser pour voyager par ce temps, fit remarquer Cecilia d'un air grave. Venez, rentrons. Il fait chaud à l'intérieur. Nous consacrerons les prochains jours aux préparations pour le voyage et à l'élaboration d'un plan. Je ne doute pas que Charles et Mary ne souhaitent mettre la main à la pâte! Quant à notre chère Mrs Mills, je suis sûre qu'elle sera ravie de nous recevoir à Londres pour le temps qu'il nous plaira.

On n'échappe pas à son destin! s'admonesta Jane. *Alors, sauve William Maxwell, sauve-toi toi-même, et sauve Will!*

Chapitre 14

LE COMTE DE NITHSDALE APPRIT LA NOUVELLE DE LA défaite finale de la bouche sarcastique de son vieil ennemi – l'officier supérieur efféminé qui avait tué Pollock –, tandis qu'il voyageait dans une carriole en compagnie de trois autres pairs du royaume, dont lord Derwentwater. Ils étaient entourés d'une escorte de dragons bien décidés à ne pas laisser échapper ces prisonniers de choix. Les autres captifs suivaient à pied.

— Je vous laisse méditer sur votre propre sort, messieurs, conclut l'Anglais en embrassant les quatre aristocrates du regard par la fenêtre de la carriole depuis la selle de son cheval.

S'attardant sur le visage de William, il ajouta :

— Bon voyage !

Puis il s'élança vers l'avant de la colonne.

— C'est l'indécision qui nous a conduits dans cette impasse, grommela William en se souvenant du combat de rues qui avait clos la bataille de Preston. Je suis particulièrement désolé pour vous, confia-t-il à Derwentwater, qui était considéré comme le diamant du lot, et avec qui William n'avait jusque-là échangé que quelques paroles. Votre bien-aimé père s'est montré très serviable avec la famille de ma femme à Saint-Germain-en-Laye.

— Nous ne nous y sommes jamais croisés, monsieur, n'est-ce pas ? s'enquit Derwentwater. J'y ai vu le jour.

— C'est une rencontre que je n'aurais pas oubliée, répondit Will en secouant la tête.

— Je ne regrette rien, déclara le comte sans bravade. Je me suis battu pour ma foi et mon roi.

— Je n'ai aucune crainte à votre sujet, monsieur. Vous avez la jeunesse, la fortune, et vous êtes un maillon indispensable de la politique dans le Nord. Le roi George serait bien avisé de s'attirer vos bonnes grâces, conjectura William qui commençait à s'inquiéter pour sa propre famille… et pour sa propre vie.

— Avez-vous demandé de l'aide aux vôtres ? s'enquit Derwentwater.

— Oui, j'espère que ma tendre épouse Winifred a reçu ma lettre, où je lui demande de me rejoindre à Londres.

— C'est là beaucoup demander à une noble dame, monsieur, en cet hiver impitoyable.

William acquiesça. Manifestement, le jeune Derwentwater continuait de croire que la situation pouvait encore s'arranger. Maxwell, quant à lui, avait découvert la vérité dans le regard retors de l'officier efféminé et des autres soldats qui se léchaient les babines en prévision de la curée.

Il ne serait pas facile d'échapper à la justice du roi.

— Ma femme est la personne au monde en qui j'ai le plus confiance, et elle seule a assez de force de persuasion pour convaincre les meilleurs soutiens, rétorqua William.

— La Couronne en profitera-t-elle pour faire exécuter nos hommes restés dans les prisons du Nord ? se demanda Derwentwater à voix haute.

— Non, Londres se servira du châtiment infligé aux nobles pour sa propagande anticatholique, intervint Kenmure en se joignant à la conversation. C'est une occasion en or pour le roi George. Nous servirons d'exemple pour tous les jacobites.

À Barnet, Derwentwater fit appeler l'officier responsable du convoi.

— Où nous emmenez-vous ? lui demanda-t-il.

— La plupart d'entre vous vont à Marshalsea et à Fleet, ceux de rang inférieur à Newgate, où sont déjà Mackintosh et quelques-uns de ses gardeurs de moutons. Mais pour vous, monsieur, ce sera la Tour de Londres, sur ordre du roi.

— D'aucuns affirment que nous serons en selle dès demain matin, marmonna Wintoun, le quatrième prisonnier.

Le jour suivant, William constata que leur escorte avait été renouvelée et renforcée.

— Ils n'ont pas envie que nous tissions des liens d'amitié avec nos geôliers, fit-il remarquer d'un ton faussement indifférent, même si, au vu de la foule considérable qui se massait pour assister à la procession des damnés, il ne pouvait ignorer l'extrême dangerosité de leur situation – laquelle sembla se confirmer lorsque, peu de temps après, on leur attacha les mains.

— Comment sommes-nous censés tenir la bride de notre cheval si vous nous ficelez comme des poulets ? s'enquit William avec stupéfaction.

— Vous n'aurez pas à vous en occuper, pas plus que de votre orgueil brisé ! répondit d'un ton acerbe un officier qui se tenait à proximité. Contentez-vous de ne pas tomber, si vous le pouvez!

Les prisonniers furent donc attachés comme des esclaves et conduits entre une escouade de grenadiers à cheval et un peloton de fantassins à travers les rues de la capitale pour y être humiliés par la foule sous les insidieuses moqueries des habitants de la ville, mêlées à sa puanteur. Pendant ce temps, la composante militaire du cortège marchait au rythme exaspérant des tambours qui scandaient une marche victorieuse et des joueurs de flûte qui ajoutaient une note de fantaisie que les badauds se croyaient obligés d'accompagner en tapant sur toutes sortes d'objets métalliques sortis pour l'occasion.

William aperçut sans s'en émouvoir plusieurs pots de chambre dans cette étrange fanfare qui entonnait à présent le slogan «Le roi George pour toujours! Le bâtard à la bassinoire jamais!» La rumeur pernicieuse selon laquelle la reine Marie Béatrice, qui avait eu beaucoup de difficulté à enfanter, n'avait en fait jamais accouché d'un fils, continuait de faire des ravages après toutes ces années. Les protestants continuaient à croire que le roi Jacques – né au palais Saint-James devant une multitude de témoins – avait été introduit en cachette dans le lit de travail de la reine à l'intérieur d'une bassinoire.

Maxwell se contrôla. Il avait d'autres chats à fouetter. Malgré le froid, l'air était lourd à cause du tapage de la foule et de ses hymnes vengeurs.

À Tower Hamlets, William et ses compagnons apprirent qu'ils seraient logés dans les foyers du capitaine avant de gagner Westminster dès le lendemain pour le début des interrogatoires.

Rejoins-moi, Winifred! implora-t-il en son for intérieur. *Toi seule peux me sauver à présent.*

La vie à Traquair House fut complètement bouleversée pendant les préparatifs de départ de Winifred. Le soir de sa conversation avec Robyn, Jane avait demandé qu'on ne la dérange ni pour dîner, ni pour la veillée, car elle avait besoin d'être seule pour réfléchir.

Naturellement, elle se sentit d'emblée chez elle dans la chambre feutrée de Winifred, avec ses motifs vert sauge, ses tentures de brocart en soie rehaussées de fils d'or par un tisserand lyonnais et son épais tapis d'Orient offert en cadeau de mariage par Mary. Les lambris, les trèfles du papier peint, les labyrinthiques moulures en plâtre du plafond : tout cela était familier à Jane et lui semblait tout aussi réel qu'incongru.

Le plancher craqua sous les pas des autres occupants de la maison, et des éclats de voix retentirent dans le salon, tandis qu'au loin, à l'office et dans l'arrière-cuisine, résonnaient le tintement et le fracas étouffés des casseroles. C'était une authentique maison de maître du XVIIIe siècle avec tous ses habitants, et l'historienne qu'était Jane ne parvenait toujours pas à y croire. Elle se souvint de la chienne fox-terrier un jour d'orage de son enfance. Pixie, c'était son nom, grelottait et claquait des dents comme si elle avait froid sans que sa jeune maîtresse réussisse à la réconforter par ses paroles ou de toute autre manière. C'était exactement ce qu'éprouvait Jane depuis son arrivée dans ce siècle : malgré tout le réconfort que lui dispensaient ces étrangers, malgré ses propres efforts pour toute raison garder, elle ne réussissait pas à s'habituer à sa nouvelle vie.

Finalement, elle décida d'essayer la méthode forte et se pinça le bras. Si c'était un rêve, et si ce rêve incluait sa conversation avec Robyn, elle en aurait alors le cœur net.

—Réveille-toi! se murmura-t-elle en se pinçant si fort qu'elle en eut les larmes aux yeux.

Puis elle regarda sa peau reprendre sa couleur naturelle tandis que sa chair retrouvait sa densité habituelle.

—Aïe! bougonna-t-elle en effleurant distraitement la zone endolorie par le pincement et en se résignant à demeurer dans le passé jusqu'à ce qu'elle trouve le moyen d'en partir.

Elle s'assit devant un bureau en acajou près de la fenêtre et regarda la nuit tomber sur la journée la plus incroyable, la plus effrayante et, d'une certaine manière, la plus palpitante de sa vie. Mais était-ce de sa vie qu'il s'agissait ou bien de celle de Winifred, qu'elle avait dérobée? *Winifred… ce nom ne me va pas*, songea-t-elle. Elle s'assit à sa table de toilette afin d'examiner sa nouvelle apparence dans la glace et d'explorer la mémoire de Winifred.

Jane découvrit que Winifred avait trente-cinq ans. À en croire son reflet, elle était mince et blonde et avait un visage charmant aux traits délicats et réguliers qui, selon Jane, étaient en contradiction avec les pensées dont elle avait connaissance. Malgré une frêle constitution, Winifred avait un fort caractère, car si Jane ressentait toute l'inquiétude de la jeune femme pour son mari, elle en éprouvait également la colère face à la défaite des catholiques.

Après mûre réflexion, Jane conclut que Winifred était en vie et qu'elle s'était contentée de l'accueillir dans son intériorité. À moins qu'étant à l'article de la mort, elle n'ait été trop affaiblie pour résister à l'intrusion d'une âme étrangère ? Peut-être, encore, avait-elle eu besoin d'un regain d'énergie physique pour ne pas mourir ? Mais le destin avait également pu la désigner d'autorité. Quoi qu'il en soit, Jane comprit qu'il lui faudrait vivre dans le corps de Winifred pour que toutes deux restent en vie.

— Nous sommes en 1715…, murmura Jane à voix haute en approchant son visage du miroir que son souffle embua aussitôt.

Puis elle traça ses initiales avec le doigt dans la buée pour s'aider à se souvenir que, quelque part dans la vaste trame du cosmos, Jane Granger existait encore.

Si elle n'acceptait pas de vivre sous l'identité de Winifred et de tenter de sauver son mari, non seulement Will Maxwell ne sortirait pas du coma, mais il ne viendrait même pas au monde ! Au surplus, si Winifred mourait, elle mourrait aussi, et tout le monde serait perdant !

— Bon, ressaisissez-vous, Winifred ! grommela Jane dans le miroir. Nous avons du pain sur la planche !

Il devint soudain clair à ses yeux qu'elle devrait prononcer un plaidoyer flamboyant pour sauver le comte ; et la seule manière de s'en acquitter était de se rendre sur place.

Secouant la tête, elle se parla à elle-même.

— Allez, Jane, essaie de penser comme une épouse du XVIIIᵉ siècle ! s'admonesta-t-elle. Tu es Winifred ! Sois dévouée envers ton mari, modeste dans ton comportement et ne dis pas de gros mots !

On toqua doucement à la porte.

— Winifred ?

C'était Cecilia.

Jane alla ouvrir en traînant péniblement sa longue robe empesée à l'étroit corsage.

Pourquoi n'ai-je pas atterri en 1790, à l'époque où les robes couvraient les seins et étaient légères ? se demanda-t-elle en ouvrant la porte sur le visage radieux mais inquiet de Cecilia.

— Je sais que vous êtes très préoccupée, ma chère Win, mais j'insiste pour que vous ne vous fassiez pas de mauvais sang pour Anne.

Si ce n'est un sursaut d'inquiétude passager, Jane n'avait pas un seul instant songé à la fille de Winifred.

— Je ne suis pas inquiète pour Anne et Willie, assura-t-elle en se souvenant du prénom du garçon. Ils sont tous les deux en sécurité sous la protection de personnes aimantes. Pour l'heure, je dois penser à mon seul époux et seigneur, ajouta-t-elle en s'étonnant de sa propre distinction.

— Avez-vous écrit à Mrs Mills à Londres ?

Jane réprima un sourire à l'évocation de cette missive.

— Oui, la lettre est ici, répondit-elle en s'approchant du secrétaire où elle s'était attelée à cette tâche.

Elle avait pu se féliciter des cours de calligraphie pris des années auparavant, même si, chose étonnante, sa plume avait couru avec une relative aisance sur le papier dès l'instant où elle avait accepté sa nouvelle vie. Les formules de politesse guindées avaient alors coulé d'elles-mêmes, sans oublier le ton pressant avec lequel elle demandait l'hospitalité à Mrs Mills.

— Le cavalier attend. Je vais la lui remettre.

— Qui sait ? Nous arriverons peut-être avant elle à Londres, se demanda Jane à voix haute.

Winifred lui soufflait que le courrier, en 1715, mettait des jours, voire des semaines, à arriver, à moins de payer un messager à cheval pour apporter directement la lettre au destinataire, de porte à porte, qu'il pleuve ou qu'il vente.

—Avec cette neige? demanda Cecilia. Je crains que ce ne soit impossible, mais si nous avions cette chance, alors peu importerait qui arriverait en premier, car je suis certaine que personne ne nous refuserait le gîte, étant donné les raisons de notre voyage.

Jane hocha la tête.

—Merci, Cecilia, je ne sais pas ce que je ferais sans vous.

La jeune femme sourit et pressa la main de son amie.

—Maintenant, il faut vous reposer. Je vous fais monter un grog.

—Sans épices, s'il vous plaît, précisa Jane en se réjouissant de connaître jusqu'aux préférences culinaires de Winifred.

—Lait et mélasse, mais pas de noix de muscade. C'est promis! Cela vous aidera à dormir.

—Quand partons-nous?

—Après-demain. Charles fait préparer la calèche et prévoit de nous adjoindre un garçon d'écurie.

—Très bien. Il faudra que je le remercie. Bonne nuit, Cecilia.

Jane se déshabilla, soulagée de ne plus avoir à supporter le poids de sa robe; puis elle enfila une chemise de nuit en coton très finement brodée. La même servante qui lui avait apporté une bassinoire quelques heures auparavant lui apporta la boisson demandée par Cecilia. Jane se coucha donc dans un lit chaud. Tandis que les braises rougissaient dans le foyer et que le gel s'agrippait aux petits carreaux de la fenêtre, elle se posa mille questions au sujet du trajet à venir. Tout le monde semblait s'accorder sur le fait que les conditions de voyage étaient difficiles, d'autant que la neige ne cessait de tomber.

Par chance, Jane avait appris à monter à cheval quand elle était enfant. Elle avait été une excellente cavalière. Néanmoins, elle se réjouissait de ne pas devoir effectuer toute la route par ce moyen de locomotion.

Elle se glissa dans les draps et soupira d'aise en posant la tête sur l'oreiller de plume, non sans songer au mari de Winifred. Où dormait-il ? Avait-il froid ? Avait-il peur ?

Tandis que ses paupières se faisaient lourdes et qu'elle s'apprêtait à sombrer dans un oubli salutaire, une idée qui émanait de Winifred lui vint brusquement à l'esprit. Rouvrant les yeux en proie à un affolement soudain, Jane songea aux papiers compromettants que les Nithsdale gardaient à Terregles, leur fief. Il fallait les mettre en sûreté avant que les sbires du gouvernement ne les trouvent, et détruire tout ce qui pourrait nuire encore plus au comte et à sa famille ! Il fallait également cacher l'argent, les bijoux et d'autres documents qui ne devaient tomber sous aucun prétexte entre les mains de la Couronne.

Quelques secondes plus tard, la béatitude de l'assoupissement n'était plus qu'un souvenir, et Jane, affublée d'une simple robe de chambre passée à la hâte, dévalait l'escalier pieds nus et cheveux au vent. Elle appela ses amis, et tous trois accoururent du salon, l'air inquiet. Charles, en particulier, fut extrêmement étonné de découvrir sa belle-sœur si légèrement vêtue.

— Winifred ! s'étrangla Mary. Êtes-vous souffrante ?

— Je vous prie de me pardonner…, commença Jane.

— Vous sentez-vous mal ? l'interrompit Cecilia en se précipitant à sa rencontre.

— Non, non, pardonnez ce dérangement, mais je dois partir demain pour Terregles.

Tous trois ouvrirent de grands yeux ébahis, et Jane s'empressa de leur expliquer le motif de sa décision.

—Vous avez raison, Winifred! renchérit Charles lorsque la jeune femme eut terminé.

Il était bien plus séduisant sans sa perruque, en gilet et hauts-de-chausses, avec sa chemise ouverte sur le torse et un petit verre de sherry à la main.

—Vous devez partir demain, ajouta-t-il. Il n'y a pas de temps à perdre.

—Ma sœur, êtes-vous prête pour un tel voyage? s'enquit Mary.

—Je pourrais me mettre en route sur-le-champ, si vous m'y autorisiez, répondit Jane.

—Bien. Je vais faire préparer la calèche pour que vous puissiez partir à l'aube. Vous serez à Terregles au coucher du soleil, assura Charles.

Jane interrogea du regard Cecilia, qui hocha la tête de manière encourageante.

—Merci à vous tous, remercia-t-elle en bâillant d'épuisement.

Ils n'avaient aucune idée du périple qu'elle avait déjà accompli.

—Bonsoir, murmura-t-elle en esquissant un sourire gêné.

Penché en avant sur sa chaise dans une chambre minuscule de la Tour de Londres, William Maxwell méditait sur sa destinée. Les Anglais avaient séparé les prisonniers appartenant à l'aristocratie. Avaient-ils peur qu'ils s'évadent tous ensemble de la Tour de Londres? De toute façon, la tentative visant à ramener l'héritier catholique sur le trône d'Angleterre était réduite à néant.

William prit conscience que, si les souffrances du comte de Mar et du souverain en exil s'arrêteraient là, il en irait différemment des braves seigneurs qui vivaient dans les Marches et des jacobites anglais ralliés à la cause, car eux feraient les frais de la vindicte royale. Il s'efforça en vain de chasser cette pensée qui ne cessait de le tourmenter ; le seul moyen d'apaiser le roi George, il le comprenait à présent, était de consentir à sacrifier sa propre vie.

Au cours d'une promenade matinale, William rencontra l'un de ses compagnons sur le chemin de ronde qui, lui assura un hallebardier, avait été l'un des endroits préférés de la jeune princesse Elizabeth lorsque celle-ci était prisonnière à la Tour de Londres par ordre de sa demi-sœur Mary. Mais Maxwell ne fut pas impressionné ; en tant que catholique, cela lui importait peu de marcher sur les traces d'une reine protestante, fût-elle célébrissime.

— Quitte à mourir, autant rendre l'âme sur le champ de bataille, fourbu et couvert de sang, mais dévoré par d'ardentes convictions, en proclamant le nom du roi légitime ! confia-t-il à Kenmure, son compagnon d'infortune. Car croupir dans une cellule dans l'attente d'un procès humiliant qui ne sera ni plus ni moins qu'une parodie de justice est désespérant.

— Et ce n'est pas le plus atroce, nuança tristement Kenmure. J'ai entendu les gardes mentionner que le roi comptait se venger en nous faisant monter sur la butte de Tower Hamlets pour que la populace puisse nous agonir d'injures et nous jeter du poisson et des fruits pourris pendant qu'on nous soumettra aux pires supplices qu'un homme puisse endurer, avant de mettre fin à nos jours de la manière la plus indigne qui soit et de ficher nos têtes sur des piques plantées devant la Tour de Londres.

William tressaillit intérieurement mais il garda tout son aplomb.

—N'en parlez pas à Derwentwater si vous le croisez, lui conseilla-t-il. Il garde bon espoir d'une libération prochaine.

Lord Kenmure hocha la tête.

—J'espère qu'il a raison. À propos, avez-vous appris la nouvelle ? Le Vieux Borlum se serait échappé.

—Vraiment ? s'esclaffa William, contre toute attente.

Son compagnon haussa les épaules.

—Mon geôlier a la langue bien pendue. Même Newgate n'a pas résisté à ce vieux renard !

—Les Highlanders se sont montrés les plus braves d'entre nous. Ils avaient également le plus à perdre. Je lui souhaite bonne chance.

De retour dans sa cellule, William contempla le paysage par le minuscule fenestron, œil unique dans la muraille par ailleurs aveugle des appartements où il était retenu prisonnier, et succomba sous le poids de l'épouvante face à la cruelle échéance qui l'attendait. Dans sa grande générosité, le gouverneur de la Tour avait été assez courtois pour fournir à chaque prisonnier de marque un gîte relativement convenable, dans la mesure où ils se trouvaient les hôtes de l'établissement pénitentiaire le plus redouté du pays. William savait pertinemment qu'on aurait très bien pu le jeter dans la basse-fosse humide où il aurait croupi avec les rats qui envahissaient les cachots à marée montante. Même s'il était logé dans une pièce fermée à clé, du moins celle-ci était-elle au sec, en plus d'avoir un plancher et de bénéficier d'un apport d'air frais avec vue sur… la porte des Traîtres, hélas.

Contemplant cet accablant spectacle, il se souvint du malaise qui avait été le sien lorsqu'on les avait acheminés par barge sur la Tamise au coucher du soleil avant de faire halte devant les immenses battants de bois de cette porte fluviale tristement célèbre. Au-dessus, passait la voûte en plein cintre de l'entrée dont William évalua l'élévation entre cinquante et soixante pieds de haut. Enfant, il avait entendu dire que la voûte s'était effondrée à deux reprises ; et, à l'instar de ses petits camarades, il avait imaginé que ces pierres étaient hantées par les âmes maudites des condamnés à mort. Passant dessous avec les autres prisonniers, William n'avait pu réprimer un frisson en se laissant absorber par les mâchoires entrouvertes du monstre qui s'apprêtait à les dévorer comme il avait autrefois dévoré sir Thomas More, un autre catholique qu'il avait toujours révéré. Presque deux siècles auparavant, ce conseiller de Henry VIII avait effectué le même voyage pénible et inquiétant sur le fleuve avant de disparaître à jamais derrière la porte des Traîtres, ne sortant de sa cellule humide et froide qu'au matin de son exécution. William s'efforça d'oublier les accès d'épouvante que provoquait en lui la conscience de partager le même destin que le grand humaniste.

Le gouverneur avait invité William et ses compagnons à dîner à sa table le jour de leur arrivée, leur annonçant qu'il en serait ainsi pendant toute la durée de leur séjour. C'était un égard dû à leur rang.

Le mot « séjour » était un bel euphémisme, car leur hôte – à savoir la Couronne – ferait tout pour leur trancher la tête ! Pauvre Derwentwater ! Il était si jeune… Malgré toute la bravoure dont le jeune garçon avait fait preuve, Maxwell s'était laissé dire que celui-ci s'était joint aux troupes jacobites dans le seul but de mettre un terme aux sermons de sa femme qui lui avait clairement signifié qu'il passerait pour un lâche à ses yeux s'il ne s'engageait pas dans la bataille. Il était bel homme, avait un charme fou et possédait une fortune considérable. Hélas, aucun de ces trois attributs ne l'aiderait à garder, pour ainsi dire, la tête sur les épaules.

Peu à peu, William tourna son attention vers ses propres enfants. Il se souvint du beau visage grave de Willie, lorsque celui-ci lui avait présenté un chiot prématuré prélevé d'une nouvelle portée. Maxwell avait posé sa plume, pris le petit animal enveloppé d'un linge dans le creux de sa main et l'avait frictionné jusqu'à ce qu'un souffle de vie s'insinue en lui. Son fils l'avait alors regardé avec un émerveillement mêlé d'admiration que William n'était pas près d'oublier. Pour Willie, son père était invincible. Avait-il le droit de décevoir ce fils ?

Quant à Anne, c'était un petit ange sensible au naturel enjoué propre à faire fondre le cœur de n'importe quel père. William conservait sur sa poitrine, dans la poche intérieure de sa veste, le premier essai de broderie de sa fille. Celle-ci avait tenu à s'exercer sur un échantillon avec les initiales de son papa et à lui offrir le fruit de son premier ouvrage. En retour, William lui avait promis de le garder sur lui comme porte-bonheur durant la bataille. Assis dans sa cellule, il embrassa le petit morceau d'étoffe en priant pour qu'il lui porte chance.

William suivait d'un regard absent le fanal d'une petite embarcation qui manœuvrait sur la Tamise lorsque ses pensées se tournèrent de nouveau vers Winifred avec une nouvelle montée d'angoisse. Il frissonna, mais, cette fois-ci, c'était à cause du froid qui régnait dans sa chambre. Winifred n'était jamais en grande forme durant l'hiver, et William eut mauvaise conscience de lui avoir imposé cette épreuve supplémentaire. La traversée du pays par beau temps aurait été pénible pour n'importe quelle femme du monde, mais avec ce froid terrible l'entreprise devenait tout simplement périlleuse. Quant à sa sœur et à son beau-frère, ils ne pouvaient l'aider qu'indirectement. Au moins en apparence, Charles se verrait contraint de prendre ses distances avec son parent peu orthodoxe.

Il était trop tard pour regretter sa requête. Avec l'aide de Dieu, elle aurait sûrement reçu sa lettre et serait déjà en route… L'air grave, il imagina son épouse jetant la lettre sur sa table de toilette avant de prendre son manteau d'un même mouvement et de sauter en selle pour chevaucher vers le sud sans se soucier des conséquences. William se consolait avec l'image d'une Winifred sans peur et sans reproche à qui il se devait de se montrer extérieurement aussi confiant et plein d'espoir que possible.

Chapitre 15

Jane avait quitté Traquair House dès les premières lueurs du jour et chevauchait à présent en compagnie de sa fidèle servante et amie Cecilia. À la faveur du silence qui s'était peu à peu installé, la jeune femme revint en pensée sur son premier réveil dans l'Écosse du XVIIIᵉ siècle.

Au moment de s'habiller, l'aide apportée par sa femme de chambre l'avait embarrassée, même si elle comprenait que c'était là un réflexe conditionné de femme du XXᵉ siècle. D'autant qu'elle n'aurait pu attacher son corset doté de véritables fanons de baleine sans le secours de Cecilia. De nouveau, le miroir lui avait présenté le reflet d'une aristocrate terrorisée par le sort réservé à son mari. Tout indiquait que ce dernier était incarcéré à la Tour de Londres. Jane avait visité la célèbre prison à plusieurs reprises durant son enfance. Mais surtout, elle s'y était rendue encore peu de temps auparavant en réponse à l'invitation d'Emily, son ancienne condisciple de fac, dont le père, un officier supérieur à la retraite, avait reçu le titre honorifique de gouverneur de la Tour. « *Viens nous voir à la maison!* » avait suggéré Emily en désignant l'auguste monument. Ainsi, Jane avait passé un week-end enchanté à déambuler dans les appartements de la reine construits par Henry VIII pour Anne Boleyn, et qui avaient compté Elizabeth Ire au nombre de ses prisonniers les plus célèbres. Elle avait même eu droit à une présentation privée des joyaux de la Couronne, en plus de pouvoir explorer à sa guise les pièces interdites au public qui arpentait chaque jour l'ancienne geôle d'un pas lourd. Par ailleurs, Jane s'était beaucoup intéressée au rôle joué par la Tour de Londres depuis le XIe siècle en tant que lieu de privation de liberté et d'oppression, mais également comme forteresse et résidence royale. Au Moyen Âge, le père d'Emily aurait été l'un des personnages les plus en vue du royaume, l'un des principaux remparts de la capitale et de la monarchie.

Jane se souvint avec délectation de la cérémonie nocturne des Clés, qui n'est autre que le rituel de fermeture de la Tour, accompli chaque soir par un hallebardier de la garde royale sans interruption depuis l'époque médiévale, à l'exception d'une seule fois pendant les raids aériens qui frappèrent Londres durant la Seconde Guerre mondiale. Forte d'une tradition vieille de sept siècles, la Tour de Londres bénéficiait de tout le savoir-faire britannique en matière de cérémonial, savoir-faire que lui envient toutes les autres nations de la Terre. C'est pourquoi l'épouse du nouveau gouverneur harcelait constamment son mari pour qu'il endosse chaque soir sa tenue d'apparat au complet. Debout derrière le père de son amie, Jane s'efforçait de ne pas rire lorsque la plume du chapeau de celui-ci lui chatouillait le nez, tandis qu'il recevait en grande pompe les hommages du gardien en chef. Ensuite, le veilleur de nuit descendait comme chaque soir, sous les flashs des touristes émerveillés, jusqu'à Water Lane où une sentinelle l'attendait pour lui poser la question rituelle : « Qui va là ? » Une fois les clés du monarque remises, la Tour était considérée comme bien fermée, et l'on pouvait entonner le « Last Post », la glaçante sonnerie aux morts réglementaire.

Pendant ce temps, Jane, assise sur le toit-terrasse des appartements de la reine, fumait des cigarettes en songeant à la reine Elizabeth Ire et en écoutant Emily se plaindre de son nouveau petit ami qui ne pensait qu'au sexe et ne l'emmenait jamais dans les endroits à la mode.

Combien de fois, par la suite, Jane ne s'était-elle détendue sur le siège de la fenêtre du salon des parents d'Emily après un examen où une semaine de révision harassante en sirotant avec gratitude une grande tasse de thé préparée par la maîtresse de maison ? C'était son endroit préféré dans la Tour, car il donnait, au loin, sur les illuminations du pont de Londres et, plus près, sur la porte des Traîtres, par où étaient entrés moult condamnés.

Tandis qu'elle contemplait son reflet dans la glace, Jane avait compris que le comte de Nithsdale avait probablement été conduit à la Tour par voie fluviale, et donc par cette même porte, avant de se voir confié au hallebardier. Horrifiée par son propre regard d'épouvante, elle s'était alors écartée brutalement du miroir.

Il faisait encore nuit lorsque l'énorme pendule de fabrication française avait émis son tintement grave en même temps que le chant du coq. Jane avait compté cinq coups, puis elle s'était approchée de la fenêtre sur la pointe des pieds et avait ouvert les rideaux sur les griffures roses de l'aurore dans le ciel d'hiver. Une fois de plus, elle s'était surprise à écrire ses initiales sur la buée des carreaux glacés. Puis elle avait frissonné en songeant qu'il lui faudrait se mettre à demi nue pour utiliser le pot de chambre. Elle ne considérerait plus jamais les lieux d'aisance modernes comme un dû !

Une fois habillée, et ses cheveux impeccablement coiffés, elle avait glissé une robe de rechange dans un petit sac de toile avant de promettre à Winifred devant le miroir de la servir au mieux. Exit Jane ! Dorénavant, elle serait Winifred jusqu'au bout des ongles ! Et, de fait, c'était sa seule chance.

Winifred, donc, revint brutalement à la réalité lorsque la calèche roula dans une ornière et qu'elle manqua de se mordre la langue.

—Nous serons bientôt arrivées, annonça Cecilia en lui serrant amicalement le poignet.

En effet, le paysage devenait de plus en plus familier à la jeune femme. *Plus que quelques minutes…*, pensa-t-elle.

—Nous devrons redoubler de prudence, Cecilia, rappela la comtesse. Les sbires du gouvernement ont peut-être déjà fouillé la maison…

Cecilia acquiesça et toqua au plafond du véhicule.

—Oui, madame ? répondit le cocher d'une voix étouffée, sans savoir que c'était la bonne qui avait sollicité son attention.

—Voyez-vous des soldats s'affairer dans les environs ou des chevaux parqués devant la maison ? s'enquit Cecilia en passant la tête par la fenêtre.

—Rien en vue, madame, répondit enfin le cocher après un long silence.

—Très bien ! s'exclama Cecilia. Continuez !

Les deux jeunes femmes échangèrent un regard. Cecilia officiait auprès de Winifred à la fois en tant que servante et en tant qu'amie d'enfance. Ainsi, elle était également sa complice, et Winifred lui en était extrêmement reconnaissante.

— Quel est votre plan ? s'enquit Cecilia.

— Je n'en ai aucun digne de ce nom, répondit Winifred en secouant la tête. Charles et Mary ont instamment suggéré que je ferme la maison afin de réduire les dépenses. De plus, mon cher beau-frère m'a avancé la somme nécessaire pour engager un avocat. De son côté, Mary a promis d'aller récupérer Anne chez notre amie Bess et de la prendre sous sa protection durant mon absence.

— C'est donc un souci de moins !

— Oui, si ce n'est qu'elle risque de devenir orpheline…

— Tut-tut ! Ne dites pas de sottises ! la tança Cecilia.

Winifred approuva d'un signe de la tête et aborda des réalités plus concrètes.

— Je vais garder notre intendant, car il est nécessaire que la ferme continue de fonctionner, et quelqu'un doit s'occuper des vaches. Je donnerai peut-être également des ordres à la femme du jardinier pour qu'elle fasse une flambée de temps en temps afin que les pièces ne prennent pas l'humidité durant cet hiver affreux.

— Qui s'occupera des finances du domaine ?

— Honnêtement, Cecilia, je suis plus inquiète pour William en ce moment que pour son domaine. Il est trop tard pour lui envoyer de l'argent à Barnet, ainsi qu'il me l'a demandé. J'espère seulement que nous ne serons pas à court de moyens à Londres.

— Terregles, madame ! lança le cocher tandis que la calèche passait la grille monumentale de la propriété.

Les deux femmes échangèrent un signe d'intelligence pour s'encourager à garder leur calme et à ne pas faiblir. Le vent hurla au-dessus de leurs têtes coiffées de charlottes et souleva leurs jupes tandis que le garçon d'écurie les aidait à descendre sous le regard étonné de la bonne et de la gouvernante qui accouraient par la monumentale porte d'entrée.

— Oh, madame, je suis contente de vous revoir ! Nous étions mortes d'inquiétude pour vous et monsieur le comte, déclara la gouvernante en serrant les deux voyageuses dans ses bras comme une mère poule ses poussins avant de les conduire dans la lumière du vestibule à l'abri du vent glacial.

— Sarah, je crains que ce ne soit une visite de courte durée, annonça Winifred en reprenant son souffle. Je dois me rendre demain à Londres.

La gouvernante parut décontenancée mais ne fit aucun commentaire.

— Je dois entrer en contact avec mon mari.

— Bien sûr, madame. Laissez-moi vous débarrasser de vos vêtements, ensuite je vous ferai apporter du thé au salon, avec un petit peu de jambon, car vous me semblez trop fatiguée pour attendre le dîner. Souhaitez-vous que j'allume la cheminée ?

— Oublions les manières. Allons plutôt dans le petit salon. C'est l'endroit le plus chaud de la maison. En outre, ajouta-t-elle afin de détendre l'atmosphère, je dois m'entretenir avec Bran et Gordy, et ces deux-là ont toujours les pieds crottés !

À ces mots, la gouvernante émit un petit gloussement.

— Gordy a passé la journée dans les champs du haut, madame. Il compte passer la nuit dans le refuge à cause du mauvais temps.

Winifred hocha la tête. Elle s'y était attendue.

— En revanche, Bran ne sera pas difficile à trouver, ajouta Sarah. Venez, je vais faire bouillir de l'eau. Vous vous réchaufferez toutes deux près du feu.

Assises dans un fauteuil, les deux voyageuses écoutèrent en silence Sarah faire le compte-rendu des activités de la maisonnée. Winifred apprit que la vieille comtesse lady Nithsdale était si diminuée physiquement qu'il lui fallait une aide presque permanente, et comme on manquait de personnel, celle-ci était allée s'installer chez des parents. La plupart des domestiques avaient été renvoyés, et la gouvernante avait pris la responsabilité de fermer quantité de pièces. Malgré son rang de responsable du personnel, Sarah s'acquittait désormais des tâches ingrates, et Jane ne put réprimer un sentiment d'admiration lorsque celle-ci leur servit à la louche, dans des assiettes creuses en grès, un plat qu'elle avait elle-même cuisiné.

La petite assemblée s'efforça de congédier le spectre de la mélancolie, mais sans grand succès, malgré la délicieuse soupe de poireaux et de pommes de terre agrémentée de pruneaux émincés préparée par Sarah. Quant à Winifred, elle rognait un quignon de pain en méditant sur l'avenir.

— Gordy pense-t-il qu'il neigera demain ? s'enquit à brûle-pourpoint la comtesse en s'adressant à sa gouvernante, laquelle était occupée à préparer une boisson à la farine d'avoine malgré les protestations de sa maîtresse qui n'en voulait pas.

— Oui, c'est ce qu'il a dit. On raconte qu'il y a trois pieds de neige en certains endroits.

— Je ne peux pas poursuivre jusqu'à Londres avec la calèche de Charles, c'est trop dangereux, annonça Winifred en se tournant vers Cecilia.

— Vous n'avez tout de même pas l'intention d'y aller à cheval ! s'exclama cette dernière en laissant retomber sa cuillère dans sa soupe.

—Nous devons faire preuve de courage! répliqua Winifred en haussant les épaules. Je ne peux pas prendre le risque de rester bloquée à mi-chemin. Et si je dois chevaucher à cru, je le ferai, Cecilia! Avec un peu de chance, nous atteindrons Newcastle d'où nous prendrons une diligence pour Londres.

—Vous m'en direz des nouvelles, intervint Sarah en posant une grande tasse fumante à côté de Winifred. J'ai rajouté une goutte de whisky pour vous aider à bien dormir. Vous aussi, Cecilia, buvez…, ajouta-t-elle en posant une seconde tasse sur la table. Le voyage sera long dem…

C'est alors qu'une porte claqua.

—Ce doit être Bran! s'exclama-t-elle, tandis qu'un vieil homme vêtu d'un kilt boueux pénétrait dans le petit salon en apportant avec lui le froid du dehors.

Il frappa le sol de ses bottes pour en faire tomber la neige, enleva le chapeau qui couvrait ses cheveux gris et ternes et fit une courte révérence, tandis qu'une petite flaque d'eau se formait à ses pieds.

—Madame, vous m'voyez peiné par la nouvelle!

—Bonsoir Bran, salua Winifred d'une voix lasse. Merci d'être venu si vite.

—À vot' service, madame! répliqua Bran en baissant les yeux avant de remercier Sarah d'un hochement de tête pour la tasse de lait amélioré qu'elle venait de glisser entre ses doigts rougis par l'air glacial.

Quant à Winifred, elle but sa boisson d'avoine à petites gorgées par pure politesse tandis que la brûlure du whisky la saisissait à la gorge et que les émanations d'alcool lui piquaient les yeux. Cependant, elle dut reconnaître que c'était un excellent remontant et prit une deuxième lampée avant de reposer sa tasse.

— J'ai besoin que vous m'aidiez à enterrer les papiers de la famille. Je ne veux pas risquer qu'ils tombent entre les mains de la Couronne. Du moins cela permettra-t-il de préserver les intérêts de notre fils.

— Oui, il s'pourrait bien qu'j'ai l'endroit qu'il vous faut! Faites-moi signe quand vous s'rez prête.

— Finissez d'abord votre tasse, Bran, suggéra Winifred en esquissant un sourire.

Quelques minutes plus tard, la maîtresse de maison et son employé arpentaient péniblement la terrasse de pelouse située à l'arrière de la maison. Une belle couche de neige gelée recouvrait le sol et craquait sous les pieds de Winifred qui progressait en s'évertuant à soulever ses jupes de sa seule main libre. Dans l'autre, elle serrait les documents nobiliaires de la famille, ainsi que différents titres de propriété et la paperasse attestant du legs du domaine à Willie. Elle vivante, le roi George ne mettrait jamais la main sur les biens qui revenaient de droit à son fils! Par précaution, elle enterrerait également quelques bijoux et des pièces d'or.

Bran marchait devant, une lampe dans une main et une pelle dans l'autre, et offrait de temps à autre un bras secourable à sa maîtresse lorsque celle-ci trébuchait dans le mauvais temps. Winifred avait toute confiance en Bran et en Sarah, car ces deux jacobites convaincus étaient entrés au service des Maxwell lorsque William était adolescent.

— Ici! s'exclama soudain Winifred. J'ai compté soixante-quatorze pas.

Le vieux serviteur lui lança un regard espiègle qui rendit le sourire à la jeune femme.

— Le comte et moi avons soixante-dix ans à nous deux. Cela fait un pas par année.

— J'vous d'manderai pas combien vous en mettez au pot commun, milady, parce que vous êtes toujours aussi jeune que l'jour où Mr William vous a ramenée à la maison !

Les larmes montèrent aux yeux de Winifred, mais elle fit comme si c'était à cause du froid et pria pour que Bran ne s'aperçoive de rien malgré le halo de la lampe. Afin de faire diversion, elle pointa du doigt l'endroit où Bran devait creuser.

— Ici même ! Pensez-vous pouvoir y parvenir malgré le gel ? La terre doit être dure comme la pierre avec ce froid.

— Ça coûte rien d'essayer ! répliqua Bran avant de s'atteler à la tâche sous les encouragements de Winifred.

Quelques instants plus tard, alors qu'ils étaient devenus insensibles au vent glacial, ils se penchaient au-dessus d'une petite fosse assez profonde creusée par Bran dans le sol gelé. Celui-ci avait travaillé très proprement, découpant le gazon en trois carrés égaux qu'il avait mis de côté en prévision du rebouchage.

— Croyez qu'ça ira ? s'enquit-il en s'essuyant le nez avec sa manche.

— Ce sera parfait, Bran, répondit Winifred en s'agenouillant dans la neige boueuse pour déposer dans ce caveau improvisé la boîte qui contenait les précieux documents qu'elle avait préalablement enveloppés dans un linge enduit de paraffine.

— Vous pouvez reboucher, ordonna-t-elle en se relevant.

Bran obtempéra. L'enfouissement des papiers de la famille Nithsdale dura moins longtemps que le creusement de la fosse, et, en l'espace de quelques minutes, il n'y parut presque plus.

— Maintenant, replacez les touffes exactement comme elles étaient, comme cela, nous serons les seuls à savoir, ordonna-t-elle en lui passant les carrés de pelouse.

Bran les remit scrupuleusement en place avant de les tasser en les piétinant.

— Parfait, Bran! s'exclama Winifred, tout sourires. Personne ne doit les déterrer sans mon autorisation, et l'endroit doit rester secret. Je vous fais confiance pour cela.

— Vous pouvez avoir l'esprit tranquille, madame, votre confiance n'est pas mal placée. Je ne vous trahirai pas.

Winifred serra l'épaule du vieux serviteur.

— Soixante-quatorze pas vers le nord en ligne droite à partir de la grande urne, résuma-t-elle.

— C'est déjà oublié! s'exclama Bran en portant la main à son chapeau.

— Que cet oubli soit le garant de la sécurité de nos deux familles, Bran, conclut Winifred d'un air grave.

Plus tard, Jane fit un rêve, mais avec la conscience qu'elle rêvait. Mais était-ce bien un rêve, où était-ce une intuition ouvrant sur la réalité qu'elle convoitait?

Sarah avait fait de son mieux pour que sa maîtresse jouisse du plus grand confort possible, étant donné son arrivée impromptue. On avait jugé son ancienne chambre à coucher trop grande pour être chauffée, sans compter qu'elle n'avait pas été aérée depuis longtemps, ce qui ajoutait une odeur de renfermé au froid qui y régnait.

Winifred avait préféré dormir dans la petite chambre d'enfant d'Anne, et après de longs efforts de la part de Sarah et de Cecilia pour aviver le feu, les deux femmes avaient enfin pris congé.

—Je vous réveillerai à l'aube, c'est promis, avait assuré Cecilia en posant sa main sur celle de son amie.

Jane avait écouté gémir et craquer le bois, tandis qu'un oiseau nocturne poussait des cris terrifiants en s'envolant dans la nuit. Les pieds posés sur une chaufferette pour prévenir les engelures dont souffrait parfois Winifred, Jane se sentit partir à la dérive. Une légère fièvre s'était emparée de sa conscience, tel un tremplin vers un plan situé entre sommeil et éveil. C'est alors qu'elle vit Will sur son lit d'hôpital, à Londres. Pourquoi n'était-il pas en Amérique ? Il était entouré de plusieurs personnes qui s'activaient à son chevet. Le docteur Evans, que Jane avait rencontré et qu'elle avait aussitôt apprécié, déchiffrait un document. Il avait l'air plus interrogateur qu'inquiet. Jane essaya d'entrer en contact avec les personnages de son rêve, mais l'accès à son propre monde se referma tandis qu'elle sombrait dans un sommeil agité.

Lorsqu'elle s'éveilla, elle fut étonnée de se trouver dans une chambre baroque. Mais peu à peu, elle se réhabitua et se souvint qu'elle s'était couchée dans la chambre d'Anne, à Terregles. Elle était toujours Winifred. Mais ce n'était pas pour cette raison qu'elle claquait des dents.

—Oh, mon amie, je crains que nous n'allions nulle part aujourd'hui, annonça Cecilia.

Forte de la vision qu'elle avait eue durant son sommeil, Jane était plus déterminée que jamais malgré ses joues en feu à cause de la fièvre.

—Avec ou sans vous, je pars pour Newcastle aujourd'hui même, Cecilia ! Allons, aidez-moi à me lever !

—Attendez que le feu ait pris correctement ! l'exhorta sa servante et amie. Je l'ai allumé pour vous.

Winifred dut y consentir, non sans toutefois s'étonner qu'un corps de trente-cinq ans puisse être si courbatu, sans oublier les premiers pincements de l'arthrite dans les hanches et les séquelles de deux enfantements. Mais n'en allait-il pas ainsi au XVIIIe siècle ? Winifred se redressa, en proie à un vertige qu'elle ne parvint pas à chasser, et dut se résigner à attendre qu'il se dissipe de lui-même sous le regard vigilant de son amie.

—Je ne peux pas attendre que la fièvre tombe, expliqua Winifred avant que Cecilia n'ouvre la bouche.

Puis elle éternua et ajouta :

—Chaque seconde compte !

—Si vous mourez en route, cela n'aidera en rien votre mari ! rétorqua Cecilia.

—Sans doute, mais je préfère mourir plutôt que de ne rien tenter pour le sauver, argua Winifred avec fougue et en ayant une pensée pour Will, qu'elle avait vu en rêve. Que faisaient tous ces gens autour de lui ? Qu'indiquait le relevé qui semblait tant étonner le neurologue ? Stupéfaite de pouvoir se souvenir de son rêve avec autant d'acuité, la jeune femme chercha à en découvrir la cause. Will avait-il émis des signes indiquant qu'il sortait du coma ? Quelle autre circonstance aurait pu provoquer une telle vision ? L'agitation qui régnait autour de son fiancé était sans doute un signe d'espoir. Avait-il papillonné des paupières, ou bien avait-il soudain remué les orteils ? Jane en avait assez des médecins, des infirmières, et même des aides-soignants qui mettaient les familles en garde contre une interprétation trop hâtive du moindre frémissement. « Ce sont des automatismes ! » répétaient-ils à l'envi, jusqu'à la nausée.

Winifred prit le bras que Cecilia lui tendait et s'approcha du feu avec maladresse.

— Ça ira. J'ai besoin de me soulager, et ensuite de me laver et de me préparer.

— Asseyez-vous quelques minutes près du feu, suggéra Cecilia. Pendant ce temps, je vais aller chercher de l'eau chaude et un gant.

Winifred hocha imperceptiblement la tête, mais Cecilia n'en demandait pas davantage pour s'éclipser en silence. Il fallait reprendre des forces, et vite!

— Allez, ma fille, puise dans tes réserves, marmonna-t-elle. Pour nos deux William!

Contre toute attente, l'énergie reflua; et lorsque Cecilia revint avec une aiguière d'eau, du savon et un gant – en plus d'une étrange pâte grise –, elle remarqua que son amie avait bien meilleur teint. Ce qu'elle ne savait pas, c'était que Jane lui cachait ses tremblements de fièvre. Sans s'éloigner de l'âtre, cette dernière fit sa toilette, puis considéra la fameuse pâte grise avec perplexité.

C'est de la pâte dentifrice! lui souffla Winifred. Jane prit le petit plat en porcelaine et en huma le contenu. Elle reconnut aussitôt l'odeur de la menthe fraîche finement hachée. Le mélange était quelque peu abrasif, sans doute à cause du sel qu'il contenait et d'un autre ingrédient que Jane ne parvint pas à identifier. Elle trempa le coin de son gant dans la pâte et se frotta les dents comme elle put en prenant soin de masser ses gencives dans un geste circulaire.

— Vous me remercierez quand vous serez vieille et que vous aurez encore toutes vos dents, tandis que vos amies seront édentées! dit-elle en s'adressant au visage de Winifred dans la glace.

Winifred ouvrit grand la bouche, et Jane constata que la comtesse était loin d'avoir les dents blanches, sans toutefois présenter des signes de caries. Sans conteste cette aristocrate avait bénéficié d'un meilleur régime alimentaire que la plupart des gens de son temps.

Plus tard, le moral de Jane connut une autre embellie grâce au luxe que représentait le fait d'enfiler des sous-vêtements propres – même s'ils grattaient un peu – et de refaire sa coiffure en prévision du voyage. Surtout, il lui fut agréable de passer une tenue d'équitation ; et tout en comptant sur Winifred pour lui montrer comment monter comme une dame du monde, Jane était heureuse de porter un vêtement bien ajusté et relativement sobre. On lui avait présenté un lourd habit de brocart dans le plus mauvais goût français, mais elle avait opté pour une veste cintrée vert foncé et une longue jupe serrée assortie. Les manches pendantes lui irritaient les poignets, de même que le foulard que Cecilia lui avait noué autour du cou, mais Jane ne se plaignit pas.

Winifred était désormais prise d'éternuements, et lorsqu'il fut évident que la fièvre ne passerait pas d'elle-même, Cecilia courut chercher l'« élixir », comme elle l'appelait. Elle revint avec, dans une main, un gros flacon de couleur vert bouteille fermé par un énorme bouchon de liège, et dans l'autre, une gigantesque cuillère en argent. La fiole, qui portait en relief la mention « Véritable élixir de Daffy », était remplie à mi-hauteur d'un liquide noirâtre.

— Une cuillerée d'élixir fera tomber la fièvre, insista Cecilia avec enthousiasme. J'en avais commandé pour monsieur le comte, et il attend ici depuis des mois. Votre mari s'en est montré très satisfait. On ne fait pas mieux pour soigner les coliques et la grippe intestinale. Mais je m'en suis déjà personnellement servie pour la digestion et les bouffées de chaleur nocturnes.

Jane réprima un mouvement de recul à la vue de ce laxatif dont elle identifia au premier coup d'œil la composition complexe à base d'anis, de séné, de rhubarbe et d'écorces de guaiacum, le tout savamment dosé pour aider à désencombrer les intestins.

—Sans façon, Cecilia, déclina-t-elle, la colique étant la dernière chose dont elle avait besoin. Je ne voudrais pas ajouter à nos difficultés en nous obligeant à nous arrêter sans cesse.

—Que puis-je vous donner à la place? Que diriez-vous d'une inhalation au menthol peu avant le départ?

Jane hocha la tête, essentiellement pour rassurer son amie.

—Je vais aller quérir quelques affaires pour mon mari dans sa chambre. Il aura certainement besoin d'une chemise propre, annonça la jeune femme en s'étonnant de sa propre ingéniosité à échapper aussi facilement à Cecilia sans la désobliger davantage.

Pressant la main de la servante, elle ajouta:

—Je vous retrouverai en bas dans peu de temps. Je meurs d'envie de prendre un grand bol de porridge.

Cette dernière précision était un mensonge destiné à rassurer encore davantage Cecilia, car Jane avait l'estomac noué, en partie à cause du fait que la chaise percée se trouvait… dans la salle à manger! *Quelle horreur!* s'exclama-t-elle intérieurement. Qui s'occuperait de vider le vase d'aisance? Cecilia, bien sûr! Sa fidèle amie de toujours, employée au service de sa maîtresse à pourvoir à tous ses nombreux besoins, depuis les plus insignifiantes courses jusqu'à l'évacuation de son pot de chambre dans la fosse située au fond du jardin.

Jane s'échappa en frissonnant par le petit vestibule qui donnait sur les appartements de Nithsdale. L'esprit de Winifred lui indiqua la porte. La clé était déjà dans la serrure. La suite du comte était un exemple d'éclectisme. S'opposant à toute rénovation d'ensemble, William Maxwell avait seulement permis à son épouse de faire recouvrir les peintures avec un papier à rayures gris-bleu, si bien que les deux tapisseries qu'il avait tenu à conserver au mur juraient avec le fond.

Le lit était un grand baldaquin fermé par des tentures de brocart qui leur avaient été offertes, entre autres présents, en cadeau de mariage par la reine Marie Béatrice à Saint-Germain. Elles détonnaient avec les rideaux. Aux yeux d'une jeune femme du XXe siècle telle que Jane, ce mélange hétéroclite des genres était agréable. Mais sans doute son plaisir était-il également dû à la joie que ressentait Winifred de revoir la chambre de son époux. Un vague effluve d'onguent pour les cheveux flottait dans l'air. William l'utilisait lorsqu'il ne portait pas de perruque. La comtesse ne put s'empêcher d'effleurer sa brosse et son peigne du bout des doigts.

Jane ouvrit tiroirs et placards, résolue à en apprendre davantage sur cet homme. Elle caressa ses chemises et effleura l'une de ses écharpes avec sa joue pour s'imprégner de son odeur ; puis elle palpa ses vestes de velours en se souvenant qu'il ne se sentait vraiment bien que dans sa tenue d'équitation, ses « habits de fermier », comme il disait. Jane fut submergée par les souvenirs de Winifred, qui lui insufflait ses propres bouffées d'amour.

Néanmoins, ce furent les miniatures sur porcelaine qui retinrent le plus son attention. Winifred en avait expressément passé commande à l'artiste pour l'anniversaire de William. L'œuvre, qui représentait les Maxwell et leurs enfants, se composait de quatre peintures ovales : deux grandes et deux petites.

Les portraits étaient très ressemblants. Willie y posait avec l'air grave et fier des adultes qu'il s'efforçait d'imiter ; Anne, ainsi qu'il seyait à une jeune fille de son âge, semblait peu disposée à ce qu'on fasse son portrait malgré sa prodigieuse beauté. Sa chevelure retombait en une avalanche de boucles dorées qui n'étaient pas sans rappeler sa tante, mais également sa mère. Cette dernière esquissait un demi-sourire, même si, dans l'intimité, elle savait se montrer plus démonstrative. Quant au cinquième comte de Nithsdale, il semblait vouloir bondir hors du petit cadre ovale qui lui était assigné.

Abstraction faite de sa perruque, Jane eut le souffle coupé de constater à quel point il ressemblait à son propre Will. Derrière un sourire réservé, on pressentait un homme d'esprit doté d'un regard pénétrant. Son visage respirait l'intelligence, et laissait aussi deviner son ennui de devoir poser. C'était une représentation romantique en armure qui, bien qu'anachronique, était néanmoins fascinante, étant donné qu'il avait été fait prisonnier au cours d'une bataille qu'il avait livrée par obligation et que, de son côté, Jane avait également perdu Will dans un combat qu'il n'avait pas choisi.

La jeune femme se couvrit le visage avec ses mains tremblantes d'émotion. Tous comptaient sur elle pour arrêter la hache d'un bourreau cagoulé de cuir noir. C'était tout simplement atroce.

Ouvrant un tiroir, elle trouva une petite pile de mouchoirs repassés et pliés avec soin. Ils étaient brodés – par Winifred naturellement – aux initiales de William. Sur deux d'entre eux s'étalaient les armoiries des Nithsdale, et un arborait une humble broderie. Il s'agissait d'un essai réalisé par Anne. Jane prit ce dernier, ainsi qu'un autre au motif très simple. Elle s'essuya le nez et mit le tout dans sa poche.

Puis, toujours sous la conduite intérieure de Winifred, elle prit une chemise et des sous-vêtements. De retour dans l'escalier puis au salon, elle avait véritablement recouvré quelques forces ; mais elle préféra cependant feindre d'être en meilleure santé encore pour ne pas s'exposer à l'inquiétude de Cecilia et de Sarah. Celles-ci semblèrent rassurées lorsqu'elles la virent engloutir sa bouillie d'avoine. La gouvernante désigna le sel, mais Jane déclina.

— Je prendrai plutôt du miel, s'il y en a, Sarah.

Cette dernière alla avec joie dans le garde-manger et en revint peu après avec un pot de miel.

— Je l'aurais fait chauffer au bain-marie si j'avais su que vous en demanderiez. Il est sûrement solidifié.

Le sucre, ajouté au lait frais crémeux, rendit le gruau plus acceptable. Jane se serait volontiers préparé un verre de lait avec du miel et du citron pour apaiser son mal de gorge, mais elle savait que se procurer un citron en 1715 en Écosse était aussi peu probable que d'y trouver un train pour Londres.

— Bière ou thé ? s'enquit Sarah, interrompant Jane dans ses pensées.

« *De la bière ?* » répéta Jane en silence.

— Euh, du thé, je vous remercie.

La gouvernante lui apporta un thé bouilli très infusé, sans sucre, avec seulement une pointe de lait.

Peu importait ! Cela la réchaufferait toujours et en outre chasserait la fièvre.

Elle demanda la chaise percée à voix basse, et Cecilia se précipita dans la salle à manger.

—J'apporte ceci pour madame, comme vous l'avez d'mandé, annonça Bran qui venait d'arriver en remettant à Sarah un boîtier en argent.

Winifred savait de quoi il s'agissait. Elle prit le boîtier des mains de la gouvernante et en sentit aussitôt la chaleur.

—Ça d'vrais vous durer quelques heures, l'instruisit Bran en enlevant son chapeau mais en hésitant à passer le seuil du salon.

—Merci, Bran, dit la jeune femme avec gratitude pour ce petit chauffe-mains rempli de braises qui tenait dans la poche. Je crois bien que la fièvre est tombée, ajouta-t-elle sans mentir.

La nourriture et le thé avaient accompli leur office.

—Les chevaux sont prêts, madame, annonça Bran.

—Je continue de penser que je suis trop apprêtée pour monter en selle, fit remarquer Jane en se tournant vers Cecilia.

Cette dernière se mordit la lèvre inférieure en signe d'acquiescement.

—Que suggérez-vous? demanda-t-elle.

—Il me faut un long manteau qui me couvre les jambes. Celui-ci est trop élégant et trop court. Donnez-moi quelque chose qui soit le plus discret possible.

—Je peux vous donner le bleu. Il est long.

—Et aussi extrêmement voyant avec sa doublure en satin rose! Non, autre chose.

—Prenez le mien, suggéra Cecilia.

—Non, vous en avez besoin.

—J'ai aussi un très vieux manteau brun, intervint Sarah non sans rougir quelque peu de se mêler à la conversation. Je ne m'en sers que pour aller voir les chevaux. Si vous voulez voyager incognito, je crois qu'il fera l'affaire, pourvu que vous vous y habituiez, parce qu'il est vraiment long.

—M'y habituer? répéta Winifred. Je ne demande qu'à l'échanger contre le mien! confirma-t-elle en enlevant son manteau pourpre.

—Non, madame, je ne peux pas accepter.

—Par pitié, Sarah, porter ce manteau serait insensé dans l'entreprise que je m'apprête à mener. Tenez, il est à vous. Pensez à moi quand vous aurez chaud en arpentant les enclos. À présent, allez me chercher le vôtre.

Sarah se dépêcha d'obtempérer et revint en traînant une houppelande en velours élimé dont elle s'efforça de secouer la crasse qui pendait aux ourlets.

—Mais oui, il conviendra très bien! s'exclama Jane en le détaillant.

Elle le prit tandis que la gouvernante rougissait de recevoir celui de sa maîtresse en échange. Jane passa la guenille en la faisant tournoyer par-dessus ses épaules et noua le ruban autour de son cou. Elle baissa les yeux et se réjouit de constater qu'il tombait sur le cuir de ses bottes; puis elle enfila la capuche et l'attacha à l'aide du petit fermoir.

—Comment me trouvez-vous?

—Rustique! répondit Cecilia en esquissant un sourire espiègle.

—Vous z'aussi, enfilez vos vêtements usagés, et nous f'rons la paire! répliqua Jane en imitant l'accent paysan.

Cette petite récréation eut pour vertu de faire tomber la tension.

—Madame…, commença la gouvernante.

—N'en parlons plus, Sarah! Cette pèlerine est épaisse, chaude et correspond exactement à ce dont j'ai besoin pour voyager le plus discrètement possible.

Sarah n'insista pas.

—Il est l'heure! annonça Jane en jetant un regard à ses amies.

Peu après, tandis que la comtesse se mouchait dans le carré de serge brodé par Anne, la gouvernante remit un petit baluchon de victuailles à Cecilia.

—J'ignore quel est le mal dont souffre madame, mais veillez à ce qu'elle se nourrisse bien.

La servante lui sourit.

—Souhaitez-moi bonne chance, Sarah… Bran…, salua Jane d'une voix rauque en sortant à cheval de l'écurie avant de passer la barrière qui donnait sur une route à peine plus large qu'un chemin du XXᵉ siècle.

Chapitre 16

LA PROGRESSION FUT PÉRILLEUSE, ET LE CHEVAL DE JANE trébucha à deux reprises et glissa pendant un moment sur la fine couche de glace qui recouvrait le sol sous plus d'un pied de neige selon les endroits. Mais la jument avait le cœur vaillant et galoperait jusqu'à l'épuisement si sa maîtresse l'exigeait.

Jane se félicita des cours d'équitation qu'elle avait pris sur l'instigation de sa mère depuis qu'elle avait eu l'âge de monter à cheval, même si, pour l'heure, c'était l'esprit de Winifred qui tenait les rênes, ne serait-ce qu'à cause de la selle d'amazone que Jane n'avait expérimentée qu'au cours de quelques démonstrations équestres. Elle puisa néanmoins dans les instructions reçues autrefois pour un spectacle régence et aligna sa colonne vertébrale à la perpendiculaire de celle du cheval afin de ne pas le déséquilibrer. La selle d'amazone, qui était très insolite, présentait une bonne patine et s'avéra étrangement confortable dès l'instant où Jane, sous les auspices de Winifred, eut trouvé la bonne assiette, ainsi que le bon drapé de la jupe, ce qui était de la plus haute importance!

Après deux ou trois heures dans l'air glacial, Jane ne sentait plus son visage, tant il était engourdi par le vent qui hurlait. Elle remonta son écharpe de laine noire en cache-nez et la rentra comme elle put dans son col. Le manteau de Sarah était bien plus épais et chaud que le sien. Elle la remercia en silence de lui avoir suggéré de le prendre, même si cela n'empêchait pas la gelée matinale de traverser les poignets en fourrure de ses gants et de piquer impitoyablement chaque parcelle non protégée de son visage.

Jane avait souvent remarqué que la neige parvenait à transformer le paysage le plus ingrat – de son pays de Galles natal, par exemple – en un lieu magique. C'était le cas à présent : le panorama recouvert de givre qui s'offrait aux deux jeunes femmes chatoyait sous le maigre soleil d'hiver. En d'autres circonstances, Jane aurait été sous le charme, mais, ce jour-là, la vue lui rappela le danger qui menaçait. Progressaient-elles assez rapidement ? Seraient-elles seulement ralenties par une nouvelle chute de neige, ou seraient-elles bloquées ? Dans ce dernier cas, leurs montures, voire elles-mêmes – survivraient-elles ?

Cecilia partageait l'inquiétude de son amie.

— Peut-être que la voie directe aurait été plus indiquée…, suggéra la bonne en couvrant les gémissements du vent.

— Bran a dit d'éviter Dumfries et Carlisle, répliqua Jane en criant à son tour pour se faire entendre. Ces villes grouillent de troupes gouvernementales.

— Sommes-nous loin de Newcastle ?

— À environ douze heures à cette allure, dut admettre Jane.

Cecilia assimila cette cruelle nouvelle en silence.

— Dans ce cas, nous devons accélérer le pas, Winnie ! suggéra-t-elle.

— Oui, nous ferons halte à l'auberge la plus proche quand la température commencera à baisser, annonça Jane en lançant un coup d'œil désabusé à son amie.

L'ironie de cette remarque n'échappa pas à cette dernière dont le regard s'éclaira tandis qu'elle souriait derrière son écharpe. De fait, on pouvait se demander si la température pouvait encore chuter !

Contre toute attente, le vent tomba, tandis que nos deux voyageuses continuaient d'avancer dans un silence presque parfait que seuls venaient troubler de temps à autre le renâclement de leurs chevaux et leur propre respiration entrecoupée de quintes de toux. Toutefois, le répit fut de courte durée, car l'absence de vent annonçait le retour de la neige. De cotonneux flocons commencèrent d'abord à danser pour former, une heure plus tard, de véritables tourbillons. Chose incroyable, la température chuta, et bientôt Jane ne parvint à distinguer la route que grâce aux pointes des haies qui dépassaient de la neige. Elles croisèrent en tout et pour tout un seul cavalier qui les salua en soulevant son chapeau avant de poursuivre son chemin sans leur décrocher un mot, ce qui convenait parfaitement à Jane. De toute façon, il faisait trop froid pour remuer les lèvres.

Environ une heure plus tard, Jane et Cecilia rattrapèrent une famille avec six enfants en bas âge, tous blottis les uns contre les autres à l'arrière d'un chariot comme un tas de vieux chiffons. Elles furent ravies de les accompagner à travers les villages avoisinant Newcastle.

— Mon mari a trouvé du travail en ville, crut entendre Jane.

La mère s'exprimait avec un accent si prononcé que ses propos en devenaient incompréhensibles.

La jeune femme hocha la tête.

—Nous aussi nous cherchons du travail, mentit Jane en haletant, car elle ne savait pas quoi dire.

—Quel genre de travail? s'enquit la mère confusément en donnant le sein à un bébé qui geignait sous son vêtement.

—Deux places de gouvernante! lança Jane sans plus de précision.

Malgré son manteau râpé, elle pouvait difficilement passer pour une paysanne, d'autant plus qu'elle montait un cheval de race et portait des gants fourrés aux poignets. D'ailleurs, la petite chaufferette à main à présent refroidie n'était pas l'apanage des voyageurs ordinaires, si l'on en jugeait par le niveau de confort dont jouissaient cette famille et Cecilia. En conséquence, Jane prit la décision de ne plus s'en servir.

Ignorant tout des scrupules de la jeune femme, la mère de famille acquiesça et se désintéressa de la conversation au tournant suivant.

Par bonheur, ils arrivèrent aux abords de Rothbury, et chacun eut d'autres choses auxquelles penser, d'abord à cause de l'odeur répugnante qui flottait dans l'air, et ensuite à cause du funeste spectacle d'un gibet placé au carrefour qui menait en ville.

Les enfants du chariot montrèrent les pendus du doigt en riant, tandis que les femmes détournaient les yeux, à l'exception de Jane dont le regard fut involontairement attiré par un corps en décomposition enfermé dans une cage. Une infecte odeur douceâtre, qui rappelait celle des œufs et de la viande pourris, lui donna un haut-le-cœur. Pour couronner le tout, des charognards arrachaient des lambeaux de chair avec leur bec à travers les barreaux.

— Qui cela peut-il être ? s'enquit Jane tout en comprenant qu'il s'agissait d'un condamné à mort.

Jane crut vomir tant la puanteur devint suffocante.

Moins affectée, Cecilia haussa les épaules.

— Un bandit de grand chemin, je suppose. Vous n'avez jamais eu le cœur bien accroché pour ce genre de chose, rappela la bonne. Faites-moi penser à acheter du menthol, ajouta-t-elle. Nous en croiserons d'autres…

Jane emplit ses poumons d'air glacé et se sentit tout de suite moins nauséeuse.

— Je ferais mieux de m'habituer, alors, répliqua-t-elle en donnant du talon dans le flanc de sa monture dans le but de mettre un maximum de distance entre elle et le condamné.

Pendant ce temps, en 1978, Ellen se cachait derrière le docteur Evans tandis que celui-ci faisait entrer les parents de William Maxwell dans le service des soins intensifs. Il sembla à la jeune infirmière que le père était sur le point d'exploser, alors que la mère était pâle et tendue.

L'assistant social qui les accompagnait avait l'air épuisé. D'autres médecins – à savoir un diététicien, un inhalothérapeute ainsi qu'un physiothérapeute, un expert en pharmacologie et divers infirmiers et infirmières qui s'occupaient de Will au quotidien – étaient également présents, chacun s'intéressant personnellement, et surtout professionnellement, au devenir et à la guérison de Will Maxwell. Il ne manquait que le chef de clinique et le prêtre, même si Ellen s'attendait à voir rappliquer le père Wiley d'un instant à l'autre, car la situation et les signes de guérison de Will l'intéressaient vivement.

—Que me chantez-vous là, Evans? Vous m'avez promis…

—Mr Maxwell, calmez-vous, s'il vous plaît, l'interrompit le médecin d'un ton circonspect en écartant les mains.

—Vous voulez que je me calme? s'emporta Maxwell en lâchant brutalement le bras de sa femme. Et si vous alliez vous faire foutre, monsieur le docteur?

Ellen et ses collègues échangèrent un regard gêné, mais la réaction du père de Will n'était une surprise pour personne, ne serait-ce que parce qu'il n'était pas le premier père à perdre son sang-froid dans les mêmes circonstances.

—John, s'il te plaît…, implora sa femme.

Robert Evans, qui était bâti comme une armoire à glace, arborait un visage rubicond et s'exprimait avec un accent chantant, ne réagit pas; et Ellen fut secrètement fière qu'aucun membre du personnel ne fît mine d'intervenir. Tous, au service des soins intensifs, étaient habitués aux fulminations émotionnelles des familles.

—S'il te plaît, quoi? s'enquit le père de Will d'un ton cassant. Tu ne veux pas que je dise à ces blouses blanches pleines de suffisance qu'elles ne feraient pas la différence entre une vache et un cochon?

Le docteur Evans attendait que Maxwell repasse à l'attaque, mais celui-ci commença à se calmer face à l'absence de réaction de l'assistance.

Il revint néanmoins à la charge.

—Allez, monsieur le docteur, brailla-t-il, rouge de colère, d'un ton moqueur, dites-moi pourquoi vous ne pouvez pas laisser sortir mon fils aujourd'hui! Cela fait déjà deux jours que vous nous retardez!

Ellen se demanda s'il était bien sage d'accompagner ces gens aux États-Unis.

— Mrs Maxwell, voulez-vous vous asseoir ? suggéra-t-elle.

La mère de Will était sur le point de craquer.

— Non, elle ne veut pas s'asseoir ! tonna son mari en saisissant la moindre occasion pour provoquer une altercation.

Si tu cherches la bagarre, tu perds ton temps, mon vieux…, songea Ellen.

— J'exige que vous laissiez sortir mon fils aujourd'hui même ! Nous l'emmenons chez nous où l'on nous offre une chance de le guérir.

— En fait, les nouvelles sont plutôt bonnes, commença soudain Evans sur le ton de la conversation. Je ne voulais pas vous donner de faux espoirs en vous avertissant prématurément, mais nous sommes en mesure de vous annoncer que Will semble sortir de son état.

Evans avait choisi ses mots avec soin en s'abstenant de tout pathos, mais en y mettant juste ce qu'il fallait d'optimisme.

Ce fut Diane Maxwell qui réagit la première en fondant en larmes tout en se cachant dans ses mains afin d'étouffer ses sanglots.

Tandis que John Maxwell fusillait Ellen du regard, celle-ci aida la mère de Will à s'asseoir au chevet de son fils, non sans rendre la politesse à l'Américain.

— Vous n'avez jamais eu l'intention de nous laisser l'emmener ! accusa ce dernier.

La colère était souvent l'ultime recours de parents désespérés dans les premiers stades du deuil. À l'hébétude du choc initial succédait l'amertume. Plus le séjour du patient en soins intensifs se prolongeait, plus l'amertume elle-même avait des chances de disparaître à son tour ; ensuite la révolte s'atténuait, et venait le temps de la résignation apaisée. Toute la question était de savoir si John Maxwell trouverait un jour l'apaisement.

Evans ne releva pas et poursuivit comme s'il se trouvait face à des parents avides d'entendre ce qu'il avait à leur dire, et non à un couple miné par la peur et le doute.

— Je m'explique…, commença fermement le médecin.

Puis il exposa en termes simples les signes de réveil observés par Ellen, la batterie d'examens qui avait suivi, la mise sous observation et les contrôles automatisés quasi permanents pendant près de vingt-quatre heures.

— … pas vous donner de faux espoirs, mais je puis vous assurer, contrôles à l'appui, que l'organisme de Will a enclenché ses propres processus de guérison.

Maxwell avait quelque peu recouvré son calme et était plus mesuré dans ses gestes, même s'il semblait toujours vouloir en découdre.

— En quoi cela devrait-il changer nos projets de retour à la maison ? s'enquit-il à brûle-pourpoint. Si Will se réveille, autant que ce soit chez lui, en Amérique !

— Certes, c'est une manière de voir les choses, répliqua Evans avec circonspection. Néanmoins, je sais d'expérience que Will traverse une phase extrêmement délicate et importante de sa guérison. Pour résumer, tout se passe comme s'il cherchait à établir le contact. C'est pourquoi le déplacer risquerait de compromettre ce processus.

— À moins que vous ne flairiez une chance de réussite qui puisse racheter l'incompétence dont vous avez fait preuve jusque-là avec mon fils ? rétorqua Maxwell.

N'importe qui d'autre à la place d'Evans se serait senti quelque peu insulté, mais celui-ci n'en laissa rien paraître. Pour Ellen cela dépassait largement la limite de ce qu'une équipe soignante travailleuse et en grande partie anonyme pouvait supporter.

Elle attendait avec impatience que le médecin lui assène le coup de grâce !

Le médecin prononça encore quelques paroles aimables et compréhensives, puis, comme s'il avait lu dans les pensées de son infirmière, pour la seconde fois seulement de sa carrière, il joua son atout.

— Je comprends votre consternation, Mr Maxwell. J'ai moi-même perdu un fils dans des circonstances tragiques. Même avec toute ma science, je n'ai pas pu enrayer la maladie qui l'a emporté. Jamais je ne me suis senti plus impuissant que lorsque Charlie était mourant. Mais je n'ai jamais perdu confiance dans l'équipe médicale qui le soignait jour et nuit. Au père terrifié que j'étais, leurs efforts ne semblaient jamais suffisants, même si, en fait, ils faisaient leur maximum.

Maxwell dégonfla légèrement la poitrine et entrouvrit les lèvres.

En plein dans le mille ! Bravo ! pensa Ellen.

— Cela dit, j'admets que l'équipe médicale américaine puisse proposer une autre solution, poursuivit le docteur d'une voix encore plus douce, car je suis entièrement favorable à l'exploration de nouvelles voies. Cependant, dans le cas présent, et au vu des signes de réveil que nous a donnés Will récemment et de vingt années passées à soigner des traumatismes crânio-cérébraux, je suis d'avis que déplacer Will, le changer d'environnement physique ou humain, augmenterait inutilement les risques de rechute.

John Maxwell ravala sa colère sous les yeux de l'assistance. Ellen applaudit intérieurement, tandis que son médecin préféré enfonçait le clou sans laisser le temps à l'adversaire de se relever.

—J'irai même jusqu'à affirmer que toute tentative qui entraverait le processus manifeste de réveil entamé par le propre organisme de Will reviendrait à mettre sa vie en péril.

Diane Maxwell suffoqua tandis que son mari semblait au bord de l'apoplexie.

—Je sais que c'est difficile à entendre, mais je soupçonne Will d'osciller au bord du précipice. Nul autre que le patient lui-même ne sait mieux quel est le bon moment pour commencer à reprendre conscience. Seul Will saura quand son organisme sera prêt. Nous entourons son corps de tous les soins indispensables à son confort, et mon équipe ici présente continue de lui parler afin de le stimuler en douceur. Mon conseil est donc le suivant : ne bougez pas Will de cet hôpital tant que cette nouvelle phase du processus de guérison n'est pas arrivée à terme.

—Insinuez-vous que déplacer Will maintenant le tuerait ? s'enquit Mrs Maxwell d'une voix tremblante.

—Pas à coup sûr, mais c'est à mon avis un risque certain, répondit le médecin en regardant le père de Will bien en face. La décision vous appartient, bien entendu. La balle est donc dans votre camp. Si vous optez pour le transfert de Will, nous suivrons vos instructions et ferons le nécessaire pour le transport.

Ellen admira son chef de service pour cet habile et élégant retournement de situation. C'était au tour de Maxwell de battre sa coulpe. *S'il brave le conseil d'Evans, je mange ma blouse !*

se promit-elle intérieurement. Elle était certainement désireuse de voir l'Amérique, mais pas aux dépens de son beau patient. Depuis qu'elle s'occupait de lui, il n'avait jamais paru si bel homme. *Ce serait merveilleux si j'étais la première personne qu'il voie à son réveil…,* rêvassa Ellen avant de se ressaisir. *Arrête ça veux-tu!* se réprimanda-t-elle.

— Combien de temps? s'enquit Maxwell d'un ton sec.

— Cela ne dépend pas de moi, mais de Will, répondit Evans en haussant les épaules. Comme vous le savez, il a bougé les doigts voici deux jours. Hier soir, Ellen et ses collègues l'ont entendu gémir, et il a remué les orteils de manière volontaire, à ce qu'il nous semble. L'encéphalogramme évolue également. Nous l'avons placé sous observation constante, mais nous devons nous montrer patients. Comme je vous le disais, c'est une phase délicate. Et la balance peut encore pencher d'un côté ou de l'autre.

— Eh bien, quel que soit le résultat, docteur Evans, j'emmène mon fils aux États-Unis après le nouvel an, répliqua Maxwell en hochant la tête. Je vous le laisse jusqu'au 2 janvier.

Ça fait seulement trois jours, songea Ellen. *Allez, Will, sois gentil, réveille-toi!*

Chapitre 17

Lorsque les Maxwell quittèrent l'hôpital, Big Ben sonnait 11 heures. Au même moment, à Welshpool, la sonnerie du téléphone retentissait dans la maison de famille des Granger à la frontière entre le pays de Galles et l'Angleterre. La mère de Jane accourut du jardin, où elle était allée cueillir du cerfeuil, seule herbe aromatique qui daignait pousser à cette époque de l'année. Catelyn appréciait tout particulièrement une pincée de cerfeuil frais sur ses œufs brouillés. Ce jour-là, elle avait raté l'heure du petit déjeuner et s'apprêtait à avaler un brunch. Aussi aurait-elle volontiers laissé le téléphone sonner pour aller retirer la poêle du feu si elle n'avait pas attendu un coup de fil de Jane alors en Australie.

Mrs Granger posa la main sur le combiné et regarda sa montre. Il devait être environ 20 h 30 à Alice Springs. Jane appelait sans doute pour lui confirmer qu'elle avait atteint son but aussi insensé qu'héroïque : inscrire le nom de son fiancé au sommet d'Ayers Rock. Avant de partir, Jane avait montré une photo du monolithe à ses parents qui avaient fait un gros effort pour ne pas émettre de jugement ni hurler de rire et s'étaient abstenus d'échanger le moindre regard, de crainte de tomber tacitement d'accord sur le fait que leur fille était folle de chagrin.

Mais Catelyn connaissait trop bien Jane pour penser cela. Certes, le coup était rude, mais ne s'était-elle pas montrée aussi déterminée lorsqu'elle avait choisi d'étudier à Londres plutôt qu'à Cardiff, Manchester ou Durham ? N'avait-elle pas fait preuve d'autant de sang-froid lorsqu'elle leur avait annoncé qu'elle partait pendant un an faire le tour du monde pour apprendre à se débrouiller toute seule et découvrir la vraie vie, restant finalement absente pendant deux ans ?

Jane avait toujours eu besoin de se fixer des objectifs auxquels elle se soumettait intérieurement, discipline dont elle ne se départait jamais une fois que le processus était engagé. Pour toutes ces raisons, Catelyn n'avait pas même essayé de dissuader sa fille de se rendre dans le désert australien. Mais, naturellement, la mère qu'elle était n'en était pas moins très inquiète. Elle espérait donc que Jane l'appelait pour lui indiquer les étapes de son retour. *Faites que ce soit elle et qu'elle rentre !* pria Mrs Granger en décrochant le combiné.

—Allô ?

La voix de Catelyn se perdit dans le silence caverneux des appels longue distance avant d'être réverbérée. Catelyn bondit de joie.

—Allô, Jane ? répéta-t-elle. C'est toi, ma chérie ?

—Z'êtes Mrs Gringer ? s'enquit un homme à l'accent australien prononcé.

Non seulement il écorchait leur nom, ce qui irrita passablement Catelyn, mais sa voix semblait provenir de quelque fond marin.

—Euh, oui…, répondit Catelyn en fronçant les sourcils. C'est bien moi. Qui êtes-vous?

Et l'écho répéta sa question pour son plus grand déplaisir.

—Mrs Gringer, je m'appelle Barry…

—Oh, attendez une seconde, l'interrompit Catelyn tandis qu'on sonnait à la porte. J'ai de la visite. Excusez-moi, Mr… euh…, pouvez-vous patienter?

Un deuxième coup de sonnette retentit peu après le premier. Sans attendre la réponse de Barry, Catelyn se dirigea vers l'entrée en toute hâte, car ce devait être urgent. Deux silhouettes se découpaient à travers le panneau de verre latéral. L'un des visiteurs toquait à présent à la porte.

—J'arrive! lança-t-elle en maudissant son correspondant australien.

Son mari avait dû se rendre à Cardiff, sa seconde fille devait encore patauger dans son bain et la gouvernante était en vacances pour les fêtes.

Pourquoi est-ce toujours moi qui fais tout ici? s'indigna-t-elle intérieurement en étranglant entre ses doigts ses quelques brins de cerfeuil. *Je ne peux pas répondre au téléphone et ouvrir la porte en même temps! En plus, ce ne sont plus des œufs que je vais manger, mais du caoutchouc!*

Elle ouvrit la porte et se trouva, à sa grande surprise, face à deux policiers. L'un d'entre eux était une femme plutôt jolie avec des cheveux blond vénitien soigneusement ramenés en arrière en une queue-de-cheval.

—Mrs Granger? s'enquit celle-ci sans écorcher, Dieu merci, leur nom de famille, malgré son accent d'ailleurs, d'Irlande peut-être…

—Je… je suis au téléphone, répondit Catelyn en désignant sans conviction par-dessus son épaule le téléphone rectangulaire année 1960 qui était posé sur la console de l'entrée.

Il devenait urgent d'en faire installer un dans la cuisine. Cela lui éviterait d'avoir à courir. Pourquoi, d'ailleurs, n'était-elle pas restée dans le jardin, au lieu de répondre au téléphone et, surtout, à la porte?

Catelyn s'aperçut soudain que la policière lui parlait:

—Cela vous ennuierait-il de demander qu'on vous rappelle? suggéra cette dernière, dont Mrs Granger avait déjà oublié le nom, tant elle était préoccupée par ses œufs brouillés et son affaire de combiné téléphonique qu'il faudrait installer dans la cuisine.

—Je crois qu'on m'appelle d'Australie, gémit-elle. C'est ma fille, elle…

Catelyn s'interrompit, comprenant soudain la raison de l'appel téléphonique et de la présence des policiers. *Quelque chose est arrivé!* s'écria-t-elle intérieurement. *Sinon, elle m'aurait appelée elle-même.*

—Mrs Granger…, commença la policière avec douceur. Pouvons-nous entrer?

—Oh non, non… non! hurla Catelyn en laissant tomber le cerfeuil sur les magnifiques dalles claires de l'entrée, où les chaussures des agents le piétinèrent tandis qu'ils venaient promptement à sa rescousse.

Une odeur d'œuf brûlé et une douce pointe d'anis flottaient dans l'air lorsque la mère de Jane s'évanouit.

Winifred et Cecilia passèrent une nuit sans incident à l'auberge des *Trois Lunes* de Rothbury. Pour l'aubergiste, elles étaient deux gouvernantes en route pour Newcastle afin d'y chercher du travail.

Une aube plus lumineuse que la veille se leva ; mais malgré l'absence de chute de neige durant la nuit, le bourg était toujours recouvert d'un épais manteau blanc dont la surface cristalline craquait sous les sabots des chevaux. La tasse de petit-lait que Jane s'était sentie obligée de boire le matin même lui était restée sur l'estomac et lui donnait la nausée.

— Le pâté de dinde froid au petit déjeuner ne me réussit pas, reconnut-elle.

Les deux jeunes femmes progressèrent à vive allure et entrèrent glacées quatre heures plus tard dans Newcastle upon Tyne, non sans avoir croisé préalablement deux autres suppliciés ayant subi le même sort que ceux de Rothbury. Lorsqu'elles passèrent à proximité du troisième cadavre, Jane retint sa respiration, se couvrit la bouche avec le mouchoir brodé par Anne et regarda fixement l'encolure de son cheval.

Newcastle devait sa prospérité au transport du charbon, mais également à sa fidélité à la Couronne. Partout, le long des larges rues bordées de hautes maisons de pierres et de briques, étaient placardées des affiches promettant une récompense en échange de toute information susceptible de conduire à l'arrestation de « rebelles ». Les deux amies avançaient lentement sur la neige fondue, tantôt ruisselante, tantôt gelée, qui s'étalait entre les énormes amas accumulés sur les bas-côtés. Grâce à leurs vêtements quelconques et à leur capuche rabattue sur le visage pour affronter le froid, elles ne retinrent l'attention de personne, y compris lorsqu'elles s'arrêtèrent une seule et unique fois pour demander le chemin du relais de poste à un groupe de trois soubrettes.

Mais quelle ne fut pas leur déception lorsqu'elles apprirent de la bouche du cocher que toutes les places à bord de la diligence avaient été réservées !

— Je dois absolument me rendre à Londres au plus vite, monsieur ! insista Jane, qui était de plus en plus inspirée par Winifred pour s'occuper de ce genre d'affaire.

Quelle chance que Winifred n'ait pas une once d'accent écossais ! se réjouit-elle ; puis elle confia à Cecilia le soin de mettre les chevaux en pension pour une durée indéfinie, la valeureuse jument de Winifred n'étant certainement pas à vendre !

— Bah, j'suis bien embêté pour vous, Miss Granger, mais tout l'monde est pressé d'quitter l'Nord, on dirait… L'hiver est rude, pour sûr !

— Puisque je vous dis que je dois absolument me rendre à Londres ! répéta Jane en cédant à la panique. C'est une question de vie ou de mort ! laissa-t-elle échapper, en désespoir de cause, avant de regretter aussitôt son imprudence.

Le cocher ne fut pas le seul à l'entendre. Un gentleman, qui attendait patiemment, et que Jane n'avait pas, jusque-là, remarqué, jeta un coup d'œil dans sa direction. Leurs regards se croisèrent, et, pour le plus grand embarras de la jeune femme, celle-ci décela de l'apitoiement dans les yeux noirs de l'inconnu. Ce n'était pas le moment d'attirer l'attention !

— Oh, Miss Granger, je m'sens coupable…, assura le cocher.

— Loin de moi l'idée de vous accabler, monsieur, répliqua Jane un ton plus bas.

— Eh bien, c'est-à-dire qu'la prochaine diligence partira qu'dans trois jours…

Jane s'apprêtait à objecter qu'il n'y était pour rien mais il l'en dissuada d'un geste de la main.

—Vous montez à cheval, Miss Granger? s'enquit-il.

—Bien sûr! répondit Jane sur un ton qu'elle espérait contenu, car elle avait très mal aux fesses!

—Et pourriez-vous disposer d'une monture?

—Nous avons rallié Newcastle au galop depuis Rothbury, rappela-t-elle en guise de réponse. Mais, en effet, nos chevaux seront de nouveau prêts demain matin.

—Dans ce cas, si j'peux m'permettre, continuez, Miss Granger! Avec vot' amie, y vous faut aller jusqu'à York. Là, vous aurez plus de chance de trouver des places pour le Sud.

—York? répéta Jane d'une voix fébrile. Mais c'est à plusieurs jours de cheval d'ici!

—C'est vrai…, admit le cocher d'un air confus.

—Madame…, intervint le gentleman qui se tenait à proximité en saluant Jane avec son tricorne.

L'inconnu, qui devait avoisiner l'âge de Winifred, s'approcha. Il était d'une beauté désarmante, peu conventionnelle, qu'il devait en partie à la mélancolie qui émanait de ses yeux sombres comme de la réglisse. Son visage délicat aux traits symétriques était encadré par une chevelure d'ébène tirée en arrière sur un front taciturne et retombant sur sa nuque en une queue-de-cheval bien serrée. C'était l'archétype du beau ténébreux. Jane remercia le ciel qu'il ne porte pas de perruque, car il lui aurait été difficile de résister au fou rire. Heureusement, tout semblait indiquer que l'inconnu n'était pas homme à suivre la mode du moment, du moins à en juger par son manteau, qu'il portait avec une certaine désinvolture en faisant l'économie des jabots et autres chiffons dont se paraient les hommes habituellement.

—Pardonnez-moi, poursuivit-il d'une voix douce. Je vous ai entendue malgré moi exposer vos difficultés…

Jane attendit la suite en mettant à profit le fait qu'il lui faisait face pour observer plus attentivement sa redingote grossière, quoique bien ajustée. Celle-ci était en laine peignée couleur sable, contrairement à l'habituel habit de brocart qui emportait la préférence de la plupart des cavaliers. Néanmoins, il se dégageait de sa personne une impression d'opulence.

—Vous avez mauvaise mine, si je peux me permettre cette audace. À mon avis, vous n'êtes pas en état de voyager où que ce soit.

—J'ai simplement pris un peu froid, mentit Jane.

L'espace d'un instant, l'inconnu parut déconcerté.

—Quand bien même! répliqua-t-il. Peut-être serait-il plus sage d'attendre la prochaine di…

—Je vous suis reconnaissante de votre sollicitude, monsieur, mais je n'ai pas le choix. Je dois me rendre à Londres au plus vite.

Il se rembrunit, et Jane jugea préférable de dédramatiser.

—Si seulement j'avais des ailes! ajouta-t-elle, tout sourires.

L'inconnu ne releva pas, mais parut encore plus inquiet.

Pourquoi en faisait-il son affaire? Pourquoi ce bellâtre ne retournait-il pas à son poste d'observation?

—Eh bien, sans être moi-même pourvu d'ailes, il se trouve que je me rends à l'instant même précisément à York, d'où je compte gagner Londres par la diligence, poursuivit-il.

—Puis-je vous demander en quoi cela résout mon problème, monsieur? s'enquit Jane à mi-voix.

L'inconnu se racla la gorge.

Sans doute n'avait-il pas l'habitude de croiser des femmes dotées de repartie. *Attention, Jane, tu n'es pas en 1978, mais en 1715 !*

L'homme avait parlé sans interruption, mais Jane n'avait pas écouté.

— … aussi arriverai-je certainement à York avant vous et votre amie, conclut-il en désignant Cecilia d'un hochement de tête. Je n'ai pas l'intention de m'arrêter en chemin, pas même pour manger, enchaîna-t-il, car je tiens à obtenir une place dans cette diligence. Si cela peut vous rendre service, je pourrais peut-être vous y réserver deux places ?

Jetant un coup d'œil par-dessus l'épaule de Jane, il ajouta en s'adressant au cocher :

— Cocher, quand la prochaine diligence pour Londres partira-t-elle de York, déjà ?

— Vendredi, monsieur.

— Cela vous laisse quatre jours pour vous y rendre. Il m'en faudra deux avec un peu de chance, mais à mon avis plutôt trois.

Jane fut prise de court et perdit même un peu ses moyens.

— Hum… Ma foi, c'est extrêmement généreux de votre part, monsieur, fit-elle platement remarquer, ne sachant trop quoi dire.

L'inconnu écarta son embarras d'un haussement d'épaules.

— Ce n'est pas du tout un inconvénient, assura-t-il.

Il réitéra sa succincte révérence et esquissa un demi-sourire très bref.

— Julius Sackville, pour vous servir.

— Euh… Miss Granger, répliqua Jane, non sans quelque hésitation qu'elle s'efforça de dissimuler derrière un air enjoué.

La prudence exigeait d'elle de cacher l'identité de Winifred afin de ne pas compromettre sa cause.

—Je vous suis infiniment reconnaissante de votre proposition, ajouta la jeune femme. Nous ferons tout notre possible pour arriver à temps pour prendre cette diligence.

Le regard fixe de Julius Sackville la troubla. Elle se demanda s'il avait deviné qu'elle lui mentait, et pas seulement au sujet de son nom. Elle avait le sentiment qu'il lisait comme dans un livre ouvert dans l'âme de Winifred où se logeait l'usurpatrice qu'elle était. C'est pourquoi, par précaution, l'esprit de Jane avait pris le relais depuis le début de la conversation, occultant celui de Winifred qui était susceptible de commettre quelque bévue.

—Au revoir, Miss Granger, salua enfin Sackville. Je vous souhaite à toutes deux un voyage tranquille, même si je crains que le temps ne mette votre endurance à rude épreuve. En tout cas, j'espère vous revoir saines et sauves à York à la fin de la semaine. Je vous conseille de partir au petit matin, car je me suis laissé dire qu'une exécution publique aurait lieu sur la place du marché.

Délaissant la jeune femme, il jeta un coup d'œil au cocher et ajouta :

—Au revoir, monsieur !

—Au revoir lord Sackville, salua le cocher en retour en soulevant son chapeau.

Lord Sackville..., se répéta Jane en inspirant profondément avant de se tourner vers l'aubergiste.

—J'espère que vous avez une chambre pour la nuit ?

L'hôtelier opina.

—Certainement, Miss Granger, bien sûr, on peut dire que vous êtes chanceuse ! L'exécution dont parlait lord Sackville concerne la mise à mort d'un rebelle de renom. On vient de tout le royaume pour assister au spectacle!

Jane fit une grimace puis elle se retourna pour dire adieu à son bienfaiteur, mais celui-ci avait disparu.

—À quelle heure est prévue l'exécution? s'enquit-elle sur un ton détaché, comme s'il était question du temps qu'il ferait le lendemain.

Jane n'en finissait pas de s'étonner elle-même.

—Sur le coup de 9 heures, à ce qu'on m'a dit.

—Notre chambre sera libre à 7 heures. Nous avons bien l'intention de nous lever au chant du coq!

Chapitre 18

JANE N'AVAIT JAMAIS CONNU SI MAUVAIS TEMPS, MÊME lorsque, enfant, elle passait les vacances d'hiver chez ses cousins, au fin fond du parc national de Snowdonia. Étant originaire du pays de Galles, elle était habituée à un climat plus rude que celui qui régnait dans le sud de l'Angleterre et se considérait pour le moins robuste. Toutefois, elle s'en rendit compte tandis qu'elle se frayait avec précaution un chemin dans la neige jusqu'aux écuries au bras de Cecilia, ce périple lui lançait des défis qu'elle n'avait aucune envie de relever. À l'abri derrière le cache-nez qui lui couvrait presque entièrement le visage, Jane se demanda s'il était bien sage de chevaucher dans le blizzard.

Le garçon d'écurie lui prodigua ses conseils, lesquels, songea la jeune femme, étaient sans doute moins désintéressés qu'il n'y paraissait de prime abord. Les deux cavalières l'écoutèrent, et, finalement, ce fut le bon sens de Winifred qui l'emporta. Les deux amies laissèrent leurs chevaux au box jusqu'à une date ultérieure, et louèrent deux montures plus résistantes. Malgré les efforts qu'il faisait pour dissimuler ses pensées, le garçon d'écurie était manifestement convaincu qu'il avait affaire à deux folles qui refusaient d'entendre raison en patientant jusqu'au départ de la prochaine diligence.

Après que le marché fut conclu, et alors qu'il venait de seller le deuxième cheval, il revint néanmoins à la charge à la plus grande admiration de Jane.

—Quand vous arriverez à York, mademoiselle, le prochain coche quittera Newcastle.

Il avait indubitablement la raison de son côté, et, en d'autres circonstances, elles auraient sûrement suivi son conseil ; mais des vies dépendaient de la rapidité avec laquelle elles rejoindraient la capitale. Jane le remercia pour sa sollicitude et le récompensa quand même d'un pourboire qu'il accepta à contrecœur.

—Je ne peux pas attendre la prochaine diligence, expliqua-t-elle en se laissant inspirer par l'esprit logique de Winifred, car elle risque de ne jamais arriver jusqu'ici si les routes sont bloquées par la neige. Dans l'intervalle, j'aurai perdu un temps précieux.

—Toutes les leçons de langue ou de musique du monde ne valent pas de risquer sa vie, mademoiselle, si j'peux m'permettre…, avait soutenu le palefrenier d'un ton inquiet dans une ultime tentative de dissuasion.

—Je vous suis reconnaissante, vraiment…

Jane fut sensible à l'intérêt du jeune garçon et regretta son propre cynisme qui l'avait incitée à le croire intéressé.

—Dans ce cas, si vous voulez bien attendre un instant ? s'enquit le valet en se raclant la gorge.

Jane lança un regard inquiet à Cecilia tandis que le jeune homme disparaissait en boitant dans l'obscurité de l'écurie pour revenir une minute plus tard avec une lettre à la main.

Le pli portait la mention «Pour Miss Granger» rédigée dans une belle écriture penchée.

— On m'a chargé de vous la remettre si vous insistiez pour vous rendre à York, expliqua le palefrenier en lui tendant la missive scellée à la cire.

— Qui vous en a chargé?

— Lord Sackville, madame. Il est venu hier et a dit que je devais tout tenter pour vous dissuader d'entreprendre ce voyage, mais que si vous insistiez, je devais m'assurer que vous lisiez ceci.

Haussant les épaules, il ajouta:

— Pour rien au monde je ne désobéirais à Mr Sackville.

Jane fit sauter le cachet de cire, et la lettre se déplia comme un accordéon. Elle jeta un coup d'œil à ses deux compagnons et s'approcha de l'entrée où la lumière abondait, à défaut de chaleur.

Une courte liste de quatre auberges suivait une brève introduction rédigée de la même main assurée:

Chère Miss Granger,

Au cas où vous persévéreriez dans votre projet d'accomplir ce périlleux voyage jusqu'à York, voici une liste d'auberges en tout point sûres et fiables.

Salutations,

Sackville

Cecilia et le valet d'écurie s'approchèrent timidement. Jane haussa les épaules et demanda à son amie de lire la lettre à voix haute sans omettre le nom des auberges.

Le jeune garçon acquiesça en connaisseur.

—La première se trouve à vingt-cinq miles d'ici. Il a sans doute pensé que vous n'iriez guère plus loin aujourd'hui.

—La belle affaire! rétorqua Jane d'un ton sec.

Le garçon d'écurie cligna des yeux, ne sachant que penser de cette remarque.

—À quelle distance se trouve la suivante? s'enquit-elle.

Il suivit la ligne que lui indiquait la jeune femme mais ne répondit pas. Jane comprit alors qu'il ne savait probablement pas lire.

—*La Couronne et le Sceptre*, dit-elle.

—Oh, celle-là est juste au nord de Durham, mademoiselle.

—Eh bien, il se pourrait que lord Sackville ne soit pas au bout de ses surprises, car je compte dormir dans cette auberge ce soir! annonça-t-elle en repliant la missive. Votre aide nous a été très précieuse. Je vous remercie.

Le palefrenier mit la main à son chapeau d'un geste manifestement automatique.

—Je vais chercher les chevaux, annonça-t-il.

Pendant qu'elles attendaient en tapant des pieds pour lutter contre le froid qui remontait le long de leurs jambes, Cecilia lança un regard inquiet à son amie.

—Ma chère Win, réfléchissez bien, êtes-vous sûre que c'est une sage décision?

—Cecilia, vous ne baisseriez aucunement dans mon estime si vous décidiez d'attendre la prochaine diligence pour Terregles.

Mais par pitié, ma douce amie, ne me posez plus ce genre de question, car contrairement à vous, je n'ai pas le choix dans cette affaire. Non, je n'ai pas le choix…, répéta-t-elle en détachant lentement chaque mot.

— Ce périple pourrait être votre dernier! fit remarquer Cecilia d'un air affligé.

— Eh bien soit, mais je mourrais par amour pour Will, répliqua Jane avec les mots d'une femme aux abois qui cherche à savoir qui elle est vraiment.

Cecilia la prit aussitôt dans ses bras.

— Nous affronterons cette épreuve ensemble, déclara-t-elle. Je ne vous abandonnerai jamais.

Le maître d'écurie revint avec deux grands et robustes chevaux.

— Je leur ai mis des œillères, mademoiselle. Ça les rassure par ce temps.

Quelques heures plus tard, Jane était si transie qu'elle ne sentait plus les rênes dans ses mains. Sa monture semblait suivre son propre pas, et la jeune femme fut reconnaissante du caractère accommodant de l'équidé. L'air glacé lui brûlait les poumons à chaque inspiration, et le simple fait de relever la tête pour regarder la route lui piquait les yeux. Cecilia n'était assurément pas mieux lotie, mais cette amie dévouée ne se plaignait jamais.

Malgré la bravade initiale de Jane et toute sa meilleure volonté, elles ne parvinrent pas à *La Couronne et le Sceptre*, et les deux voyageuses s'effondrèrent dans un lit à deux places d'une auberge située à cinq miles au nord de Durham, celle-là même qu'avait recommandée Sackville. Jane détesta ce dernier pour la justesse de son raisonnement, mais elle aurait embrassé l'aubergiste pour le bon feu et le thé chaud qui les attendaient, sans oublier la bonne odeur de volaille rôtie qui embaumait l'air en prévision du dîner.

Elles s'endormirent sans délai et profondément, l'une contre l'autre pour se tenir chaud, peu de temps après s'être déshabillées, faisant ainsi des économies de chandelle.

Au terme d'une deuxième journée de cheval harassante qui fut toutefois moins effrayante que celle de la veille, les deux amies remercièrent leur bonne étoile lorsqu'elles arrivèrent en vue de *La Couronne et le Spectre* en entrant dans le bourg suivant. Trois jours après leur départ de Newcastle, Jane eut bon espoir d'atteindre Ripon, car malgré une aube couverte de givre, le ciel s'était éclairci dans la journée. Elles avançaient à bonne allure, toutes deux d'excellente humeur. Même les chevaux gambadaient allégrement, ce qui était de bon augure. Cecilia évoqua un épisode de leur enfance au cours duquel Winifred avait décidé de s'enfuir de chez ses parents. Elles rirent aux éclats, tandis que des pans entiers de cette aventure remontaient à la surface dans le souvenir de Jane. Quelle drôlerie c'était que d'évoquer la jeune Winifred faisant son baluchon, lequel comprenait le petit canif dont son père se servait pour peler ses pommes, et que la jeune fille s'était approprié en pensant qu'il pourrait lui servir à se construire une cabane en branches.

—Pour vous construire un abri pour la nuit, aviez-vous dit! gloussa Cecilia.

Jane était toute à sa joie de l'évocation de ce temps béni lorsque son amie avisa deux hommes qui s'approchaient en chariot. Malgré la solitude prolongée de leur voyage, Jane, sans doute à cause du regard louche que les voyageurs leur jetèrent, n'eut guère envie de les saluer. Sans doute étaient-ce ses préjugés modernes qui l'incitaient à se méfier de tout le monde quand elle voyageait seule. Malheureusement, son appréhension se révéla fondée. Cecilia avait également remarqué l'insistance avec laquelle les voyageurs les avaient regardées. Et soudain la joie s'évanouit.

— Surtout ne ralentissez pas la cadence, murmura Jane.

Mais au moment où Cecilia se tournait vers son amie pour lui signifier que c'était entendu, Jane remarqua un troisième larron qui sautait du chariot de manière à barrer la route aux deux cavalières.

— Mesdames, quelle heureuse rencontre! lança celui-ci.

Sous l'influence de Winifred, Jane se força à saluer l'inconnu d'un hochement de tête. Elle n'avait plus d'autre choix à présent que de faire ralentir son cheval pour éviter que celui-ci, effrayé par les mouvements brusques du voyageur, ne s'emballe et ne se mette à ruer. Cependant, la jeune femme n'avait aucune intention d'engager la conversation avec ces inconnus. Leur aspect dépenaillé mis à part, ils avaient le regard avide, et cela ne la mit pas en confiance. Tous les signaux d'alerte s'allumèrent simultanément dans son esprit. Ils en voulaient sûrement à leur argent; et c'est alors, seulement, que Jane prit conscience de leur vulnérabilité. Toutes les mises en garde qu'elle avait reçues lui revinrent subitement en mémoire comme des rapaces qui attendent leur heure sur la branche pour attester de la folie de l'imprudent. « *On t'avait prévenue…* » semblaient lui dire ces oiseaux de malheur qu'étaient ses propres souvenirs.

Et s'ils ne se contentaient pas de nous voler mais qu'ils nous violent également? se demanda Jane en tressaillant de peur, même si tout indiquait qu'il s'agissait de bandits de grand chemin qui s'attaquaient aux voyageurs peu méfiants. Il aurait été difficile de se montrer plus imprudente qu'elle ne l'avait été. *Quelle sotte!* se réprimanda-t-elle.

Leurs intentions ne se lisaient-elles pas sur leur visage? «Pourquoi payer des filles quand on peut se servir sur une route déserte en plein hiver grâce à deux idiotes qui voyagent sans escorte?» semblaient-ils penser.

— Où allez-vous comme ça, demoiselle? s'enquit l'inconnu en levant les mains, faisant sursauter Jane et reculer son cheval.

— Cela ne vous regarde pas, que je sache! répondit la jeune femme d'un ton hautain dans l'espoir que cela suffirait à décourager ces prédateurs qui, manifestement, préparaient un mauvais coup.

Sinon, pourquoi auraient-ils bloqué le passage?

— Oh, là là, faites pas vot' pimbêche! répliqua le bandit en agitant de nouveau les bras.

Cette fois, Jane, de même que Cecilia, eut plus de difficulté à empêcher sa monture de se cabrer.

Jane se souvint de l'inquiétude du valet d'écurie. Combien de tentatives avait-il fait pour essayer de les dissuader? Elle avait la conviction, à présent, que Julius Sackville était derrière cette insistance.

— Auriez-vous l'amabilité de vous ôter du chemin, mon brave? s'enquit la jeune femme non sans rudesse.

— Et si vous descendiez plutôt d'cheval, demoiselle?

Le chariot était à l'arrêt, et les deux autres larrons observaient la scène d'un air lubrique et goguenard, car ils avaient saisi où leur compagnon voulait en venir.

— M'obligerez-vous à vous piétiner? insista Jane en brandissant sa cravache.

—Vous laisseriez vot' amie toute seule avec nous ? répliqua le malfrat en faisant l'étonné.

Jane sentit aussitôt la gorge de Winifred se serrer. Il jouait désormais cartes sur table.

—Elle a pas l'air rassurée, la demoiselle ! M'est avis qu'vous n'la laisseriez pas. D'toute manière, j'aurai l'temps d'me mett' à l'écart l'temps qu'vous lanciez vot' canasson ! Et alors, mes amis et moi, on pourra s'occuper tranquillement d'vot' amie.

Jane avait rarement eu l'occasion d'éprouver un véritable effroi. Elle connaissait l'exaspération, voire l'angoisse extrême qui succède à la perte d'un passeport, au fait de rater un avion, de sauter dans le mauvais train ou de se faire voler son portefeuille – situations qui déclenchent chez tout voyageur ce qu'on appelle communément de l'affolement, auxquelles il existe toutes sortes de recours, comme les procédures officielles et les cartes de crédit qui aident à sortir d'à peu près n'importe quelle situation délicate. À cela, Jane pouvait ajouter une famille richissime sur laquelle elle pouvait compter. Les occasions où la situation lui avait vraiment échappé se comptaient sur les doigts de la main. En fait, elles étaient au nombre de deux.

La première s'était produite lorsqu'on avait mis Will dans l'ambulance avant de l'emmener, toutes sirènes hurlantes, aux urgences les plus proches. Reléguée dans un coin du véhicule tandis qu'un médecin et un infirmier s'occupaient activement de son fiancé, Jane avait cédé à la panique en même temps qu'elle perdait le contrôle de la situation.

La deuxième avait lieu à l'instant, et Jane, ainsi que Winifred, n'avait aucune expérience sur laquelle se reposer pour se tirer d'affaire. Ces trois lascars n'étaient pas du genre de ceux qu'on raisonne. C'était manifestement des êtres sans foi ni loi qui, de surcroît, vivaient à une époque où les patrouilles de police mobile n'avaient pas encore été inventées. En outre, il était évident que les deux jeunes femmes n'avaient ni la force ni les armes pour leur tenir tête. Le larron avait donc raison : l'une d'entre elles réussirait peut-être à s'échapper, mais ce serait d'autant plus de souffrance pour celle qui tomberait entre leurs mains.

—Je vous conseille de bien réfléchir avant de faire quoi que ce soit, monsieur ! prévint Jane avec hauteur.

La superbe de Winifred avait parlé avant que Jane n'ait eu le temps de l'en empêcher. Naturellement, la comtesse était habituée à ce qu'on lui obéisse. Quant à Jane, elle se doutait bien que des malfaiteurs qui ne respectent aucune autorité n'avaient pas pour coutume d'obéir, si noble ou riche que soit leur victime.

—Monsieur ? répéta le voleur en s'esclaffant. J'ai si peu l'profil qu'j'ai peine à croire qu'vous m'considérez comme un môôôsieur, ma belle.

—Je ne vous considère pas, je vous ignore ! Et je vous prierai d'en faire autant !

—Ah ! mais c'est qu'ça va pas êt' possible, la demoiselle !

—Et pourquoi non ?

—Ben parc' que j'suis tout seul et qu'j'aime bien la compagnie.

Jane se redressa sur sa selle. Winifred, sans doute trop affaiblie par la maladie, lui avait passé la main. Il semblait que l'accès de colère de la comtesse ait été de courte durée, à cause de sa faiblesse. Jane sentait qu'elle lui échappait, et elle se demanda l'espace d'un instant si Winifred aurait survécu si elle n'avait pas pris possession de son corps juste à temps.

—Peut-être… mais moi, je ne souffre pas de solitude. Et je n'ai pas toute la journée devant moi, car on m'attend à York. Alors laissez-nous passer!

Elle regretta de n'avoir pas suffisamment maîtrisé sa peur, et espéra qu'elle avait été la seule à l'entendre dans sa voix.

—Comment vous appelez-vous? s'enquit-elle pour donner le change.

Le bandit détourna les yeux, trouvant visiblement la plaisanterie trop longue à son goût.

—Bien, si vous commenciez par nous donner vot' bourse, gentes dames? suggéra-t-il.

—Jamais de la vie, espèce de canaille!

Il fit un pas en avant en se grattant l'entrejambe.

—Eh eh, bas les masques! Tout à l'heure j'étais un môssieur et maint'nant j'suis une canaille? gloussa-t-il. J'aime encore mieux quand vous m'appelez « mon brave »!

—Je vous conseille de nous laisser tranquilles! intervint soudain Cecilia qui avait gardé le silence jusque-là. Mon amie n'est pas celle que vous croyez.

—Et qu'est-ce que j'crois? Eh, les gars, vous croyez quoi, vous?

—À mon avis, c'est une servante qui va chercher du travail à York chez les richards, Tom, répondit le plus jeune.

—Ouais, moi j'dis qu'c'est la bonne d'une aristo, ajouta le troisième en prenant un grand plaisir à la discussion et à son effet sur les deux voyageuses apeurées qui se rapprochaient à présent l'une de l'autre.

Le dénommé Tom pencha la tête et laissa paresseusement échapper quelques bouffées de vapeur dans l'air glacé. Contre toute attente, il ne semblait pas affecté par le froid.

—Non, j'ai l'impression qu'elle croit qu'elle vaut mieux qu'ça. J'dirais une gouvernante… Non, attendez les gars… P'têt' bien une dame de compagnie ? On dirait qu'elle a d'l'éducation. D'toute façon, une chose est sûre, demoiselle, vous êtes trop serrée dans vot' corset ! On peut p'têt vous aider à l'desserrer ?

Les trois larrons se mirent alors à ricaner comme des hyènes.

C'était plus que Cecilia n'en pouvait supporter, et elle pria pour que le ciel les sorte de là. Mais sa prière n'eut pas d'autre résultat que de faire redoubler les rires des bandits.

Toutefois, il en fallait davantage pour intimider la servante qui, oubliant ses mains gelées et son visage engourdi par le froid, devint soudain rouge de colère.

—Vous n'êtes qu'un ramassis de porcs répugnants ! s'exclama-t-elle d'un ton sec. Et en plus, vous n'avez pas deux sous d'intelligence ! Mon amie n'est pas une bonne ! Et si vous vous avisez d'approcher encore, vous pourrez vous préparer à danser au bout d'une corde.

Jane fit signe à Cecilia de se taire, de crainte que l'irritation de son amie ne fasse qu'envenimer la situation, laquelle était déjà sur le point de basculer dans l'horreur. Elle scruta les alentours en quête d'une solution.

—La bourse ! ordonna Tom d'une voix dure.

Jane était révoltée. C'était injuste. L'or qu'elle avait sur elle appartenait en grande partie à Charles. Elle aurait préféré mourir plutôt que de le donner à un bandit de grand chemin ! Mais, soudain, elle eut une idée : elle s'était cru désarmée, tandis qu'elles disposaient bel et bien d'une arme ! Le scélérat qui lui faisait face – il devait avoir une bonne cinquantaine d'années – allait voir ce qu'il en coûtait de provoquer le courroux d'une femme du xxᵉ siècle! Jane Granger n'était-elle pas, en effet, fiancée à un homme qui était ceinture noire cinquième dan de karaté?

« *Will est une arme mortelle ambulante* », avait hurlé Maxwell.

Jane avait bu les paroles de Will lorsque celui-ci lui avait expliqué qu'il concevait son art martial comme une discipline spirituelle plutôt que comme le moyen de défense que certains en faisaient. Un an après son retour du Japon, où il avait passé des vacances avec ses parents à l'âge de neuf ans, Will faisait soixante miles aller-retour trois fois par semaine pour suivre les enseignements du seul professeur de karaté digne de ce nom de sa région. Il faut dire que le maître en question était neuvième dan. Une fois les mouvements acquis, ce dernier avait enseigné au jeune Will la philosophie du karaté. Ensuite, Will avait passé deux années au Japon pour y approfondir ce qu'il avait appris et progresser dans la voie spirituelle. À force de supplications, Will avait accepté d'enseigner à son tour à Jane les rudiments du karaté afin qu'elle puisse se défendre en cas d'agression. C'est pourquoi elle savait exactement quelle prise elle utiliserait pour se débarrasser du lascar en guenilles et aux dents pourries qui la dévisageait en se grattant l'entrejambe.

Jane décrocha la sangle qui la retenait à la selle d'amazone et sauta à terre.

— Eh, on dirait qu'tu lui plais, Tom Wyatt! railla l'un des deux bandits restés dans le chariot.

Tom Wyatt proféra un juron et menaça du regard celui qui venait de révéler son identité complète.

Pendant ce temps, la jeune femme déboutonna son manteau et le jeta à terre. Le bandit de grand chemin s'humidifia les lèvres, ne sachant que penser de ce geste.

—Winifred! héla Cecilia.

—Reste tranquille! répliqua Jane d'un ton sec en regardant Tom Wyatt droit dans les yeux.

Sa jupe était un handicap certain sur la route glissante, en plus de gêner ses mouvements si elle optait pour une attaque avec les pieds. Sans plus perdre de temps en réflexion, elle arracha sa jupe. Ses boutons volèrent puis retombèrent avant de s'enfoncer dans la neige, tels des yeux noirs curieux de voir la suite. Elle garda sa veste d'équitation, l'essentiel étant de se débarrasser de ses fanfreluches. Non seulement elle portait d'excellentes bottes pour le karaté, mais les chances étaient maigres pour que Tom Wyatt sache passer une garde ou parer un coup de pied de face dans les côtes.

Pendant un instant, les trois détrousseurs restèrent sans voix devant cette femme qui n'hésitait pas à se mettre en jupon. Quant à Cecilia, elle n'en croyait pas ses yeux et invitait son amie à la prudence en hoquetant. Jane put ainsi comparer les avantages et désavantages respectifs des culottes du XXe siècle et du XVIIIe siècle. Il fallait bien reconnaître que ces dernières, qui étaient taillées dans un coton très fin, présentaient l'inconvénient de laisser passer le froid. Par ailleurs, elle n'était plus protégée de la nudité que par un simple jupon. Si l'adversaire venait à le lui arracher… De manière cocasse, et tandis qu'elle était sur le point de subir les assauts violents d'un brigand, elle se demanda si Winifred aimerait son maillot échancré. Elle esquissa un sourire sans joie qui la ramena instantanément au moment présent. Plutôt mourir, et Winifred avec elle, que de se laisser violer par ce voleur!

—Winifred, ne faites…, commença Cecilia, la gorge serrée avant que Tom Wyatt, qui était revenu de sa surprise, ne l'interrompe en riant.

—J'crois bien qu'Winifred a l'béguin pour moi, les enfants ! Son beau p'tit popotin va vite tâter d'la fraîcheur de la neige !

—Et d'la chaleur d'ton engin, Tom ! renchérit le plus jeune en riant à sa propre plaisanterie qu'il trouvait manifestement désopilante.

Ils commencent à s'agiter, constata Jane. Ils avaient dans les yeux des éclairs de violence et de lubricité. L'occasion était trop belle pour ne pas se servir, en argent et en femmes.

Jane adressa un rictus au fameux Tom qui se tenait tout près.

—Mon nom est Winifred Maxwell, comtesse de Nithsdale, et je vous mets en garde, Tom Wyatt, contre le courroux d'une famille de haut rang. La pendaison sera le moindre de vos tourments quand mon époux et ses hommes en auront terminé avec vous.

—C'est pas la peine d'me raconter des histoires, la demoiselle, rétorqua le bandit non sans bafouiller quelque peu en lançant des regards furtifs alentour. Vous avez pas d'alliance ni d'beaux bijoux, et puis vous êtes habillée comme une servante.

Jane entreprit de contourner l'adversaire et en profita pour vérifier son équilibre sur le sol gelé et s'assurer qu'aucun trou ni aucune branche ne risquait de la faire trébucher.

—Les apparences sont parfois trompeuses…, répliqua-t-elle enfin en se demandant si elle n'aurait pas mieux fait de garder la bague de Winifred au doigt plutôt que de l'enfouir dans la terre. Vous reconnaissez vous-même que je ne m'exprime pas comme une servante.

—Qui qu'tu sois, j'ai faim et j'ai besoin d'ton argent ! rétorqua le détrousseur en la foudroyant du regard.

— Je vous donnerai de l'argent pour manger, promit-elle en regrettant d'avoir dû éternuer à deux reprises avant de pouvoir terminer sa phrase.

— Vous avez pas l'air en bonne santé, demoiselle, fit remarquer Tom Wyatt en esquissant un sourire méprisant. Vous allez attraper la mort à vous promener en p'tite tenue! Loin d'moi l'idée d'me plaindre, c'pendant! C'est pas tous les jours qu'on a la chance de voir une jolie fille à moitié nue!

Malgré toute la bravade dont le voleur faisait preuve, Jane comprit qu'il ne savait toujours pas que penser de son attitude.

Parfait! pensa-t-elle. *Qu'il reste donc encore un peu sur le gril!*

— Et puis, si vous êtes aussi riche que vous l'dites, j'préfère vous voler votre or plutôt qu'accepter la charité!

Le sourire aux lèvres, il ajouta :

— Par contre, j'veux bien vot' chasteté, puisque vous semblez disposée à m'l'offrir. P'têt' bien qu'vot' aristo d'mari vous néglige de c'côté-là!

Ses compagnons apprécièrent avec lourdeur cette plaisanterie.

Jane, de son côté, fit semblant de ne pas avoir entendu, préférant garder son énergie pour le combat qu'elle entendait livrer jusqu'au bout, coûte que coûte.

— Je n'ai pas dit que j'étais riche. Je vous ai simplement dévoilé mon identité.

— Alors comme ça vous avez l'sang bleu? Si c'que vous dites est vrai, vous avez forcément d'l'argent à r'vendre, sinon vous essaieriez pas d'm'embobiner. Allez, les enfants, attrapez-la!

Jane se raidit et prit aussitôt la position de défense que lui avait enseignée Will.

« *L'équilibre est tout, Jane* », avait souligné son fiancé en l'aidant à trouver la bonne diagonale pour ses jambes. « *Là, comme ça*, avait-il ajouté en positionnant ses bras pour elle. *Tu dois rester détendue mais prête à bander tes muscles. Je sais que ça paraît contradictoire, mais je vais te montrer, et tu comprendras.* » Jane avait en effet compris.

Le problème fut que les hommes de main de Tom Wyatt ne se précipitèrent pas sur elle, mais sur Cecilia, qu'ils firent descendre de cheval à grands cris avant de l'emmener en toute hâte loin de la route en manquant de glisser dangereusement, laissant derrière eux de profonds sillons dans la neige, car la jeune femme avait fait de son mieux pour résister.

— Non, pas contre cet arbre, les garçons, lança Tom Wyatt avec irritation. Allez derrière les buissons, et bâillonnez-la, et, nom d'un chien, qu'elle arrête de beugler !

— J'ai justement c'qui lui faut, compte sur moi ! répliqua le cadet de la bande dans le but d'épater son chef.

— Défendez-vous, Cecilia ! hurla Jane.

Mais les trois silhouettes disparurent aussitôt dans les fourrés, et les cris de la jeune femme furent étouffés avant de s'éteindre totalement. On entendit au loin les bruits d'une mêlée, puis l'un des hommes poussa un cri perçant. Avec un peu de chance Cecilia venait de loger son pied dans l'entrejambe de l'un de ses agresseurs. Jane se concentra de nouveau sur son adversaire. Elle devrait d'abord se débarrasser de lui avant de pouvoir aider Cecilia.

— P'têt' bien qu'le p'tit John a tenu parole et qu'elle l'a mordu où j'pense ? se demanda le bandit à voix haute en se moquant de la douleur de son compagnon et du silence qui avait suivi.

—Vous feriez mieux de leur dire d'enlever leurs putains de sales pattes de mon amie! conseilla Jane avec toute la férocité d'une femme moderne faisant face à l'ennemi, tandis que Winifred s'effaçait entièrement.

Le détrousseur se tint littéralement les côtes à cause de sa manière de jurer.

—Oh non, vous n'êtes pas une dame de la haute, demoiselle, pas avec une langue aussi bien pendue, trancha-t-il. Et maintenant, voyons c'que cette bouche qui n'est pas avare d'injures peut faire pour moi…

À ces mots, il se jeta sur Jane, mais celle-ci l'attendait de pied ferme sans aucun des scrupules qui avaient paralysé Will. Prenant appui sur la jambe qui se trouvait en retrait, elle fouetta l'adversaire d'un coup de pied circulaire. Puis, ramenant la cuisse à angle droit, elle relâcha la jambe comme un ressort et projeta son talon dans l'entrejambe flasque et vulnérable de Tom Wyatt, qui se plia en deux en criant de douleur. «*Si tu te sers de ce coup, fais en sorte que ce ne soit pas pour rien. Ne laisse pas ton agresseur se relever*», avait préconisé Will. Aussi Jane décida-t-elle de ne rien laisser au hasard. De nouveau en position, elle frappa avec le genou dans le but d'atteindre Wyatt à la mâchoire pendant qu'il était encore penché. Mais ce dernier avait plus de ressource qu'il n'en avait l'air et était suffisamment aguerri aux mœurs de la rue pour éviter le coup de grâce, car il se redressa malgré la douleur et eut le réflexe de saisir la jambe de la jeune femme avant de renverser celle-ci en arrière.

Jane tomba sur le dos dans la neige qui crissa sous son poids. Elle eut le souffle coupé et resta étourdie par terre. Reprenant soudain ses esprits et oubliant provisoirement sa douleur au coccyx, elle essaya de se relever. Mais hélas, Wyatt fut plus rapide et vint se placer devant elle. Des nuages de vapeur sortaient de sa bouche et des gouttes pendaient à ses narines. Une odeur de vomi flottait dans l'air. Après le coup que Jane lui avait assené, c'était un miracle qu'il tienne encore debout.

— Garce! zozota-t-il en s'essuyant le nez avec la manche de son manteau. Je me suis mordu la langue! ajouta-t-il avant de cracher l'une de ses dents pourries qui atterrit, tel un crachat sanguinolent, sur la blancheur immaculée de la neige. J'vais t'tuer et j'violerai ton cadavre ensuite!

Avant que Jane puisse dire «ouf», le détrousseur l'étranglait à l'aide de sa botte.

— Mais j'veux t'voir crever à p'tit feu! ajouta-t-il.

Si Jane avait douté de sa détermination, la pression grandissante contre son cou, le bruit rauque de sa respiration et le manque d'air dans ses poumons auraient achevé de la convaincre, car elle sentait déjà Winifred lui échapper.

Non! cria-t-elle en son for intérieur. *Tenez bon, Winifred!*

Mais la comtesse était beaucoup trop faible et se laissa partir. Une sensation humide et froide se referma peu à peu sur elle comme un sommeil bienheureux, ses yeux se congestionnèrent et tout devint noir. Avant de s'endormir, Jane entendit des détonations d'arme à feu résonner comme des coups de tonnerre dans l'air glacial.

Sa dernière vision fut celle d'une volée d'oiseaux apeurés qui s'envolait à tire-d'aile d'un arbre voisin complètement nu en pépiant à tue-tête.

Mais il s'agissait peut-être aussi des démons de Jane qui la quittaient, ou de l'âme de Winifred et de la sienne qui remontaient au ciel.

Chapitre 19

Les parents et la sœur de Jane étaient assis, en état de choc, dans la vaste cuisine de la maison familiale. Son père était recroquevillé sur un tabouret près du téléphone. Après le départ de la police, les Granger s'efforçaient d'assimiler la nouvelle : Jane n'était pas revenue de son ascension d'Ayers Rock. Le rapport de police était sommaire et stipulait qu'elle n'avait disparu que depuis quelques heures. En fait, les représentants de la loi avaient décidé de leur rendre visite uniquement pour contrer le gérant du motel d'Alice Springs, qui avait eu l'intention de les appeler lui-même en se servant du numéro que lui avait laissé Jane pour le cas où il y aurait un problème.

—C'était lui au bout du fil quand la police est arrivée, expliqua Catelyn en rompant le silence. Je lui ai dit de ne pas raccrocher…

Puis elle fondit de nouveau en larmes.

—La policière lui a parlé, maman, rappela Juliette. Tout va bien.

—Oui, mais j'aurais aimé lui parler aussi. J'ai des questions à lui poser. Il est sur place, lui! Pas la police! Que peuvent-ils apprendre de nouveau en étant ici?

—Ça suffit, maintenant! grommela Hugh Granger. Ils nous ont dit et répété que c'était encore trop tôt pour tirer des conclusions. Jane n'est même pas encore officiellement portée disparue. Tu les as entendus comme moi. Entre-temps, elle a pu rentrer, partir en excursion, aller faire un tour, embaucher un guide… Que sais-je, moi? suggéra-t-il en haussant les épaules. Elle peut être n'importe où, ma chérie. Tu sais combien elle est imprévisible. Elle aura pris sa voiture de location pour aller visiter un autre site et oublié de prévenir le patron du motel.

—Cela ne ressemble pas à Jane, sanglota Catelyn.

—Papa, ils ont retrouvé sa voiture au pied du rocher. Elle y est toujours, rappela Juliette.

Son père lui fit gentiment les gros yeux avant de désigner Catelyn du regard, et la jeune femme comprit qu'elle en avait trop dit.

—Jane n'est plus tout à fait elle-même en ce moment, poursuivit-elle en essayant de se rattraper. Elle perd un peu le nord et elle est malheureuse. Elle est probablement morte d'inquiétude pour Will. Même si elle a sa propre façon de voir les choses, c'était quand même une folie de partir comme ça.

Secouant la tête, elle ajouta:

—Je n'en reviens pas que nous l'ayons laissée partir! J'aurais dû l'accompagner quand elle me l'a demandé.

—Tu ne vas pas t'y mettre toi aussi! prévint son père.

—Si, j'aurais dû l'accompagner. Elle avait besoin que l'un d'entre nous la soutienne sur place.

Hugh Granger se leva de son tabouret et commença à arpenter la pièce de long en large.

—Comme tu le sais parfaitement, Jane est une fille intelligente et pragmatique, et surtout courageuse. Si elle a été assez prévoyante pour laisser notre numéro de téléphone à cet hôtelier, alors nous pouvons être certains qu'elle n'aura négligé aucune autre mesure de prudence. Dans peu de temps le téléphone sonnera, et ce sera notre Janie. Vous verrez qu'elle sera étonnée, voire furieuse – je connais bien ma fille –, de tout ce tapage.

—Je vais faire du thé, annonça Catelyn.

Elle savait pertinemment que personne n'en voulait, elle encore moins que quiconque, mais cela ferait diversion en occupant provisoirement ses mains et son esprit.

—Jane aurait dû être un garçon! reprit Mr Granger.

—Qu'insinues-tu, Hugh? s'enquit Catelyn d'une voix pleine de larmes en versant des cuillerées de thé dans la théière.

—Même à l'école, elle rivalisait avec les garçons, tu te rappelles? expliqua son mari en haussant les épaules. Elle nous a même fait tout un cirque parce que nous l'avions inscrite dans une école de filles! Jane a de la ressource, surtout là-dedans, précisa-t-il en tapotant sa tempe.

—Ouais, et en plus, c'est elle qui a hérité des plus beaux gènes! Non seulement elle est intrépide, mais elle est belle comme ce n'est pas permis! C'est vraiment trop injuste…, renchérit Juliette en imitant la sœur jalouse dans l'espoir d'égayer une conversation passablement pesante.

Mais ce fut en vain, car elle avait involontairement donné une intonation acerbe à ses paroles. Ses parents s'en offusquèrent.

La jeune femme haussa les épaules, mais c'était trop tard, la vérité avait percé sous le masque de l'autodérision.

—Pourquoi vous me regardez comme ça? se défendit-elle. Belle comme elle l'est, elle n'a qu'à claquer des doigts pour avoir tous les hommes qu'elle désire. Non contente d'avoir décroché le gros lot, elle s'embarque dans une aventure de dingue, alors qu'elle devrait rester à son chevet pour l'aider à s'en sortir. Il faut toujours qu'elle n'en fasse qu'à sa tête!

Hugh Granger posa un regard désapprobateur sur sa fille.

—Non, tu n'y es pas du tout, répliqua-t-il en secouant la tête. Jane a toujours été en quête d'un… Sans doute pensait-elle que Will pouvait l'aider à… sauf que…

—Sauf que quoi? intervint Catelyn. J'ai horreur que vous parliez d'elle au passé!

—Ce que je veux dire, c'est qu'elle a toujours cherché un homme plus solide qu'elle, expliqua Hugh, comme s'il se débarrassait enfin d'un secret lourd à porter. Sauf que Will l'étouffe, se substitue à elle en prenant des décisions à sa place, soupira-t-il.

—Oh, papa, c'est absurde! Quelle fille ayant toute sa tête ne voudrait pas de Will Maxwell à ses pieds? Jane est folle si elle voit dans son attitude autre chose que le dévouement d'un prince charmant. En plus, Will est un peu rêveur. C'est d'ailleurs ce qui lui plaisait tant chez lui. Il a tout pour devenir un homme à femmes, et, à ma connaissance, il est tout le contraire.

Mr Granger parut regretter son excès de franchise. Il se racla la gorge et poursuivit de manière plus pragmatique, ce qui lui permit de reprendre la main sur la conversation:

—Quoi qu'il en soit, vous savez comme moi que la police australienne prévoit un délai de vingt-quatre heures avant de lancer un avis de recherche. Or, elle n'a quitté le motel que depuis huit heures.

—Tu as raison. Quand elle va rentrer, elle sera furibonde à cause de l'affolement général, souligna Catelyn en versant de l'eau frémissante dans la théière.

C'est alors que le téléphone sonna, les faisant tous trois sursauter. Mrs Granger laissa échapper un petit cri aigu tandis que son mari décrochait après seulement une sonnerie.

—Hugh Granger, dit-il d'un ton sec, manifestement par appréhension.

Juliette et sa mère se tinrent la main en espérant qu'un sourire du chef de famille leur annoncerait que c'était Jane à l'autre bout du fil. Mais rien de tel ne se produisit.

—Oh, bonjour John, se reprit-il d'une voix contrite. Désolé, euh…, oui, en fait nous attendions un coup de fil de Jane.

Silence.

—Non, c'est difficile, à cause du décalage horaire.

Nouveau silence.

La mère et la fille se lâchèrent la main en échangeant un regard empreint de déception, puis Catelyn se leva pour aller couvrir la théière.

—Oui, eh bien, j'espère aussi que sa toquade lui passera bientôt, confirma Hugh en lançant un regard noir aux deux femmes qui le dévisageaient. Nous aussi nous préférerions qu'elle soit ici. Comment va Will ? Y a-t-il du nouveau ?

Quelques secondes passèrent.

—Vraiment ? Ils sont formels ?

Hugh écouta Maxwell en hochant ponctuellement la tête.

—C'est formidable! Oui, je sais... C'est ce que vous vouliez... D'accord. Si elle appelle... Je veux dire : quand elle appellera. Je n'y manquerai pas. Oui, je lui dirai de vous appeler aussi, même si cela risque d'être difficile depuis Alice Springs.

Silence.

—D'accord, de Sydney, alors. Écoutez, John, je me réjouis de ces bonnes nouvelles. Merci d'avoir appelé. Oui, je le ferai. D'accord. Mes amitiés à Diane également.

Hugh Granger reposa le combiné et leva les yeux vers sa femme et sa fille.

—Will s'est réveillé? conjectura Juliette.

Son père secoua la tête.

—Mais d'après John, son état évolue dans le bon sens.

—Jusqu'à quel point? s'enquit Catelyn.

—Suffisamment pour que John et Diane repoussent son transfert en Amérique, répondit son mari en se frottant les yeux, tandis que les deux femmes échangeaient un regard incrédule. Ils se donnent jusqu'au nouvel an, car les médecins préfèrent que Will ne soit pas transbahuté au cas où il «referait surface», dixit John Maxwell. Il n'a même pas utilisé le mot «se réveiller», soupira Hugh Granger. Ils espéraient que Jane serait en route pour Londres.

—Elle devrait être au chevet de Will, acquiesça Catelyn, d'autant plus que sa présence pourrait l'aider.

—Je lui ai volontairement caché le fait que Jane est injoignable. Ils ont assez de soucis.

—Si nous appelions le motel? suggéra Juliette.

—Les policiers ont dit qu'ils nous tiendraient au courant, répliqua sa mère.

—Ce que tu peux être passive, ma petite maman. Je vais appeler. C'est quoi le nom du type, déjà ?

—Ne rendons pas la situation encore plus confuse qu'elle ne l'est. Laissons passer quelques heures, et si nous n'avons pas eu de nouvelles vers minuit, alors nous appellerons Alice Springs, trancha Mr Granger.

Une brise légère caressa le visage de Jane, et celle-ci eut l'étrange impression de flotter dans les airs. Recouvrant peu à peu ses esprits, elle comprit qu'elle était dans les bras d'un inconnu qui la portait. Elle entrouvrit enfin les paupières et aperçut deux yeux bleu nuit qu'elle ne s'attendait pas à rencontrer là.

—Miss Granger ?

—Lord Sackville ! s'exclama-t-elle d'une voix éraillée.

—Ne vous agitez pas, je vous en prie, ordonna-t-il en murmurant.

Il la maintenait entre ses bras comme si elle ne pesait pas plus lourd qu'une plume, et la jeune femme se sentit en sécurité contre son corps chaud et musclé. Même si elle trouvait un peu ridicule de se laisser porter ainsi, elle y prenait néanmoins un certain plaisir mêlé de soulagement à l'idée, non seulement d'avoir été sauvée des griffes de Wyatt, mais également que son sauveur soit le beau ténébreux.

Jane massa d'une main sa gorge douloureuse.

—Ne fatiguez pas vos cordes vocales, Miss Granger, conseilla Sackville d'un ton si doux que la jeune femme ne put s'empêcher de sourire d'aise, sourire auquel il répondit par une moue badine qui réchauffa l'éclat plutôt froid de ses yeux. Je suis content que vous soyez saine et sauve ! lui glissa-t-il à l'oreille.

—Merci, lord Sackville, susurra-t-elle sans pouvoir détacher ses yeux du regard perçant de son sauveur.

Jane était dans ses bras comme un papillon sous l'épingle de l'entomologiste qui se délecte de la beauté du spécimen rare qu'il vient d'attraper.

—Cecilia l'est-elle aussi ? s'enquit-elle.

—Oui, ma douce amie, répondit la servante de sa voix reconnaissable entre mille en entrant dans le champ de vision de la jeune femme.

Malgré une allure débraillée, elle était rayonnante.

—Lord Sackville m'a sauvée avant qu'ils ne commettent l'irréparable, annonça-t-elle en lançant une œillade reconnaissante au jeune homme.

Sackville ne quittait pas des yeux Winifred, et Jane, tandis que son sauveur la déposait devant Cecilia qui lui tendait les bras, se dit que le courant passait étrangement bien entre elle et le beau ténébreux. Celui-ci se détourna, et Jane tourna vivement la tête pour le suivre du regard. C'est alors qu'elle reconnut Wyatt qui revenait à lui, un genou à terre.

—Que s'est-il passé ? s'enquit-elle d'une voix rauque.

—Lord Sackville l'a assommé avec la crosse de son pistolet. Il en sera quitte pour une bonne migraine ! susurra Cecilia.

—Ce n'est pas cher payé ! fit remarquer Jane à voix basse.

Julius Sackville rechargea son arme en prenant tout son temps, visa et pointa le bout du canon à l'endroit où il supposait que Wyatt avait un cœur.

—Je suis extrêmement bon tireur, prévint-il d'un ton égal sans ciller. L'un de tes sbires est mort. Quant au jeunot, il a pris la poudre d'escampette, avec, selon mes vœux et estimations, la mâchoire cassée. Ce qui me laisse quelques balles pour toi.

À ces mots, Wyatt s'empressa de lever les mains en l'air.

—Êtes-vous sûre qu'il ne vous a pas fait de mal, Miss Granger? s'enquit Sackville en tournant son regard tempétueux vers Winifred.

Comprenant où il voulait en venir, Jane prit une longue inspiration pour se calmer.

—Ça va, hormis peut-être quelques contusions, répondit-elle en se souvenant soudain qu'elle était en jupon et que celui-ci laissait certainement entrevoir ses fesses à cause de l'humidité.

—Venez vous rhabiller, murmura Cecilia.

Mais l'attention de Jane était accaparée par la conversation qui se déroulait entre Sackville et Wyatt.

—Tout est bien qui finit bien, alors? hasarda le bandit, la voix chevrotante et les yeux rivés sur le canon du pistolet.

Une traînée de salive sanguinolente ruisselait sur son menton mal rasé, conséquence de sa dent cassée.

—Ah oui? C'est ainsi que tu vois les choses? s'enquit Sackville d'un ton sarcastique. Pour ma part, je suggère que tu prennes tes jambes à ton cou et que tu détales sans te retourner.

Jane fit aussitôt volte-face.

—Vous n'allez tout de même pas le laisser filer? s'indigna-t-elle en dévisageant son sauveur, tandis que Wyatt regagnait sa charrette en titubant.

Mais Sackville, qui tenait déjà le scélérat en joue, appuya sur la détente. Le chien du pistolet s'abattit, et le silex mit le feu à la poudre. Deux lapins s'enfuirent d'un terrier avoisinant lorsque retentit la détonation. Quant à Jane et Cecilia, elles reculèrent, impressionnées par la flamme et la fumée qui s'échappèrent de l'arme, tandis que Wyatt sautait en l'air en glapissant.

Il a fait exprès de tirer à côté, songea Jane en découvrant la mine réjouie de Sackville. Wyatt, qui ne le savait pas, prit un air supérieur qui étonna la jeune femme.

—Vous êtes pas si bon tireur que ça en fin d'compte, Mr Sackville. Je s'rai loin d'ici avant qu'vous rechargiez !

Le tireur esquissa un sourire glacial.

—C'était juste un coup d'essai, rétorqua-t-il en sortant de sa poche un second pistolet identique au premier, avant de remettre sa cible en joue.

Wyatt craignait véritablement pour sa vie à présent.

—Celui-là est déjà chargé ! Et le prochain coup sera le bon, Mr Wyatt. Détalez, j'ai dit ! Non, pas la charrette ! Et n'oubliez pas : je connais votre nom. Et quand j'en aurai terminé avec ces dames, il sera sur les lèvres de tous les officiers de police du comté, avec en prime votre description complète ainsi que celle de l'agression. À propos, attendez-vous à comparaître devant le tribunal, dussé-je vous traquer dans tout le royaume.

Wyatt s'enfuit à toutes jambes en trébuchant et en moulinant des bras ; il fut rapidement hors de portée de l'arme à feu de Sackville, puis hors de vue.

—Miss Granger, commença ce dernier en se tournant vers Jane sans toutefois poser directement les yeux sur elle, il serait tout à fait malséant que vous continuiez de vous promener en jupon, sans compter que vous risquez d'attraper mal.

—Apportez-moi ma jupe et mon manteau, Cecilia, ordonna Jane.

Puis, s'adressant à Sackville sans rougir le moins du monde de sa tenue, elle ajouta :

— Avez-vous vraiment tué l'homme qui a essayé de violer Cecilia ?

— Je l'ai vu tomber raide mort, intervint Cecilia en apportant les vêtements de son amie et une poignée de boutons. Quoi qu'il en soit, peu m'importe. Si vous n'étiez pas passé par là…, ajouta-t-elle en se tournant vers Sackville sans pour autant finir sa phrase.

— Oh, ce n'est rien, Miss…

— Evans, acheva Cecilia.

— Comment se fait-il que vous passiez justement par-là ? s'enquit Jane, dont la jupe ne tenait plus que par deux boutons.

Après les émotions fortes des dernières minutes, elle avait recouvré un semblant de calme et se sentait de nouveau vulnérable. Elle serra son manteau contre elle. *Le froid revient*, songea-t-elle.

— Je vous croyais en route pour York, ajouta-t-elle.

— Je l'étais, mais j'ai rebroussé chemin, rétorqua-t-il en s'éloignant pour aller dételer le cheval de Wyatt.

— Je ne suis pas sûre de comprendre, répliqua Jane en claquant des dents.

— Je suis revenu à cause de vous, expliqua Sackville sans se retourner.

Puis il se racla la gorge et, yeux dans les yeux, ajouta :

— Vous et Miss Evans, veux-je dire…

— Pourquoi ? demanda Jane avec étonnement.

Il sembla chercher ses mots. Jane le trouva encore plus séduisant à cause de l'embarras que lui causaient ses questions, d'autant qu'il perdait rarement la maîtrise de lui-même.

— Parce que si ces rustres ne savent pas distinguer une dame de haut rang d'une paysanne, ce n'est pas mon cas !

— Ainsi, si j'avais été une simple paysanne, vous n'auriez pas volé à mon secours ?

Elle était révoltée par l'affreux raisonnement de Sackville, mais elle se souvint aussitôt que l'égalité n'était pas à l'ordre du jour en 1715. Quant au droit des femmes, il faudrait attendre plus d'un siècle pour voir poindre l'amorce d'une réforme.

— Je n'ai pas dit cela, commença-t-il, jugeant au silence abrupt de la jeune femme qu'il lui devait une explication. Arrêtons cette comédie, vous êtes lady Maxwell, la comtesse de Nithsdale, comme vous l'avez dit vous-même à Wyatt.

Jane n'essaya même pas de dissimuler sa stupéfaction, mais elle resta néanmoins coite.

— C'est exact, monsieur, intervint une fois de plus Cecilia sans oser regarder sa maîtresse, Quant à moi, je suis son amie et sa servante.

— En toute conscience, madame, je ne pouvais pas vous laisser entreprendre ce voyage seule, expliqua-t-il en regardant Jane droit dans les yeux. La route est déjà assez pénible pour un imprudent comme moi, alors pour une…

Il n'acheva pas sa phrase et poursuivit sur une autre idée :

— Je n'aurais jamais dû vous laisser partir sans escorte. Quand j'ai appris que ma diligence avait du retard, j'ai eu l'idée de rebrousser chemin et de vous accompagner jusqu'à York.

Plus il se justifiait, plus il semblait prendre d'assurance, jusqu'à recouvrer tout son aplomb.

— En attendant, je connais une auberge très bien tenue à quatre miles d'ici, ajouta-t-il. Je suggère que nous y passions la nuit. Nous continuerons demain par la diligence, si le temps se maintient.

Pendant qu'il parlait, Jane avait remarqué la présence d'un mort juste derrière la haie.

— On dirait que vous attachez plus d'importance à ce cheval de trait qu'à son propriétaire, lord Sackville, fit-elle remarquer.

— Le sort de son propriétaire m'est complètement indifférent, répliqua-t-il d'un ton sec. Mais je me soucie de cet animal qui n'a fait de mal à personne. Il mérite du foin frais et un bon repas. Quant à son propriétaire, que les charognards s'en occupent si le cœur leur en dit.

— Je suis d'accord avec vous, intervint Cecilia. S'attaquer à de pauvres femmes sans défense est digne d'une canaille de la plus vile espèce ! Vous savez ce que pense William des bandits de grand chemin et des pillards, Winifred…, rappela la servante en soupirant d'aise.

Jane hocha la tête.

— Lord Sackville a raison, vous allez attraper la mort si nous restons ici plus longtemps, ainsi que nous tous.

Jane ne sentait plus ses doigts ni ses orteils.

— Alors on le laisse là tout simplement ?

Cecilia dévisagea son amie comme si celle-ci n'avait plus toute sa raison.

— Enfin, Winnie, il a essayé de me violer ! Il n'aurait pas hésité à vous violer aussi quand ce Wyatt en aurait eu terminé avec vous. Lord Sackville l'a tué en situation de légitime défense. Vous avez pu constater qu'il a laissé la vie sauve aux deux autres. Ne pensez plus à ces monstres, ils n'en valent pas la peine.

— Bien dit, Miss Evans, renchérit Sackville.

C'est effrayant! Malgré cette pensée, Jane se laissa reconduire jusqu'à son cheval.

Sackville apparut soudain à son côté.

—Là, laissez-moi vous aider, suggéra-t-il en soulevant sans peine le corps mince de Winifred.

Lorsque Jane fut de nouveau en selle, Sackville laissa errer sa main sur le cuir souple de sa botte, lui communiquant discrètement chaleur, force et courage.

—Vous sentez-vous prête, lady Nithsdale? s'enquit-il.

Jane hocha la tête, soudain désarmée par l'inquiétude qui se lisait sur le visage de Sackville et par son regard sombre et perspicace, mais également, sans doute, par le soutien muet qu'exprimait ce geste familier.

—Je vous en prie, appelez-moi Winifred, répliqua-t-elle. Jane, c'est encore mieux.

Cecilia lui décocha aussitôt un regard désapprobateur.

—Mieux vaut que ma véritable identité reste secrète. Jane Granger est un excellent nom d'emprunt!

—Jane…, répéta-t-il en inclinant la tête, non sans embrasser du regard la cheville de sa botte.

La gorge serrée, Jane regarda Julius Sackville monter en selle avec grâce et se réprimanda intérieurement sans trop savoir pourquoi. Leur sauveur tirait le cheval des voleurs à la remorque du sien. Ni lui ni Cecilia ne s'étaient un seul instant souciés d'examiner le contenu du chariot abandonné au bord de la route.

Ils couvrirent rapidement la distance qui les séparait de l'auberge, Sackville en tête, muet comme une carpe. Plus tard, au relais de poste, ils laissèrent les quatre chevaux à l'écurie. Tandis que Cecilia faisait préparer un bain pour sa maîtresse,

Jane se retrouva seule avec Sackville devant les restes d'un pâté au pigeon. Jane, qui avait en tête une comptine anglaise où il était question de vingt-quatre merles cuits au four dans une tourte servie au roi, s'efforça de regarder ailleurs tandis que son compagnon se régalait.

—Vous sentez-vous mieux, Jane ? s'enquit ce dernier. Ne ressentez-vous pas le contrecoup de votre mésaventure ?

La jeune femme renifla discrètement.

—Non, je me sens bien, je vous assure ! Si je cessais d'éternuer, je serais en parfaite santé, même si j'ai un peu mal aux fesses depuis ma chute dans la neige.

Sackville hocha gravement la tête.

Sans le connaître vraiment, Jane ne parvenait pas à l'imaginer riant à gorge déployée. S'était-il d'ailleurs jamais accordé une telle liberté ?

—Et que faites-vous dans la vie, lord Sackville ? s'enquit-elle.

—Ce que je fais ? Mais rien, naturellement, et pourtant je suis toujours occupé à droite et à gauche, répondit-il en s'étonnant visiblement de la question.

Haussant les épaules, il ajouta :

—Je passe le plus clair de mon temps aux Martlets, dans le Nord, où je m'occupe de mes terres.

—Êtes-vous marié ?

—Non ! répondit-il d'un ton abrupt, avant de regarder fixement le fond de son verre et d'ajouter d'une voix plus conciliante : je l'étais.

Jane tiqua mais ne dit rien.

—Ma femme est morte, poursuivit-il. Nous étions très jeunes lorsque nous nous sommes rencontrés, et nous l'étions encore lorsqu'elle a disparu. J'ai beaucoup trop souffert de la perdre pour renouveler l'expérience.

Il leva soudain ses yeux embués vers la jeune femme et la regarda droit dans les yeux avant d'ajouter :

— J'en étais là lorsque je vous ai rencontrée par hasard, tandis que vous essayiez de soulever des montagnes pour sauver votre mari d'une mort prématurée. J'ai entendu parler du sort qu'on lui réserve.

Jane fit la grimace. Spontanément, Sackville lui prit la main, mais ce contact fut comme une brûlure, et tous deux rompirent l'étreinte. La tendresse de l'intention alla néanmoins droit au cœur de Jane.

— Oh, excusez-moi. C'était excessivement maladroit de ma part. Je voulais…

— Je sais ce que vous vouliez, et je ne m'en offusque pas, assura-t-elle. J'étais triste, car je pensais à une autre personne de ma connaissance qui a fait appel aux forces occultes dans le but d'épargner à son propre mari une mort également prématurée.

Sackville se rembrunit.

— Que lui est-il arrivé ?

— Sa tête a heurté un obstacle, et il n'a plus repris connaissance.

— Un cas de léthargie ? Est-il tombé de cheval ?

— Quelque chose d'approchant, répondit Jane, chagrinée de devoir mentir au sujet de Will, car Sackville, pensait-elle, aurait mérité de connaître la vérité.

— Je suis peiné pour votre amie, compatit-il. J'ai entendu parler de cette affection, que certains nomment apoplexie. Peu de médecins en comprennent les mécanismes, mais on cite de nombreux cas de malades qui se sont réveillés longtemps après l'accident sans aucun souvenir de celui-ci, et ils ne s'en portaient pas plus mal.

Jane haussa les épaules.

—Je ne vous ai pas remercié pour ce que vous avez fait aujourd'hui…, commença-t-elle, dans l'espoir de changer de sujet de conversation.

—J'imagine que n'importe quel gentilhomme en aurait fait autant, l'interrompit-il à voix basse en faisant tourner un reste de vin dans son verre, avant d'ajouter, d'un ton encore plus bas : Je ne suis pas catholique, mais je considère lord Derwentwater comme l'un de mes plus proches amis.

Il s'éclaircit la voix et ajouta encore :

—Je suis inquiet à son sujet, et j'espère pouvoir témoigner en sa faveur…

Jane gardait les yeux rivés sur les grandes mains soigneusement manucurées de Sackville, tandis que celui-ci faisait tourner le pied de son verre entre ses doigts.

—Que savez-vous ? s'enquit Jane en levant brusquement les yeux vers le visage grave de lord Sackville, car elle savait que le comte de Derwentwater avait été fait prisonnier en même temps que William.

—Seulement ce que tout le monde sait… Que Derwentwater et ses compagnons – dont fait partie votre mari – seront bientôt jugés, répondit Sackville.

Puis, les yeux baissés, il ajouta :

—J'ai de la peine pour vous. Je n'imagine pas de dénouement heureux pour mon ami ni pour votre mari.

—Ne dites pas cela ! supplia Jane d'une voix à peine audible.

— Pardonnez-moi, susurra-t-il. J'ai perdu l'habitude de ménager le chagrin des nobles dames.

Si tu savais..., pensa Jane en se retenant de rire.

— Au contraire, je pense que vous vous êtes montré très sensible à l'égard de ma situation, et très généreux.

— Parce que j'ai tué un homme pour vous ?

Choquée, Jane le foudroya du regard avant de s'apercevoir qu'il plaisantait.

— Bonté divine, lord Sackville, j'ai cru que vous étiez sérieux ! Je ne m'attendais pas...

— Vous voyez, il est plus d'un domaine où je manque de pratique ! rétorqua-t-il d'un air contrit en hochant la tête.

Cette fois, Jane ne le contredit pas, mais retint son souffle. Un trouble grandissant l'envahit, et ses mains se mirent à trembler. Elle eut soudain très chaud. Elle sentit le rouge lui monter aux joues et pria pour qu'il ne le remarque pas dans la demi-obscurité de l'auberge. C'est alors qu'elle s'aperçut qu'elle retenait son souffle. Elle expira en exagérant un soupir de lassitude.

— Une longue journée nous attend demain ! rappela-t-elle.

— Je vous conduirai en sécurité jusqu'à Londres. Vous avez ma parole.

— Julius... euh, puis-je vous appeler Julius ?

— S'il vous plaît, répondit-il en regardant la jeune femme avec une telle fougue qu'elle en perdit le fil de sa pensée.

— Euh... je vous remercie ! répliqua-t-elle en osant à peine lever les yeux vers lui. Oui, ce que je voulais vous dire, c'est que mon intention n'est pas de vous obliger à quoi que ce soit. Vous vous êtes déjà révélé un ami plus que secourable.

Il continua de l'observer, si bien qu'au bout d'un moment la proximité de leurs visages et le silence partagé devinrent troublants. Au moment où Jane s'apprêtait à rompre le charme à contrecœur, Sackville prit la parole :

— Un ami…, répéta-t-il. J'aime la façon dont vous prononcez ce mot. Merci.

— Je veux simplement éviter que vous vous sentiez contraint de nous aider encore, insista Jane en fronçant les sourcils et en haussant brièvement les épaules.

— Je peux vous assurer que ce n'est aucunement le cas, répliqua-t-il en se levant de table.

Jane ne s'y était pas attendue, mais elle fut encore plus surprise lorsqu'il lui prit la main et l'embrassa avec grâce. Pour la première fois de sa vie, Jane observa un très bel homme lui faisant un baisemain, même si, en réalité, il s'agissait de la main blanche et douce de Winifred que Sackville embrassait de ses lèvres sensuelles. Elle était à la fois actrice et spectatrice de ce qui arrivait. C'était en effet troublant et, pour tout dire, excitant.

Jane dut admettre à son corps défendant que Julius Sackville l'attirait au-delà de la simple amitié. Il s'apprêta à prendre congé pour la nuit, et Jane comprit que ce serait pour elle un déchirement de le laisser partir. D'un côté, elle le trouvait irrésistible et ne voulait pas qu'il s'en aille ; mais d'un autre côté, elle avait hâte qu'il se retire, sentant survenir une nouvelle complication qui ne ferait qu'aggraver une situation déjà suffisamment complexe.

— Bonsoir, Jane, salua-t-il d'un ton poli. J'espère que vous dormirez à poings fermés après cette journée mouvementée.

Elle fut électrisée par le petit regard entendu qu'il lui décocha et par l'importance qu'il conféra à son véritable prénom en le prononçant de sa voix grave.

—Bonsoir, balbutia-t-elle en évitant de croiser son regard.

—Nous partirons à l'aube.

—Merci. Nous serons prêtes, promit Jane en levant enfin les yeux vers lui, pour constater qu'il avait tourné la tête à l'approche de Cecilia.

Cette dernière sourit à son sauveur et salua sa maîtresse en inclinant la tête.

—Un bon bain chaud, une chaufferette et un grog avec du miel vous feront le plus grand bien, Win! Pendant ce temps, j'en profiterai pour recoudre vos boutons.

Jane se laissa conduire jusqu'à la chambre qu'elle partageait avec son amie; puis cette dernière la déshabilla. La jeune femme éprouva un immense soulagement à mesure que la servante retirait les multiples couches de tissu qui la compressaient. Mais le meilleur fut lorsqu'elle entra dans la baignoire de cuivre de l'auberge et se glissa dans l'eau chaude et moussante de son bain.

C'étaient la peur, le désarroi et le manque de repères qui lui faisaient éprouver des sentiments contradictoires, se rassura-t-elle en regrettant presque que le respectable Sackville ait rebroussé chemin pour les secourir, car il occupait à présent ses pensées, ce qui ne manquait pas de lui donner mauvaise conscience. Par exemple, pourquoi s'était-elle attardée sur son beau visage dépourvu des marques de variole si courantes à l'époque, y compris chez Cecilia? Pourquoi avait-elle été séduite par sa manière de tenir les rênes de son cheval dans ses mains gantées? Ses longs doigts aux ongles parfaitement manucurés étaient un régal pour les yeux. Justement, pourquoi s'ingéniait-elle à éviter son beau regard intelligent ? Était-ce pour mieux se délecter de sa bouche bien dessinée, avec sa petite cicatrice argentée à la commissure des lèvres ?

Comment se l'était-il faite ? De quoi sa femme était-elle morte ? Pour une raison obscure, il lui paraissait soudain important de le savoir.

Puis son esprit s'envola vers Will, et elle regretta de ne pas posséder de photo de son fiancé. Elle évoqua à grand-peine son visage souriant, son corps mince et musclé, son odeur, la douceur de sa peau, car il lui paraissait de plus en plus lointain, à l'inverse du beau Sackville.

Les yeux fermés, débordants de larmes, Jane pria pour que Will reste en vie et que Julius néglige de s'intéresser à elle le lendemain.

Chapitre 20

L'AUBERGE DU *CYGNE NOIR* OÙ ILS AVAIENT PASSÉ LA NUIT était une bâtisse à deux étages et deux pignons nantie d'une avancée qui donnait sur un marais. Cette ancienne demeure de négociant, avait expliqué la femme de l'aubergiste, était désormais un point de ralliement pour les diligences qui faisaient la navette entre York et Londres. Cecilia, de son côté, s'était laissé dire, par les employées qui avaient mis le tub et l'eau chaude à sa disposition, que la maison était hantée et qu'il ne fallait pas s'alarmer outre mesure si une paire de jambes descendait de temps à autre l'escalier.

Cela expliquait sans doute pourquoi Jane avait rêvé toute la nuit de bras flottant au-dessus d'Ayers Rock et emportant la tête décapitée du comte de Nithsdale. La jeune femme s'était réveillée en sursaut lorsque, au loin, un coq matinal s'était mis à chanter bien avant l'aube. À côté d'elle, Cecilia se tourna dans son sommeil en marmonnant que la diligence partait à 5 heures, non à 6, et que, par conséquent, elles devaient se lever prestement. Habillée en quatrième vitesse, Jane bâilla à s'en décrocher la mâchoire au-dessus d'un petit déjeuner qui ne lui faisait pas envie, même si cela faisait des jours qu'elle ne s'était pas sentie en meilleure forme. Le bain qu'elle avait pris la veille avait sans doute contribué à apaiser ses douleurs aux hanches. De plus, ses rêves bizarres mis à part, elle avait dormi profondément grâce au grog que Cecilia lui avait administré avant qu'elle se couche.

Une fois que ses quelques affaires furent hissées sur le toit de la diligence, Jane fit connaissance avec l'inconfort de l'un des moyens de transport en commun les plus anciens. Le véhicule contenait huit passagers en tout. Si, au moment de monter dedans, une bonne âme lui avait proposé d'échanger sa place contre un cheval, Jane aurait accepté sans hésiter. Il faut dire que l'homme qui était assis à l'angle opposé – un certain Mr Bailey – avait une haleine fétide qui emplissait l'habitacle et aurait nécessité de voyager fenêtres ouvertes malgré le froid. Bailey portait une perruque bouclée désuète dont la poudre surabondante dansait dans la lumière sous l'action de son souffle nauséabond. Mrs Bailey, quant à elle, ne cessait de se tracasser pour son mari et à propos de tout et de rien, au sujet du minuscule chien qui jappait sur ses genoux, de son sac de toile et de ses cheveux dont la coiffe était tout autant démodée que la mise de son cher et tendre. Comble de malheur, ce couple manifestait une curiosité insatiable envers les deux dames et leur chaperon, et Jane soupçonnait la Bailey d'être une commère.

Cecilia, qui était assise à côté de cette dernière, semblait plus douée que son amie dans l'art de parler pour ne rien dire. En conséquence, Jane feignit d'avoir la migraine et laissa les bavardes jacasser. Mr Bailey se donna beaucoup de mal pour entraîner Julius, qui était assis à sa droite, dans cette conversation insipide ; mais Sackville se montra peu liant, arguant à plusieurs reprises qu'il n'avait pas d'avis, et ce, quel que soit le sujet abordé : qu'il s'agisse du dédain affiché par le roi George pour la langue anglaise dans la conversation, de la question de savoir s'il fallait tolérer ses maîtresses (indélicatement surnommées l'Éléphant et la Girafe), ou encore des conséquences du désaccord qui opposait le roi et le prince de Galles, son héritier, sur l'avenir de la couronne.

Tout en se refusant à participer à la conversation, Jane était curieuse de savoir ce que ces gens pensaient de leur souverain. Sackville, pour sa part, tourna la tête pour regarder d'un air sombre, par la fenêtre, le paysage immaculé qui défilait trop lentement à son goût et à celui de Jane. Au bout de quelques heures, cette dernière fut rassurée à l'idée que leur intimité de la veille n'était que le produit de son imagination. Toutefois, son soulagement s'accompagna d'une pointe de regret qu'elle fit semblant de ne pas remarquer.

Deux autres passagers partageaient la diligence avec eux : Charles Leadbetter, un gentilhomme d'une cinquantaine d'années, et sa jeune nièce Eugénie, qui jouait avec une poupée à laquelle elle fredonnait des comptines. Son oncle, quant à lui, prisait du tabac, éternuait sans cesse, puis retournait à la lecture d'un livre à la reliure désossée. Jane se demanda comment il faisait pour arriver à lire malgré les cahots constants de la diligence.

L'odeur qui régnait dans l'habitacle devint rapidement insupportable à mesure que se mêlait à l'haleine de Mr Bailey, à la puanteur de ses vêtements douteux et de sa personne négligée, aux relents de poudre à perruque et aux effluves de cuir, le parfum acidulé de sa femme.

Au bout de quelques heures de confinement dans la même position, Jane ressentit une crampe dans une jambe. Pour couronner le tout, ses mâchoires s'entrechoquaient sous les saccades causées par les nombreux nids-de-poule qui jalonnaient cette célèbre portion de route qui reliait le nord-est du pays à la capitale, et où s'ébranlait le véhicule aux roues de bois dépourvues de suspension.

Lorsque Jane en eut assez de contempler la blanche campagne qui n'en finissait pas de s'étirer à la fenêtre, elle promena son regard alentour. Tous ses compagnons de voyage, le chien de Mrs Bailey y compris, s'étaient assoupis. Au-dessus de sa tête, le cocher faisait claquer son fouet en lançant de temps à autre de sourdes imprécations à ses chevaux pour les encourager à traverser les amas formés par la neige. Seuls les ronflements de Mr Bailey troublaient ce relatif silence à la faveur duquel Jane, à défaut de pouvoir dormir, en profita pour observer à la dérobée celui qui hantait ses pensées.

Julius était beau sans pour autant paraître efféminé. Il avait un corps aux proportions parfaites, depuis la longueur de ses jambes, jusqu'à la carrure de ses épaules recouvertes d'une redingote. À l'instar des jours précédents, il ne portait aucune fioriture : ni bijoux, ni perruque, ni jabot, et seul un étroit ruban noir retenait ses cheveux en arrière. Jane se souvint que William, le mari de Winifred, détestait également les perruques. Quant à Julius, il ne semblait pas se soucier de la mode. Son chapeau reposait sur ses genoux, entre ces mêmes mains délicates dont Jane pouvait encore sentir la chaleur et la force sur le cuir de ses bottes.

Cette pensée raviva le désir enfoui de la jeune femme, et celle-ci, d'un mouvement rapide, leva les yeux vers le visage de Sackville. Contemplant ses longs cils noirs, elle songea au regard attendrissant qui se cachait sous ses paupières closes. Se souvenant de leur conversation de la veille et de la manière poignante dont il avait évoqué sa défunte épouse, Jane se prit à penser à cette dernière. Elle l'imagina venant d'une famille aristocratique et, à ce titre, douée, à l'instar de Winifred, dans tous les arts réservés aux femmes – bref, la compagne idéale pour un riche propriétaire terrien. Jane se la représenta blonde avec des bouclettes et des rubans de soie dans les cheveux, un teint de peau laiteux et de grands yeux ingénus, un petit rire à peine audible et un petit corps doux qui s'abandonnait sous la puissante virilité de…

— Dites, mon oncle, si des bandits de grand chemin nous attaquaient, croyez-vous qu'ils prendraient ma poupée ? lâcha soudain la petite fille assise à la gauche de Jane, réveillant tout le monde.

Sackville rouvrit les yeux et les braqua directement sur Jane, mais celle-ci avait détourné les siens vers l'enfant juste à temps pour ne pas être prise en flagrant délit.

Malgré cela, elle ne pouvait s'empêcher de penser qu'il lisait comme dans un livre ouvert en elle et qu'il savait pourquoi elle rougissait. Mais à quoi bon s'illusionner ? *Nous appartenons à des époques différentes !* se rassura-t-elle en s'efforçant d'apaiser sa mauvaise conscience.

Visiblement effrayé par la question inopinée de sa nièce, l'oncle de la petite dissimula sa peur en inhalant une pincée de tabac à priser. L'arôme de la poudre emplit agréablement l'habitacle, même si le tonnerre d'éternuements qui suivit fut moins plaisant.

—Euh… bien sûr que non, ma chérie, répondit l'oncle en s'essuyant le nez à l'aide d'un gigantesque mouchoir. Ne pense pas à ces choses, ma jolie.

Mr Bailey émergea à son tour de sa torpeur et redressa son énorme perruque en émettant un grognement dédaigneux.

—Les cochers sont armés de fusils, enfin! gronda-t-il.

—Les bandits n'ont pas l'habitude d'attaquer les diligences qui vont vers le sud. Les plus organisés d'entre eux se déplacent rapidement à cheval, généralement par groupes de deux, et ils préfèrent détrousser les voyageurs malchanceux qui reviennent de la capitale les poches pleines.

Depuis quatre heures qu'ils cahotaient sur la route, c'était la première fois que Julius Sackville prenait la parole. Son attention ne s'attarda pas sur ses compagnons de voyage, il ne fit qu'effleurer Jane du regard.

—Ce tabac sent très bon, fit remarquer Cecilia avec son aisance coutumière, dans le but de changer de sujet.

—C'est de l'espagnol. Le meilleur! répliqua l'oncle en remisant la petite boîte en métal dans la poche de son gilet.

—Il est parfumé à la cannelle, pensa Jane à voix haute au terme de sa réflexion sur la nature de l'odeur qui embaumait l'habitacle.

—Oui, c'est exact, Mrs Granger. Bravo! C'est une maison de Séville qui me l'envoie.

—Personnellement, je préfère le tabac allemand, intervint Bailey. Et vous, monsieur? s'enquit-il en donnant à Sackville un coup de coude dans les côtes. Si vous défendiez ces fourbes de Français, nous pourrions faire passer le temps en débattant des mérites de chaque tabac. Alors?

—Je ne prends pas de tabac à priser, Mr Bailey. Cela gâte l'odorat… mais peut-être ne l'avez-vous pas encore remarqué…, insinua Julius d'un air innocent, même s'il aurait fallu être stupide pour ne pas comprendre l'allusion.

Sackville jeta un coup d'œil à Jane qui se retint de rire.

Pauvre Julius, l'odeur du vieux Bailey doit être intolérable si près!

Heure après heure, ornière après ornière, les deux journées suivantes se déroulèrent sur le même mode pour les voyageurs. Le soir venu, ils dormaient dans les lits pleins de bosses des relais de poste et mangeaient la nourriture grumeleuse qui était au menu. Soucieuses de limiter leurs dépenses, Jane et Cecilia continuèrent de partager la même chambre. Le deuxième soir, Jane, qui n'arrivait pas à trouver le sommeil à cause de ses gargouillements d'estomac – elle avait refusé de manger du porc graisseux servi au dîner –, enfila son manteau par-dessus sa chemise de nuit, sortit sur la pointe des pieds et se faufila jusqu'à l'office dans l'espoir d'y glaner un quignon de pain ou, avec un peu de chance, un ou deux morceaux de fromage ranci.

Jane fut effectivement chanceuse et trouva son bonheur dans la cuisine étonnamment silencieuse. Personne ne remarquerait qu'une tranche de fromage avait disparu. Puis elle gagna en toute hâte la grande salle à manger où rougeoyaient encore les braises de la flambée du soir dans l'attente qu'une âme charitable les ravive en déposant une bûche sur leur tapis ardent. La jeune femme s'accroupit le plus près possible du foyer et souffla sur les tisons en train de mourir. Malheureusement, le feu ne repartit pas. Elle engloutit son pain et son fromage et s'éloigna à contrecœur de l'âtre.

Jane s'apprêtait à remonter dans le froid lorsqu'elle aperçut une silhouette se mouvant dans l'ombre. Manquant de s'étouffer, elle trébucha en se cognant le gros orteil avant de recouvrer l'équilibre malgré une douleur insupportable.

—Julius! s'exclama-t-elle en reconnaissant son sauveur. Que faites-vous dans le noir?

—La même chose que vous, Miss Granger, je me tiens près du feu. Si je m'étais annoncé, je vous aurais sûrement effrayée, et cela aurait été dommage. J'ai donc préféré attendre que vous remontiez pour me signaler.

Sa carrure était impressionnante dans la demi-obscurité. Hormis sa redingote qu'il avait quittée, il avait gardé ses habits de voyage, mais sa chemise était ouverte sur son torse. Jane sentit le rouge lui monter aux joues et se félicita de la pénombre qui régnait dans la pièce.

—Une fois de plus, me voilà contraint de vous prier de m'excuser, ajouta-t-il.

Jane se racla la gorge.

—Vous m'avez fait peur! J'ai l'impression que toutes les auberges où nous nous arrêtons sont infestées de fantômes.

Jane devina que cette remarque l'avait fait sourire.

—Vous n'arriviez pas à dormir? s'enquit-il.

—Non, soupira Jane, il semblerait que le sommeil me fuie.

Il se pencha dans le faible halo des braises, et Jane put constater qu'il avait détaché ses cheveux, lesquels lui arrivaient presque aux épaules.

—J'ai aussi toujours du mal à dormir, confia-t-il.

—Ce ne fut pas mon impression, hier, dans la diligence, fit-elle remarquer sèchement dans l'intention de se retirer à l'étage.

—Vraiment? C'est sans doute parce que je jouais la comédie, répliqua-t-il en lui lançant un regard attendrissant. Et à quoi avez-vous pensé, Jane, en me regardant faire semblant de dormir?

—Je… euh… je ne vous ai pas regardé. J'ai simplement remarqué que vous somnoliez, et j'étais contente pour vous.

—Pourquoi?

—Parce que j'aurais aimé pouvoir, moi aussi, m'isoler du bruit et des odeurs des autres voyageurs.

—Il suffisait de fermer les yeux et de feindre le sommeil.

—Il faut croire que je suis moins douée que vous.

Il n'argumenta pas, mais considéra la jeune femme avec espièglerie.

Tu as encore trop parlé! Pourquoi ne se taisait-elle pas comme tout le monde, lorsqu'elle se sentait poussée dans ses retranchements?

—En fait, je pensais à votre femme, poursuivit-elle en regrettant aussitôt ses paroles, car cela revenait à ouvrir la boîte de Pandore.

—Ma femme? répéta Sackville d'un ton égal. Mais comment pouvez-vous penser à quelqu'un que vous ne connaissez pas?

Jane esquissa un sourire gêné et tenta de se tirer d'affaire par une pirouette acceptable.

—J'ai tout simplement essayé de l'imaginer, dit-elle.

—Et comment la voyez-vous?

Jane haussa les épaules et serra son manteau contre elle avant de jeter un coup d'œil vers la porte afin de signifier poliment à son interlocuteur qu'elle ne tarderait pas à prendre congé.

—Hum… eh bien, voyons, je l'imagine sculpturale, musicienne jusqu'au bout des doigts, très bonne danseuse, douée pour les travaux d'aiguilles, et ravissante, bien sûr, avec un teint de porcelaine. Je l'imagine avec des boucles d'or et des yeux bleu saphir.

Si avec ça son ego n'est pas satisfait! songea Jane.

— Vous n'y êtes pas du tout! lança-t-il. Vous l'imaginez sous les traits de la femme parfaite telle que la société la conçoit. Cet idéal n'est pas le mien, et je suis rarement attiré par ce genre de femme. Non, mon épouse n'était pas «sculpturale». C'était un petit bout de femme aux cheveux noir corbeau et aux yeux semblables à des galets mouillés par la mer, qui oscillaient du noir profond au gris souris. Elle était originaire de Venise et avait, pour ainsi dire, la peau mate. Mais vous avez raison: elle était belle, en tout cas à mes yeux. D'une beauté étrange, mystérieuse… voire redoutable parfois.

Soulignant d'un geste de la tête l'intensité d'un souvenir mémorable, il ajouta un ton plus bas:

— Quant à son caractère… Elle n'avait pas du tout été façonnée pour se conformer au moule de la société anglaise. Elle s'en moquait bien, d'ailleurs. Les travaux d'aiguilles et le pinceau lui étaient étrangers, et ses interprétations musicales n'avaient rien de remarquable. À Venise, sa famille ne vivait pas dans un palais. En revanche, c'est elle qui me servit d'interprète lors de mon grand voyage en Europe. Elle parlait plusieurs langues couramment; mais ce que je préférais, c'était quand elle me susurrait des mots doux en italien après l'amour.

Jane, qui ne s'était pas attendue à recevoir d'aussi intimes confidences, devint cramoisie, et même un peu jalouse.

— Elle me faisait rire! Ce que peu de gens parviennent à accomplir. Mais elle savait également m'arracher des larmes.

Je n'ai plus ri ni pleuré depuis sa mort, car elle seule savait m'emmener dans ces extrêmes. Elle a emporté mes rires et mes larmes avec elle dans sa tombe.

Jane avait retenu son souffle pendant tout le temps qu'avait duré cette ardente confession.

Ils se toisèrent, et la jeune femme, sous l'emprise du regard de Julius Sackville, perdit pendant un instant tous ses moyens. C'était couru d'avance… Elle l'avait vu venir. Elle aurait dû se tenir à distance, ou au moins tenter quelque chose pour rompre le charme. Mais elle n'en fit rien. Au contraire, elle leva la tête pour recevoir le baiser qu'il déposait tendrement sur ses lèvres. D'abord doux et apaisant, ce baiser lui procura un sentiment de sécurité, jusqu'à ce que Sackville se fasse plus pressant. Jane aurait voulu rester de marbre, mais la passion l'emporta, constellant le ciel de ses prunelles d'un scintillement d'étoiles. C'était la première fois qu'un simple baiser lui faisait cet effet-là. Était-ce cela que signifiait l'expression « avoir des étoiles dans les yeux » ?

Mais soudain, Julius interrompit leur baiser, et Jane ressentit cette séparation comme une douleur.

— Le ciel me pardonne ! s'excusa-t-il d'une voix gutturale en se ressaisissant, bien décidé à ne plus se laisser aller à l'expression de ses sentiments. C'était indécent de ma part.

— Moi, j'ai trouvé cela plutôt réconfortant…, répliqua Jane, non sans malice, afin d'apaiser les remords de Sackville et de dissimuler les siens.

Il se détendit quelque peu et recula en soupirant.

— Il faut croire que je suis fort déstabilisé pour profiter ainsi de votre vulnérabilité.

Tout ça pour un simple baiser qui n'avait duré que quelques secondes! Jane avait connu pire, ne serait-ce qu'en boîte de nuit lors des soirées de nouvel an, quand le premier venu se croyait autorisé à tripoter les filles en leur faisant des bises baveuses sur la bouche sous prétexte que les douze coups de minuit avaient retenti!

—Je… je regrette que ce soit si pénible pour vous, balbutia-t-elle en faisant semblant de ne pas entendre la voix de Winifred qui s'indignait de cet acte réservé à deux époux.

—De quoi parlez-vous? s'enquit Julius d'un air perplexe.

—Du souvenir de votre femme, répondit Jane.

—Détrompez-vous, la douleur attachée à son souvenir ne me rend pas malheureux, expliqua-t-il d'un ton grave. Elle me rappelle que je suis vivant… car parfois, j'en doute.

—Je connais ce sentiment, confia Jane.

—Comment est-ce possible? s'enquit-il en fronçant les sourcils.

—En ce moment même, assura-t-elle, je ne sais plus où j'en suis, j'ai peur et je me sens pleine…

«… d'adrénaline!» faillit-elle dire, mais elle se souvint à temps que ce mot n'aurait aucune signification pour Julius et qu'il écorcherait sûrement la bouche de Winifred.

—Je suis pleine de révolte contre ce qui arrive à mon mari.

—À juste titre! confirma Sackville. Mon meilleur ami connaît le même sort. Toutefois, un gentilhomme qui prend les armes et lève son étendard contre le chef d'État ne sait-il pas qu'il met sa vie en jeu, que ce soit sur le champ de bataille ou, plus tard, devant ses juges?

Jane ne trouva rien à répondre. Sackville avait raison. Cependant, Winifred, qui n'avait pas apprécié que Jane la transforme en une femme infidèle, était furieuse.

La jeune femme inspira une grande goulée d'air et, prenant la comtesse de vitesse, poursuivit :

— Vous avez raison, Julius, naturellement ! Mais cela ne m'empêche pas d'être prête à tout pour le sauver. Si j'en juge par les confidences que vous m'avez faites, je ne doute pas que vous compreniez mon attitude.

— À quoi sert de vous précipiter ainsi à Londres, sinon à mettre votre vie en péril ? s'enquit-il en lui agrippant soudain le bras. Pensez-vous vraiment que le roi, ou même le Parlement, écoutera une femme ?

— Si je crois que l'on écoutera une femme ? répéta Jane en couvant la main de Julius du regard.

Après un silence elle leva les yeux et ajouta en murmurant :

— Il n'est rien qu'un homme fasse qu'une femme ne puisse accomplir !

Julius Sackville n'avait jamais rien entendu de semblable. Ébahi, il desserra son emprise et laissa échapper un gémissement inquiet.

— Votre amour est assurément à toute épreuve, madame. Encore une fois, je vous demande d'excuser mon comportement.

— N'en parlons plus.

Debout à l'autre extrémité du manteau de la cheminée, Sackville contempla la jeune femme comme une vision d'un autre monde. Un gouffre infini les séparait à présent.

— Parviendrons-nous à faire comme si rien n'était arrivé ? s'enquit-il.

Jane se demanda s'il avait vraiment envie d'entendre la réponse, car un « oui » l'attristerait sans doute, tandis qu'un « non » l'irriterait sûrement.

— Nous pouvons toujours essayer, répondit-elle.

— Que projetez-vous de faire à Londres ?

— Tout ce qui pourra conduire à la libération de mon mari.

Sackville hocha la tête.

— Vous êtes une femme courageuse, Winifred Maxwell… et votre époux est le plus chanceux des hommes !

Détournant les yeux, il ajouta :

— Une fois encore je suis votre serviteur. Bonne nuit.

— Bonne nuit…, susurra Jane en le regardant s'éloigner avant de disparaître en haut de l'escalier.

Sa présence lui manquait déjà terriblement.

Chapitre 21

Jane ne se rendormit pas, mais compta les heures jusqu'à ce que les pépiements matinaux des oiseaux se fassent entendre derrière sa fenêtre. Elle s'habilla et descendit la première dans la salle à manger sombre et lambrissée. Un coup d'œil au menu du jour lui mit, une fois n'est pas coutume, l'eau à la bouche.

Sachant qu'un bon repas revigorerait provisoirement Winifred, Jane engloutit plusieurs petits pains recouverts d'une épaisse couche de beurre et des fruits en bocaux ; puis elle donna sa chance au chocolat chaud qui s'avéra mousseux et très savoureux, quoique légèrement grumeleux. La servante de l'auberge apporta le bol de sucre comme s'il contenait de l'or et ne permit pas à Jane de toucher au bloc en forme de cône qu'elle trancha elle-même avant d'en laisser tomber un morceau dans la tasse de la jeune femme.

Jane tua le temps en admirant les scènes de la vie rurale qui étaient accrochées au mur. On y contemplait des ouvriers agricoles labourant les champs ou édifiant des meules de foin. Une étude au crayon représentait des enfants pêchant dans une rivière, tandis que quelques autres représentaient des natures mortes. Dans la plupart de ces tableaux, la perspective était fausse, mais la vie simple qu'ils dépeignaient avait néanmoins quelque chose de rassurant pour Jane. On avait allumé les bougies pour éclairer la pièce encore plongée dans la pénombre d'une aube qui ne pointait qu'à peine dans un ciel peint à l'encre violette. Des gouttes de cire s'écoulaient le long des chandelles soumises aux déplacements d'air créés par les nouveaux arrivants venus prendre leur petit déjeuner.

Mrs Bailey entra dans la pièce à grands bruits en couvrant son chien de baisers et en exigeant une coupe de lait frais pour l'animal. Jane fit la grimace et ingurgita sa dernière gorgée de chocolat.

— Oh, bonjour Miss Granger. Avez-vous bien dormi ?

— Oui, je vous remercie, Mrs Bailey. Et vous-même ?

— Bah, je pourrais dormir n'importe où, ma chère, même si Mr Bailey s'ingénie à me réveiller avec ses ronflements incessants.

Jane ébaucha un demi-sourire. Elle s'apprêtait à prier Mrs Bailey de bien vouloir l'excuser, lorsque celle-ci la prit par le bras.

— Avez-vous vu lord Sackville, ce matin ? s'enquit la voyageuse.

— Euh… non, non, il ne me semble pas, balbutia Jane avec mauvaise conscience, même si elle ne mentait pas. Pourquoi ?

— Oh, pour rien d'important. Simplement, nous avons un fils qui essaie de se lancer dans le commerce, et nous avions pensé que Mr Sackville pourrait le conseiller, en tant qu'homme d'affaires florissant et propriétaire terrien. James – c'est notre fils – vit à Londres désormais, alors peut-être qu'une rencontre serait possible…

—Je vois…, répliqua Jane en esquissant un sourire d'encouragement, même si elle croyait peu aux chances de succès de Mrs Bailey.

—Cependant, il se montre si affreusement inamical que l'on ne sait pas comment l'aborder, surtout pour évoquer un tel sujet.

—En effet, il est parfois ombrageux, convint Jane par égard pour Mrs Bailey et dans le seul but de ne pas prendre congé en silence.

—Je suis contente de pouvoir vous parler en tête à tête, Miss Granger.

—Et peut-on savoir pourquoi? rétorqua cette dernière en posant de nouveau les yeux sur la voyageuse rondelette dont le postiche arborait des grumeaux de poudre blanche.

—*C'est à se demander ce qu'ils mettent sur leurs perruques!* songea Jane.

—*De l'amidon, évidemment, ou de la poudre de Chypre pour les nez fins!* lui souffla Winifred.

—*Je ne suis pas sûre que ce soit le cas de Mrs Bailey, car sa perruque me paraît bien défraîchie…,* nuança Jane.

—Ma foi, parce que vous semblez plutôt bien vous entendre avec lui, répondit Mrs Bailey.

—Je vous demande pardon? demanda Jane qui ne l'écoutait déjà plus.

—C'est que… vous semblez en très bons termes avec lord Sackville.

Jane comprit aussitôt où elle voulait en venir.

—Nous ne nous connaissons guère, Mrs Bailey, si ce n'est que la civilité mutuelle s'impose lorsque nous voyageons dans un espace aussi réduit.

Mrs Bailey secoua son index boudiné sous le nez de Jane.

—Vous êtes peut-être des étrangers, mais il a un faible pour vous, Miss Granger. J'ai bien vu comme il vous dévorait des yeux malgré son expression taciturne.

Jane fut abasourdie.

—Où allez-vous chercher tout ça ? s'indigna-t-elle. Je crains, Mrs Bailey, que vous ne vous égariez.

—Pas du tout ! Je connais assez la vie pour reconnaître un homme qui souhaite faire l'amour à une femme quand j'en vois un.

À ces mots, Jane commença à rassembler son écharpe et ses gants afin de mettre un terme à la conversation.

—C'est scandaleux, Mrs Bailey, rétorqua-t-elle en s'efforçant de rester polie.

Elle manqua de préciser qu'elle était mariée, mais se reprit à temps, car cela n'aurait fait que soulever des questions plus embarrassantes encore.

—Je suis promise à un gentilhomme que j'aime de tout mon cœur et je ne permettrais à aucun homme de me courtiser. Par ailleurs, quoi que vous ayez cru voir, je puis vous assurer que c'est une erreur. Lord Sackville s'est montré attentionné et courtois à mon égard, mais sans jamais outrepasser les limites de la bienséance qui m'est due. Il ne m'a fait aucune avance inconvenante…

—Mais non, ma chère, je n'ai pas dit qu'il l'avait fait ni qu'il le ferait, souffla Mrs Bailey, déstabilisée par l'accusation.

Haussant les épaules, elle ajouta :

—J'ignorais que vous étiez fiancée. C'est pourquoi je me suis dit qu'une femme dotée de vos charmes évidents ne pouvait manquer d'attirer les regards de l'un des célibataires les plus convoités du nord de l'Angleterre. Hélas, Julius Sackville est un glaçon, à l'égard du beau sexe, et je pèse mes mots. Si son amour pour sa défunte épouse n'était pas notoire, on pourrait le croire de la manchette.

Jane fit une moue indignée, car, en tant qu'historienne, elle n'était pas sans savoir que cette expression du XVIIIe siècle désignait les homosexuels masculins.

Mrs Bailey gloussa complaisamment.

— Naturellement, nous savons qu'il n'en est rien ! Il n'en a ni l'air ni les tenues soignées ! Entre nous, ma chère, il semble ne s'intéresser à personne, sauf à vous…

— Mrs Bailey, commença Jane d'un ton légèrement hautain, lord Sackville nous a rejointes, Miss Evans et moi-même, à Newcastle parce qu'il a eu pitié de deux femmes qui voyageaient sans protection en plein hiver. Il nous a simplement obtenu deux places dans cette diligence.

Puis, d'un ton plus modéré, elle ajouta :

— Je puis vous certifier que c'est là toute l'étendue de notre relation et de son intérêt pour moi.

C'était un mensonge bien tourné, compte tenu de l'intimité qu'ils avaient partagée quelques heures plus tôt. De plus, Jane savait pertinemment qu'il n'avait attendu qu'un seul geste de sa part pour lui déclarer sa flamme. La gorge serrée, elle se souvint de leur repentir mutuel et s'en félicita.

— Il s'est comporté envers moi en authentique gentleman, conclut-elle en écartant le souvenir du délicieux baiser qu'ils avaient à peine échangé, mais qui avait suffi à priver la jeune femme de sommeil.

—Sans doute, mais ne le trouvez-vous pas fascinant?

—Non, une seule chose me fascine : atteindre Londres et prendre mon poste, mentit Jane à bout d'arguments, avant de commencer à se lever de table. Maintenant si vous voulez bien m'ex...

—Vous savez, la plupart des gens croient qu'il a assassiné sa femme...

—Quoi ? s'exclama Jane en retombant, abasourdie, sur sa chaise.

Une lueur d'espièglerie dans le regard, Mrs Bailey secoua son triple menton et fit signe à la jeune femme de se taire en pressant l'index contre ses lèvres, car la servante lui apportait son petit déjeuner.

—Posez la soucoupe par terre pour Chester, ordonna-t-elle en pointant du doigt.

La servante lança un coup d'œil excédé à Jane, qui posa sur elle des yeux compatissants. Finalement, Chester obtint sa soucoupe de lait, car la soubrette était rompue aux excentricités des riches clients.

Lorsqu'elles furent de nouveau seules, Mrs Bailey entreprit de fourrer ses petits pains chauds de fromage et de marmelade. Elle buvait du café tout en déblatérant avec animation la bouche pleine. Jane, au risque de paraître impolie, baissa les yeux pour échapper au spectacle. La vieille dame prit cela pour un encouragement et continua ses commérages.

—A-ssa-ssi-né : comme je vous le dis ! poursuivit-elle à mi-voix.

—Je n'en crois rien, répliqua Jane.

—Et vous faites bien, car cela n'a jamais été prouvé, mais le bruit circule... Et comme on dit, il n'y a pas de fumée sans feu...

—C'est ce qu'on dit, oui, convint la jeune femme en fulminant intérieurement contre la commère qui colportait la rumeur.

—C'était une belle Italienne, à ce qu'on dit… Moi qui vous parle, je ne l'ai jamais vue, mais leur mariage a fait scandale à l'époque, car c'était une roturière sans aucune ascendance notable. Elle s'appelait Follina, comme la ville d'Italie. Ses ennemis disaient que ce nom lui allait comme un gant… à cause de sa maladie.

—« Sa maladie » ?

Mrs Bailey était aux anges. Quelqu'un s'intéressait enfin à ses ragots.

—Parfaitement, ma chère, sa maladie ! On la disait folle. C'était une affection contrariante qui frappait à l'improviste et déclenchait des épisodes pendant lesquels elle se comportait de manière irrationnelle. Les périodes de lucidité s'espacèrent de plus en plus jusqu'à ce qu'elle perde définitivement la raison.

—C'est affreux ! s'exclama Jane en se souvenant que Julius avait évoqué le tempérament de sa femme.

—On dit qu'il l'aimait à en mourir mais qu'il ne supportait plus ses « absences », comme il disait. Alors il l'aurait étouffée avec un coussin de soie pendant qu'elle dormait, dans un état d'hébétude causé par les drogues. Il l'aurait fait par amour. C'est si romantique…, soupira Mrs Bailey.

—Mais comme vous le reconnaissez vous-même, ce n'est rien de plus que des ragots, fit remarquer Jane sur un ton de défi, tandis que Mr Bailey, mal réveillé, faisait son apparition en bâillant et en grommelant.

—Excusez-moi, mais des préparatifs m'attendent, annonça la jeune femme, puis elle se hâta de quitter la table avant que Mrs Bailey ou son mari ne tentent de la retenir.

Elle rencontra Cecilia au pied de l'escalier.

—Vous êtes debout depuis longtemps? s'enquit cette dernière.

Jane esquissa un sourire forcé.

—Oui, j'avais suffisamment bien dormi, mentit-elle. J'étais même debout avant les oiseaux! Je vais surveiller le chargement des bagages.

Cecilia acquiesça.

—Avez-vous pris quelque chose? s'enquit-elle.

—Oui, et je vous conseille de vous dépêcher avant que les Bailey n'aient tout mangé, répondit Jane en plaisantant.

Lorsque cette dernière sortit dans la cour de l'auberge, il faisait encore noir comme à minuit, exception faite des lanternes à la lumière desquelles les cochers attelaient leurs chevaux piaffant et renâclant. De grandes colonnes de vapeur s'élevaient de leurs naseaux, tandis que les ordres des conducteurs de diligence étaient réverbérés par le pavé et les murs de pierre, rompant le silence matinal d'une journée qui s'annonçait froide.

—Bonjour, lança une voix familière.

Jane fit volte-face.

Julius se tenait derrière elle.

Elle hocha brièvement la tête malgré son envie de lui sauter au cou, avant de frapper le sol avec ses pieds pour faire diversion.

—Bonjour! Je me suis laissé dire ce matin par une personne bien informée que vous aviez assassiné votre femme, lança-t-elle avec légèreté en guise de test.

Sackville parut à peine surpris, mais, hélas, il ne sourit pas et contempla les portefaix qui commençaient à charger les bagages des passagers en les jetant sur le toit de la diligence.

— Oui, c'est une rumeur qui court, répliqua-t-il avec un profond soupir. J'aime assez le portrait redoutable que cela dresse de moi.

Leurs regards se croisèrent, et ils échangèrent enfin un sourire de conspirateurs. Jane savoura la complicité qui s'établit entre eux à cette occasion.

— Moi aussi, avoua-t-elle. Nous devrions arriver à Lincoln ce soir, est-ce bien cela ? s'enquit-elle en se mouchant dans le mouchoir d'Anne.

— C'est bien cela.

— Vous allez me manquer, lord Sackville, confia Jane à voix basse.

— Vous de même, Miss Granger, répliqua-t-il à brûle-pourpoint. Votre seule présence a rendu ce voyage tolérable.

Il l'avait appelée par son nom de famille au lieu de son prénom, ce que Jane regretta.

— Où logerez-vous à Londres ?

— À mon club, sur Chesterfield Street. Et vous ?

Jane se souvint du *Arts Club* où Will et elle n'étaient jamais arrivés.

— Chez une amie qui dirige une pension de famille.

— Où exactement ?

— Hum… Duke Street.

— Ah, oui…, répliqua-t-il d'un ton évasif en prenant conscience, autant que Jane, qu'ils n'échangeaient que de banales politesses.

Désignant la diligence d'un geste de la tête, il ajouta :

— Je crois qu'on n'attend plus que nous…

— Il semblerait…

— Mais sommes-nous prêts, Miss Granger ?

De crainte de paraître ridicule si elle trahissait son incertitude, Jane fit comme si elle n'avait pas saisi le double sens de ses paroles.

— Plus qu'une journée de voyage, et nous serons arrivés à bon port! rétorqua-t-elle.

Soudain, des voix résonnèrent dans la cour. Julius et Jane se séparèrent aussitôt. Cette dernière n'avait pas la moindre envie d'alimenter les ragots de Mrs Bailey en se laissant prendre en flagrant délit de messes basses. Quant à Sackville, il semblait être du même avis.

Une fois encore, les passagers s'entassèrent dans l'espace exigu de l'habitacle. Jane, qui préférait s'asseoir le plus loin possible de Sackville, trouva une place en face de Charles et Eugénie Leadbetter. À l'instar des jours précédents, l'oncle avait le nez plongé dans un livre, ce qui convenait parfaitement à la jeune femme. Cecilia, quant à elle, l'avait remplacée en face de Julius, à l'autre bout de la banquette. Cependant, la servante eut beau multiplier les sourires et les paroles engageantes, Sackville ne se laissa pas entraîner au-delà de quelques monosyllabes. Il se réfugia sans tarder dans sa position préférée, tantôt fermant les yeux, tantôt contemplant le paysage, le nez presque collé au carreau.

Cette configuration perdura durant l'essentiel du voyage. Même la petite fille somnola. Le désœuvrement s'empara de tous, et chacun se perdit dans ses propres rêveries, tandis que s'abattait sur tous un calme pesant que seul interrompait épisodiquement le ralentissement des chevaux lorsque la couche de neige devenait plus épaisse par endroits.

— Où sommes-nous exactement? s'enquit Mrs Bailey.

—Aux abords de Grantham, répondit Sackville.

C'était la première fois qu'il ouvrait la bouche depuis les civilités échangées avec Cecilia au moment du départ.

À ce moment-là, la diligence s'arrêta en faisant une violente embardée, semant la plus grande confusion parmi les passagers, les uns moulinant des bras, les autres s'accrochant à leur perruque désormais de travers, d'autres encore donnant un coup de pied dans les tibias de leur voisin, le tout agrémenté de cris et de récriminations.

Furibond, Julius ouvrit violemment la porte et sortit avant tout le monde.

—Que diable…, commença-t-il.

Il s'interrompit, et Jane vit ses épaules s'affaisser.

Aussitôt, tous les voyageurs l'imitèrent. Le cocher tenait son chapeau d'une main et se grattait la joue de l'autre. Son second, qui faisait office de postillon, avait reçu une mauvaise blessure que deux autres passagers voyageant à l'extérieur s'efforçaient de soulager.

Les bottes de Jane s'enfoncèrent d'une trentaine de centimètres dans la neige gelée. La diligence avait versé dans le fossé, et certains prétendaient, en parlant dans leur barbe, avoir entendu quelque chose se rompre sous le châssis et qu'il était urgent de dételer pour évaluer toute l'étendue des dégâts.

—Il semble à peine sorti de l'enfance, fit remarquer Jane en désignant le postillon des yeux. Quel âge a-t-il ?

—John Bellow est en apprentissage ! répondit le cocher en haussant les épaules. Il aura quinze ans l'été prochain. C'est vrai qu'il est un peu petit pour son âge, mais c'est une bonne chose. Il a de la chance d'être léger !

Poussant un soupir, il ajouta :

— Quand le cheval a rué, il a été éjecté et s'est sûrement cassé la jambe en tombant. Les fessières du harnais sont rompues. On ne peut donc pas s'en servir pour attacher le cheval à l'arrière. En plus, il est trop effrayé pour l'instant.

— Que peut-on faire ? s'enquit Leadbetter par-dessus la tête du postillon qui pleurnichait en faisant la grimace.

— Ma foi, il semble évident que ce petit a besoin de soins, répondit Sackville en prenant la direction des opérations. Cocher, ordonna-t-il, occupez-vous de libérer les chevaux et de les attacher. Bailey, Leadbetter et vous deux, ajouta-t-il en désignant les deux passagers anonymes dont les lèvres étaient bleuies par le froid malgré leurs écharpes, vous commencerez à creuser pour dégager la diligence.

— Quoi ? s'esclaffa Bailey. Nous ?

— Vous avez le choix entre creuser ou mourir de froid, rétorqua Sackville d'un ton austère. L'une d'entre vous saurait-elle remettre un os en place ? s'enquit-il en se tournant, plein d'espoir, vers Jane et Cecilia, tandis que le jeune garçon gémissait de douleur.

Toutes deux secouèrent la tête en même temps.

— Mais je peux fabriquer une attelle, proposa Cecilia. Je l'ai vu faire.

Julius acquiesça tandis que la servante accourait auprès du postillon. Puis il se mordit la lèvre et ajouta :

— Le froid le tuera si sa fracture ne le fait pas… Il est déjà au bord de l'évanouissement. Mr Bailey, demandez à votre brave épouse de déboucher la flasque de brandy qu'elle transporte dans son sac et soulagez ce garçon.

—Sommes-nous encore loin de Grantham ? s'enquit Jane pendant que Bailey obtempérait.

Sackville lui lança un regard noir comme si elle était responsable de l'accident, puis il prit une lente inspiration et considéra l'horizon, faisant mine de calculer la distance. Jane se demanda comment cela était possible dans ce paysage rendu uniforme et plat par la neige.

—Cocher, Grantham est environ à six miles d'ici, c'est bien cela ?

Le cocher hocha la tête.

—Ouais, peut-être bien sept même, et droit devant !

Tous les voyageurs se rassemblèrent autour de Sackville qu'ils semblaient heureux de voir prendre la direction des opérations. Cecilia avait posé plusieurs attelles au jeune Bellow.

—Je vais porter le blessé jusqu'à Grantham, déclara Sackville. Les chevaux sont trop effrayés et risquent de nous attirer plus d'ennuis encore. Je connais un peu la route. Il est léger. Je le porterai sur mon dos. Mais au cas où il m'arriverait quelque chose en chemin, j'ai besoin que l'un d'entre vous m'accompagne pour rester auprès du petit ou aller chercher des secours.

Tous se regardèrent, mais personne ne semblait pressé de quitter la relative sécurité du troupeau pour se porter volontaire.

—Je vous accompagne, annonça Jane.

—Non ! s'interposa Cecilia. C'est trop risqué !

—Tout autant que de rester ici sans rien faire. Si lord Sackville n'atteint pas la ville, alors personne ne viendra nous chercher. Son plan est excellent. Cela laisse au moins une chance à l'un d'entre nous d'arriver à Grantham pour alerter les secours et trouver un docteur pour John. Restez, Cecilia, je vous en prie.

Veillez sur la nièce de Mr Leadbetter et rassurez Mrs Bailey, ajouta-t-elle sur les instances muettes de Winifred. Votre bon sens et votre sang-froid seront utiles ici. Nous ne serons absents que quelques heures. Nous nous retrouverons à l'auberge.

Cecilia voulut protester, mais Julius l'en dissuada.

— Ce garçon va mourir de froid si nous restons là à discuter, insista-t-il. Nous partons. Miss Evans, puis-je compter sur vous pour que les vivres que nous a remis la femme de l'aubergiste avant notre départ soient équitablement répartis ?

Contrainte et forcée, Cecilia hocha la tête, puis elle jeta un regard inquiet à son amie.

— Vous en sentez-vous la force ? s'enquit-elle.

— Oui, parce que c'est utile et nécessaire, répondit Jane.

— Dois-je comprendre que nous exigeons trop de vous, Miss Granger ? s'enquit Sackville.

Il n'échappa pas à Jane qu'il s'était retenu de l'appeler par son prénom.

— Non, puisque c'est moi qui me suis proposée.

Une lueur féroce traversa le regard de Julius Sackville, et Jane comprit que celui-ci l'admirait pour son courage.

— Voilà qui s'appelle être courageuse, Miss Granger ! s'exclama-t-il avec fierté.

Chapitre 22

Jane et Julius s'éloignèrent en progressant péniblement dans la neige. De loin, Sackville ressemblait à quelque
titan portant le petit postillon sur son dos. Cecilia avait fait de son
mieux pour panser la jambe brisée de l'enfant qui, pour l'heure,
sommeillait à cause de l'alcool qu'on lui avait administré.

La servante avait également glissé une petite flasque en
argent dans la poche de Jane.

—Ma réserve personnelle…, avait susurré Cecilia lorsque
son amie l'avait dévisagée d'un air surpris. Vous allez en avoir
besoin.

Reprenant un ton normal, elle avait ajouté :

—Voici quelques victuailles que j'ai pu grappiller pour la
route.

Jane regarda par-dessus son épaule et leva la main en signe
de salut. L'assemblée des voyageurs la salua en retour. Quant à
Sackville, c'était à peine s'il leur avait dit au revoir.

—Est-il lourd ? s'enquit-elle.

Sackville secoua la tête.

—Il pèse le poids d'un enfant. Mais même un enfant devient lourd à la longue.

—Nous réussirons !

—Je reconnais bien là votre courage, Jane.

—J'ai pensé que cela vous ferait plaisir que je vous accompagne, répliqua cette dernière en haussant les épaules.

Sackville parut soudain s'émouvoir.

—Pour rien au monde je ne voudrais vous mettre en danger. J'espère que vous ne vous y êtes pas sentie obligée, insista-t-il.

—Bien sûr que non. Je ne me sens jamais contrainte de faire quoi que ce soit.

—Je tâcherai de m'en souvenir, rétorqua-t-il sèchement.

Jane se demanda si c'était une promesse ou une menace. Ce qui ne l'empêcha pas de tressaillir d'excitation, comme chaque fois qu'elle était seule avec lui.

—Parlez-moi de votre mari, suggéra ce dernier afin d'aborder un sujet moins compromettant.

—Si cela peut vous aider à tuer le temps…

—C'est le cas, confirma-t-il en regardant la jeune femme.

Ses yeux, qu'une lueur d'espièglerie avait brièvement éclairés, redevinrent graves.

Le postillon laissa échapper un gémissement.

—Qui plus est, le son de votre voix apaisera notre petit malade, insista Sackville.

Jane puisa dans les souvenirs de Winifred et narra la mésaventure de William Maxwell.

—… me demandant d'apporter de l'argent pour payer un avocat. Et c'est ainsi que j'ai entrepris ce voyage.

—Un périple qu'aucune femme ne devrait effectuer, grommela Julius. C'est de la folie ! Il n'aurait jamais dû vous le demander. Ce temps est désespérant.

—Il est mon époux. Tout ce que je risque, c'est de prendre froid, tandis qu'il risque la décapitation !

De rage, il détourna les yeux ; et le couple poursuivit en silence sa marche malaisée à travers les friches givrées. D'après les estimations de Jane, ils restèrent dix bonnes minutes sans savoir quoi dire. Seuls les faibles gémissements du jeune Bellow et, de temps en temps, le cri d'un corbeau, venaient troubler leur contemplation de ces espaces désolés qui scintillaient à l'infini.

Très vite, Jane ne supporta plus, ni le crissement de la neige sous ses pas ni son éclat qui blessait les yeux. On ne comptait plus les poèmes qui célébraient la neige, mais en réalité, celle-ci n'avait rien de romantique, ni même de vaguement plaisant, surtout quand il s'agissait d'en piétiner laborieusement des mètres cubes en se brûlant les poumons dans l'air glacial d'une plaine figée par le gel.

Pourtant, lorsque Jane était enfant, elle avait toujours accueilli la neige comme un petit miracle qui offrait un terrain de jeux pour construire ses bonhommes de neige et se lancer dans les parties de boules de neige qu'elle faisait avec ses amis, mais qui surtout annonçait Noël. Cela se passait dans un autre monde, où l'on se déplaçait sur des routes planes dans des voitures chauffées, où la radio diffusait un bulletin météo toutes les heures et où personne ne sortait les jours de grand vent. Lorsque, d'aventure, quelqu'un se cassait la jambe dans un milieu hostile, un hélicoptère transportait le malchanceux à l'hôpital en quelques minutes. Le monde de Winifred était tout autre.

C'était un monde où une jambe brisée pouvait signifier la mort d'un individu.

Jane comprit rapidement qu'elle ne devait pas s'arrêter de marcher sous peine de ne plus pouvoir repartir. Elle continua donc d'enfoncer jusqu'aux mollets ses jambes gourdes dans la neige. Soudain, elle glissa, mais recouvra rapidement l'équilibre.

— Ça va ? s'enquit lord Sackville, rompant ainsi le silence.

— Oui. Le bout de ma botte a heurté quelque chose.

— Je regrette la façon dont je vous ai parlé tout à l'heure. Vraiment, vous et Miss Evans êtes les femmes les plus courageuses que j'aie jamais rencontrées sur ce trajet, surtout au plus froid d'un hiver aussi redoutable. Si vous étiez mon épouse, je serais extrêmement fier de vous.

Jane manqua de s'étrangler.

— Je vous remercie, mais je dois le sauver… Je n'ai pas le choix.

— Vous autorisera-t-on seulement à le voir ?

— Je n'en sais rien. Mais il ne faut jamais sous-estimer les ruses dont est capable une femme.

Julius posa les yeux sur Jane, qui lui sourit malgré le froid. Elle respirait avec difficulté, et elle put constater qu'au bout de deux heures de marche son compagnon commençait également à avoir le souffle rauque. Ils s'étaient arrêtés sans même s'en apercevoir et se regardèrent en haletant. L'enfant s'agitait et pleurait de douleur sur le dos de son porteur.

— Un peu en contrebas, j'ai aperçu une cabane de bûcheron abandonnée en haut d'un sentier, juste après ce virage, expliqua Julius. Nous pourrions nous y arrêter le temps de nous réchauffer et de nous reposer, et peut-être pourrons-nous boire une ou deux gorgées de ce brandy que Miss Evans a glissé dans votre poche…, suggéra-t-il d'un ton malicieux.

Jane joua l'offensée, puis, ne résistant plus, elle le gratifia de son plus beau sourire.

— Oh oui ! s'exclama-t-elle. Un peu de repos serait merveilleux ! Julius acquiesça.

— Suivez-moi ! ordonna-t-il.

Hélas, la cabane était plus éloignée qu'il ne l'avait cru, et il leur fallut une bonne demi-heure, selon les estimations de Jane, pour l'atteindre ; c'est donc à bout de souffle et vacillants qu'ils en franchirent le seuil.

Julius referma la porte avec le pied, mais le vent continua de s'engouffrer entre les lattes de bois brisées. Jane s'en moquait, car selon elle, la température de leur abri était quasiment tropicale en comparaison du vent glacial qui soufflait à l'extérieur. Ils étendirent le petit postillon avec précaution sur le sol de terre battue et resserrèrent ses attelles malgré ses hurlements de protestation qui achevèrent de l'épuiser.

Jane lui caressa le front. Il avait de la fièvre. Elle remit ses gants et sortit la flasque de brandy de sa poche. Elle en but deux gouttes puis tendit le flacon à Julius.

— Tenez, réchauffez-vous. Elle est pleine. Mais laissez-en pour John. Mieux vaut pour lui qu'il dorme.

— D'accord ! répliqua-t-il en étirant ses bras engourdis par des heures d'effort en restant dans la même position. Fichtre que c'est incommode !

À ces mots, Jane pouffa.

— Serait-ce de moi que vous riez ? s'enquit-il en lui prenant la flasque des mains.

— Non, au contraire, j'adore votre façon de vous exprimer. C'est juste que «fichtre» me paraît faible pour exprimer la douleur. En fait je connais un mot qui ferait très bien l'affaire!

Sackville parut perplexe, puis il ouvrit de grands yeux.

— J'ose espérer qu'une dame de votre rang ne sera jamais confrontée à ce mot!

— Bah, ne soyez pas si collet monté, rétorqua-t-elle. Buvez!

Il obéit et but trois petites gorgées.

— Encore une! ordonna Jane.

Julius secoua la tête.

— J'ai besoin de garder les idées claires. Donnez-la au petit. Qu'il s'endorme!

Jane fit couler l'alcool goutte à goutte dans la bouche de l'enfant. Malgré la douleur qui l'accablait, il but goulûment. La jeune femme lui susurra des paroles réconfortantes jusqu'à ce qu'il renverse la tête en arrière. Il bredouilla quelques mots incompréhensibles puis sombra dans le sommeil.

— Bien! s'exclama Julius.

— De combien de temps disposons-nous pour nous reposer? s'enquit Jane.

Sackville tira sa montre à gousset, en souleva le couvercle d'une chiquenaude et soupira.

— Quoi que je dise, vous trouverez cela trop court. Je surveillerai l'heure. Voulez-vous dormir un peu?

Jane fut parcourue d'un frisson. Depuis qu'ils avaient interrompu leur marche furieuse, son corps ne cessait de protester contre le traitement qu'on lui infligeait.

— Je n'ose pas.

Julius alla se placer à côté de Jane, au chevet de leur protégé, et lui tendit la main.

— Vous tremblez, fit-il remarquer.

— C'est le froid, affirma-t-elle en lui prenant la main.

— Si vous ne jugez pas cela déplacé, me permettez-vous de vous réchauffer ?

À cause de la fatigue nerveuse, Jane ne put s'empêcher de glousser.

— Vous vous moquez encore de moi ! s'exclama Sackville d'un air perplexe en aidant la jeune femme à se relever.

— Pardonnez-moi, s'excusa cette dernière en songeant que de toutes les stratégies de drague qu'elle connaissait, celle-ci était certainement la meilleure.

Julius ouvrit son grand manteau et enveloppa Jane à l'intérieur en la serrant contre lui. Sans s'en rendre compte, Jane passa les bras de Winifred autour de son large torse. Ils restèrent ainsi silencieux, immobiles... dans la chaleur l'un de l'autre, avec une conscience aiguë de leurs gestes, ce qui finit par les gêner. Pourtant, pour rien au monde – ni dans celui-ci, ni dans l'autre – Jane n'aurait souhaité être ailleurs que dans les bras de lord Sackville.

— Vous sentez bon..., fit-il remarquer en laissant échapper un léger soupir. Quel est ce parfum ?

— Il s'appelle *Cendres de violettes*, répondit Jane. Il m'a été offert en France sous forme de deux minuscules ampoules par la reine Marie Béatrice. Elle l'avait fait préparer à mon intention lorsque je suis devenue orpheline. Ma mère avait une prédilection pour ces fleurs, voyez-vous, et la reine, qui adorait ma mère, a pensé que ce parfum me la rappellerait.

—Quel âge aviez-vous?

—J'avais dix-neuf ans lorsque maman est morte. Je ne connaissais pas encore William.

—J'aurais aimé vous connaître à cette époque.

—Je me demande ce que Mrs Bailey penserait d'une telle déclaration…, lança Jane afin de détendre un peu l'atmosphère de plus en plus pesante de la cabane.

La joue appuyée contre la poitrine de Sackville, Jane s'exprimait sans gêne, car elle n'était pas obligée de croiser son regard entendu.

—Je doute qu'elle y voie la preuve de notre innocence! répliqua ce dernier.

—Julius…

—Oui?

—Croyez-vous au destin?

—Bien sûr!

Il se poussa de côté pour la regarder plus à son aise, mais ne trouva rien à ajouter. Puis il entraîna la jeune femme à l'écart du blessé et la conduisit au fond de la cabane, dans un endroit obscur servant de réserve de bois, à l'abri de la lumière qui filtrait par le fenestron. Là, il la plaqua contre la paroi, tandis que leurs yeux s'habituaient à l'obscurité. Dans l'étreinte enveloppante de Julius, Jane bascula encore une fois dans un autre monde, qui n'était ni celui de 1978 ni celui de 1715 mais un nouveau monde qui se situait au-delà du temps et qui n'appartenait qu'à eux.

—Je crois que nous étions destinés à nous rencontrer, poursuivit-il enfin.

Soudain, Jane suffoqua. Et voilà! Elle avait provoqué cette situation en proposant de l'accompagner. Et maintenant qu'il lui ouvrait son cœur, elle ne pouvait ni l'accepter ni le rejeter. Si elle optait pour le rejet, il se refermerait comme une huître. La peur de Winifred s'ajouta à sa propre appréhension et au sentiment d'impuissance qui était le sien. En même temps, elle avait pleinement conscience que la vie de Nithsdale et celle de Will dépendaient d'elle, et que la survie de celui-ci était suspendue à la survie du comte. Cela faisait beaucoup de monde – Cecilia incluse – dont le sort reposait sur les épaules de Jane.

Mais pendant que son amie et servante se rongeait probablement les sangs à cause de sa maîtresse, celle-ci était sur le point de tout ruiner en cédant à son péché mignon : les hommes !

—Je ne m'étais jamais sentie aussi peu maîtresse de moi-même en présence d'un homme avant de vous rencontrer, confia Jane.

Julius Sackville était aux anges.

—Accordez-moi un autre baiser, Jane…, suggéra-t-il en relevant le menton de la jeune femme. J'ai cru devenir fou dans cette calèche, tandis que j'étais obligé d'écouter les jacasseries oiseuses des autres voyageurs, car je n'ai qu'une seule pensée en tête : vous !

Pourquoi sa déclaration faisait-elle vibrer une corde sensible en elle, alors que celles de Will la laissaient froide ? Avec Will, Jane doutait en permanence de son amour, mais il en allait tout autrement avec cet inconnu qui provoquait en elle une effusion d'émotions et, pour tout dire, de pur désir, même si son sentiment dominant était une folle envie d'aimer cet homme.

—Vous avez suffisamment patienté, concéda-t-elle. Donnez-moi votre chaleur, j'en ai besoin.

Jane ne s'était pas attendue à ce qu'il prenne délicatement son visage entre ses mains. Winifred semblait avoir disparu à présent, tant physiquement que mentalement. Jane était seule avec Sackville. Elle le caressa du regard, lui offrit sa bouche en l'attirant contre elle. D'abord tendre et hésitant, leur baiser devint rapidement ardent, à l'instar des caresses entreprenantes de Julius, lorsqu'il commença à délacer le corset de Jane. Il couvrit son cou, ses oreilles et ses paupières de baisers, ne négligeant aucune partie de sa peau dénudée. Ce n'était manifestement qu'un début.

—Oh, mon amour, susurra-t-il. Je n'aurais jamais cru que la glace qui enserrait mon cœur fondrait un jour.

Au nom du ciel, Jane! gronda soudain Winifred d'une voix lointaine. Mais Jane, qui était désormais en pleine possession du corps de la comtesse, entendait assouvir le désir qui la consumait. Elle choisit donc de faire la sourde oreille.

Les deux amants glissèrent au sol le long de la cloison de bois tandis que Julius manifestait son savoir-faire dans l'art d'enlever son corset à une dame. Jane lui en sut gré, sachant que cela lui aurait pris des heures. Soudain, tous les obstacles qui s'étaient dressés entre eux furent balayés par le désir comme une digue par la tempête, et les idées de la jeune femme s'embrouillèrent. Elle était sienne. De même qu'il était sien. Ils brûlaient de s'unir enfin, et c'est dans ce but qu'ils s'abandonnèrent à la passion qui avait couvé entre eux dans la diligence, avec pour seul témoin un enfant anesthésié au moyen d'une fiole de brandy. *Personne ne saura...*, se rassura Jane en plongeant ses doigts dans l'épaisse chevelure de Sackville tandis qu'ils commençaient à se laisser emporter par le rythme lascif de l'amour. *Non, personne...*

Le corps de Sackville fut secoué d'un tremblement tandis qu'il atteignait le paroxysme de la jouissance sous les yeux de Jane. Celle-ci décela sur le visage de son amant plus qu'un simple soulagement physique : l'acte ardent qu'ils venaient d'accomplir l'avait transformé. Il retrouvait l'usage de son cœur et disait probablement adieu au fantôme de sa défunte épouse. Il renaissait littéralement au monde et à ses plaisirs. Jane en oublia sa propre jouissance et le serra contre elle avant de l'embrasser.

—Pardonnez-moi, implora-t-il d'une voix particulièrement mal assurée, puis il recula afin de se redresser.

Jane éprouva de nouveau un terrible vide, semblable à celui ressenti par toute personne mourant de soif à qui l'on refuse le bonheur d'un verre d'eau. Julius l'aida à se lever à son tour et la serra pendant un long moment dans ses bras. Étrangement, Jane se sentit plus aimée que jamais.

—Pardonnez-moi, répéta-t-il dans un murmure.

Jane commença à relacer son corset et à arranger ses vêtements pendant que son amant mettait de l'ordre dans sa propre tenue. La situation était cocasse, et la jeune femme en éprouva un mélange de honte et de joie. Elle avait l'impression d'être une héroïne de romance historique un peu coquine. Elle se jura de ne plus jamais mépriser ce genre de littérature.

—Je vais jeter un coup d'œil au blessé, annonça-t-elle pour rompre le silence gêné qui s'était installé, puis elle s'approcha du dormeur.

Sackville se tint alors près de l'entrée sans trop savoir que faire.

—J'ai profité de…

—Non, Julius, l'interrompit Jane, non, vous n'avez profité de rien.

Se levant pour le prendre dans ses bras, elle ajouta :

—Je suis indépendante et libre de mes choix. Comme j'aimerais pouvoir vous en dire davantage…

—Essayez…

Jane étudia son regard attristé.

— J'aime vraiment quand vous m'appelez Jane, commença-t-elle, parce que, avec vous, je suis réellement Jane Granger. Winifred Maxwell redevient étrangère. Comprenez-vous cela ? s'enquit-elle en cherchant désespérément sur son visage le signe qu'il la comprenait à demi-mot.

À sa plus grande surprise, il acquiesça.

— Bizarrement, je ne pense pas à vous en tant que Winifred. Ce nom ne signifie rien pour moi. À mes yeux, vous êtes Jane, et cela me va très bien. Vous n'êtes pas comme les autres ; vous n'appartenez qu'à vous seule ; vous êtes un rêve dans l'esprit de lady Nithsdale.

À ces mots Jane eut le souffle coupé, ce qui ne manqua pas d'inquiéter le galant.

— Disons que je préfère penser à vous sous les traits de celle que vous prétendez être plutôt que sous votre véritable identité, expliqua-t-il, même si parfois j'ai l'impression que les deux ne s'entendent pas à merveille.

— Vous faites allusion à tout à l'heure ?

Il hocha la tête, puis la regardant droit dans les yeux, il dit :

— Lorsque nous sommes tous les deux comme maintenant, je croirais presque que vous n'êtes pas la même personne.

— Qu'est-ce qui se passe ? gémit John Bellow, les yeux encore ensommeillés.

— Nous devons reprendre la route, lança Julius d'un ton brusque en retrouvant tout à coup sa morgue habituelle.

Extirpant une carte de sa poche, il ajouta en s'adressant cette fois à Jane :

— Dans une heure nous serons arrivés à destination. Nous y arriverons, Jane, je vous le promets. Et une fois à Londres, nos chemins se sépareront peut-être à jamais. Quoi qu'il en soit, si vous aviez besoin de moi, voici les adresses où vous pourrez me trouver, à mon club et chez moi dans le Nord. Je suis… je suis vôtre pour l'ét…, s'interrompit-il en secouant la tête.

—«Pour l'éternité»? Mais c'est long, l'éternité…, fit-elle remarquer en reprenant mot pour mot les paroles de Will.

—Peu importe, je suis vôtre! répéta-t-il d'une voix si douce que Jane en eut le cœur serré.

Elle ne voulait pas qu'il souffre à cause d'elle. Elle prit la carte, l'examina sommairement et la glissa dans la poche de son manteau. Puis elle prit une inspiration lente et profonde pour se donner le temps de trouver ses mots avant de s'en remettre finalement à son don pour l'improvisation.

—Julius, commença-t-elle, si une femme que vous n'avez jamais rencontrée venait se présenter à vous sous le nom de Jane Granger, lui accorderiez-vous une oreille attentive, une chance de s'expliquer?

—Je ne vois pas où vous voulez en venir, répliqua Sackville d'un air stupéfait.

Jane esquissa un sourire navré.

—Moi non plus. Je suis complètement bouleversée. Ne dites rien. Promettez-moi simplement de ne pas éconduire une étrangère qui prétendrait s'appeler Jane Granger.

Il se rembrunit et allait répliquer lorsque Jane gagna la porte de la cabane, lui refusant toute possibilité d'en savoir davantage au sujet de sa requête insolite. La douleur de la séparation était trop forte pour elle, car elle comprenait avec effarement qu'il lui faudrait renoncer à celui qu'elle avait cherché toute sa vie.

Le petit postillon garda les yeux ouverts et souffrit le martyre jusqu'à la fin de leur périple. Le couple laissa de côté les conversations personnelles et s'en tint à des échanges courtois au sujet de la distance restant à parcourir et du temps. Lorsque Grantham se découpa enfin sur l'horizon, un indicible sentiment d'échec s'empara simultanément des deux amants.

À *L'Auberge de l'Ange*, ils gagnèrent chacun leur chambre, et Jane ne revit plus Julius jusqu'à l'arrivée des premiers passagers de la diligence, sains et saufs. Cecilia et les Leadbetter faisaient partie du groupe. Entre-temps, Jane, exténuée, en avait profité pour se reposer, mais elle n'avait pas trouvé le sommeil tant ses pensées étaient confuses.

Julius salua de la tête les deux amies.

—Miss Granger. Miss Evans. Je suis content de vous revoir saine et sauve.

—Cinq heures passent vite lorsqu'on dort, lord Sackville, fit remarquer Cecilia. Les secours ont été très rapides. Je n'ose imaginer la somme qu'a dû vous coûter ce sauvetage !

Sackville éluda la remarque d'un geste de la main comme s'il s'agissait d'un détail sans importance.

—Je repars avec les cochers pour leur donner un coup de main. Mais je vous préviens, les diligences sont toutes bloquées par la neige. Je suggère que vous louiez des chevaux. À partir d'ici les routes sont un peu plus praticables. Je me suis permis de réserver pour vous deux de solides montures au cas où vous voudriez en profiter. C'étaient les dernières.

—Et vous ? s'enquit Jane.

—Vous êtes plus pressées que moi. Votre mari vous attend, lady Nithsdale, rappela-t-il sans parvenir à dissimiler son chagrin.

Puis il s'éclaircit la voix et se tourna vers Cecilia :

— J'imagine que vous n'aurez pas sommeil pendant un bon bout de temps ! s'exclama-t-il pour détendre l'atmosphère. Mais au moins, vous pourrez vous remettre en route et Grantham ne sera plus qu'un mauvais souvenir.

Il avait parlé en regardant Cecilia, mais il s'adressait clairement à Jane.

Ce fut donc cette dernière qui prit la parole avant que son amie ne réponde.

— C'est très gentil à vous, lord Sackville, remercia-t-elle. Cecilia, pourriez-vous récupérer nos bagages auprès des porteurs ? Ainsi, nous serons prêtes pour le départ.

Cecilia hocha la tête et s'empressa d'obtempérer, laissant sa maîtresse seule avec lord Sackville. Il eût été impossible à Jane de laisser passer cette ultime occasion de s'entretenir en privé avec lui.

— Julius… dans une autre vie, les choses auraient peut-être pu se passer autrement… Vous m'avez dit que vous croyiez au destin, mais croyez-vous en l'existence d'autres mondes ?

Contrairement à son habitude, il sourit.

— Je n'y ai jamais réfléchi, mais l'idée que dans un autre monde nous aurions pu… cette idée-là me plaît.

Il n'en dit pas davantage, de même que Jane qui avait laissé sa phrase en suspens.

— Eh bien, poursuivit-elle, sachez que dans un autre monde vit une femme qui s'appelle Jane Granger et que son plus profond regret est de ne pouvoir mieux vous connaître. Pensez souvent à elle. Au fond, c'est la promesse que je voulais que vous me fassiez tout à l'heure dans la cabane.

— Comment pourrais-je oublier Jane Granger ? demanda-t-il. Elle a ravivé en moi une flamme que je croyais depuis longtemps éteinte.

Il la regarda longuement, et il s'apprêtait à lui avouer de nouveau son amour lorsque Jane posa son index sur sa bouche.

— Chuuut…, susurra-t-elle d'un ton suppliant.

— Dans ce cas, puis-je dire que j'espère vous revoir bientôt, courageuse Jane ?

— Moi aussi, balbutia-t-elle, la gorge serrée et le cœur déchiré par des sentiments nouveaux. Je veux que vous gardiez ceci, dit-elle en lui tendant une petite ampoule de verre.

Haussant les épaules, elle ajouta :

— Je l'ai récupérée quand nos bagages sont arrivés. Peut-être cela vous aidera-t-il à vous souvenir des moments heureux.

Julius huma l'odeur de violette à travers le bouchon.

— Mais il va vous manq…

— J'en ai un autre chez moi, vous vous en souvenez ? Vous me retrouverez dans le parfum de ces fleurs.

— J'en mettrai quelques gouttes chaque soir sur mon oreiller, et ainsi vous serez tout près de moi, promit-il d'une voix éraillée à cause des innombrables émotions contenues.

Cecilia revint, et lord Sackville s'arracha à la contemplation de Jane.

— Veillez sur elle, Miss Evans, ordonna-t-il à cette dernière d'une voix émue en mettant l'ampoule dans sa poche tandis qu'il s'inclinait légèrement.

Rompant avec tout formalisme, la servante le serra dans ses bras.

—Vous sembliez en avoir besoin, lord Sackville, expliqua-t-elle lorsqu'il la regarda avec étonnement. C'est de notre part à toutes les deux, de la part de nous tous, en fait, pour nous avoir sauvés!

L'un des membres de l'équipe de secours qui s'apprêtait à repartir chercher le reste des voyageurs se présenta.

—On n'attend plus que vous, monsieur.

—Merci, répliqua lord Sackville.

Puis il ajouta en faisant la moue :

—Bon, je ferais mieux d'y aller.

Jane lui tendit sa main gantée par souci de discrétion.

—J'ai été ravie de faire votre connaissance, monsieur, dit-elle, en esquissant un petit sourire entendu.

Lord Sackville prit délicatement sa main dans la sienne et s'inclina pour y déposer un léger baiser.

—Miss Granger, je ne vous oublierai pas, répliqua-t-il en réitérant sa promesse.

Jane aurait aimé pouvoir lui sauter au cou comme Cecilia l'avait fait, mais elle n'en fit rien et mit la main qu'il venait d'embrasser dans sa poche comme un trésor que l'on protège. Elle s'autorisa un dernier regard afin de graver ses traits fins et son corps bien charpenté dans sa mémoire, car désormais il ne serait plus qu'un souvenir auquel on se raccroche… comme à un lambeau de rêve brisé.

Lord Sackville inclina une dernière fois la tête et tourna les talons. Jane le regarda s'éloigner avec la certitude qu'elle laissait partir l'homme de sa vie. Elle garderait au plus secret de son cœur le souvenir entêtant de ses baisers, de ses caresses, de leur étreinte amoureuse et de ses paroles brûlantes, et même Winifred ne pourrait l'en déloger.

—Winifred? héla Cecilia en pressant le pas pour rattraper sa maîtresse, tandis que celle-ci suivait les serviteurs de l'auberge jusqu'aux écuries. Êtes-vous sûre que c'est une bonne idée? L'aubergiste m'a dit qu'une tempête de neige se préparait au sud de Grantham. Ne devrions-nous pas au moins passer la nuit ici?

—Ne vous inquiétez pas pour moi. Nous sommes à présent trop engagées pour renoncer.

—Mais vous avez besoin de repos.

—Je ne suis pas fatiguée. De plus, je peux me reposer en selle. Nous avons peu de chance d'aller au galop, vu le temps.

—Mais…

—Ils s'apprêtent à exécuter William, Cecilia! rappela Jane en songeant au motif de sa séparation d'avec Julius. L'usurpateur protestant ne va…

—Chuuut! s'exclama la servante de crainte qu'on ne les entende.

—Il ne va pas rater l'occasion de couper la tête du comte de Nithsdale, reprit Jane plus bas.

Et alors Will sera perdu! acheva-t-elle en pensée en songeant au mourant qu'elle avait laissé relié à des machines; et le poids de la culpabilité l'assaillit de nouveau, cette fois-ci à cause de Julius. Allait-elle passer d'un sentiment coupable à l'autre pendant encore longtemps? *Ça suffit, Jane!* s'écria-t-elle intérieurement.

Elle lâcha la carte de Julius qui retomba au fond de sa poche et prit la main de Cecilia.

—Je comprendrais si vous préfériez ne pas…

—N'allez pas si vite en besogne, l'interrompit son amie. J'ai décidé de vous accompagner dans ce maudit voyage pour que vous ne soyez pas seule. Alors ce ne sont pas quelques centimètres de neige qui m'empêcheront de vous soutenir jusqu'au bout, vous et votre cher époux !

Jane hocha la tête.

— Vous avez raison, oublions la tempête qui nous attend, suggéra Jane en contemplant le paysage de nacre gelée qui les entourait. Nous devons arriver dans le Lincolnshire avant le nouvel an. Ensuite, il nous restera encore une centaine de miles jusqu'à Londres, que nous gagnerons, j'espère, par diligence.

— Mieux vaut penser à plus court terme, conseilla Cecilia. Si nous restons en vie, alors les jours s'enchaîneront immanquablement, et notre périple touchera à sa fin.

— Amen ! conclut Jane pour elle-même.

Puis, le sourire aux lèvres, elle se tourna vers son amie et ajouta :

— Prenons notre courage à deux mains et gagnons Stamford.

Les deux voyageuses firent sortir leurs chevaux de Grantham par la bride. Elles avaient appris à leur grand étonnement que lord Sackville avait réglé la note. Ce dernier n'avait pas menti : la route qui s'ouvrait devant elles semblait plus plate et moins gelée que les routes précédentes. Mais Jane refusa de se réjouir prématurément. La route s'annonçait dangereuse, et Julius n'avait suggéré l'emploi de chevaux que parce qu'il savait pertinemment que Jane voudrait repartir sans tarder et qu'il craignait qu'elle ne le fasse à pied s'il ne lui réservait pas deux montures.

Jane serra la carte de Julius qu'elle gardait dans sa poche. Elle n'eut aucune difficulté à se remémorer les instants partagés, mais le lien qui les unissait comptait plus que tous les souvenirs à ses yeux. Cette carte avait reçu l'empreinte de sa chaleur lorsqu'il l'avait tirée de sa propre poche pour la lui donner. Puis leurs doigts s'étaient effleurés tandis qu'ils en tenaient chacun un bout. Elle l'avait laissé lui faire l'amour alors qu'elle était fiancée avec Will et que Winifred était mariée au comte…

—Cecilia, héla-t-elle brusquement, vous moquerez-vous de moi si je vous dis que j'ai l'impression que quelqu'un a pris possession de mon corps ? Je me sens toute bizarre ces temps-ci, et je crains que cela ne m'ait empêchée de faire tout mon possible pour sauver William.

Cecilia prit aussitôt un air de commisération.

—On dit qu'un traumatisme violent a parfois des conséquences étranges sur le comportement. Vous ne pouviez pas faire plus pour votre mari. Dites-vous bien qu'il n'est pas deux êtres au monde qui s'aiment autant que vous deux. Pourquoi croyez-vous que j'ai refusé tous mes prétendants ? s'enquit-elle en posant des yeux interrogateurs sur son amie.

Jane leva les yeux et signifia à Cecilia qu'elle ne connaissait pas la réponse.

—Je veux un amour qui ressemble au vôtre. Je veux entendre le chant des anges quand je regarde mon bien-aimé et rougir comme vous rougissez lorsque William vous glisse un secret à l'oreille. Je veux pouvoir sourire comme vous ne souriez qu'à vous seuls en échangeant des paroles ineffables qui vous permettent de vous comprendre sans ouvrir la bouche. Tant que je n'aurai pas trouvé celui qui m'offrira cela, je me refuserai à tous.

C'était exactement cela ! Cecilia avait réussi à mettre des mots – si ardents fussent-ils – sur les sentiments que Jane essayait en vain de ressentir depuis que Will l'avait demandée en mariage.

Jane ne voulait pas autre chose que ce que Cecilia avait cru reconnaître dans l'amour qui unissait William et Winifred. Hélas, elle l'avait finalement trouvé chez un homme qui ne pouvait être sien.

Chapitre 23

C'ÉTAIT L'APRÈS-MIDI DU 31 DÉCEMBRE À LONDRES. LE monde s'apprêtait à basculer dans la dernière année de la décennie. Un restaurant marocain, le *Riad*, proposait du couscous comme plat du jour. Les Britanniques, dans leur grande majorité, n'avaient jamais entendu parler de ce plat, et ils étaient sûrement encore moins nombreux à l'avoir goûté. Cependant, le propriétaire des lieux, un Berbère issu d'une famille installée en Grande-Bretagne depuis six générations, avait la ferme intention d'imposer pour les dix années à venir la gastronomie marocaine aux restaurants de cuisine du monde dont raffolaient déjà les Londoniens.

Pour l'occasion, il avait fait venir des danseuses qui portaient en équilibre des plateaux sur lesquels étaient posés des théières argentées (remplies de thé à la menthe) et des petits verres, qu'elles faisaient virevolter à toute allure au-dessus de leurs têtes. Quatre d'entre elles étaient prévues au programme afin d'assurer la réussite de la soirée. Elles seraient vêtues de soie transparente et chatoyante rehaussée de grigris brinquebalants et d'ornements dorés, dans laquelle elles feraient onduler leur corps souple au rythme des percussions.

Quand je pense que les Anglais appellent ce raffinement « la danse du ventre » ! soupira intérieurement Mahmoud. Mais l'essentiel était qu'ils viennent dans son restaurant ! Car alors il pourrait passer janvier et février au pays, en famille avec les petits, pour échapper aux brumes du Nord. L'établissement paraissait encore plus « oriental » qu'à l'accoutumée, sans doute à cause des tentures, des grigris et des plats à tajine en terre cuite qui étaient venus s'ajouter à la décoration dans le but de créer une ambiance vraiment berbère, même si cela importait peu aux clients de Mahmoud. *Tant qu'ils apprécient ma table, ça me va !* trancha-t-il intérieurement en haussant les épaules. Des effluves de cumin et de curcuma, de paprika et de cannelle, lui chatouillèrent tout à coup les narines, et son visage s'éclaira tandis qu'il passait la porte battante qui donnait sur les cuisines.

— Il faut vous dépasser ce soir, mes amis ! lança-t-il à ses cuisiniers.

Au-dessus du restaurant se trouvait un local vacant que Mahmoud espérait louer comme espace de bureaux. C'était le quartier idéal pour un agent artistique ou littéraire, un professionnel des relations publiques, voire une petite agence de publicité. Depuis l'ouverture du *Riad*, au moins un locataire potentiel par semaine était venu visiter les lieux. Mais aucun n'était allé jusqu'à signer le bail en dépit de toutes les améliorations auxquelles Mahmoud avait consenti, ce qui le perturbait beaucoup.

Il avait fait repeindre les murs sur l'insistance d'Untel qui les trouvait trop sombres, avait fait passer une entreprise de nettoyage pour rassurer tel autre qui trouvait que ça sentait le moisi et avait même poussé le zèle jusqu'à faire rejointoyer et revernir les lattes du parquet pour donner un coup de jeune au futur bureau. Les nouveaux luminaires, l'huisserie neuve et la moquette moderne du palier n'y faisaient rien non plus. Personne n'était preneur.

Souvent, les visiteurs frissonnaient en pénétrant dans les lieux. «On gèle ici, vous ne trouvez pas?» faisaient-ils remarquer. Mahmoud prétextait que ce n'avait pas été chauffé depuis des mois, mais c'était un mensonge, car la chaudière était allumée. Pourtant, rien n'apportait de solution, et, en son for intérieur, il reconnaissait que la température était à peine supportable. Il appelait alors le chauffagiste qui se moquait de lui, car les radiateurs fonctionnaient parfaitement en sa présence.

Ne sachant plus à quel saint se vouer, Mahmoud avait peu à peu été conquis par l'idée que le «bureau» du dessus était hanté. Certes, c'était absurde; mais comment expliquer les bruits de pas qu'avaient entendus ses employés au-dessus de leur tête, ou l'odeur de café fraîchement moulu? Une serveuse n'avait-elle pas assuré qu'elle avait entendu une voix d'homme?

Parfois même, bien que très rarement, on entendait des pas dans l'escalier privatif qui menait au bureau. Chaque fois, Mahmoud se précipitait à l'étage dans l'espoir d'y trouver un locataire potentiel, mais en vain. La dernière visite en date remontait à quelques jours. L'une des plongeuses – une jeune et jolie punkette au visage lumineux –, qui avait quitté son service tard dans la soirée, avait aperçu une dame élégante entrer dans l'immeuble, un tract couleur lavande à la main. L'air renfrogné, Mahmoud était dûment monté vérifier. Une odeur de café chaud et un effluve inaccoutumé de parfum avaient alors flotté dans les pièces vides.

Sa décision était prise : après le nouvel an, il ferait venir un religieux pour bénir ce bureau ! Juste au cas où…

Pendant ce temps, à l'étage, le parfum des épices marocaines parvint à un homme de petite taille d'un âge incertain et impeccablement vêtu qui se regardait dans un vieux miroir terni posé au-dessus de la cheminée.

—Ce ne sera pas nécessaire, murmura Robin en réponse à la décision du restaurateur, car il lisait comme dans un livre ouvert les pensées du propriétaire. Je quitte les lieux.

Se tournant de nouveau vers le miroir dans le reflet duquel l'attendait son sosie féminin, il ajouta :

—S'est-elle mise en route ?

—Oui, répondit Robyn, elle est en route pour Londres.

—Je m'en réjouis.

—Pourquoi elle ? s'enquit le reflet.

—Pourquoi pas ?

Les deux sosies se dévisagèrent mutuellement à travers les siècles qui les séparaient.

—Je veux savoir ! insista Robyn.

—Sa situation me touche. Elle était tourmentée, et elle avait besoin d'y voir clair, d'acquérir le recul nécessaire que confère ce type d'expérience. Le défi consistant à secourir son fiancé en agissant sur les fils qui tissent la grande trame de la vie ne lui aurait jamais été servi sur un plateau par la naissance ou la fortune. Elle a dû, pour cela, dépasser tous ses repères et toutes les facilités de l'existence pour ne compter que sur elle-même, car elle était seule dans cette aventure. Par ailleurs, nous avons tous deux un faible pour Winifred Maxwell.

Nous aurions pu laisser Jane vivre sa vie sans interférer, mais j'ai choisi d'intervenir.

— Nous ne sommes pas censés nous immiscer dans leurs affaires.

— Et pourtant, nous ne cessons de le faire, dans une foule de petits détails.

— En l'occurrence, il ne s'agit pas d'un détail ! Cela s'appelle « modifier le cours de l'histoire », et ça nous est interdit.

— L'histoire de qui ?

— De ceux dont vous modifiez le destin !

— Je donne à un être humain la possibilité d'effectuer de vrais choix, c'est tout.

— Au contraire, vous bouleversez sa vie et celle d'autrui en restreignant sa marge de manœuvre. En fait, vous lui ôtez sa liberté !

— Vous ne pensez pas ce que vous dites. Jane s'apprête à prendre la décision la plus terrible qui soit. Je lui ai fourni l'occasion de considérer sa propre existence depuis un autre point de vue. Il se pourrait qu'elle se trompe sur la nature de ses aspirations, et que ce qu'elle fuie soit en fait ce qu'elle désire.

Dans le miroir, Robyn parut perplexe et tint sa langue.

Le voyant esquissa un sourire malicieux.

— Qui plus est, il se pourrait que Julius Sackville…

— Tut-tut, l'interrompit la lavandière. Ne jouez pas avec sa vie.

Robin leva les mains en gloussant pour se dédouaner de l'accusation.

— Ce n'est pas votre rôle ! poursuivit Robyn d'un ton tranchant.

— Et quel est mon rôle ? s'enquit le voyant d'un air de défi.

— Votre rôle est de montrer la route lorsque quelqu'un est égaré, non de forcer la main.

— Elle est venue à moi avec des questions. J'estime que tout effort visant à dépasser les apparences en vue de l'éveil spirituel mérite récompense.

— Parce que vous considérez cela comme une récompense ?

— À l'heure qu'il est, elle pourrait gémir au chevet d'un mourant.

— Il est indéniablement préférable de mourir en 1715 dans une tempête sur une route bloquée par la neige ! rétorqua Robyn.

— 1716, rectifia le voyant. Nous fêterons bientôt la nouvelle année ! Ne vous tracassez pas, Robyn, Jane Granger ne tardera plus à prendre sa grande décision. En attendant, Winifred Maxwell bénéficie d'une occasion unique. Sans compter que les deux William peuvent en sortir sains et saufs.

— S'ils ne meurent pas !

Le médium haussa les épaules.

— La situation initiale n'est pas de mon fait, avec ou sans mon intervention.

— Et Julius Sackville ? s'enquit la lavandière.

— Quelque chose me dit que vous avez un faible pour lui…

— Il ne mérite pas ça, Robin. Les femmes l'ont déjà suffisamment fait souffrir.

Le voyant ne répliqua pas. Des cœurs se brisaient chaque jour. Il n'était pas responsable de tous les chagrins d'amour. Il attendit qu'elle reprenne la parole :

— Peut-être aurions-nous dû laisser mourir Winifred plutôt que de mettre sa vie en sommeil ? suggéra Robyn.

—Peut-être…, répondit-il. Mais quelquefois il n'est pas inintéressant d'observer les mortels quand on leur montre la voie. Winifred avait besoin des forces de Jane pour survivre. La balle est maintenant dans leur camp à toutes les deux…

—Hello? Il y a quelqu'un là-dedans? s'enquit soudain Mahmoud en actionnant la poignée de la porte afin de vérifier que celle-ci était bien fermée.

Puis il introduisit la clé dans la serrure tandis que le reflet de Robyn se brouillait et que son sosie masculin disparaissait en un clin d'œil.

—Je vous préviens…, commença le restaurateur en faisant irruption dans la pièce vide et silencieuse, où seuls bruissaient dans l'immobilité des heures les craquements du vieux miroir posé sur la cheminée.

Chapitre 24

N'essuyant que les prémices de la tempête, Jane et Cecilia arrivèrent à Stamford le soir du 31 décembre. Même Jane dut convenir de la nécessité de ne pas voyager pendant que la tourmente faisait rage. Le 1er janvier, après un repas plus fastueux qu'à l'ordinaire composé d'oie rôtie et d'un peu de sherry, elle demanda du papier, de l'encre et une plume à l'aubergiste; puis elle commença une longue lettre adressée à sa belle-sœur, Mary Traquair, dans laquelle elle assurait cette dernière, sous la dictée de Winifred, que tout allait bien.

… La neige était hier si épaisse que nos chevaux, en maints endroits, s'enfoncèrent jusqu'aux flancs. Le temps ne nous a pas permis de reprendre la route aujourd'hui, mais nous devrions pouvoir remonter en selle dès demain. Peu de femmes, me suis-je laissé dire, ont entrepris ce périple; mais, grâce à Dieu, une ferme résolution vient à bout de bien des obstacles, bien que j'eusse sûrement hésité si j'en avais connu les difficultés avant…

Cette langue recherchée d'une autre époque fit sourire Jane, mais c'était Winifred qui tenait la plume. Sur les instances de cette dernière, Jane n'oublia pas de remercier Mary pour le soin qu'elle prenait de sa petite Anne :

Si je l'avais emmenée avec moi, elle serait morte de froid à l'heure qu'il est…

Les deux amies prirent deux places dans une diligence «rapide» en partance le lendemain matin, d'abord pour Peterborough – où le véhicule de poste ferait halte à l'heure du déjeuner pour collecter du courrier et changer de chevaux –, puis pour Cambridge, quasiment à mi-chemin de Londres. Plus elles approchaient de la capitale, plus les valets d'écurie des relais de postes, où l'on s'arrêtait tous les vingt miles environ, devenaient habiles dans l'art de changer un équipage complet en quelques minutes. Une fois que le chargement du courrier était effectué et que les nouveaux passagers avaient été prestement embarqués à bord, il restait tout au plus une demi-heure aux autres voyageurs pour manger une bouchée et boire un verre en toute hâte.

—Nous serons à Londres demain, annonça Cecilia en reprenant sa place dans la diligence et en devinant les pensées de Jane.

—Oui, confirma platement cette dernière en dissimulant son appréhension à l'idée de rencontrer le comte de Nithsdale dans des circonstances aussi tragiques.

En outre, elle n'avait aucune idée du genre d'homme qu'il était, et Winifred n'avait rien que de banal à lui apprendre à ce sujet, car la comtesse entendait garder son jardin secret. Tout en respectant son choix, Jane, compte tenu de la situation extraordinaire qui était la leur, aurait apprécié un petit coup de main, ne serait-ce que pour l'aider à ne pas reculer lorsqu'elle serait en présence du comte. William Maxwell attendait de comparaître devant un tribunal qui prononcerait presque à coup sûr une sentence de mort par décapitation à son encontre. Évoluer en terrain plus sûr aurait donc aidé toutes les parties concernées.

Pourquoi, par exemple, Winifred refusait-elle de lui donner le moindre indice au sujet de sa voix, de ses manies, de ses goûts et de ses aversions ? Malgré sa répugnance à fouiller dans les pensées et les souvenirs intimes de Winifred, Jane devrait s'y résigner si elle voulait sauver le couple et son propre fiancé.

Et après ? s'enquit soudain une voix intérieure qui appartenait peut-être à Winifred, peut-être à Jane. Comment saurait-elle si Will s'était réveillé ou s'il était mort ? Comment réintégrerait-elle sa propre vie ? Et si elle n'arrivait pas à sauver le comte ? Sa propre vie en serait-elle altérée ? Serait-elle condamnée à vivre sous l'identité de Winifred Maxwell pour le restant de ses jours ? Toute cette aventure n'aurait alors servi à rien ?

Jane essuya discrètement une larme, mais son geste n'échappa pas à la vigilante Cecilia.

—Oh, Winnie chérie, je ne voulais pas vous rendre triste.

—Ce n'est pas à cause de vous, assura Jane en secouant doucement la tête. C'est juste qu'après toutes ces épreuves, nous touchons enfin au but, et je me demande quand tout cela prendra fin. Je m'inquiète au sujet de William, des enfants, de l'avenir…

Cecilia fit signe qu'elle comprenait et tapota la main gantée de son amie.

— Peu de femmes auraient eu votre courage.

— Cambridge ! lança le cocher à pleine voix depuis son siège.

À l'intérieur de l'habitacle, tous les passagers soupirèrent de soulagement.

Leur arrivée à Londres le lendemain marquerait le début des véritables épreuves.

Jane avait écarté toute pensée morose au sujet de Julius. Il n'était plus qu'un souvenir à présent. Une fois que cette aventure serait terminée, alors seulement elle s'autoriserait à réfléchir à ce qui s'était passé entre eux et aux sentiments qu'il avait fait naître en elle.

Le lendemain, le cocher souffla dans son cor de poste pour annoncer l'arrivée de la diligence au relais de *La Croix d'Or*, à Charing Cross. Au même moment, Jane se sentit libérée d'un poids immense. Un employé doté de grandes mains l'aida à descendre du véhicule dans l'air glacial de cette fin d'après-midi londonien gris et détrempé à cause de la neige fondue. La jeune femme alla se ranger à côté de Cecilia, qui était occupée à superviser le déchargement minutieux de leurs bagages. Pendant ce temps, Jane se laissa subjuguer par cet endroit familier qu'elle ne reconnaissait pas. Le Charing Cross qu'elle connaissait – celui qui, à l'intersection du Strand, de Whitehall et de Trafalgar Square, était surplombé par la National Gallery, était bombardé par les pigeons et grouillait de voitures, de monde et de boutiques –, ce Charing Cross-là n'existait pas encore.

En revanche, on pouvait admirer une statue équestre du roi Charles Ier non loin d'un pilori où un malheureux purgeait sa peine. De l'endroit où se trouvait Jane, elle ne pouvait lire l'écriteau qui portait la mention de son crime, mais elle distinguait nettement le visage couvert d'immondices du condamné qui avait servi de cible à la foule. Personne ne semblait se soucier de son sort, et la jeune femme en conclut que l'humiliation publique était terminée. Tout en sachant qu'elle ne devait pas paraître trop curieuse ni s'étonner outre mesure de son nouvel environnement, le calme du quartier, où si peu de gens s'activaient, la subjugua.

—Quelle effroyable agitation! fit remarquer Cecilia au même moment. Si nous prenions un carrosse?

—Non, marchons plutôt, hasarda Jane, car elle savait que leur destination finale n'était tout au plus qu'à une dizaine de minutes à pied.

—Êtes-vous sûre?

—Oui! Pourquoi payer pour quatre pattes quand on peut aller sur deux gratuitement?

Cecilia s'esclaffa.

—Vous semblez si différente, Winifred, que j'ai parfois de la peine à croire que c'est vous! fit remarquer la servante.

Le premier mouvement de Jane fut de prendre directement par le Strand, car c'était l'une de ces artères principales où se croisaient badauds, chevaux, attelages, et carrioles, et où, par conséquent, il était difficile de s'égarer. Mais son intuition lui dit qu'une dame du monde et sa servante opteraient probablement pour un autre itinéraire, et elle se laissa donc guider par Cecilia. En outre, Winifred était de nouveau saisie de tremblements et de vertiges associés à la fièvre. Elle pria pour que Cecilia ne s'en aperçoive pas. *Nous y sommes presque, Winnie...*, pressa-t-elle en s'adressant à l'esprit de Winifred. *Encore un peu de courage... Plus que quelques minutes.*

— Méfiez-vous de ces marchands des quatre saisons, Winnie, prévint Cecilia. La dame avec laquelle j'ai lié conversation dans la diligence m'a mise en garde contre leur déplaisante habitude de pincer les fesses des dames et de leur voler leur bourse.

Jane ne put s'empêcher de rire, puis elle jeta un coup d'œil aux charrettes à bras derrière lesquelles des hommes vantaient à plein gosier fruits, légumes, poisson et sirops. Chaque marchand portait un grand foulard traditionnel autour du cou. Jane avait appris durant ses études que ce foulard s'appelait un *kingsman*.

Les deux amies continuèrent leur route sous les boniments des commerçants qui cherchaient à attirer leur attention en vue de leur vendre quelque marchandise.

— Elles sont belles mes poires ! Elles sont belles ! Allons, ma p'tite dame, goûtez-moi ces jolies pommes ! Six pour un demi-penny !

Un peu plus loin on vendait de l'anthracite, du charbon de bois et… des sacs de poussière qui intriguèrent énormément Jane, même si elle s'efforça de n'en rien laisser paraître.

C'est alors qu'un homme démesurément grand et malpropre l'éclaira sans le savoir.

— Excellente poussière de brique pour l'affûtage de vos couteaux ! C'est aujourd'hui ou jamais ! Parce que demain, je s'rai plus là !

Jane se serait volontiers attardée pour observer cette foule bigarrée dont l'argot et les ritournelles rimées la faisaient rire. Hélas, ce n'était pas un endroit pour une dame de son rang.

— J'espère que Mrs Mills a reçu votre lettre, pensa Cecilia à voix haute sans ralentir le pas.

— On peut le supposer, puisque nous sommes nous-mêmes arrivées jusqu'ici malgré la neige. La voiture de poste a dû nous précéder d'une semaine. Quoi qu'il en soit, nous serons toujours les bienvenues chez notre douce amie.

— Bien sûr, vous avez raison. J'irai même jusqu'à dire qu'elle serait douloureusement contrariée si vous décidiez de loger à Londres ailleurs que chez elle.

Jane confirma d'un hochement de tête tout en continuant de s'imprégner de la vie qui grouillait autour d'elle. Soudain, un mélange d'arômes puissants qui avaient fait défaut dans les bourgades qu'elles avaient traversées lui chatouilla les narines. Elle reconnut l'odeur du café moulu mélangé à l'arôme apparenté du tabac ; on faisait rôtir de la viande dont le fumet parvenait à Jane grâce à la brise, avec celle du pain qui sort du four… On entendait au loin des braiments d'animaux. Puis, les rues se firent peu à peu plus étroites, plus urbanisées et plus peuplées. Et toujours – figure mal rasée au nez coulant, coiffée d'un chapeau de toile – l'inévitable marchand de fruits et légumes qui tirait sa charrette le long des ruelles encombrées dont il contribuait à rendre l'accès encore plus difficile. Là encore, ils entonnaient les chants propres à leur profession pour vanter les mérites de leurs marchandises. Certains descendaient bière sur bière. Jane ne leur jeta pas la pierre : il fallait bien qu'ils s'humidifient le gosier à crier ainsi pendant des heures.

Jane ne savait plus à quel quartier du Londres moderne correspondait celui où elle se trouvait, mais pour l'heure, le plus important était de relever ses jupes afin de ne pas les souiller dans la fange. Les deux jeunes femmes arpentaient à présent un réseau de ruelles couvertes de boue dont le pavé glissant, et gelé par endroits, semblait ne jamais voir le soleil.

À l'angle d'une rue, une brise légère leur fouetta le visage tandis qu'elles débouchaient sur une vaste étendue herbeuse d'un vert vif. Non seulement celle-ci n'était pas recouverte de neige, à l'inverse de la campagne environnante, mais, au grand étonnement de Jane, elle s'étendait sur une zone que la jeune femme avait toujours connue plantée de gratte-ciel.

Ce doit être Lincoln's Inn Fields qui s'étendait vers le nord…, songea Jane en réprimant un petit cri de surprise et en s'efforçant de graver cette image vieille de plus de deux cents ans dans sa mémoire.

Elle fut soudain saisie d'une très forte envie de se rendre sur les lieux où, presque trois siècles plus tard, son fiancé serait hospitalisé dans le coma. Se passerait-il quelque chose ? Réussirait-elle à établir le contact malgré le sortilège qui la retenait dans cette lointaine époque ?

— Par ici, Winnie, marmonna Cecilia, qui était à mille lieues d'imaginer les pensées de son amie. Nous prendrons par le Strand, ensuite les rues sont plus larges.

Jane se laissa guider sans cesser de penser à Will, convaincue à présent de communiquer avec celui-ci par l'intermédiaire des lignes de ley qui l'avaient ramenée à son point de départ… quelque deux cents ans en arrière. En conséquence, elle ne s'était jamais sentie à la fois si loin et si proche de son fiancé ; non, hélas, en vertu du lien amoureux qu'il avait souhaité, mais par la grâce d'une autre sorte d'amour qui l'avait poussée à risquer sa vie pour lui.

Une lueur d'espoir se fit jour dans son cœur, qui la conforta dans sa détermination.

— Économisez vos forces, ma chère Winnie, conseilla Cecilia en allongeant le pas afin de rattraper Jane qui l'avait brusquement dépassée. Vous pourriez vous provoquer une nouvelle attaque de fièvre.

Elles débouchèrent enfin sur la vaste étendue verdoyante de Lincoln's Inn Fields qui était bordée de hautes maisons bien alignées et bénéficiait d'une atmosphère beaucoup plus respirable, ainsi que d'un trafic assez bien régulé. Au centre de ce carré de verdure, de jeunes hommes s'entraînaient au tir à l'arc tandis que d'autres jouaient à un genre de jeu de boules. C'était un véritable dépaysement pour Jane. Mais Winifred était comme un poisson dans l'eau dans ce quartier où ses parents, lord et lady Powis, avaient autrefois possédé une magnifique maison de maître qui avait été l'une des premières constructions du règne de Jacques II, le père du roi exilé à Saint-Germain-en-Laye. Quoi qu'il en soit, les Powis avaient été contraints d'abandonner cette résidence lorsqu'ils avaient fui au nom de leur foi et de leur fidélité au « Vieux Prétendant ».

Trois des quatre côtés de cette place présentaient un front de maisons cossues appartenant manifestement à l'aristocratie et à la riche bourgeoisie. Le quatrième, au nord, était percé d'une grande porte qui donnait sur des rues grouillantes de monde qui servaient de vitrine à toutes sortes d'artisans, des cordonniers aux chapeliers. Les deux amies se dirigeaient vers le sud. Là, elles emprunteraient un passage, passeraient sous une arcade, et arriveraient enfin à Duke Street, leur destination finale.

—Milady ! s'exclama Mrs Mills en gloussant derrière la domestique qui ouvrait la porte.

C'était une femme d'âge moyen à la poitrine imposante.

—Je vous attends depuis deux jours ! Ciel ! Entrez vite avant de vous effondrer !

— Mrs Mills, commença Jane en s'en remettant entièrement à Winifred. Merci ! C'est un véritable réconfort de vous revoir !

— Entrez… Entrez…, répéta leur hôte en s'agitant avant de refermer la porte aussitôt afin de préserver le peu de chaleur qui régnait dans sa maison. Jenner, mettez du chocolat à chauffer et prévenez Miss Cambry que nos invitées sont arrivées et qu'elles auront besoin de bons lits chauds !

Jane suivit Mrs Mills le long d'un vestibule haut de plafond puis au sommet d'une volée de marches qui s'élançait jusqu'au premier étage où une fenêtre majestueuse plongeait le palier dans la douce lumière du crépuscule. Des lambris bleu layette recouvraient la partie inférieure des murs dont le reste était enduit en gris très pâle. Une odeur de vinaigre flottait dans l'air (signe que l'on avait fait briller l'argenterie peu de temps auparavant) et se mêlait à celle de l'encaustique qui donnait son éclat à un mobilier de toute beauté.

— Merci, Mrs Mills, nous nous demandions si la lettre de Wini…, de lady Nithsdale, veux-je dire, vous était parvenue.

— Bien sûr, qu'elle est arrivée ! J'ai eu une de ces peurs en apprenant vos mésaventures ! Lady Nithsdale est-elle en bonne santé, Miss Evans ? Vous me semblez tremblante de fièvre milady, fit remarquer Mrs Mills en s'adressant à Jane, avant d'ajouter : Vous avez le regard vitreux, ma chère comtesse.

— Rien d'étonnant, répliqua Cecilia, car pour rien au monde elle n'aurait consenti à prendre davantage de repos ou à ménager ses forces.

Se tournant vers Jane, Cecilia poursuivit :

— Madame, permettez que je vous fasse couler un bain, vous n'en apprécierez que mieux le confort de votre lit.

Jane cilla en s'entendant traiter comme si elle était malade.

— Serait-il possible de manger quelque chose, Mrs Mills ? s'enquit Cecilia. Ma maîtresse a picoré comme un moineau durant tout le voyage.

— Non ! s'exclama Jane en secouant la tête sous l'influence de plus en plus prégnante de Winifred qui n'avait pas faim malgré son asthénie. Restaurez-vous, prenez un bain, reposez-vous ou échangez des nouvelles. Quant à moi, il faut que je voie William. Je ne sais même pas s'il est encore en vie.

Elle avait parlé d'une voix cassée et rauque, entrecoupant ses phrases de quintes de toux. Winifred ne se sentait vraiment pas bien ; et même Jane dut en convenir. Quant à ses deux amies, elles semblaient sur le point de se précipiter pour la soutenir.

— Ma chère comtesse, mais naturellement qu'il est encore en vie ! Pardonnez mon manque de considération ! J'aurais dû commencer par là ! D'après ce qu'on raconte, il attend son jugement.

Jane poussa un grand soupir de soulagement. Les épreuves du voyage et les engelures de Winifred n'avaient pas été endurées en vain, même si le temps pressait pour sauver les deux Will.

— Je vais prendre un peu de repos et une goutte de thé noir avec du miel, Mrs Mills. Ensuite, si vous avez l'amabilité de demander un carrosse, je me rendrai sans tarder à la Tour où l'on m'a dit que mon mari est retenu prisonnier.

Mrs Mills jeta un regard inquiet à Cecilia, qui esquissa un sourire attristé.

— Oui, bien entendu, répondit l'hôtesse. Le comte est retenu dans les appartements du gouverneur de la Tour. On m'assure qu'il ne manque de rien et garde le moral.

—Merci. Je vais mettre un peu d'ordre dans ma toilette, si vous voulez bien m'excuser…

Mrs Mills approuva d'un hochement de tête.

—C'est au deuxième étage, Miss Evans. La chambre de la comtesse est au bout du couloir. La vôtre est contiguë à la sienne. Je vous fais monter du thé.

En comparaison des lieux où les deux amies s'étaient habituées à dormir durant leur périple, Jane eut l'impression d'entrer dans un palais lorsqu'elle pénétra dans sa chambre. Elle but une tasse de thé et enleva ses bottes, au grand soulagement de ses pieds endoloris, avant de se perdre dans la contemplation de la carte de Julius Sackville retrouvée dans la poche de son manteau tandis qu'elle en vidait le contenu afin d'en changer pour se rendre à la Tour. C'était non sans un secret contentement que Jane avait accepté de porter le long manteau de velours vert que Cecilia avait emprunté à Mrs Mills. Bordé de fourrure, il était plus chaud que sa vieille pelisse, même si elle avait eu le temps de s'y attacher pour tout ce qu'elle représentait.

Jane effleura le petit carré de carton en suivant le relief du lettrage typographié, renversant l'une après l'autre les barrières qu'elle s'était efforcée d'ériger entre Julius Sackville et elle. Elle se rappela ses baisers passionnés, son souffle sur la peau nue de son cou, la promesse de ses caresses sur les régions de son corps qu'il n'avait pas encore explorées.

Le menton dans les mains, Jane s'appuya sur sa table de toilette en se maudissant, avec quelque complaisance, pour sa faiblesse à l'égard de son sauveur. Malgré ses efforts pour nier l'évidence, elle fut contrainte d'admettre que son cœur avait deux amours légitimes : un pour chacune de ses deux vies.

Jane n'ignorait pas qu'elle était cette usurpatrice qui s'était emparée de la personne et de l'existence de Winifred. Mais était-ce Jane ou Winifred qui avait cédé au charme de Julius? De même, de laquelle des deux ce dernier était-il tombé amoureux: de Jane avec laquelle il s'était entretenu, ou de Winifred sur laquelle il avait posé les yeux? «De la comtesse!» aurait aimé pouvoir répondre Jane, pour se décharger ainsi de la responsabilité d'avoir bradé la respectabilité de Winifred et de la culpabilité qui oppressait son propre cœur infidèle comme une meurtrissure.

Seule Winifred s'était opposée à cette idylle, à laquelle elle avait consenti à contrecœur. Cela expliquait le silence et l'absence de la comtesse depuis l'épisode de la cabane de bûcheron.

— Je suis désolée, susurra Jane à l'intention de Winifred. C'était complètement irresponsable de ma part. Je ne sais pas ce qui m'arrive!

— *Le baiser à l'auberge était irresponsable, mais vous laisser posséder par Sackville était une trahison!* répliqua une petite voix.

Et ces paroles venues d'un autre temps et d'un autre monde ébranlèrent les frêles justifications de Jane. Elle n'aurait su dire qui, de Will, de Nithsdale ou de Winifred, avait parlé. À moins qu'il ne s'agisse de Robin ou de Robyn... Qui que soit son accusateur, il avait fait mouche. Le reproche était mérité.

En plus de partager le corps de Winifred, Jane se sentait partagée entre deux natures. D'un côté, elle était la fille de Catelyn et Hugh Granger, sœur de Juliette et fiancée de Will au XXe siècle. De l'autre, elle n'était qu'un esprit errant, invisible et désarmé. Laquelle des deux était la vraie Jane?

Depuis que Will lui avait passé une bague de fiançailles au doigt, elle se débattait avec sa mauvaise conscience et son incertitude. Mais un seul regard de Julius avait suffi à rompre toutes ses digues. Jane espéra que personne ne l'entendait penser, car, malgré la douleur insupportable des pieds gonflés de Winifred, son plus grand désir était de goûter à nouveau les baisers de lord Sackville, que celui-ci dénoue son corset, la déshabille et lui fasse l'amour.

Quelle barbe! Était-il possible de se détester plus qu'elle ne se détestait? Non, c'était impossible! Jane Granger la dégoûtait au plus haut point!

Étouffant un sanglot, Jane reprit ses esprits et remercia intérieurement Winifred de lui avoir indiqué comment soigner ses engelures dans un bain de pieds à base d'eau et d'amidon de pomme de terre. Elle n'avait pas le droit d'échouer, ni de perdre confiance en elle ou foi dans la tâche qui l'attendait. L'heure n'était pas aux larmes. La vie du comte de Nithsdale en dépendait. Une fois qu'elle serait de retour dans son époque, Julius ne serait plus qu'un lointain souvenir qui s'effacerait tel un songe au réveil.

Cette dernière pensée la rassura. Elle ne se souviendrait peut-être même pas de son beau sauveur, ni même de toute cette aventure baroque, lorsqu'elle reviendrait à elle au sommet d'Ayers Rock. C'était évident! La mauvaise conscience causée par son attirance pour lui, qui la laissait sans défense, disparaîtrait avec le reste, faute de support mémoriel.

— *Peut-être pour vous, Jane!* nuança Winifred.

— *Je ne peux pas réparer mon erreur pour l'instant*, s'excusa Jane. *Vous allez devoir me pardonner, car je fais tout cela pour vous et pour votre mari, ainsi que pour votre descendance.*

Assez gémi, Jane! se tança la jeune femme en se redressant. *Remets tes bottes! Il est temps d'aller voir à quoi ressemble ce comte.*

À ce moment-là, Cecilia frappa à la porte et entra sans y être invitée.

—Winifred, êtes-vous… Oh, mon Dieu, regardez-moi ces orteils !

—C'est ce que je fais, Cecilia, répliqua Jane. Calmez-vous. J'ai demandé que l'on m'apporte de l'eau amidonnée.

—J'allais suggérer une mixture très efficace à base de racine de fenouil, d'œuf et de porto qu'utilisait ma tante, qui s'y entendait en remèdes de bonne femme.

Jane sourit en s'imaginant conseiller à son père d'utiliser ce genre de décoction pour soigner ses pieds gonflés en hiver.

—Vraiment ? s'enquit-elle. Nous nous occuperons de mes pieds une autre fois. Pour l'instant, c'est le cadet de mes soucis.

Cecilia se rembrunit.

—Le carrosse vous attend. Voulez-vous que je vous accompagne ?

Jane finit de lacer ses bottes, puis elle se redressa et prit son amie par les épaules.

—Sans vous, je ne serais pas parvenue jusqu'ici, mais je dois accomplir seule le reste du voyage. Je serai de retour probablement dans une heure ou deux. Je ne pense pas qu'ils accorderont à William le bénéfice d'un long entretien avec son épouse. Reposez-vous. Vous l'avez bien mérité. Je devrai certainement m'appuyer une fois de plus sur vous dans les jours qui viennent.

Cecilia regarda sa maîtresse descendre avec grâce l'escalier depuis le palier du premier étage. En bas, Jane témoigna sa gratitude à la corpulente Mrs Mills pour le manteau vert, puis cette dernière sortit avec elle afin de prendre quelque disposition avec le cocher.

L'hôtesse dut courber légèrement le cou afin de donner une brève accolade à la jeune femme.

— Nous sommes avec vous de tout cœur, milady.

Jane esquissa un sourire affable en se disant qu'il était inutile de suggérer à sa vieille amie de l'appeler Winifred, car celle-ci se plaisait à utiliser son titre, dont elle devait tirer quelque fierté auprès de ses connaissances, même si cela n'enlevait rien à la générosité de Mrs Mills, qui n'était autre que la fille de l'une des fidèles amies de la mère de Winifred.

Une domestique aida Jane à monter dans la petite calèche et donna le signal du départ lorsqu'elle fut installée. Le véhicule s'ébranla, et Jane se retrouva aussitôt plongée dans la cohue londonienne.

La voiture passa à proximité de l'un des quartiers malfamés de la capitale, mais Jane ne sut identifier avec précision ce dédale de rues et de ruelles sordides et délabrés dont les taudis surpeuplés abritaient des dizaines de familles qui vivaient au coude à coude avec les amateurs de gin et les bordels. Des égouts à ciel ouvert servaient d'urinoir à la population masculine peu farouche de ces bas quartiers, tandis que toute une marmaille transformait les fosses d'aisance en terrain de jeu. Une petite fille vendait du cresson dans un panier, tandis qu'un petit garçon proposait du poisson – vraisemblablement du maquereau – en invectivant les passants. Jane chercha son mouchoir parfumé en retenant spontanément sa respiration. Il n'était pas étonnant que la peste noire ait pu se développer dans une telle misère cinquante ans auparavant.

La puanteur était si répugnante, même pour une journée d'hiver, que Jane en eut la nausée et fut contrainte de respirer par la bouche pour ne pas vomir. Elle comprit soudain pourquoi tant de gens se promenaient avec de petits sachets de pot-pourri qu'ils humaient inlassablement.

Jane, qui avait fait ses études dans le Londres des années 1970, s'était alors fréquemment plainte de la saleté qui régnait dans la capitale. Mais au vu de ce funeste et rebutant quartier de pestiférés, elle se demanda si elle survivrait à son incursion dans le XVIIIe siècle.

Le décor changea, et la cathédrale Saint-Paul entra enfin dans son champ de vision. Même si l'édifice était relativement éloigné et dans la direction opposée, cette apparition rassura Jane en lui fournissant un jalon familier qui l'aida à se repérer.

Terrifiée par l'échéance à venir, elle se prépara à rencontrer le comte, son mari.

Ce dernier ne la trouverait-il pas changée? Cecilia n'avait eu aucune difficulté à accepter les petites bizarreries de comportement de son amie. Mais Nithsdale se montrerait-il aussi compréhensif? Pourquoi n'avait-elle pas cherché à en apprendre davantage de Cecilia au sujet du comte? Elle s'apprêtait à le rencontrer sans rien savoir de lui.

Son cœur se mit à battre comme un tambour avant la bataille. Elle leva la main pour toquer au plafond du véhicule afin de demander au cocher de s'arrêter, tant il lui semblait urgent de se renseigner davantage sur le futur condamné à mort.

Mais alors que Jane fermait le poing, une petite voix s'adressa à elle en pensée.

— *Calmez-vous…*, suggéra celle-ci d'un ton apaisant. *Tout ce que vous avez besoin de savoir est en vous.*

Jane ne reconnut pas le timbre grave de la voix, mais elle était certaine que ce n'était pas celle de Robin ni de Robyn, ni même sa propre voix intérieure qui s'animait et lui jouait des tours. Elle ignorait si un dialogue pouvait s'engager, mais elle essaya tout de même.

— *Winifred ?* lança-t-elle, et l'écho mal assuré de sa propre pensée retentit dans son esprit.

Silence.

— *Winifred !* répéta-t-elle avec plus d'assurance cette fois, dans l'espoir d'attirer l'attention de la comtesse. *Winifred, dites-moi quelque chose !*

Aucune réponse ne vint, mais il était trop tard pour changer d'avis ou reculer. Les chevaux ralentissaient et le cocher annonçait leur point d'arrivée.

Les dés étaient jetés ! Son destin et celui de Will étaient sur le point de se jouer. Abaissant la fenêtre, elle s'adressa au hallebardier de faction.

— Comtesse de Nithsdale. Je viens voir mon mari, annonça-t-elle d'une voix ferme. On m'a dit qu'il était retenu dans les appartements du gouverneur.

Chapitre 25

Jane fut accueillie avec cordialité par un homme très grand – barbe rousse bien taillée et regard bleu perçant assorti à son surtout – qui se tenait près d'un brasero.

— Je suis sir John Moseley, madame, le gouverneur de la Tour, salua-t-il en lui faisant un baisemain.

Jane lui rendit son sourire courtois.

— Merci, sir John, de m'autoriser cette visite.

— Comtesse, vous faites preuve d'un stoïcisme admirable ! Je me suis laissé dire que vous arriviez d'Écosse ? s'enquit-il d'un air incrédule.

— On ne vous aura pas menti, monsieur. J'ai quitté les terres de mon mari sises à Terregles dès que j'ai appris la nouvelle de son arrestation à Preston.

Le dignitaire hocha la tête en silence et laissa échapper un rictus qui trahissait la sensation pénible que lui causait le sort qui attendait le mari de cette femme exceptionnelle.

— Comment se porte mon cher époux ? poursuivit-elle.

—Il est en bonne santé, milady. Je puis vous assurer qu'il fait l'objet de tout le respect et de tous les égards dus à son rang, même si je suis obligé de l'enfermer seul. Vous conviendrez qu'il peut parfois se montrer…

—Oui, je comprends, l'interrompit-elle.

—Comment votre famille surmonte-t-elle ce malheur, milady?

—Nous épargnons au maximum les enfants, sir George. Notre fils est à l'étranger. Quant à sa sœur, elle est chez des amis en Écosse. Anne est trop jeune pour s'intéresser à la politique ou comprendre pourquoi son père n'est pas à la maison auprès d'elle. Avez-vous des enfants, monsieur?

—Neuf, dont plusieurs filles! répondit le gouverneur en haussant les épaules.

—Je suppose que vous chercheriez à leur épargner des tensions désagréables, quel que soit leur âge?

—En effet!

Malgré l'obligeance de Moseley, il importait à Jane de laisser de côté les politesses pour entrer dans le vif du sujet.

—Connaît-on la date du procès?

—Sa Majesté fera un discours au Parlement dans trois jours, milady, répondit le gouverneur en hochant la tête d'un air sombre.

—Et? s'enquit Jane en retenant son souffle.

Moseley laissa échapper un soupir.

—Puis-je vous offrir quelque chose, comtesse? Un peu de vin, peut-être?

—Rien, merci. Je me suis déjà amplement rafraîchie, répondit Jane, malgré la pâleur et la faiblesse évidentes de Winifred.

—Peut-être aimeriez-vous vous asseoir? Près du feu…

— Sir George, j'aimerais voir mon mari.

— Je ne suis pas autorisé à…

— S'il vous plaît, monsieur, je vous en prie… Quel tort cela pourrait-il causer ? De toute façon, il sera exécuté. Vous pouvez me fouiller si…

— Ce ne sera pas nécessaire.

— J'ai de l'argent pour ses dépenses. Je vous en supplie, veillez à ce qu'il ne manque de rien.

Le vieil homme considéra les guinées d'or. Jane se refusait à lui avouer qu'il s'agissait des ultimes deniers d'une épargne qui s'amenuisait à vue d'œil, même si elle le suspecta de l'avoir deviné. Par ailleurs, le dignitaire devait sûrement avoir compris que cela se révélait être un pot-de-vin.

— Je suis impatiente de revoir mon mari. Je suis sûre que vous comprenez, insista-t-elle.

— Bien sûr… Naturellement… Très bien, hum… madame. Autant que je sache, l'État est prêt à se montrer clément…

À ces mots, la jeune femme reprit espoir.

— Cependant, poursuivit-il, en levant sa main aux longs doigts graciles afin de contenir tout débordement d'enthousiasme de la part de la comtesse, la Couronne a besoin de faire un exemple. Pardonnez-moi, comtesse, mais je crains que les nobles retenus ici ne doivent endosser la responsabilité des rebelles qu'on a volontairement laissés échapper et de leurs chefs qui sont trop importants pour faire l'objet de poursuites.

— Je vois. Le roi souhaite-t-il un procès ? s'enquit Jane en espérant s'entendre confirmer les dires de Mrs Mills.

— Il serait malhonnête de ma part de vous inciter à envisager une autre possibilité, madame.

Elle implorerait donc la clémence des jurés.

—J'ai déjà remis à lord Nithsdale une liste d'avocats susceptibles de le défendre. D'après ce que j'ai pu comprendre, il s'est offert les services de l'un d'entre eux. Ils ont déjà eu plusieurs conversations.

Le dignitaire prit l'argent que la comtesse lui tendait.

—Merci encore, sir George, dit-elle avec un signe tête. Puis-je le voir maintenant?

—Bien sûr, répondit Moseley avec une pointe d'embarras, avant de sonner un garde qui fit presque aussitôt son entrée.

—Veuillez accompagner la comtesse de Nithsdale jusqu'aux appartements de son mari et lui accorder tout le respect qui lui est dû durant l'heure que durera leur entretien.

Le militaire s'inclina, et Jane lui emboîta le pas.

—Je reste à votre disposition, milady, annonça le gouverneur avec retenue dans son dos.

Jane le remercia une dernière fois du regard et suivit le garde le long d'un corridor glacial éclairé par des torches murales. De l'autre côté des fenestrons, elle aperçut la pelouse appelée Tower Green, où, environ deux cents ans auparavant, une jeune reine du nom d'Anne Boleyn avait été décapitée. Jane frissonna, mais elle n'aurait su dire si c'était de peur ou de plaisir à cause de ses réminiscences historiques. Gravissant un petit escalier, ils croisèrent d'autres gardes qui saluèrent la comtesse avec respect.

Ils se trouvaient à présent dans ce qui s'appellerait plus tard «les appartements de la reine», et Jane crut rêver, car elle se souvenait de ses vacances à la Tour, chez Emily, sa condisciple de fac. De Thomas More, l'humaniste catholique, à Guy Fawkes, l'auteur de la conspiration des Poudres, quantité de personnages historiques avaient été enfermés entre ces murs. Songer qu'elle découvrait la célèbre prison durant ses années d'activité était plus qu'excitant pour l'historienne qu'était Jane, au point qu'elle oublia pendant un instant son étrange et périlleuse mission pour se réjouir des agréments de ce voyage dans le temps.

Elle prit la rampe et aperçut du coin de l'œil les corbeaux qui arpentaient la pelouse ; elle en dénombra quatre, mais elle fut interrompue par le garde qui la confiait aux bons soins d'un vieux hallebardier. Celui-ci sortait d'une pièce exiguë qui faisait office de salle de repos réservée aux gardes attachés à la surveillance de Nithsdale.

— Une heure, pas davantage, marmonna le premier garde.

— Je vous remercie, répliqua Jane, tandis qu'il s'éloignait.

Puis elle se tourna, sourire aux lèvres, vers le vieux garde.

— Suivez-moi, s'il vous plaît, suggéra ce dernier en lui faisant traverser une vaste salle avec des poutres en ogive et d'immenses fenêtres de style Tudor dont les châssis étaient en plomb.

À mi-chemin, le parquet grinça sous les pas légers de la jeune femme, et celle-ci fut prise de vertige en songeant que c'était dans cette même pièce qu'Emily et elle avaient si souvent bachoté ou élaboré des projets pour leurs week-ends.

— C'est la salle du Conseil, milady, fit remarquer inutilement le hallebardier, car Jane se souvenait que c'était là que Guy Fawkes avait refusé de dénoncer ses complices avant de se voir soumis à la torture.

Le garde prit les énormes clés de fer qui pendaient au bout d'un anneau à sa ceinture et répéta ce que la comtesse savait déjà :

— Vous avez une heure.

Jane acquiesça.

— Si ça peut vous rassurer, madame, sachez que votre mari est apprécié de nous autres, ses gardes, parce qu'il est poli avec nous et n'est pas avare de ses deniers.

Ses quelques deniers..., songea Winifred. Argent dont la plus grande partie avait été obtenue par la grâce de Mary et de Charles.

— Je vous remercie de vos égards pour lui, répliqua Jane avec un sourire forcé. C'est sa loyauté qui l'a conduit ici, non la traîtrise. Mais tout n'est qu'une question de point de vue, je le crains.

Le hallebardier la considéra sans comprendre, car c'était trop subtil pour lui.

— Vouais, ma foi, y a pas de raison d'être brutal sans justification! répliqua-t-il. Je suppose qu'il rendra sans tarder ses comptes au Seigneur, si vous me pardonnez l'expression.

Jane ne le contredit pas et le laissa tourner la clé dans la serrure.

— Voici un visiteur que vous serez content de voir, lord Nithsdale, lança le garde avant de reculer d'un pas pour laisser entrer la comtesse.

Jane prit une grande respiration et pénétra dans la chambre de William Maxwell.

Ellen était occupée à raser Will. C'était une tâche qu'elle aimait effectuer pour « ses hommes », comme elle disait. Le métier avait subi des transformations depuis ses années d'études. La paperasse administrative envahissait tout, et l'encadrement était extrêmement prenant. En résumé, elle n'était pas entrée à l'école d'infirmière pour administrer le personnel et atteindre des objectifs fixés par la direction. Aux antipodes de cela, Ellen avait une vocation de soignante.

« Notre métier consiste à soigner des malades, enseignait-elle à ses stagiaires. Ne l'oubliez jamais. Peu importe qu'ils soient vieux ou jeunes, malodorants ou ivres, qu'ils aient le cerveau dérangé, qu'ils soient désorientés, hostiles ou comateux. »

Ellen vidait les poches à urine ou de stomie de ses patients avec la même bonne humeur qu'elle manifestait en leur prenant la tension ou la température. Rien ne la réjouissait plus que de contempler un visage propre et rafraîchi, même si le malade en question était dans le coma.

« Ils ne s'en aperçoivent même pas ! » avait répondu une stagiaire nouvellement arrivée, lorsque Ellen, au moment de la relève, lui avait demandé pourquoi Will Maxwell était si dépenaillé.

Ellen lui avait jeté un regard noir.

« Ils s'en fichent pas mal s'ils sentent des aisselles, je veux dire ! » avait argué l'étudiante en haussant les épaules.

« Comment le savez-vous ? Êtes-vous dans la tête et le cœur de vos patients ? »

« Je ne sais pas ! » avait répondu la stagiaire d'un ton sec en baissant les yeux d'exaspération, ce qui, ajouté à sa moue butée, lui avait donné un air encore plus renfrogné.

« Exactement, Lisa, vous n'en savez rien. En fait, vous ne savez pas grand-chose ! Vous n'avez que dix-neuf ans et vous avez déjà perdu de vue la raison d'être de notre profession. »

La jeune fille était restée sans voix.

« En plus, avait poursuivi Ellen, travailler dans ce service est une chance qui est offerte à peu de stagiaires. Or, Will, que vous voyez ici, de même que sa famille, qui est sous le choc, compte sur nous pour assurer à sa place ses besoins corporels. Et si cela doit passer par un brossage de dents ou de cheveux, alors c'est le moindre des services que vous puissiez lui rendre. »

Les yeux plissés de colère, elle avait ajouté :

« Et puis ce n'est pas la peine de faire cette moue ! Je suppose que sa feuille de soin est à jour ? »

« Évidemment ! » avait répondu la stagiaire sans se laisser intimider.

L'infirmière s'était détournée, congédiant sa subordonnée par un silencieux mépris.

Ellen avait dû effectuer sa tournée, procéder à quelques vérifications et s'acquitter d'un certain nombre de tâches urgentes avant de pouvoir faire la toilette de Will. C'étaient les petites heures du jour, et le service, qui fonctionnait avec un personnel réduit, entrait dans sa phase la plus calme, que seuls venaient troubler les murmures qu'Ellen adressait à ses patients muets. C'est alors que Tina monta de son service situé à l'étage en dessous et rompit le silence de sa voix claironnante.

— Ah, tu es là ! s'exclama-t-elle. Je croyais que tu étais du soir. C'est curieux, je ne suis pas étonnée de te trouver au chevet de ce patient en particulier…

— Le beau Will ! répliqua doucement Ellen en souriant. Il n'est jamais insolent avec moi !

Et toutes deux rirent aux éclats.

— Rien de nouveau ?

Ellen secoua la tête en agitant son rasoir dans l'eau mousseuse, puis elle l'égoutta et reprit le rasage du menton de Will.

— Mais il va nous revenir, précisa-t-elle. C'est lent, mais il a donné des signes avant-coureurs. Le problème est que ses parents ne nous ont donné que quelques jours pour obtenir des résultats. Ils comptent l'emmener demain en Amérique.

Ellen se garda d'ajouter qu'elle risquait de les accompagner. Il ne lui restait que peu de temps pour se décider.

—Fais une petite pause. Tu viens boire un thé? s'enquit Tina en se désintéressant manifestement du patient.

—Je le coiffe et j'arrive…

—Winifred! s'exclama le comte de Nithsdale en faisant volte-face.

C'est alors qu'un événement inouï se produisit. Jane se sentit soudain envahie par l'amour immense que Winifred vouait à cet homme et qui était porteur de tous les bienfaits : lumière, chaleur humaine, sécurité, sensualité, bonheur affectif et joie insondable de celui qui aime et se sait aimé.

De toutes ces émotions, Jane n'avait connu, avec Will, que la dimension érotique. Était-ce suffisant pour fonder une union ? À vrai dire, elle avait été beaucoup plus éprise de Julius Sackville, qu'elle n'avait connu que quelques jours, que de Will, avec qui elle avait passé des mois. Mais le pire était que ses sentiments pour Julius égalaient en tout point ceux que Winifred éprouvait pour son mari !

La ressemblance était si confondante, entre le cinquième comte de Nithsdale et le fiancé de Jane, que cette dernière eut l'impression que c'était Will Maxwell, géophysicien et globe-trotteur américain, qui la prenait dans ses bras.

Il l'embrassa dans le cou, sur les joues, et enfin sur la bouche.

—Oh, mon amour…, commença-t-il, au comble de la joie. Vous êtes venue !

Jane comprit qu'elle devait passer la main à Winifred et tenir ainsi la promesse qu'elle s'était faite à elle-même d'assumer complètement l'identité de la comtesse.

Elle laissa donc cette dernière prendre le contrôle.

Tandis qu'Ellen peignait les cheveux humides de Will, le corps de celui-ci tressaillit de manière spectaculaire. La jeune femme laissa échapper un souffle rauque.

—J'ai vu, dit Tina sans attendre la question.

Immobile, Ellen couvait le patient du regard en se demandant si le tressaillement se reproduirait.

—C'est la première fois que je vois ça, assura-t-elle au bout d'un moment d'un air perplexe, sans retirer le peigne des cheveux de Will. Les patients ont des mouvements convulsifs, gémissent parfois, mais ils ne font jamais rien de tel. J'espère que c'est bon signe… Va chercher de l'aide, Teen. Dis à Sandra d'appeler le docteur Evans, ou appelle-le toi-même si Sandra n'est pas encore arrivée. Il faut qu'il vienne tout de suite. Je ne peux pas laisser Will.

Tina hocha la tête et partit à toute vitesse, tandis qu'Ellen continuait de surveiller le patient au cas où il bougerait de nouveau. Elle regarda sa montre et sortit le dossier du jeune homme pour y inscrire d'un geste rapide l'heure et la nature du changement survenu.

—Allez, Will, reviens pour moi! murmura-t-elle avec la certitude qu'il allait se réveiller, sans s'apercevoir qu'elle s'adressait à lui comme s'il était sien.

En 1715, Nithsdale se reculait pour mieux contempler Winifred et s'assurer que c'était bien elle. Jane ressentit un profond malaise. Qu'arriverait-il s'il s'apercevait du subterfuge?

— Mon Dieu, vous êtes un régal pour les yeux ! Comment vont les enfants ?

— J'ai écrit à Willie pour l'avertir de votre arrestation, répondit Jane, dans les bras du comte. Quant à notre chère petite Anne, elle se pose mille questions, mais elle va bien et est heureuse de vivre avec Mary et ses cousins, ainsi que vous l'aviez prédit. Et vous ? Vous avez maigri, constata-t-elle en se penchant en arrière pour le regarder à son aise.

Il ne portait ni perruque, ni veste longue alambiquée, mais il était propre et rasé de près. Malgré sa forte ressemblance avec Will, laquelle était accentuée par la pénombre qui régnait dans la pièce, des différences notables sautèrent aux yeux de Jane. Les deux hommes n'avaient pas les prunelles de la même couleur, son fiancé avait les cheveux bien plus clairs que son ancêtre. En revanche – chose troublante –, ils mesuraient sensiblement la même taille et avaient la même forme de visage. Jusqu'au timbre de voix qui était quasiment identique ! Un air de famille s'était transmis de génération en génération pour produire, quelque deux cent soixante ans plus tard, une copie presque conforme de l'époux dont Winifred était éprise.

— Ne soyez pas inquiète pour ma santé, mon ange. Ma tête, en revanche…, insinua-t-il d'un ton espiègle en esquissant un sourire en coin comme l'aurait fait Will.

Mais cet humour noir refroidit Jane, qui prit pleinement conscience de la situation dans laquelle se trouvaient William et Winifred. *Il risque la décapitation ! On se croirait dans un conte d'épouvante !* s'exclama-t-elle intérieurement avant de rectifier. *Ou pire : dans un livre d'histoire !* Cela décontenança la jeune femme qui en eut la nausée. Que pouvait-elle faire pour empêcher cela ?

— William, que pouvons-nous faire ? s'enquit-elle d'un ton qui trahissait son propre effroi malgré la voix posée de Winifred.

— J'ai commencé à préparer ma défense en engageant un avocat. Vous devrez lui remettre dix guinées pour ses honoraires.

C'était une somme considérable, même pour Winifred. Jane hocha la tête.

— Votre beau-frère nous aidera de toutes les manières possibles, rappela-t-elle.

Puis Nithsdale l'invita à s'asseoir sur la banquette près de la fenêtre et prit appui contre le rebord en soupirant.

— Oui, nous aurons sûrement besoin de son argent.

C'était dans cette même pièce qu'elle dormait avec Emily. À la différence près que les murs étaient recouverts de papier peint à motifs floraux rose et vert. Il y avait également une table de toilette à l'endroit où elle était assise, une armoire Habitat en pin à côté de la porte et un vieux lit à une place en fer d'une couleur crème alors à la mode. Emily et Jane s'asseyaient par terre près de la cheminée pour lire des magazines ou écouter des vinyles en râlant au sujet de la fac ou en réglant les détails de leur prochaine virée shopping dans le West End.

Mais pour l'heure, Jane était assise sur une paille d'ajonc face à un seau rempli à un quart d'un liquide orangé nauséabond que l'on avait posé à l'emplacement où, un jour, se tiendrait un petit lavabo.

Jane se détourna et regarda par la fenêtre pour échapper à ses souvenirs. Elle aperçut la porte des Traîtres en contrebas. À mille lieues du musée animé qu'elle connaissait, la vanne servait encore à acheminer les prisonniers jusqu'à leur dernière demeure. Au-delà s'étendait la vaste nappe de la Tamise.

— Vous ont-ils amené par cette porte ?

Nithsdale hocha la tête sans dissimuler son dégoût.

Une autre surprise attendait Jane à sa gauche : le pont de Londres n'existait pas, du moins pas encore tel qu'elle le connaissait, car il faudrait attendre une centaine d'années pour que les urbanistes remplacent l'ancienne construction délabrée et toute de guingois par un ouvrage plus moderne, lequel serait à son tour remplacé au début des années 1970. *Est-ce de là que vient la fameuse comptine* London Bridge Is Falling Down ? se demanda Jane.

Cependant, quelle ne fut pas son épouvante lorsqu'elle aperçut des têtes décapitées qui pourrissaient sur des piques plantées à intervalles réguliers le long du parapet ! Le pont ressemblait à un musée des horreurs !

Mais hormis ces quelques observations, Jane n'eut guère le loisir de distraire son attention au-delà de la chambre de six pas de long et trois de large qui servait de cellule à William Maxwell.

La charpente en ogive plate et les murs n'avaient pas encore été recouverts de papier peint au décor joyeux, mais arboraient un enduit de plâtre blafard qui protégeait des incendies.

— L'avocat a suggéré que je plaide coupable, l'informa ce dernier, interrompant le fil de ses pensées.

Jane se rembrunit.

— En quoi cela peut-il vous aider ?

Une rafale glaciale s'engouffra soudain par la fenêtre entrouverte.

— William, par pitié, vous allez attraper mal dans ce courant d'air ! Et ne me répondez pas que cela vaut mieux que de perdre la tête ! Cet humour me met les nerfs à vif !

Le comte referma la fenêtre.

— Quand le vent me fouette le visage jusqu'à engourdir mes muscles, je me sens plus vivant, et je trouve des raisons de croire en une issue heureuse.

Winifred, et non Jane, lui prit la main et la posa contre sa joue. Les deux femmes semblaient pleinement coexister à présent. La comtesse s'affirmait de plus en plus, et Jane se demanda si celle-ci avait également accès à ses pensées et à ses souvenirs.

William attendait que sa femme rompe le silence.

— Tout n'est pas perdu, mon très cher. Racontez-moi ce qui s'est passé.

Il se mit à arpenter la pièce.

— Nous avons été interrogés par les juges du Conseil le lendemain de notre arrivée, puis la Chambre des communes nous a inculpés de haute trahison.

— Comment votre avocat justifie-t-il le fait de plaider coupable ? s'enquit Winifred d'un air inquiet.

— Il conseille, à l'instar des avocats de mes amis, d'alléguer que nous avons agi en notre âme et conscience et que nous sommes prêts à en assumer les conséquences.

La comtesse n'en crut pas ses oreilles.

— On nage en plein délire ! Autant vous conseiller de vous trancher vous-même la tête et de la servir au roi sur un plateau !

Jane fut impressionnée par le cran dont faisait preuve la comtesse en raillant les avocats dans un moment aussi difficile.

— Qui fait de l'humour, à présent, mon amour ? s'enquit William avec un sourire grave. À tort ou à raison, ajouta-t-il, je ne suis pas de son avis et j'ai refusé d'introduire un tel plaidoyer.

— Je vous demande pardon…, s'excusa Winifred tandis qu'une bouffée d'angoisse l'oppressait.

— Le verdict sera rendu au début du mois prochain, précisa William.

Cédant à la peur, la comtesse se tordit les mains, et les deux jeunes femmes s'unirent de nouveau dans une frayeur commune. *Comment vais-je le tirer de là ?* se demanda Jane, car il lui semblait que ses chances de sauver son fiancé s'amenuisaient à mesure que s'éloignaient les perspectives de salut pour Nithsdale.

— Que fait le roi Jacques ? s'enquit-elle.

Le comte fit la grimace.

— Que peut-il faire ? La rébellion a été écrasée…

Jane acquiesça tristement tandis que Winifred la mettait intérieurement au courant des événements récents concernant Jacques III, dit le « Vieux Prétendant ».

— De retour en Écosse, commença Jane, les rigueurs de l'hiver se sont ajoutées au désastre militaire, et il a été pris de fièvre. Les choses en étaient là quand je suis partie.

— Qu'auriez-vous pu apprendre de plus, sinon que, pris de fièvre, il s'est embarqué pour la France quelques semaines plus tard, fort d'avoir promis ses fidèles vassaux à une mort quasi certaine ? Quant au roi George, il voudra faire un exemple.

Jane hocha la tête. Il était inutile de prétendre le contraire.

— Je pense que nous devrions nous préparer au pire, Winifred, poursuivit Nithsdale, et discuter des mesures qu'il convient de prendre concernant les enfants et Terregles, votre sécurité et votre avenir…

— William, arrêtez ! Pour l'amour du ciel, taisez-vous ! s'exclama la jeune femme en tombant, impuissante, dans ses bras.

Le comte la serra contre lui tandis qu'elle versait des larmes inutiles à son insu.

—Pourquoi n'en appellerions-nous pas directement à la clémence du roi George? s'enquit-elle au bout d'un moment. Je ne peux pas croire qu'il soit prêt à souiller ses mains avec le sang de la noblesse britannique!

À ces mots, William embrassa tendrement sa femme sur le front.

—Son autorité se verrait amoindrie s'il nous accordait sa grâce.

—Je ne peux pas le croire! insista la jeune femme.

—En tout cas, mon avocat refusera de plaider auprès du roi, renchérit William d'un ton sans appel.

—Dans ce cas, c'est moi qui m'en chargerai!

—Vous?

—Pourquoi pas? Qui, mieux que l'épouse et la mère des enfants du condamné, saurait inspirer la pitié et la clémence?

—Je doute que notre nouveau souverain fasse preuve de beaucoup d'indulgence envers l'épouse ou les enfants d'un pair du royaume gagné au catholicisme, surtout si celui-ci s'est soulevé contre lui.

—C'est ce que nous verrons! Quoi qu'il en soit, je ne négligerai aucun recours tant que…

—Tant que tout espoir ne sera pas perdu? l'interrompit-il d'un air abattu.

—William, pour moi et pour les enfants, vous devez garder courage. Je m'apprête à agir en terrain inconnu, prévint Jane. Si vous baissez les bras, comment pourrai-je espérer vous sauver? Je veux que vous gardiez l'esprit et le corps alertes. Quant à votre défense, je m'en occupe.

Nithsdale acquiesça sans conviction.

—Avez-vous parlé avec lord Derwentwater ou lord Kenmure ? s'enquit la comtesse, car elle n'ignorait pas que ces deux hommes étaient influents.

William haussa les épaules.

—Nous avons échangé quelques mots au début de notre détention. Depuis, on me garde enfermé dans cette chambre. Je suppose qu'il en va de même pour eux. Chaque soir, nous dînons à la table du gouverneur de la Tour, qui est un hôte courtois, mais nous n'y parlons ni politique ni tactique judiciaire pour les raisons que vous imaginez.

Il laissa échapper un rire sans joie et ajouta :

—Figurez-vous que nous avons parlé poésie lors de notre dernier repas.

Puis, esquissant un sourire qui se voulait rassurant, il enchaîna :

—Mais n'ayez crainte, on a mis un prêtre à ma disposition, le père Scott. Il vient me voir et me tient compagnie. De plus, mes geôliers sont bons avec moi. Nous échangeons souvent à bâtons rompus. Et puis, au moins j'ai vue sur le fleuve, non sur Tower Green où ont lieu les exécutions !

Jane eut la gorge serrée, car, selon toute vraisemblance, si l'exécution des prétendus traîtres avait lieu, le roi et ses alliés protestants feraient tout pour qu'un vaste public y assiste. Ainsi, William et ses compagnons seraient certainement décapités à Tower Hill.

Jane fut de nouveau prise de vertige tandis qu'elle se laissait submerger par la peur. Elle devait sortir au plus vite de cet endroit funeste où elle étouffait !

—Le garde a dit que je ne pouvais rester qu'un court moment, mais je reviendrai dès que possible avec du nouveau. Je lui ai remis des vêtements propres.

Fouillant dans sa poche pour en extraire la petite bourse qu'elle avait apportée, elle ajouta :

—Voici de quoi rester dans les bonnes grâces de vos geôliers. À toutes fins utiles, j'ai donné un pot-de-vin généreux à sir George. Je serais surprise qu'il me refuse l'entrée de votre cellule.

Nithsdale prit la bourse et enlaça sa femme.

—Merci de vous montrer si courageuse pour moi. Je n'ai pas même eu le temps de vous questionner au sujet du voyage… ni de vous demander si vous avez pu vous loger décemment en chemin… Vous avez dû souffrir par ce froid…

Winifred l'interrompit par un baiser tandis que Jane cédait à la honte et à la mauvaise conscience.

—Je suis là. C'est tout ce qui compte. Seul importe à mes yeux que vous rentriez sain et sauf à la maison.

—Je vous aime, Winifred.

À ces mots, Jane put, une fois de plus, constater la puissance merveilleuse, et presque effrayante, de l'amour qui unissait ces deux êtres. Elle songea à son fiancé qui l'attendait sur son lit d'hôpital. Il l'aimait. Mais l'ombre de Julius hantait également sa mémoire et entachait la pureté de ses intentions à l'égard de sa mission. À moins que la santé déclinante de Winifred ne soit la cause de ses doutes…

Le cocher, qui avait attendu patiemment le retour de sa cliente, ramena celle-ci à toute allure à Duke Street ; mais cette fois, la jeune femme ne fit pas attention au paysage.

Pendant qu'elle réglait la course, Cecilia sortit sur le perron. Tremblante de fièvre, Jane tomba dans les bras de son amie qui la conduisit jusqu'à son lit sans perdre un instant.

Chapitre 26

Le docteur Robert Evans jeta un coup d'œil à Ellen qui était restée de marbre.

— Nous dirons que je n'ai rien entendu, Mr Maxwell, car je suis sûr que vous n'insinueriez pas que l'un des cadres de ce service produit de fausses informations !

Maxwell parut décontenancé.

— Je suis désolé, s'excusa-t-il en balayant le médecin et son infirmière du regard. Tout ce que je veux, c'est que Will ait les meilleures chances de s'en sortir.

— Tout ce qui sort de ma bouche a pour objet le bien-être de Will et de sa famille. Et le médecin que je suis vous dit que la convulsion qu'a eue votre fils est un signe indubitable du fait qu'il reprend conscience.

— Peut-il nous entendre ? s'enquit Diane Maxwell.

— C'est une possibilité que nous n'excluons jamais, madame, répondit Ellen avec ménagement. Je lui parle toujours durant les soins. Cela ne peut pas lui faire de mal.

La mère de Will hocha la tête puis esquissa un sourire éploré.

— Vous êtes si attentionnée, mon enfant. Vous avez raison, cela ne peut pas lui faire de mal. Que suggérez-vous, docteur Evans ?

— Je vous conseille de laisser votre fils chez nous pour quelque temps encore.

Contrarié, John Maxwell commença à trépigner, mais, pour une fois, il s'abstint de fusiller l'assistance du regard et tint sa langue.

— Nous ignorons quelle peut être l'issue de ce signe avant-coureur. Comme vous le savez, nous lui avons retiré les appareils qui le maintenaient en vie. Il ne nous reste plus qu'à attendre qu'il se réveille. La décision viendra de lui. Quant à nous, il nous faut garder espoir et nous montrer patients.

— Aura-t-il des séquelles ? s'enquit la mère de Will.

— Mrs Maxwell, nous ne pouvons pas le savoir tant que votre fils ne s'est pas réveillé. Mais une chose est certaine : le processus de réveil est amorcé. Mais cela prendra du temps. Chaque patient réagit différemment en fonction de la nature de sa pathologie et de son terrain neurologique. Hum, avez-vous des nouvelles de Miss Granger ?

— Cette folle s'est embarquée dans une équipée loufoque afin, espère-t-elle, de réveiller Will à distance grâce à la magie ! grommela Maxwell.

La femme de ce dernier implora du regard l'indulgence du docteur Evans et de ses assistants.

— Will faisait des recherches sur des... alignements de sites... qui remonteraient à la nuit des temps. Je ne suis pas certaine de comprendre exactement de quoi il s'agit...

— J'ai lu des livres sur la question, répliqua le médecin.

—Jane s'est rendue sur un site où Will avait projeté de l'emmener, qui s'appelle…

Mrs Maxwell chercha de l'aide dans le regard de son mari qui arborait son éternel rictus.

—Quoi qu'il en soit, poursuivit-elle, c'est un endroit réputé propice à l'éveil spirituel.

—Elle compte sur la magie pour sauver notre fils, docteur Evans, pas sur la médecine ! lança John.

—Vous savez, Mr Maxwell, intervint l'impassible Evans, dans des situations comme celle-là, religion, spiritualité, croyances païennes, magie… c'est la même chose ! Nous nous tournons vers l'un ou l'autre lorsque la pression est trop forte. Personnellement, je ne vois pas de contre-indication, dans la mesure où cela peut aider à rester confiant.

Le visage rayonnant, il ajouta, tout sourires :

—Pour revenir à la science, et avant que vous ne me posiez la question, je pense que nous en saurons davantage demain ou après-demain.

—Très bien ! rétorqua Maxwell. Maintenant si vous n'y voyez pas d'inconvénient, nous aimerions rester seuls avec notre fils.

—Bien sûr, entonnèrent Ellen et Evans, après avoir échangé un regard triomphant, car Maxwell n'avait plus reparlé de délai.

Jane cligna des yeux afin d'émerger du brouillard. *Où suis-je ?* se demanda-t-elle.

—Bienvenue parmi nous ! s'exclama Cecilia, le sourire aux lèvres, en se penchant au-dessus de la jeune femme.

—Que m'est-il arrivé ? s'enquit Jane d'une voix rauque.

—Tenez, buvez un peu, conseilla la servante en soulevant la nuque de son amie. La fièvre est tombée, annonça-t-elle.

—« La fièvre » ? répéta Jane, dont la tête était lourde comme une enclume.

—Vous avez rechuté. Cela devait arriver. Vous ne vous êtes pas ménagée, et votre corps s'est rebellé !

—Je ne parviens pas à m'en souvenir… Ah oui, attendez, cela me revient… Je suis allée à la Tour. J'ai vu William.

—Oui, c'était il y a deux semaines.

Jane resta d'abord sans réaction, puis elle repoussa vivement le verre que lui présentait Cecilia.

—Vous… vous avez dit… « deux semaines » ? bredouilla-t-elle.

—Oui…, soupira brièvement son amie.

—Mais alors…

—Vous n'auriez rien pu tenter entre-temps. Calmez-vous, sinon vous allez vous fatiguer et déclencher de nouveau la fièvre. Laissez-moi vous mettre au courant des nouvelles qui nous sont parvenues.

Jane se renversa bien sagement contre son oreiller, mais uniquement parce que sa tête s'était mise à tourner.

—Ne me cachez rien, parvint-elle néanmoins à articuler.

—En substance, commença d'emblée Cecilia avec un regard d'avertissement, le verdict est prévu pour le 9 février. Dans huit jours.

Jane fit mine de répliquer, mais Cecilia l'arrêta d'un geste de la main.

—Je sais que vous voulez rendre visite à votre époux, mais le roi l'interdit jusqu'à ce que le verdict soit rendu. Naturellement vous demanderez à assister au procès, c'est pourquoi, ma chère Winifred, j'insiste pour que vous mettiez ces huit jours à profit pour vous refaire une santé. Le voyage vous a bien plus fatiguée que vous ne voulez l'admettre.

En conséquence, Jane vécut la semaine qui suivit au rythme monotone des bouillons, de ses ablutions au lit, de ses nuits sans repos et de ses journées d'épuisement entrecoupées de siestes. Au bout de six jours, elle était de nouveau plus déterminée que jamais, et l'état de santé de Winifred s'en ressentait. Elle faisait désormais sa toilette toute seule sans traîner la patte comme une vieille.

Tel un mauvais présage, le jour se leva maussade le matin du verdict. Février est traditionnellement le mois le plus rigoureux de l'hiver en Angleterre. Il n'en fut pas autrement en cette année 1716. La température descendit si bas que les mains de Jane manquèrent de rester collées à la rampe de fer du perron de Mrs Mills lorsqu'elle se hasarda dehors pour la première fois. Elle fit néanmoins savoir à tous que, malgré les conditions météorologiques, elle assisterait au procès.

Mais Cecilia était têtue.

— Il semblerait que la Tamise ait gelé, annonça-t-elle au petit déjeuner en servant un chocolat chaud à son amie.

Mrs Mills entra avec effervescence, apportant un quatre-quarts coupé en petites parts et des petits pains fumants.

— L'un des commis m'annonce à l'instant que l'on s'amuse sur le fleuve. Il faudra que j'aille voir ça !

— Je crains de ne pas avoir le cœur à la fête, Mrs Mills, répliqua Jane à voix basse, en remarquant le regard furibond que Cecilia jetait à leur hôtesse.

— Pardonnez-moi, comtesse, je ne voulais pas…

— Je vous en prie, oublions cela, la rassura Jane en secouant la tête. Je suis lasse de mon humeur morose et lasse d'obliger mon entourage à sombrer dans la mélancolie. J'espère qu'aujourd'hui on m'apportera des nouvelles propres à réjouir mon cœur.

Si appropriées que fussent ces paroles, elles lui parurent néanmoins creuses.

— La calèche arrivera dans quelques instants pour vous emmener à Westminster Hall, annonça Mrs Mills.

— Qui présidera la séance ? s'enquit Cecilia en fronçant les sourcils.

— Le grand officier lord Cowper a été désigné pour juger les jacobites.

Cecilia hocha la tête. Sur la cheminée, une pendule carillonna.

— Je ferais mieux d'aller chercher nos manteaux, il sera bientôt l'heure…, dit la servante en haussant les épaules.

— Je ne prendrai qu'un seul de ces petits pains, déclara Jane.

C'était un bon compromis entre le manque d'appétit de Winifred et la nécessité pour celle-ci de prendre des forces.

— Excellent ! s'exclama Cecilia, ravie. Je suis contente que l'appétit vous revienne. Mangez !

Le trajet se déroula dans le plus grand flou pour Jane qui demeura dans l'incapacité de se concentrer sur quoi que ce soit jusqu'à ce que le cocher ranime brusquement sa vigilance en criant : « Westminster ! »

Elle descendit de la voiture et fut accueillie par un homme à la mine sombre en perruque et robe d'avocat. C'était Mr John Fitzwilliam, le défenseur de William.

— Milady, je dois vous prévenir que le parti whig a convaincu le roi de transformer ce procès en une sorte de pièce de théâtre !

annonça-t-il d'une voix grave qui donnait du poids à ses sublimes intonations.

— Que voulez-vous dire ? s'enquit Jane, l'estomac noué.

Le champion du barreau se racla la gorge, manifestement mal à l'aise.

— Ils ont fait enlever les bancs de la salle d'audience pour y installer un balcon afin d'accueillir un plus grand nombre de spectateurs.

La jeune femme vit soudain ses chances de sauver son mari se réduire comme peau de chagrin.

— Je vois…, répliqua-t-elle, faute de savoir quoi dire.

— Le carrosse du grand officier vient d'arriver, ainsi que ses assistants. Ils ne tarderont pas à faire leur apparition. Madame, tous les pairs du royaume accusés seront présents, à l'exception de lord Wintoun, qui a réussi à convaincre les autorités qu'il avait perdu la raison.

Jane était atterrée.

— J'ai pensé qu'il serait préférable que vous le sachiez, ajouta l'avocat.

La jeune femme se fichait éperdument de lord Wintoun qu'elle n'avait jamais rencontré de sa vie, mais tout indiquait que Fitzwilliam maîtrisait parfaitement son sujet. Néanmoins, elle le détestait parce qu'il avait conseillé à William de plaider coupable, attitude qui ne ferait assurément qu'apporter de l'eau au moulin du roi.

— Que savez-vous de lord Cowper, le grand officier ?

Le fait qu'à ces mots l'avocat évita son regard ne rassura pas la jeune femme.

— Je ne vous mentirai pas, milady. Lord Cowper a la réputation d'être un juge sévère. C'est la raison pour laquelle j'ai conseillé à votre mari de plaider coupable, car Cowper réagit favorablement à tout aveu de culpabilité et, surtout, aux manifestations de repentir.

Elle se réjouit que William ait décidé de ne pas écouter son avocat.

—Je crains que mon mari ne soit dans l'incapacité de manifester le moindre remords pour avoir tenté de faire revenir l'héritier légitime sur le trône d'Angleterre actuellement occupé par un Allemand!

C'était une réplique pleine de hardiesse comme seule Winifred savait en concocter. L'avocat prit un air absent, ce qui effraya Jane encore davantage. À l'évidence, Fitzwilliam ne donnerait pas cher du sort de Nithsdale si celui-ci s'entêtait dans son refus de plaider coupable.

N'ayant plus rien à ajouter, Fitzwilliam la conduisit avec courtoisie, quoique en silence, à l'intérieur de Westminster Hall. En d'autres circonstances, Jane se serait arrêtée sur l'architecture médiévale du bâtiment, mais pour l'heure, elle n'eut d'yeux que pour les gradins que l'on avait installés à la hâte sur des échafaudages. L'avocat n'avait pas menti : la moitié de Londres s'y était rassemblée. Il régnait dans la salle un vacarme de tous les diables causé par les échanges d'impressions des spectateurs qui se réjouissaient à l'avance de la pièce morbide et spectaculaire qui allait se jouer et décider du destin d'une partie de la noblesse anglaise et écossaise. L'odeur piquante des corps malpropres de la populace ne faisait qu'ajouter une touche d'acrimonie à l'humeur sombre de Jane.

Winifred suivit l'avocat, sous le doigt pointé de l'assistance, jusqu'aux sièges qui leur étaient réservés. Résolue à ne croiser le regard de personne à l'exception de son mari, elle garda les yeux fixés devant elle. Elle leva cependant la tête pour admirer la magnifique nef du plafond, qui était la plus grande d'Europe. Mais la vue de la charpente apparente ne fit qu'accroître son effroi, car celle-ci n'était autre que le plafond d'un tribunal où, en condamnant le comte de Nithsdale à mort, on condamnerait aussi son descendant. À cette idée, Jane fut prise de nausée.

— Winifred ? héla Cecilia en posant la main avec sollicitude sur le bras de son amie.

— Ça ira, murmura Jane. Un simple vertige. C'est déjà passé.

On ordonna à l'assemblée de faire silence pendant que la cour du Banc du roi faisait son entrée dans le tribunal. Les lords de la Chambre haute et les représentants de la Chambre des communes prirent place sous le regard fasciné, mais triste, de Jane. Les spectateurs et la cour se levèrent pour saluer l'entrée du prince de Galles qui s'assit d'un air sombre sur un siège qui lui était réservé. L'arrivée de celui-ci, qui ne faisait que souligner la gravité de l'occasion, finit de démoraliser la jeune femme. La mort rôdait à Westminster Hall.

Tout près, quelqu'un murmura à son voisin que les valets et les huissiers avaient reçu un nouvel uniforme écarlate pour la circonstance. De toute évidence, le roi George profitait de ce procès pour impressionner le peuple et asseoir sur lui son autorité et sa légitimité en tant que nouveau souverain.

Cecilia était immobile et silencieuse, et Jane lui en sut gré. La servante connaissait trop bien son amie pour jacasser ou lui assener de vaines paroles d'apaisement dans un moment aussi critique. Jane en profita pour contenir son angoisse.

C'est alors qu'elle aperçut un visage qui lui était familier. Son cœur fit un bond dans sa poitrine. Julius Sackville l'observait depuis le dernier rang des gradins. Tous les regards étaient tournés vers la porte d'entrée où l'on attendait l'arrivée des prisonniers, mais Julius n'avait d'yeux que pour elle. La vision de Jane se troubla. Il paraissait très calme, et ses pensées étaient aussi indéchiffrables que des hiéroglyphes. Jane aurait aimé pouvoir se jeter dans ses bras et lui avouer son…

—Voici William! s'écria Cecilia en donnant un coup de coude à Jane, mettant sans le savoir un terme à la méditation de son amie qui chercha aussitôt le mari de Winifred du regard.

Celui-ci occupait la seconde place dans la petite file des accusés en redingote. Le cœur de Winifred s'enflamma à la vue de l'homme de sa vie. Elle aussi aurait aimé se jeter dans les bras de son aimé. De loin, et pendant un court instant, Jane crut reconnaître Will et joignit son chagrin à celui de la comtesse. Mais elle ne tarda pas à se ressaisir, car elle était bien déterminée à ne pas discréditer Winifred.

William balaya la salle du regard et s'arrêta sur Winifred qui, avec Julius à sa droite, formait la base d'un triangle équilatéral. N'osant détourner les yeux, elle se contenta de sourire tandis que William esquissait un rictus, agrémenté d'un bref hochement de tête en signe d'encouragement. Il gardait la tête haute pour Winifred.

Puis le comte se tourna vers la cour, et Jane en profita déloyalement pour se tourner de nouveau vers Julius. Mais celui-ci avait disparu. L'amertume de ce constat céda rapidement la place à un soupir de soulagement. Elle pourrait ainsi se consacrer entièrement à William.

—C'est lord Cowper! siffla Cecilia en agrippant le bras de Jane et en dissimulant mal sa nervosité.

Oubliant complètement Sackville, Jane s'arma de courage et examina attentivement le juge à l'habit de cérémonie cramoisi qui entrait à pas lents. Il était flanqué du roi d'armes de l'ordre de la Jarretière, qui brandissait son sceptre processionnel, et suivi du gentilhomme huissier. Sans les connaissances de Winifred en la matière, la constitution du tribunal aurait gardé tout son mystère pour Jane.

Le juge, un homme entre deux âges au visage ramolli et au front ridé, était coiffé d'une perruque brune dont la longueur ridicule manqua de déclencher le fou rire de Jane. Ces messieurs se regardaient-ils dans un miroir? On se serait vraiment cru au théâtre!

À mille lieues de se douter qu'une jeune femme venue tout droit du XXe siècle se moquait de lui dans la salle, le juriste et parlementaire whig, William Cowper, qui avait été lord chancelier du royaume pendant huit ans avant de devenir lord grand intendant, chargé de ce procès, gratifia l'assistance d'un regard dédaigneux depuis son estrade. Les spectateurs retinrent leur souffle, et un silence empli d'attente parcourut aussitôt Westminster Hall. Lorsque le magistrat eut obtenu l'attention de tous, il hocha la tête d'un air satisfait.

— Messieurs les prévenus, il m'incombe de vous informer que chaque fois que l'occasion vous sera offerte de prendre la parole, vous devrez vous adresser à la cour ici réunie, de même que toute personne qui serait amenée à s'exprimer.

Puis il cita les noms des accusés comme on énumère un bilan de pertes :

— Derwentwater, Nithsdale, Kenmure, Carnwarth, Nairn et Widdrington. Vous êtes accusés de haute trahison par la Chambre des communes de Grande-Bretagne réunie en Parlement, crime prévu par les articles de loi déjà mentionnés. Face à cette accusation, plusieurs d'entre vous ont plaidé coupable, ce qui vous condamne au titre de ladite loi.

Coupable ? Il a plaidé coupable ! s'exclama intérieurement Jane. William s'était-il finalement rangé au conseil de son avocat durant la maladie de Winifred ? Cela ne lui disait rien qui vaille. Le procès était terminé avant d'avoir commencé. Elle avait fait preuve de naïveté en s'imaginant qu'une autre issue était possible. On avait réuni un tribunal en grande pompe dans le seul but de noircir les accusés et de justifier la plus grande sévérité à leur égard.

Le cœur battant la chamade, Jane eut un goût amer dans la bouche, et c'est avec une frayeur profonde qu'elle écouta Cowper donner la parole aux accusés, à commencer par lord Derwentwater. La jeune femme fut frappée de stupeur en découvrant le visage juvénile et l'allant de ce richissime pair de la nation qui n'était autre que l'ami de Julius Sackville. Le jeune aristocrate informa ses juges qu'il s'était rallié à la rébellion pour des raisons purement religieuses, puis il évoqua avec émotion sa femme et ses enfants, exhortant lord Cowper à les prendre en considération lorsqu'il prononcerait son verdict. Enfin, il renouvela ses vœux de fidélité à l'Angleterre.

La foule commençait à s'échauffer, et la rumeur enflait déjà dans les rangs. Jane se demanda si, dans ces conditions, elle parviendrait à entendre ce que William avait à dire. *Montrez du repentir !* le supplia-t-elle en silence. *Faites vibrer la corde sensible de ce juge austère !*

Cowper posa ses yeux de fouine sur le comte de Nithsdale.

— Qu'avez-vous à dire pour votre défense, William, comte de Nithsdale, qui puisse inciter vos juges à la clémence ?

Cecilia prit la main de Jane et la serra pour l'assurer de son soutien, mais cette attention ne fit qu'exacerber l'angoisse de la jeune femme. William se redressa afin de saluer ses juges, tandis que Jane retenait son souffle.

— Messieurs, en tant que pairs écossais du royaume, notre devoir est d'obéir aux impératifs de notre clan. C'est pourquoi notre fidélité dans cette affaire devrait susciter la louange plus que le blâme. En outre, nous avons prouvé notre loyauté envers les îles Britanniques, loyauté qui s'appliquera également envers l'Angleterre le cas échéant. Quoi qu'il en soit, je reconnais ma culpabilité dans cette révolte avortée, car je n'ai jamais cru en la violence pour résoudre les problèmes. Je m'en remets à la clémence de Sa Majesté. Je demande à mes juges, avec tout le respect qui leur est dû, de considérer que je n'ai jamais pris part à aucun complot ni à aucune machination contre la personne du roi ou contre l'État, et que je n'ai jamais eu vent d'aucune tentative visant à cet effet. Mon tort a été de prendre les armes sur un coup de tête, et sans réfléchir aux conséquences, avec quatre de mes serviteurs les plus proches avant de rejoindre les combattants de ma région. J'ai d'ailleurs été l'un des derniers à rallier la rébellion. À Preston, poursuivit William, l'officier de Sa Majesté nous a fortement laissé entendre que nous rendre était le moyen le plus sûr d'obtenir la clémence du roi. C'est donc sur ses instances répétées que je me suis soumis, et continue de me soumettre entièrement, au Parlement de Sa Majesté afin qu'il intercède en ma faveur auprès d'Elle. En outre, je fais devant vous, messieurs, la promesse solennelle de servir, de mon mieux et avec gratitude, Sa Très Gracieuse Majesté, et de témoigner le plus grand respect et la plus prompte obéissance à messieurs les jurés et à la très respectable Chambre des communes.

Jane grimaça intérieurement lorsque l'orgueil de Winifred vola en éclats. Pour sa part, la jeune femme considérait qu'il n'y avait aucune honte à plaider pour sa propre vie. Mais Winifred ne laissa pas ses convictions religieuses et politiques l'emporter sur la survie de son époux adoré, et elle les mit donc de côté sans cesser d'y croire.

À l'ancienne résolution succéda une flamme nouvelle. Quel que soit le verdict, Winifred, qui n'avait pas la vocation de veuve éplorée, n'entendait pas baisser les bras et laisser la populace conspuer la tête de son mari fichée au bout d'une pique.

Ensuite, ce fut au tour des autres compagnons de William de plaider leur cause avec ferveur. Mais Jane n'entendit pas leurs plaidoyers, tant son cœur battait fort dans sa poitrine. Le juge en robe d'hermine demanda ensuite à chacun des accusés s'il voulait dénoncer un vice de forme susceptible de faire ajourner les délibérations.

Comme précédemment, Jane n'écouta que William.

—Aucune objection, lança celui-ci.

Lorsque le dernier accusé répondit par la négative, lord Cowper prit un air grave et laissa s'installer un silence pesant. Tandis que la salle était prête à boire ses paroles, il commença son ultime discours. Jane baissa les yeux, incapable de supporter la vue de ce scélérat plein de suffisance et de son affreuse perruque pendant qu'il prononcerait le verdict.

—Comte James de Derwentwater, comte William de Nithsdale, lord William Widdrington, lord William Nairn, comte Robert de Carnwarth, vicomte William Kenmure, vous êtes accusés par la Chambre des communes de Grande-Bretagne réunie en Parlement de haute trahison et de complot en vue de l'assassinat de Sa Très Sainte Majesté…

Les oreilles de Jane se mirent à bourdonner et l'empêchèrent d'écouter le verbiage autocomplaisant de Cowper. Son seul désir était de courir se réfugier dans les bras de Sackville et d'échapper ainsi aux deux William, à Winifred et son état de santé précaire, et, enfin, à la sollicitude de Cecilia. Puisque cela était impossible, elle se maîtrisa et fixa son attention sur une petite araignée qui s'enfuyait à proximité de son pied.

L'insecte lui fit penser à Will et à Nithsdale, tandis que la menace incarnée par sa botte représentait Cowper. De même qu'un juge qui abat son marteau, elle pouvait écraser l'animal en un clin d'œil et l'anéantir aussi sûrement qu'une hache tombant sur la nuque d'un condamné. *La vie ou la mort ?* s'interrogea-t-elle, le pied en suspens au-dessus de l'araignée dont l'existence dépendait de son bon vouloir, de même que l'existence de Will et William dépendait de celui du juge. L'omnipotence était leur apanage à tous les deux. Ils pouvaient se montrer sans merci ou, au contraire, faire preuve d'humanité. Ces six hommes méritaient-ils de mourir à cause de leur loyauté ?

Soudain, Jane eut une idée qui mit un terme à ses spéculations macabres.

Winifred…, héla-t-elle en pensée. *Écoutez-moi ! Ce n'est pas lord Cowper qui est maître de la décision ici. Il n'est que le porte-parole, la marionnette, de quelqu'un plus puissant que lui. C'est au roi qu'il faut nous adresser !*

Jane sentit l'espoir renaître dans son cœur. Peu importait finalement le verdict qui serait prononcé. Elle leva les yeux et regarda Cowper bien en face. N'importe quel spectateur aurait pu interpréter son comportement comme procédant d'une attitude haineuse, mais Jane savait que, par son regard déterminé, Winifred le mettait au défi de révéler son pire visage.

Je ne céderai pas, et c'est moi qui gagnerai la partie! semblait-elle lui dire à distance. *Alors, par tous les saints du ciel, autant m'aider, car je saurai me montrer plus maligne que la hache du bourreau!*

Winifred était bouleversée et ne tenait plus en place, son cœur battait la chamade avec un émoi renouvelé. Jane, de son côté, avait la tête ailleurs, mais il lui sembla néanmoins que le juge achevait son allocution. Il épiloguait sur la religion de l'Église de Rome en prenant soin de souligner l'importance de Nithsdale dans son propos, lequel lui avait été, de toute évidence, soufflé par un tiers.

Cowper s'interrompit soudainement pour ménager son effet. Jane se redressa d'un coup. La foule elle-même semblait au garde-à-vous. Puis chacun se pencha légèrement en avant en même temps que Cowper tandis que celui-ci reprenait son souffle. Il les tenait littéralement en haleine!

Un silence de mort régnait à présent dans le tribunal. Jane aurait juré entendre le bruit des pattes de l'araignée sur le sol.

—Et maintenant, messieurs, conclut le juge, il ne me reste plus, à mon corps défendant, qu'à prononcer à votre endroit le terrible verdict que la loi réserve aux plus abjects des criminels qui se rendent coupables de trahison. La Couronne absout habituellement les personnes de votre rang lorsqu'elles sont mises en cause par les accusations les plus infâmes et les plus regrettables.

Puis il énuméra de nouveau la liste des accusés. Jane fut prise de vertige mais tint bon.

—… vous condamne à être ramenés dans vos cellules puis à être pendus et éviscérés avant que la mort ne vous saisisse. Ensuite, vos entrailles seront brûlées sous vos yeux et vous serez décapités et écartelés. Le roi seul pourra décider de ce qu'il adviendra de vos dépouilles…

La populace applaudit à tout rompre en criant des « Hourra ! »

Jane, qui s'était évanouie, avait trouvé appui contre l'épaule de Cecilia qui l'avait rattrapée dans sa chute. Sans connaissance, elle avait manqué la sortie du grand officier.

Elle reprit ses esprits juste à temps pour se lever et croiser le regard de William. Dans la cohue, et malgré l'empressement des gardes à évacuer les prisonniers, le comte lui fit un signe rassurant de la main qui eut le mérite de la réconforter quelque peu. À ses pieds l'araignée prenait la fuite pour échapper à la cohue.

Si tu t'en tires, petite araignée, pensa Jane, *alors William s'en tirera aussi !*

Chapitre 27

Selon les policiers qui étaient assis dans le salon de Catelyn Granger – elle tenait expressément à ce terme – une battue avait été organisée sur l'ensemble du parc national entourant Ayers Rock.

— Des dizaines d'agents, des chiens, deux hélicoptères et toute une armée d'habitants de la région sont sur les dents, expliqua le chef de la police. Vous pouvez compter sur eux pour la retrouver !

— Morte ou vive ! lâcha Juliette, ce qui lui valut un regard furieux de son père et causa du désespoir chez sa mère.

Dans une atmosphère déjà passablement tendue, elle se sentit obligée de rompre le silence éloquent qui avait suivi son intervention.

— Quoi ? Pourquoi faisons-nous tous semblant de ne pas penser au pire ?

Le chef de la police se racla la gorge.

— Je crois qu'il est encore trop tôt pour tirer des conclusions. Au contraire…

— Vous êtes libre de croire ce que vous voulez, rétorqua Juliette d'un ton sec, car elle en avait assez du flegme avec lequel ils accueillaient leur lot quotidien de mauvaises nouvelles. Nous connaissons Jane. Elle ne nous laisserait jamais dans une pareille incertitude, sauf si elle était dans l'incapacité de nous joindre.

—C'est exactement ce que je pense, insista calmement le policier. Elle est peut-être blessée.

—On l'a peut-être aussi enlevée! objecta Juliette en faisant fi des paroles rassurantes de l'agent.

Ce dernier la supplia du regard de ménager ses parents, mais la jeune femme avait ouvert les vannes à ses craintes et ne pouvait faire marche arrière.

—Elle a peut-être été violée, assassinée et abandonnée aux charognards dans quelque grotte de cet immense désert!

—Je vous en prie, intervint une policière dans le but de la calmer, cela n'est pas constructif.

—Mais au moins, c'est la vérité! Et puis ne me dites pas que vous ne l'avez pas vous-même envisagé! Je vous demande simplement d'arrêter de faire semblant, parce que, contrairement à moi, mes parents vous croient, les incorrigibles innocents! Excusez-moi…, s'interrompit-elle soudain en étouffant un sanglot avant de quitter la pièce tandis que Catelyn la défendait à voix basse.

—Il faut lui pardonner. Elle s'en veut terriblement. Nous lui avions demandé d'accompagner Jane, mais…

Juliette disparut à l'étage pour cacher son écœurement. Sa mère avait raison: elle se sentait responsable. Si elle avait accompagné sa sœur, celle-ci n'aurait pas disparu. *Jane… s'il te plaît, appelle!* implora-t-elle en son for intérieur en regardant fixement le combiné téléphonique qui se trouvait dans sa chambre.

Mais Jane était confrontée à une tout autre réalité. Le lundi, trois jours après l'abject et, hélas, prévisible verdict, un ordre d'application de la sentence fut signé au nom de Nithsdale, les demandes de recours en grâce ayant été rejetées.

Assise près de la fenêtre du salon de Mrs Mills, Winifred contemplait la rue passante. La vie continuait sans se soucier de son tourment personnel. Derrière elle, Mr et Mrs Mills conversaient à mi-voix tandis qu'une domestique servait le thé. Leurs visages se touchaient presque. La petite perruque blanche de Mr Mills était retenue à la base par un gros nœud de velours noir assorti à ceux que son épouse portait dans les cheveux. Une servante portant la coiffe de son état traversa le beau tapis d'Orient sur la pointe des pieds pour donner à son maître une tasse dans une soucoupe. À la question de savoir si son thé était sucré, la jeune fille répondit par l'affirmative en esquissant un sourire.

Prise entre l'inanité de cette scène domestique et l'indifférence de l'affairement public, Jane eut envie de hurler. Il aurait fallu plus qu'une simple tasse de thé – fût-elle sucrée – pour faire passer le goût amer de sa propre impuissance.

Elle avait appris le matin même que l'exécution aurait lieu le vendredi.

— Quatre malheureux jours pour sauver la vie de deux hommes ! pensa-t-elle à voix haute.

— Que dites-vous, Winifred ? s'enquit Cecilia, effrayée par le son de sa propre voix qui résonnait étrangement dans l'ambiance quasi funèbre du salon.

Jane se ressaisit. Si elle avait confié sa dernière trouvaille à son amie, celle-ci l'aurait sûrement attachée aux barreaux de son lit en croyant qu'elle était devenue folle.

—Ma chère Winifred, commença Cecilia en frissonnant, même si cette idée doit vous paraître insupportable, peut-être préféreriez-vous passer ces quelques jours à la Tour en compagnie de William, jusqu'à…, s'interrompit-elle, incapable de terminer sa phrase.

Jane secoua la tête.

—Comment pourrais-je intercéder en sa faveur si je suis enfermée à ses côtés ?

—Que pourriez-vous faire de plus ? Pourquoi ne pas en profiter pour passer au moins ces derniers instants ensemble ?

—Tant que William aura un souffle de vie et que j'aurai toutes mes facultés, tout espoir ne sera pas perdu, répliqua Jane, davantage pour se rassurer que pour répondre à Cecilia.

—Winifred, ma sœur, je dois vous parler sans détour, je le crains. Hier, tandis que j'accompagnais Mrs Mills dans ses emplettes, nous avons croisé l'une de ses bonnes amies, Mrs Morgan, laquelle s'avère être très au fait du climat politique. Son mari est un juge whig qui a lord Cowper pour collègue.

—Vous ne m'en avez pas parlé hier à votre retour.

—Non, admit Cecilia non sans raideur, pour la raison que je vous crois déjà assez en peine.

—Finissons-en ! l'encouragea Jane en se détournant de la rue pour considérer impassiblement son amie sous le regard des ancêtres des Mills dont les portraits ornaient les murs.

Au même moment, elle remarqua une chaise percée dissimulée derrière un paravent rose et or dans le goût chinois et pria pour ne jamais avoir à l'utiliser.

—Le bruit court que le roi a l'intention de redorer son blason en annonçant que le fruit de la vente des biens des rebelles jacobites servira à financer le lourd tribut nécessaire à l'éradication de la révolte.

Jane se rembrunit.

— Ils saisissent Terregles ? s'exclama-t-elle avec épouvante.

Non seulement les deux William frôlaient la mort, mais la comtesse risquait de se voir déposséder de ses biens et de l'héritage de Willie, le jeune comte. L'ombre de la ruine financière planait désormais sur la famille Nithsdale.

— J'imagine que telle est leur intention…, acquiesça Cecilia, non sans quelque gêne.

— Je pensais que la requête adressée au Parlement par les épouses des accusés permettrait de préserver nos biens.

— Le temps nous manque pour négocier. En plus, si horrible que cela soit, il semble que vous vous en sortirez mieux pécuniairement si William paie de sa vie. Dans le cas contraire, vous ne verriez pas un liard. L'État confisquerait tout, et vos enfants se trouveraient sans le sou.

C'était la triste vérité.

— L'argent n'a aucune importance, répliqua Jane, tout en sachant que Winifred était d'un autre avis.

Pour cette dernière, il s'agissait de trouver un compromis entre l'amour qu'elle vouait à son mari et l'intérêt de ses enfants qu'elle aimait tout autant. Mais pour l'heure, elle éprouvait un mélange de colère et d'appréhension.

— Je vous en prie, ma sœur, écoutez-moi, insista Cecilia.

— Ne me dites pas que William est perdu ! rétorqua Jane d'un ton tranchant.

— Écoutez-moi jusqu'au bout, poursuivit la servante d'une voix tremblante. Vous savez aussi bien que moi que la sensibilité catholique et jacobite de William est depuis des années une cause de litige entre lui et l'État. Même si les autres épouses ont quelque chance de réussite, j'en déduis qu'une grâce sera quasiment impossible à obtenir pour lui.

Dans sa panique, Jane se raccrocha à l'idée que l'araignée avait su tirer son épingle du jeu, et surtout au fait que lord Cowper n'était que la marionnette des autorités supérieures.

— Sans doute, convint-elle, mais la cause de William ne sera pas perdue tant que sa tête ne sera pas tombée dans le panier du bourreau. Je vais rédiger une requête personnelle sur-le-champ.

— Dans quel but?

— Pour l'adresser au roi, naturellement! Je vais implorer sa clémence.

La soirée de ce lundi s'avança, aussi sombre et lugubre que les corbeaux de Tower Hill. Quant à la nuit qui s'annonçait, elle avait la froideur du regard perçant de ces charognards.

Vêtue d'un paletot noir, d'une jupe et d'une houppelande assortie prêtés par ses amies, Jane ressemblait à une veuve. Mrs Mills avait fait venir la très bien renseignée Mrs Morgan, qui était enceinte et ne tarderait pas à accoucher. La petite troupe se rendit en carrosse jusqu'au palais Saint-James dans une tension palpable.

— C'est mon droit d'adresser cette requête au roi! s'exclama soudain Jane pour le plus grand étonnement de ses amies.

— Oui, certainement, répliqua Mrs Mills, même si sa désapprobation était inscrite sur son front. C'est une tradition ancienne, mais je ne serais pas étonnée si les courtisans avaient anticipé votre démarche et vous barraient la route.

— Qu'ils essaient! rétorqua Jane pour se rasséréner.

Depuis qu'elle avait appris, au lendemain du procès, que la loi prévoyait la présentation d'une demande de recours en grâce pour les condamnés, la jeune femme n'avait plus pensé à autre chose.

Ce serait son ultime tentative pour sauver William par des moyens légaux. Tant pis pour l'honneur et la bienséance.

— C'est une tentative audacieuse, chère amie, fit remarquer Mrs Morgan.

— Je n'ai pas le choix, et je ne dois rien négliger pour obtenir la grâce de William, répliqua Jane d'un ton relativement calme pour quelqu'un qui était prêt à se laisser convaincre du contraire.

Toutefois, elle avait parlé d'une manière si sincère que, pour toute réponse, ses amies préférèrent regarder leurs chaussures.

— Vous connaissez bien les usages de la cour, j'imagine, Mrs Morgan, poursuivit Jane. En somme, vous êtes capable de reconnaître le roi, car, pour ma part, je ne l'ai jamais vu.

— Oh, oui, oui, bien sûr! répliqua Mrs Morgan. Il a les yeux des Brunswick, de très jolies mains et un long nez droit. Pardonnez-moi d'insister, milady, mais êtes-vous bien certaine que cette démarche est avisée? Vous ne voudriez pas rendre le roi plus furieux qu'il ne l'est, n'est-ce pas?

— Le rendre furieux? Non, j'ai au contraire l'intention de le rallier à la cause d'une épouse accablée de chagrin. Mais s'il le faut, je m'exposerai à son courroux, car cela ne pourra pas aggraver la situation désespérée de mon mari.

Sans doute ces dames s'imaginaient-elles que le roi ne se montrerait que plus cruel à l'égard du comte à cause de l'outrecuidance de sa femme. Mais elles n'en dirent rien et s'abstinrent, au grand soulagement de Jane, d'essayer de dissuader la comtesse. Le reste du voyage se déroula dans le froid et le silence.

Le souffle de Jane, dont le cœur battait déjà la chamade, s'accéléra encore lorsque l'attelage dépassa le parc Saint-James, remonta le Mall au petit galop et arriva en vue des murs de briques rouges du palais royal le moins impressionnant d'Europe, bâti dans le style Tudor. Révisant mentalement ses cours d'histoire, Jane se souvint qu'il était l'œuvre de Henry VIII. Sauf erreur, la fille de ce dernier, Elizabeth Iʳᵉ, l'avait habité durant la guerre contre l'Invincible Armada. Le palais Saint-James avait également vu naître, sous les messes basses d'une assemblée non négligeable de courtisans cancaniers et au terme d'un long et difficile accouchement, le roi Jacques lui-même, pour qui William s'était battu.

Le carrosse ralentit puis s'arrêta enfin, arrachant Jane à ses pensées. La petite équipée descendit ; Mrs Morgan tenait le bras de Cecilia.

— Les gardes du premier régiment me comblent toujours de fierté dans leur uniforme écarlate et noir ! Ce sont aussi nos meilleurs et nos plus braves fantassins, murmura Mrs Morgan, même s'ils ne sont pas les seuls à honorer notre armée !

— Cela a un rapport avec l'espacement entre leurs boutonnières, ma chère. C'est manifestement ainsi qu'ils se distinguent, expliqua Mrs Mills en plissant les yeux.

— Leurs boutons portent le monogramme du roi ! renchérit avec orgueil Mrs Morgan.

Tandis que ces dames bavardaient, Jane passa devant les grenadiers sans se laisser impressionner, ni par le palais, ni par les bonnets à poil des sentinelles. En fait, ce fut pour elle un immense soulagement de constater que leur petit groupe était admis à l'intérieur à l'instar d'autres représentants de la haute société anglaise. Elles apprirent peu après que le roi n'était pas encore sorti de ses appartements. Jane remercia sa bonne étoile.

—Asseyons-nous ici, suggéra Mrs Morgan en dirigeant ses amies vers une antichambre lambrissée jusqu'à mi-hauteur. Nous serons sur l'itinéraire du roi.

L'air absent, Jane repéra furtivement les lieux. Les murs étaient recouverts d'une peinture vert sauge très soyeuse; quant au tapis, il présentait un mélange exquis de verts et de violets. Une enfilade de trois fenêtres laissait entrer le jour sur tout un côté de la pièce. En face de chacune d'elles, on avait disposé un large banc tapissier recouvert de velours d'un parme profond. Mrs Morgan choisit le siège central et y prit ses aises autant que son état le lui permettait. Quant à Winifred, elle se retrouva prise en sandwich entre cette dernière et Cecilia. Elles trompèrent leur ennui en observant les dignitaires d'État qui vaquaient à leurs occupations tandis que des dames en robes de soie à cerceau et des messieurs en perruques poudrées circulaient en échangeant des ragots dans l'attente, semblait-il, du souverain dont ils espéraient attirer l'attention.

Les yeux rivés sur la porte par laquelle, selon les dires de Mrs Morgan, le roi était censé faire son apparition, Jane écoutait d'une oreille distraite les bavardages de ses amies au sujet de courtiers et de représentants en vue du Tout-Londres. Elle perdit rapidement la notion du temps, mais il lui sembla que plus d'une heure s'était écoulée lorsque la porte s'ouvrit enfin. Elle s'était attendue à un géant hautain et fut, par conséquent, surprise de découvrir un homme plutôt râblé. Le roi était resplendissant sous sa longue perruque grise bouclée et rigoureusement séparée en deux parties égales par une raie au milieu qui donnait à chaque moitié un relief imposant. Jane inspira longuement et s'efforça d'oublier l'apparence pompeuse de cet Allemand qui tenait la destinée du mari de Winifred entre ses mains.

À un coup de coude de Mrs Morgan, Jane se leva et fit sa révérence avec les autres dames présentes. Lorsqu'elle se redressa, elle remarqua que le roi s'était quelque peu rapproché de leur petite délégation et fut frappée par ses yeux bleus pénétrants et ses pommettes fardées de manière à répondre à la couleur de ses lèvres charnues, pour ne pas dire boudeuses.

Méfie-toi, ma fille! C'est un renard! s'admonesta Jane, vraisemblablement sur le conseil de Winifred, ou peut-être de Robyn… Mais elle n'eut pas le loisir de pousser plus avant son investigation, car Mrs Morgan la poussa légèrement en avant, de telle sorte qu'elle se trouva en travers de la route de George Ier et de sa cour.

— N'oubliez pas, son anglais est affligeant, mais il parle français, même s'il préfère l'allemand, lui souffla discrètement Mrs Morgan.

Jane, quant à elle, ne parlait pas un mot d'allemand, mais elle avait étudié le français à l'école. De plus, Winifred parlait un français impeccable. D'un trait, elle formula sa requête dans cette langue qu'elle savait comprise de tous. À cause de l'appréhension, ou par égard envers un souverain – Jane elle-même n'aurait su le dire –, elle s'agenouilla de manière théâtrale et tendit le rouleau de papier qui contenait sa requête au roi.

Une rumeur s'éleva parmi l'assistance interloquée. En l'espace d'une seconde, Jane était devenue l'objet de tous les regards d'un public abasourdi, voire scandalisé, comme il fallait s'y attendre, par son comportement méprisable. Mais Jane se moquait éperdument de ce qu'ils pensaient de son geste.

—Votre Majesté, commença-t-elle en français, je suis la malheureuse comtesse de Nithsdale. Auriez-vous l'obligeance d'écouter ma…

D'abord étonné, le roi George fit une grimace de dégoût en entendant le nom de Nithsdale. Faisant délibérément la sourde oreille, il glissa quelque chose en aparté à l'un de ses serviles courtisans.

—Votre Majesté! insista Jane un ton plus haut sans se soucier de l'étiquette. Je vous en prie! Il s'agit d'une requête personnelle en vue de la grâce de mon mari qui a…

Le roi commença à s'éloigner, et avec lui tout espoir de sauver William. N'écoutant que son courage, Jane s'élança à sa suite et l'attrapa par les basques de sa veste de brocart. C'est alors que le bruit d'un accroc se fit entendre. Était-ce un ourlet qui venait de céder? Les courtisans suffoquèrent d'indignation. Mais peu lui importait.

—Votre Majesté George Ier! glapit-elle.

Elle essaya de lui mettre sa requête dans la poche, mais rien n'y fit, et le roi continua d'avancer.

Jane se fâcha et, refusant de desserrer son emprise, se laissa entraîner brutalement sur le parquet, non plus à genoux, mais sur le ventre, par le souverain qui semblait résolu à faire semblant de ne rien voir!

Il fallut l'intervention d'un des conseillers du roi qui saisit la jeune femme par la taille pour que celle-ci lâche enfin prise. Sans même jeter un regard en arrière, George Ier rajusta son vêtement et poursuivit sa marche la tête haute.

Le visage plaqué au sol par le dignitaire, Jane eut les larmes aux yeux lorsqu'elle sentit sa requête lui glisser des doigts. Mais celle-ci fut aussitôt ramassée par l'un des courtisans, qui la remit à un quidam en habit officiel.

Les solliciteurs se précipitèrent à la suite du roi comme des abeilles ouvrières sur une fleur. Le courtisan qui avait retenu Jane et qui l'aidait à présent à se relever s'avéra courtois, même si c'était plus pour sauver les apparences.

— Êtes-vous blessée, comtesse ?

Jane secoua la tête.

— Au revoir, dans ce cas…, ajouta-t-il après s'être éclairci la voix et faisant un simulacre de révérence avant de s'éloigner, non sans toutefois réprimander les trois autres dames du regard lorsque celles-ci se précipitèrent aux côtés de leur amie.

— Oh, ma chère comtesse… Le moins que l'on puisse dire est que vous avez fait impression ! commenta Mrs Morgan sans dissimuler sa désapprobation.

— Toute la question est de savoir si j'ai fait impression sur le roi ! rétorqua Jane d'un ton sec en séchant ses larmes, furieuse qu'on la vît pleurer.

— Sans doute, mais pas des meilleures, comme nous le redoutions, hasarda Mrs Mills.

— Êtes-vous blessée, Winifred chérie ? s'enquit la dévouée Cecilia en arrangeant la mise de son amie.

— Non, répondit Jane. Merci. Mrs Morgan ?

— Oui, comtesse ?

— Qui est l'homme qui a pris ma requête ?

— Ah, c'était le premier valet de chambre du roi.

— La remettra-t-il au roi ?

—Je ne saurais dire, à moins, bien sûr, que vous n'ayez un ange gardien… Il se trouve que ce soir les fonctions de premier valet sont occupées par lord Dorset, qui est un ami.

Jane essaya de reprendre la parole, mais Mrs Morgan l'arrêta d'un geste de la main.

—Quand j'ai compris que vous ne vous laisseriez pas dissuader, j'ai pris les devants en rédigeant un billet à l'intention de lord Dorset dont je savais qu'il serait de service ce soir.

—L'a-t-il reçu? s'enquit Jane avec un regain d'espoir qu'elle n'aurait pas cru possible.

—Pas encore. Mais je vais le lui remettre maintenant, car il s'apprête à jouer aux cartes avec le prince de Galles.

—Mrs Morgan, je vous suis éternellement redevable! s'exclama Jane en serrant chaleureusement son amie dans ses bras. Merci!

—Allez, laissez-moi m'acquitter de cette course! Je crois que nous sommes restées dans ce palais plus longtemps que ne l'autorisent les lois de l'hospitalité! fit remarquer Mrs Morgan avec insistance mais non sans humour. Ne m'attendez pas.

Jane acquiesça.

—Mesdames, si vous voulez bien?

Elle baissa les yeux pour s'épargner les regards réprobateurs et dédaigneux de la foule qui avait assisté à l'embuscade qu'elle avait si inélégamment tendue au roi. Elle croisa néanmoins le regard du duc de Montrose, lequel, comme tout bon membre de la haute société qui se respecte, semblait choqué par son comportement. Lorsque ce proche de Winifred s'avança dans sa direction, Jane lui fit discrètement signe de garder ses distances, jugeant qu'il était préférable de ne pas afficher leur amitié au cas où le duc déciderait de soutenir sa requête auprès du roi lorsque lecture lui en serait faite. À aucun prix le souverain ne devait soupçonner ses alliés de partialité.

Le lendemain, un billet de Mrs Morgan confirma que le prince de Galles avait pris connaissance de la requête de Winifred, qu'il avait lue avec «intérêt et bienveillance». D'après Mrs Morgan, le prince l'avait fait lire à tous ceux qui accordaient un «vif intérêt» à la cause de la comtesse. Elle ajoutait qu'en dépit du scandale de la veille, de nombreux courtisans qui avaient assisté à la scène s'étaient dit choqués par la muflerie du souverain, et que tout Londres était au courant qu'il s'était comporté comme un rustre envers une aristocrate.

> *Il semblerait, ma chère comtesse, que vous soyez entrée dans les bonnes grâces du Tout-Londres qui ne vous condamne pas. On me dit que jamais un souverain britannique n'a refusé un recours en grâce, fût-il introduit par la plus nécessiteuse des épouses. De l'avis général, traiter une dame de votre rang de manière aussi indigne est certainement impardonnable. J'ai l'impression que la réputation du roi a quelque peu souffert de votre intervention d'hier soir, ma chère.*

À la lecture de cette dernière phrase, Jane se demanda s'il fallait s'en réjouir ou s'en attrister.

Chapitre 28

Jane dut attendre encore trois jours dans l'angoisse avant d'apprendre enfin que la pétition commune des épouses des condamnés avait été lue à midi devant la Chambre des lords.

Cecilia, Mrs Morgan et elle s'étaient réunies dans le salon particulier de Mrs Mills afin de ne pas croiser les autres hôtes de la maison. Assise dans un fauteuil flamand, Jane se rongeait les sangs depuis un long moment lorsque, incapable de rester assise plus longtemps, elle se leva soudain d'un bond.

— Par pitié! S'exclama-t-elle. L'exécution de William doit avoir lieu demain! Veulent-ils que je meure aussi?

Jane pleurait sur le sort de son fiancé, mais elle était également pleinement consciente de la peur de Winifred et de la perte que représenterait, pour cette dernière, la mort de son mari. Ses amies ne trouvèrent pas les mots susceptibles de la réconforter et se turent sagement tandis que la jeune femme faisait les cent pas sur le tapis richement décoré, dont Mrs Mills assurait qu'il provenait du palais de Topkapi, à Constantinople.

—Winifred, vous avez fait tout ce que vous pouviez, et même davantage que ce que l'on est en droit d'exiger d'une épouse, chuchota Cecilia, que l'agitation de son amie perturbait.

—Vraiment ? s'étrangla Jane en s'approchant d'une fenêtre qui donnait sur un jardin enclos dénudé par l'hiver.

Son regard se perdit dans le vague tandis que son esprit s'envolait au chevet de Will dont le sort dépendait de celui de son ancêtre.

—Je n'en suis pas certaine, ajouta-t-elle après un silence.

Elle eut une pensée pour le père de Will qui, même lorsqu'il était confronté aux limitations de la science, s'accrochait à la moindre possibilité afin de ne pas perdre complètement espoir. C'était la première fois que John Maxwell, si autoritaire et rustre qu'il soit, lui apparaissait comme un être déterminé, envers et contre tous, à ne pas abandonner son fils. Tant pis s'il se faisait des ennemis, devenait la risée des médecins, faisait honte à sa femme, entrait comme un éléphant dans le magasin de porcelaine des susceptibilités d'autrui et piétinait leur propre chagrin. Tout ce que voulait John Maxwell, c'était que son fils rouvre les yeux et lui sourie, lui parle… qu'il vive, quel qu'en soit le coût financier, physique ou émotionnel ! Jane, qui avait détesté son beau-père, se prit à l'admirer. Peut-être devrait-elle suivre son exemple, car tant que le comte était vivant – même si celui-ci était enfermé dans une cellule à l'instar de Will qui était muré dans son coma –, il pouvait encore échapper à ce que d'aucuns tenaient pour inévitable.

—Que puis-je faire d'autre ? se demanda Jane à voix haute.

—Rien, à mon avis, répondit Mrs Mills.

Cette dernière était entrée dans le salon sans que la jeune femme la remarque. La bonne était là également. Cette dernière posa un plateau couvert de tasses fumantes sur un petit guéridon en chêne.

—Ciel! poursuivit Mrs Mills, pétillante d'exaltation, aux dires de tous, le Tout-Londres se répand en admiration au sujet de celle qui a bravé railleries publiques et autres préjudices physiques en sollicitant l'attention du roi d'une manière si hardie. Tenez, voici du chocolat chaud pour changer un peu. Puisque vous refusez de manger…

Jane prit la tasse en porcelaine que son hôtesse lui tendait pour ne pas la désobliger.

—Merci. Mes amies, votre soutien est sans faille, mais je crains que nous n'ayons pas encore tout tenté pour sauver la vie de William, nuança-t-elle. La requête commune ne donnera que peu de résultats, j'en suis certaine.

Puis elle rejoignit Mrs Mills et Cecilia près du feu et s'assit sur un coin de tabouret.

—Comtesse, cela ne dépend plus de vous à présent, rappela Mrs Mills avec douceur. Le duc de Richmond, qui est un proche de vos parents, vous a fait la promesse solennelle d'introduire votre requête personnelle aujourd'hui même. Elle n'en aura que plus de poids venant de lui.

—Il a échoué hier, répliqua Jane en contemplant les flammes d'un air morose, car elle en voulait toujours au duc d'avoir manqué à sa parole.

—Mais il n'échouera pas cette fois.

—C'est notre dernière chance. Au cas où il ferait défaut, j'ai demandé au duc de Montrose de s'en charger.

—Vous voyez bien! intervint Mrs Morgan en lançant un regard chagrin à la jeune femme.

Mrs Morgan s'était tue jusque-là, se contentant de broder en silence dans un coin près de la fenêtre d'où elle avait suivi la conversation en enfilant plusieurs aiguilles. Elle se leva, s'étira et s'approcha de l'âtre d'un pas traînant en prenant sa tasse avant d'y verser du chocolat pour se réchauffer les mains.

—Comtesse, d'influents dignitaires du royaume vous soutiennent et font de leur mieux pour vous aider.

—Mais ce ne sont pas les plus puissants, nuança Jane. Je crains que l'attitude que j'ai eue lundi n'incite le roi à la rancœur.

Mrs Mills rejeta cette éventualité d'un geste de la tête tout en soufflant sur son chocolat chaud.

—Je ne crois pas, comtesse. Le roi George a maintenant hâte de tourner la page. Il se gardera d'attirer l'attention sur vous plus que nécessaire.

Jane reposa sa tasse, qu'elle n'avait pas touchée, et se leva. Les autres, qui s'étaient confortablement installées, levèrent brusquement la tête.

—Winifred? lança Cecilia.

—Je vais au Parlement.

Les amies de Jane émirent un gémissement inquiet.

—Pour quoi faire? s'enquit la servante.

—Pour rallier les lords à ma cause avant qu'ils n'entrent en séance, répondit la jeune femme d'un air résolu. Je saurai me faire entendre! assura-t-elle.

—Comtesse, votre santé est déjà précaire! Rester debout à attendre sur les marches glacées du Parlement serait du sui…

—Mrs Mills, je vous suis reconnaissante pour votre gentillesse et votre soutien, l'interrompit Jane, mais je ne resterai pas une seconde de plus devant cet agréable feu de cheminée sous peine de devenir folle d'angoisse. Le repos m'a rendu toute ma santé! mentit-elle. Et je compte bien la mettre à profit pour engager de nouveau le combat contre l'ennemi.

Balayant l'assistance de ses yeux tristes, elle ajouta :

— Je dois essayer.

Le son de sa voix avait quelque chose d'éperdu.

Ses amies échangèrent un regard, puis elles soupirèrent.

— Vous n'irez pas sans moi! annonça Cecilia.

— Ni sans moi! intervint Mrs Mills.

— Ni sans moi! renchérit Mrs Morgan, qui n'avait manifestement pas l'intention de rater ça.

Mais l'expédition, qui avait commencé de manière prometteuse, tomba à plat lorsque ces dames s'aperçurent que les familles des autres prisonniers avaient eu la même idée. Jane vit soudain son combat personnel se diluer dans celui de la multitude. Une foule considérable s'était rassemblée, composée en partie de curieux et de nombreuses «dames de qualité» – comme les appelait Mrs Morgan – qui, elles non plus, n'entendaient rien manquer du spectacle.

Jane s'efforça de se tenir à l'écart de la cohue afin de rester bien en vue. Elle perçut que les membres du Parlement la traitaient avec courtoisie, même si aucun ne se montra ouvertement amical. Lord Pembroke, qui était très lié à la famille de Winifred, avait eu soin de lui envoyer un billet. Ce dernier lui était parvenu quelques instants avant qu'elle ne quitte Duke Street en compagnie de ses amies. Pembroke lui demandait instamment de ne pas l'aborder en public «pour des raisons qui, j'en suis sûr, vous apparaîtront évidentes», avait-il précisé avant de lui assurer qu'il interviendrait en sa faveur au Parlement.

L'embuscade se révéla rapidement être un échec, et aucune des amies de Jane ne s'étonna de la voir gravir les marches du bâtiment.

— Dois-je comprendre que nous allons assister aux débats, Winifred ? s'enquit Cecilia tandis que les trois amies rattrapaient la jeune femme.

— Exact ! J'espère, par ma présence, au moins obliger ces messieurs à prendre leurs responsabilités.

Elles se dirigèrent vers la tribune réservée au public de la Chambre des lords.

Lord Pembroke, que Winifred n'avait pas revu depuis sa plus tendre enfance, tint sa promesse et s'adressa aux députés pour l'émerveillement de Jane qui était tout ouïe. Il avait au moins la soixantaine et cachait ses cheveux gris sous une abondante et ondoyante perruque brune. D'une voix assurée et avec l'aplomb de celui qui a l'habitude d'être écouté avec respect, il rappela que le roi n'était pas habilité à gracier des prisonniers mis en accusation par le Parlement et présenta une motion invitant l'Assemblée à introduire une requête auprès de Sa Majesté. Pembroke alla même jusqu'à en définir le contenu en ces termes : « Nous vous demandons humblement d'accorder votre grâce… »

Lorsque la motion fut adoptée, Jane se sentit délestée d'un poids qu'elle portait depuis des jours. Mais ses espérances vacillèrent, car un autre membre de la Chambre proposa une clause restrictive, à savoir que « la grâce ne soit pas générale, mais s'applique uniquement à ceux qui la méritent. »

Moult chuchotements et hochements de perruques s'ensuivirent tandis que Jane et Winifred sentaient que la situation leur échappait. De toute évidence, les plus méritoires des accusés seraient ceux qui témoigneraient à charge, en faveur du roi.

Soudain, le bourdonnement lointain des voix s'éleva de nouveau : la requête serait transmise le soir même, veille du jour prévu pour l'exécution des jacobites.

Sentant la colère monter en elle, Winifred se leva brusquement et, par crainte de se déshonorer une nouvelle fois et d'alimenter ainsi les ragots du Tout-Londres, descendit de la tribune en toute hâte et sortit pour emplir ses poumons de l'air glacial qui recouvrait impitoyablement la capitale en ce milieu de matinée.

Des mains secourables offrirent de la soutenir ; puis la fidèle Cecilia, accompagnée de Mrs Mills et de Mrs Morgan, se dépêcha de la soustraire à la curiosité des badauds en la faisant monter dans le carrosse qui les ramena à Duke Street, où elles attendraient de connaître le bon vouloir du roi. Jane interpréta le silence qui régnait dans l'habitacle comme le signe que ses amies ne nourrissaient guère d'espoir pour William ; mais elle refusa néanmoins de céder au pessimisme général.

À la faveur de ce silence pesant, une idée venue de nulle part fit voler en éclats la prison de son ressassement comme une aiguille fichée dans un ballon de baudruche, la libérant du corsetage mental qui était le lot commun des femmes au XVIIIe siècle. Cette idée était la suivante : elle agirait sur le même mode que John Maxwell !

—*Écoutez-moi bien attentivement, Winifred*, commença Jane en pensée tandis que défilait sous ses yeux le Londres peu encombré de 1716. *Je n'ai plus l'intention de laisser le destin de nos hommes entre les mains d'autrui. Nous changeons de stratégie, et c'est moi qui dirigerai les opérations.*

D'un air grave, elle ajouta :

—*Je prends les choses en main !*

—Arrêtez ! ordonna-t-elle en se redressant avant de cogner au plafond du carrosse.

À Welshpool, la famille Granger écoutait le rapport des deux mêmes policiers qui leur rendaient visite chaque jour. Ces entretiens avaient pour but de tenir les proches au courant de ce qui se passait en Australie.

—Ainsi, ils n'ont pas abandonné tout espoir de la retrouver ? s'enquit le père de Jane.

—Au contraire ! Nous avons eu le chef de la police australienne au téléphone ce matin, expliqua Anne, une jolie policière dotée d'un sourire radieux. C'était le soir là-bas, alors ils avaient interrompu les recherches jusqu'au lendemain matin. Mais ils se sentent en terrain beaucoup plus sûr maintenant qu'ils ont retrouvé les affaires de votre fille, qui avaient été emportées par le vent. Le fait est, poursuivit la représentante de l'ordre, que, sans vouloir vous donner de faux espoirs, ils m'ont vraiment semblé très optimistes. D'autant qu'ils n'ont pas retrouvé de…

Elle n'acheva pas, de peur de prononcer le mot.

—… de cadavre ? suggéra Juliette en venant à la rescousse.

—Euh, oui, c'est cela, merci… ni aucune trace de lutte ou de sang. Nous pensons de plus en plus que Jane est en vie quelque part dans le désert.

Catelyn se tordait les mains. Son mari les immobilisa en les serrant dans les siennes.

— Mais ne l'auraient-ils pas déjà retrouvée si elle s'était perdue ? s'enquit ce dernier.

— C'est ce qu'on pense forcément vu d'ici, intervint l'enquêteur Dale, mais nos collègues australiens ne nous ont pas caché qu'ils sont confrontés à des distances qui n'ont rien de commun avec les nôtres. En outre, comment savoir dans quelle direction elle est partie ?

— Ils ont aussi employé des pisteurs aborigènes, précisa Anne.

Les parents de Jane parurent perplexes, mais la policière les rassura par l'un des sourires dont elle avait le secret et dont elle n'était pas avare quand il s'agissait de remonter le moral des familles.

— Ils affirment que si quelqu'un peut la retrouver, ce sont les Aborigènes.

Hugh et Catelyn acquiescèrent. Tout était dit. Juliette raccompagna les visiteurs et les remercia pour ses parents qui étaient à peine capables d'articuler quelques mots ; puis elle retourna dans le salon où, pour la première fois depuis qu'ils avaient appris la nouvelle de la disparition de Jane, l'atmosphère semblait moins chargée, à moins qu'il ne s'agisse que d'une impression trompeuse.

C'est alors que le téléphone sonna, les faisant sursauter tous trois comme s'ils s'étaient assis sur une aiguille.

— Je réponds, annonça Juliette en invitant ses parents à rester tranquilles d'un signe de la main.

Son père hocha la tête, et elle décrocha le combiné.

—Juliette Granger…

—Juliette, c'est John Maxwell.

—Oh, bonjour…

Les Granger comprirent au ton déçu de sa voix et au bref mouvement négatif de sa tête que ce n'était pas l'appel tant attendu. Catelyn se renversa contre le dossier de sa chaise tandis que Hugh augmentait le chauffage d'un cran.

—Comment allez-vous tous les deux, John?

—On tient bon! Écoute, il y a du nouveau…

—Ah oui?

—Will fait sérieusement mine de se réveiller!

—Vraiment? Mais c'est super!

—Oui! Bien sûr, personne n'est capable de me dire dans quel état est son cerveau… enfin, tu vois, quoi… s'il aura des séquelles…

—Bien sûr, j'imagine que c'est encore trop tôt.

—Je suppose que vous êtes toujours sans nouvelles de Jane?

La veille, Juliette avait pris l'initiative d'appeler les Maxwell pour leur expliquer les raisons du silence de sa sœur. La stupeur de John avait alors été palpable, même à distance, mais la jeune femme s'était néanmoins félicitée de lui avoir dit la vérité.

—En fait, la police sort d'ici à l'instant. D'après eux, il y a tout lieu de penser qu'elle s'est égarée dans le désert. Si c'est le cas, ils ne devraient pas tarder à la retrouver grâce aux pisteurs, aux chiens, aux hélicoptères et à je ne sais quoi d'autre.

—Écoute… tu sais que je ne suis pas très à l'aise avec l'expression des sentiments, mais nous savons tous que notre fils est amoureux de ta sœur, et cela suffit pour que nous l'aimions comme notre fille et que nous souhaitions de tout cœur qu'on la retrouve saine et sauve.

—Pour l'instant, occupez-vous de Will pendant que nous nous préoccupons de Jane, et avec un peu de chance nos deux tourtereaux seront bientôt de nouveau réunis.

C'était bien formulé et mielleux à souhait, mais que dire d'autre en de telles circonstances?

—Je vous rappellerai demain, promit Maxwell à l'autre bout du fil.

—Merci John. Mes amitiés à Diane… de la part de toute la famille.

Juliette raccrocha et se tourna vers ses parents.

—J'ai pensé que vous n'auriez pas envie de lui parler.

Catelyn et Hugh secouèrent la tête en même temps.

—On dirait qu'il avait des bonnes nouvelles, fit remarquer Hugh.

—Oui, il semblerait que Will ait enfin décidé de se réveiller!

Cecilia avait emboîté le pas à Jane lorsque celle-ci avait sauté de la voiture.

—Winifred! Quelle mouche vous pique?

—Je fais signe à une chaise à porteurs. Ce sera plus rapide.

—Pour aller où?

—À la Tour. Il faut que je voie William de toute urgence.

—Est-ce bien sage, milady? s'enquit Mrs Mills qui avait passé la tête par la fenêtre du carrosse. Vous laisseront-ils seulement le voir la veille de son…

Exécution…, acheva Jane en pensée.

—De son recours en grâce? se ravisa aussitôt Mrs Mills.

— J'ai bon espoir. L'argent ouvre toutes les portes, Mrs Mills, même celles qui sont gardées par les geôliers les plus consciencieux.

S'adressant à Cecilia tandis qu'une chaise à porteur s'approchait, elle ajouta :

— Rentrez à Duke Street avec les autres et attendez mon retour. Il est midi. Je ne serai pas longue. J'ai des choses importantes à dire à mon mari.

Jane grimpa de manière peu élégante dans la chaise tenue par deux robustes porteurs.

— À la Tour de Londres, s'il vous plaît, ordonna-t-elle en s'émerveillant de cette expérience inédite à l'intérieur d'un véhicule qui lui faisait penser à un cercueil vertical !

Les hommes saisirent les brancards, soulevèrent la chaise et se mirent en route. Jane fit un rapide « au revoir » de la main à ses amies qui n'en croyaient pas leurs yeux et insista auprès de ses porteurs afin qu'ils prennent l'itinéraire le plus court.

Par conséquent, ils empruntèrent des ruelles sombres et des voies inaccessibles aux attelages, sautant par-dessus des égouts à ciel ouvert, invectivant les gamins qui se tenaient en embuscade, prêts à mitrailler leur équipage avec des fruits pourris ou des excréments. Jane comprit à leurs grommellements soudains que ces chantres du transport privé avaient trouvé leur rythme. Ils emportaient leur cliente d'autant plus rapidement qu'elle était légère. L'extérieur de la chaise était orné de décorations et arborait même une ombrelle qui dansait très haut au-dessus de sa tête afin de pouvoir abriter du soleil les perruques et les chapeaux emplumés les plus extravagants. Les fenêtres latérales avaient été obstruées afin d'empêcher les curieux de regarder à l'intérieur, ce qui n'était pas pour déplaire à Jane. Les longs brancards équipés d'amortisseurs favorisaient l'aspect sautillant de ce moyen de locomotion, même si ce dernier restait étonnamment horizontal lorsque ses porteurs montaient ou descendaient une côte, de même que lorsqu'ils entreprirent, à une occasion, de descendre une petite volée de marches entre deux étroites venelles. *Stupéfiant!* s'exclama intérieurement la jeune femme. *Et quel raffinement!* Elle aurait pu facilement s'y habituer.

Mais elle ne tarda pas à se souvenir de la raison de sa présence dans cette chaise à porteurs, et son humeur s'assombrit. Le temps jouait contre elle. En outre, pour mener à bien son plan audacieux, quelques préparatifs s'imposaient, surtout avec William.

Winifred lui signifia en pensée son enthousiasme pour sa nouvelle idée. C'était la comtesse qui avait suggéré à Jane de prendre une chaise à porteurs ; et c'était encore elle qui lui suggérait d'arborer son plus beau sourire tandis qu'elles arrivaient à proximité de la Tour. Jane en comprit aussitôt l'importance. Winifred était décidément très rusée !

Elle paya ses porteurs et descendit de la chaise avec infiniment plus de grâce que lorsqu'elle y avait pris place.

— Attendez-moi. Nous rentrerons ensuite à Duke Street.

— Bien, madame, répliqua le plus âgé des deux porteurs, que la perspective de percevoir un salaire à ne rien faire enchantait.

Elle gratifia les hallebardiers d'un sourire radieux.

— Bonjour ! J'apporte de bonnes nouvelles pour les prisonniers écossais : le Parlement a adopté une mention en leur faveur.

Ils s'écartèrent pour la laisser passer, mais Jane savait qu'il était encore trop tôt pour se réjouir. De fait, elle fut de nouveau arrêtée aux abords des appartements du gouverneur. Trop proche du but pour se laisser décourager, elle éblouit les gardes grâce à l'éclat de son sourire et leur chanta, à eux aussi, sa chanson en l'agrémentant quelque peu :

— On m'envoie en prévision de la grâce de mon mari qui doit être prononcée plus tard dans la soirée, mentit-elle. J'ai peine à contenir ma joie !

— De qui tenez-vous cette information, madame ? s'enquit le vieux garde qui s'était précédemment apitoyé sur le sort de William et de son épouse.

— Lord Pembroke, celui-là même qui a présenté la motion à la Chambre des lords.

Pardonnez-moi, Thomas…, s'excusa-t-elle en silence sur l'instigation de Winifred.

Le garde fut visiblement impressionné par le nom du parlementaire, car il hocha la tête de manière significative.

— Faites vite, madame. Nous avons reçu l'ordre de n'admettre aucun visiteur.

— Je sais, je sais, mais j'imagine que c'est dû au fait que personne ne s'attendait qu'une grâce soit accordée, glosa-t-elle sur le ton de la conversation en pétillant de joie, mais non sans pousser le garde, avant que celui-ci ne change d'avis. Le gouverneur est-il dans son bureau ? s'enquit-elle enfin.

— Il est actuellement sorti, madame. Nous attendons son retour du palais d'un moment à l'autre.

Le temps pressait ! Mais ce n'était pas une raison pour éveiller les soupçons.

— Oh, et quand exactement ? s'enquit-elle d'un ton suave, comme si elle n'eût voulu manquer le gouverneur pour rien au monde, tout en gravissant en hâte les deux volées de marches.

—Dans une heure au plus.

—Quel dommage ! mentit-elle. Je serai déjà partie.

Le garde confirma d'un hochement de tête.

—C'est sans doute préférable ! s'exclama-t-il par-dessus son épaule.

Tandis qu'ils longeaient l'antichambre réservée aux hallebardiers, Jane lui glissa de l'argent dans la main.

—Cette nouvelle me rend si heureuse que j'insiste pour que vous buviez tous à la santé de notre sage et bienveillant souverain.

Le geôlier regarda en clignant des yeux la pièce de monnaie qui brillait dans sa main. De l'avis de Winifred, il était préférable que la somme soit généreuse sans paraître excessive, ce qui l'aurait assimilée, dans l'esprit du dignitaire, à un pot-de-vin.

—Vous êtes une âme charitable, milady.

Cette dernière signifia humblement d'un geste de la tête qu'il n'en était rien, tout en avisant le militaire qui gardait la porte de son mari. Sa hallebarde à double tranchant le dépassait d'une tête. Il n'était pas là lors de sa première visite. Elle s'efforça néanmoins de dissimuler le désagrément que lui causait cette nouveauté afin de présenter un visage amical et empreint de gratitude au sbire de faction.

—Mon mari m'a informée de la bienveillance de ses gardes. Je vous en suis infiniment reconnaissante.

Le garde s'inclina légèrement et fit signe au hallebardier de s'écarter.

—Mes hommes boiront à votre santé, milady !

Cette dernière sourit tandis qu'il déverrouillait la porte de la cellule.

— Qu'ils ne s'en privent pas! Euh, dites-moi, ce garde est-il indispensable? s'enquit-elle en jetant un coup d'œil admiratif au redoutable lancier bardé de décorations.

— C'est le protocole en vigueur à la Tour pour les condamnés, expliqua ce dernier en faisant une moue gênée.

— Bah, commença-t-elle d'un ton encore plus gai, dans une heure ce ne sera plus nécessaire, quand l'ordre de grâce aura été transmis.

Sans attendre la réponse, elle se faufila entre les deux hommes et entra dans la chambre où William était occupé à griffonner sur une feuille de papier. Celui-ci s'interrompit et leva des yeux étonnés.

— Oh, ma chère Winnie! Je vous écrivais justement.

La porte se referma tandis qu'elle s'abandonnait à l'étreinte ardente de son mari. Jane en profita pour battre en retraite afin de céder la place à Winifred, ainsi qu'elle avait appris à le faire. De plus en plus présente depuis leur arrivée à Londres, la comtesse n'avait cessé de s'affirmer depuis. À la faveur de l'intimité retrouvée, Winifred reprenait pleinement la place qu'elle avait occupée avant la venue de Jane dans sa vie, et cette dernière ne pouvait naturellement que s'en réjouir; mais que cela signifiait-il pour elle? Était-ce le signe qu'une issue se profilait à l'horizon? La conjoncture céleste leur était-elle de nouveau favorable? Le monde retrouvait-il enfin son équilibre? Les lignes avaient-elles amorcé son rapatriement au XXe siècle, maintenant qu'elle touchait au but? Si oui, Will l'y attendrait-il en pleine santé?

— Diantre, vous sembliez si heureuse lorsque vous êtes entrée! Vous m'apportez sûrement de bonnes nouvelles, s'exclama Nithsdale. Je… j'écrivais une lettre d'adieu aux enfants.

Jane le trouva encore plus beau à cause de sa vulnérabilité. De fait, avec sa chemise ouverte, sa barbe de trois jours et ses cheveux qui lui arrivaient aux épaules, le comte de Nithsdale était encore bel homme.

Une vive excitation irradiait son visage, et une lueur de gaieté éclaira son regard à l'idée que son épouse soit venue lui annoncer les conditions de sa grâce, conditions qu'il se faisait d'avance une joie d'accepter. Il fouilla les yeux noisette de sa femme, puis ses traits s'assombrirent et son exaltation retomba, au grand désarroi de Jane. Il desserra son étreinte et s'éloigna de Winifred comme un homme aux abois.

— Ainsi les nouvelles ne sont pas bonnes ? gémit-il.

La comtesse reprit sa place près de la fenêtre.

— Il est possible que certains d'entre vous soient graciés, commença Jane en prenant le relais sous la conduite avisée de Winifred, qui savait comment s'y prendre avec son mari.

— Mais pas moi ! l'interrompit-il.

— Non, mon amour, confirma-t-elle dans un soupir. Je ne pense pas que le roi vous accordera sa grâce.

L'heure n'était plus aux politesses et à la subtilité. C'était l'occasion ou jamais de faire preuve de courage.

S'éloignant de Winifred, William frappa du poing contre la muraille.

— C'était prévisible ! admit-il en recouvrant son sang-froid avant de s'éclaircir la voix afin d'en évacuer le trop-plein d'émotion. Pardonnez-moi. J'ai été dupe de votre air enjoué.

— C'était une feinte, William.

— Pourquoi ? s'enquit-il en se retournant vivement.

Il ne savait visiblement plus que penser.

—Parce que j'ai un plan et que je ne voulais pas que les gardes mettent en doute l'histoire que je leur ai racontée.

—À savoir ? l'encouragea-t-il d'une voix hésitante.

—Je leur ai dit que l'ordre de grâce était imminent.

William la dévisagea d'un air décontenancé.

Lorsque Jane lui eut raconté la visite au palais Saint-James, l'attente devant le Parlement et le débat à la Chambre des lords, il dit :

—Il leur faut donc un bouc émissaire.

Jane hocha la tête.

—Peut-être même plusieurs. C'est ma faute, car j'ai exaspéré le roi.

—Non, Winnie. Cela fait des années que je suis une écharde dans la chair de la Couronne protestante. Tout serait beaucoup plus simple si elle n'était pas obligée de parlementer avec un fervent catholique qui vit dans les Marches écossaises.

Il détourna les yeux et laissa échapper un soupir.

—Non, mon amour, ce n'est pas votre faute, ajouta-t-il, c'est seulement le prétexte dont Londres avait besoin pour se débarrasser de l'écharde. Ne vous accablez pas, car vous avez fait plus qu'aucune autre épouse n'aurait osé entreprendre. Vous vous êtes montrée plus courageuse que bien des hommes. J'ai écrit aujourd'hui à ma sœur Mary pour la remercier, ainsi que Charles, bien sûr, de leur aide et de leur bonté. J'espère qu'ils continueront à vous manifester la même bienveillance qu'ils vous ont toujours témoignée. Vous souvenez-vous du père Scott ?

—Le prêtre ?

William hocha la tête.

— Nous nous sommes vus tous les jours. Je me suis confessé et je suis prêt à accueillir la mort.

Haussant les épaules, il ajouta :

— J'ai même pardonné à mes ennemis. Je crois que je suis dans la bonne voie. Faites savoir à notre fils que son père est allé au supplice la conscience purifiée et le cœur en paix.

Pressentant l'effroi de Winifred, Jane essaya de se lever, mais William l'arrêta en posant doucement les mains sur ses épaules avant de l'inviter à s'adosser de nouveau contre son siège. Puis il l'embrassa tendrement tandis que Jane s'effaçait de nouveau afin que ce soit Winifred qui reçoive l'hommage de son amour. Lorsque leur baiser prit fin, la voix du comte n'était plus qu'un filet ténu.

— Mon ange, vous aurez été le bonheur de ma vie. Je n'ai cessé de vous aimer depuis la première fois que je vous ai vue et que nous nous sommes parlé dans le parc de Saint-Germain-en-Laye. Je veux monter à l'échafaud avec cette image présente à l'esprit.

— William, taisez-vous, je vous en supplie ! s'exclama Winifred en suffoquant tandis que ses yeux s'embuaient de larmes.

Jane prit de nouveau le relais.

— Écoutez ! intervint-elle avec l'énergie du désespoir. Vous admettez que notre situation est désespérée… que vous êtes perdu ?

— Pourquoi remuer le couteau dans la plaie, mon ange ? s'enquit-il en esquissant un sourire attristé avant de l'attirer vers lui et d'embrasser amoureusement ses mains.

Yeux dans les yeux, il ajouta :

— Je ne souhaite pas que vous veniez demain. Je veux que vous quittiez Londres ce soir… dès cet après-midi si vous le pouvez. Rentrez promptement en Écosse, réunissez le nécessaire et embarquez pour la France avec notre fille. Allez retrouver Willie et passez le reste de votre vie à la cour du roi de France. Je sais que vous y serez reçue affectueusement.

— J'aimerais en être aussi sûre que vous, mon amour. Quoi qu'il en soit, ne soyez pas trop pressé de me voir partir.

Le comte se rembrunit.

— Cela ne me rendrait la chose que plus pénible si…

— Asseyez-vous et écoutez-moi jusqu'au bout, ordonna Jane en le faisant asseoir à côté d'elle.

William se laissa guider.

— Je préférerais mourir plutôt que de vous perdre ! s'exclama la jeune femme en plaquant une main sur la joue du comte.

Jane eut le sentiment d'avoir trouvé les mots justes pour l'émouvoir.

— Winnie…

— Chuuut…, l'interrompit-elle en le regardant droit dans les yeux. Vous n'êtes pas en mesure d'agir, mais moi, je le peux. Maintenant, écoutez-moi bien. Ils risquent de mettre un terme à cet entretien d'un moment à l'autre.

La perplexité céda la place à la curiosité sur le visage de William tandis que Jane lui exposait son plan insensé dans un flot ininterrompu de paroles. Lorsqu'elle eut terminé, elle se renversa en arrière et retint son souffle.

— Une évasion ? souffla-t-il comme si ce mot n'avait aucune signification pour lui.

Jane acquiesça en esquissant un semblant de sourire.

— Une évasion…, répéta-t-il, de nouveau perplexe. Que je m'évade de la Tour de Londres ? De cette forteresse imprenable qui a réduit au silence tant de gens bien plus puissants que moi ?

Jane plissa les yeux pour contrer ce sarcasme à peine voilé.

— William, l'autre possibilité est vraiment trop atroce.

— J'en conviens, mais c'est de la folie !

— Sans doute, mon chéri, mais, au pire, que risquez-vous, sinon d'être tué en tentant de vous échapper ou, s'ils vous reprennent, de mourir à l'aube sous la hache du bourreau ? Au moins, vous mourrez en ayant essayé. Sinon, vous serez sacrifié comme un agneau sans avoir tenté votre chance. Il faut choisir !

Le comte se leva et se gratta le sommet du crâne.

— Winifred, c'est de la folie douce, siffla-t-il.

— C'est votre dernière chance, croyez-moi. Saisissez-la ! Je suis prête. C'est moi qui accomplirai le plus difficile, et c'est moi qui devrai garder la tête froide. Tout ce que je vous demande, c'est de m'obéir. Vous sortirez d'ici ce soir.

William scruta de nouveau le visage de sa femme en secouant imperceptiblement la tête, pensant de toute évidence que c'était une idée absurde.

— Tout cela est fort drôle, fit-il remarquer d'un ton vague, mais croyez-vous vraiment que ça peut marcher ?

— Je vous accorde que l'idée est cocasse. Elle donnera peut-être un jour naissance à des tragédies ou à des chansons. Mais c'est l'aspect enfantin de mon plan qui fait qu'il a des chances de réussir. Son côté inattendu, tiré par les cheveux, est notre meilleur atout. Qu'avez-vous à perdre ?

— Seulement ma tête ! convint-il sèchement. Mais elle est déjà perdue.

— Non ! chuchota-t-elle avec insistance. Rien n'est perdu ! Nous avons au contraire tout à gagner si vous faites exactement ce que je vous dis.

Quelqu'un cogna soudain à la porte qui s'ouvrit sur le visage contrit du bon garde.

—C'est l'heure. Milord, milady…

Jane hocha la tête.

—Voilà, mon cher et tendre, dit-elle dans un souffle. Comme je suis heureuse! Je vais écrire immédiatement aux enfants pour leur annoncer cette merveilleuse nouvelle.

Sans hésiter une seconde, William lui donna la réplique.

—Attendons d'abord la confirmation officielle de la grâce accordée par le roi et des conditions exigées, mon ange.

—Bien sûr, concéda la jeune femme en effleurant la tempe du comte. Quoi qu'il en soit, veillez à vous raser et à vous coiffer, ajouta-t-elle en le serrant vigoureusement dans ses bras. Soyez majestueux!

Elle appuya ses paroles d'un regard insistant, et une lueur de compréhension traversa les prunelles du comte.

Parfait! pensa-t-elle.

—À plus tard, donc, conclut-elle en l'embrassant sur les deux joues.

Puis elle emboîta le pas au hallebardier et lança un dernier regard d'encouragement à son mari par-dessus son épaule.

Une fois sortie de la cellule, elle invoqua encore un peu sa chance.

—Je vous suis déjà très redevable, mais puis-je vous demander l'autorisation de revenir avec nos intimes dans la soirée?

Le garde fronça les sourcils.

—Voyez-vous, même si je suis certaine de la grâce de mon mari, on ne sait jamais: la vie est si imprévisible! Je n'ai pas voulu vous en parler devant monsieur le comte, mais si lord Pembroke s'était trompé, je l'apprendrais forcément trop tard.

Par simple précaution, pourrai-je amener quelques dames de notre connaissance qui ont exprimé le désir de rencontrer mon mari afin de l'assurer de leur soutien ?

Debout dans la demi-obscurité des torches, le garde réfléchit un instant. Jane attendit en levant vers le dignitaire de grands yeux innocents et naïfs qui ne pouvaient manquer de faire fléchir le garde.

— Des dames, avez-vous dit, milady ?

— Oui, c'est bien cela. De nobles dames du meilleur monde qui connaissent le comte depuis toujours, mentit Jane.

Le garde se gratta la barbe.

— Je dois demander la permission au gouverneur, murmura-t-il au bout d'un moment.

Jane tenait sa pièce de monnaie prête, mais il fallait agir avec tact.

— Je vous en prie, Hugh… (Elle avait entendu les autres hallebardiers l'appeler ainsi.) C'est bien votre nom, n'est-ce pas ?

Le garde opina en ouvrant de grands yeux tandis que Jane lui glissait la guinée dans la main.

— Juste au cas où… Comme je vous le disais, la vie est pleine de surprises. Je serais très triste si mon mari ne pouvait dire adieu à ses proches, qu'il aime comme ses propres sœurs. Je ne vous demande que quelques minutes dans la soirée. Je les ai quittées en toute hâte au Parlement pour annoncer la bonne nouvelle au comte, et j'ai complètement oublié qu'elles aussi désiraient le voir. Je ne voudrais pas prendre de risque dans une affaire qui peut mal tourner en quelques heures.

Ainsi que Jane s'y était attendue, le garde comprit au seul poids de la pièce qu'elle était en argent.

—Madame, je devrai introduire vos amies une par une dans la cellule de votre mari. C'est impossible que vous y pénétriez toutes en même temps.

En leur for intérieur, Jane et Winifred échangèrent un sourire complice.

—Naturellement! répliqua Jane.

Chapitre 29

Lorsque Winifred arriva à Duke Street, elle avait les pommettes colorées; mais, ainsi que ses amies devaient le découvrir sans tarder, ce n'était pas à cause de la fièvre, et seulement en partie à cause du froid. En fait, elle avait tout simplement recouvré la santé!

— Veuillez me pardonner, ma chère Winnie, si je me mêle de ce qui ne me regarde pas, mais il semblerait que votre visite à la Tour ait sensiblement amélioré votre... euh, état d'esprit, fit remarquer Cecilia.

Tout sourires, Jane rejeta en arrière la capuche de sa houppelande avant d'en desserrer les agrafes avec une certaine aisance. *Ne t'habitue pas trop, Jane!* se tança-t-elle intérieurement. *Le comte n'est pas le seul à devoir s'échapper!*

— J'ai un service à vous demander, commença-t-elle en incluant Mrs Mills.

— Passons au salon, comtesse. Nous ne serons pas dérangées, car tous mes autres locataires sont partis. Nous y serons plus à l'aise pour parler.

—Merci. Hum, Mrs Mills, auriez-vous l'amabilité de demander à Mrs Morgan de se joindre à nous ce soir ? Le service que je m'apprête à vous demander la concerne également.

La maîtresse de maison se rembrunit.

—Vraiment ? Comme c'est excitant ! s'exclama-t-elle en jetant un coup d'œil à Cecilia.

Cette dernière y répondit en secouant brièvement la tête.

—Je lui envoie un billet sur-le-champ ! ajouta Mrs Mills. Pourriez-vous nous indiquer ce qui vous rend si joyeuse ?

—Non. Je n'aurai pas l'énergie de le dire deux fois, c'est pourquoi j'ai besoin que nous soyons toutes réunies. Oh, une chose encore…

Mrs Mills marqua un temps d'arrêt.

—Pourriez-vous également demander à Mrs Morgan d'apporter la jupe la plus grande qu'elle possède et un manteau supplémentaire ?

Ses deux amies échangèrent un regard interloqué.

—Vous voulez que Mrs Morgan porte…

—Non, ma chère amie, je veux qu'elle l'apporte ici avec elle. Plus simple sera le manteau mieux cela vaudra. Une capuche serait idéale.

—Ciel, c'est à n'y rien comprendre ! Mais je ferai comme vous le demandez.

Une demi-heure plus tard, grâce à la rapidité des chaises à porteurs, Mrs Morgan était assise dans le salon de Mrs Mills, avec les vêtements requis. Lorsque tout le monde se fut assis devant une boisson chaude épicée allongée d'un peu de brandy, Jane prit une lente et profonde inspiration et se lança dans les explications tant attendues.

— Mes fidèles amies et alliées, le service que je m'apprête à vous demander est à la fois peu ordinaire et dangereux, commença-t-elle en regardant tour à tour chacune d'entre elles.

Celles-ci hochèrent la tête en ouvrant de grands yeux impatients à la lueur des bougies.

— Je vous demanderai de m'écouter sans m'interrompre. Dans une certaine mesure, j'élaborerai mon plan en vous l'exposant…

— Votre plan pour quoi faire, chère comtesse ? l'interrompit aussitôt Mrs Morgan.

Un sourire indulgent éclaira le visage de la jeune femme. *Bon, après tout, ce n'est pas grave si elles m'interrompent de temps en temps*, songea-t-elle.

— Mon plan pour faire échapper mon mari de la Tour.

Les trois dames manquèrent de s'étouffer. Aussitôt, Jane les rassura d'un geste de la main.

— Mesdames, je vous en prie, laissez-moi finir. Mais avant, j'ai besoin de savoir si vous êtes prêtes à m'aider dans cette aventure, car sans vous, mon plan n'a aucune chance de réussir.

Ensorcelées par leur propre curiosité, elles hochèrent toutes trois la tête à tour de rôle.

Jane leur raconta ce qu'elle avait dit au garde et à ses hallebardiers au sujet d'une grâce imminente dans le but de les amener à relâcher leur vigilance. Elle mentionna les pots-de-vin avec lesquels elle espérait que les geôliers s'enivreraient en buvant à la santé du comte et du roi, relâchant encore un peu plus leur surveillance.

Les trois amies de Winifred échangèrent un regard admiratif.

—J'ai obtenu l'autorisation de vous faire entrer, l'une après l'autre, officiellement pour dire adieu à William au cas où sa grâce serait refusée.

Les trois comploteuses se penchèrent en avant dans l'attente de la suite.

—Mais, milady, dès demain tout le monde saura qu'il n'y a jamais eu de grâce, fit remarquer Mrs Mills. La nouvelle arrivera dans la soirée à la Tour.

Jane acquiesça.

—Je sais. Mais quand je me présenterai ce soir, les gardes, dont la compassion m'est acquise, feront de cette visite un rendez-vous des plus mélancoliques. Je sais que je peux compter sur eux.

—Très bien! Dites-nous à présent quel est votre plan, lui demanda Mrs Morgan.

—D'abord, Cecilia et vous, Mrs Mills, attendrez en bas pendant que je monterai avec Mrs Morgan qui portera sur ses vêtements la jupe et le manteau supplémentaires.

Les trois femmes dévisagèrent leur amie, puis elles échangèrent un regard perplexe.

—Cela n'a rien d'impossible, assura Jane. Mrs Morgan, vous êtes grande et encore svelte, même si vous êtes enceinte, de sorte que les vêtements passeront inaperçus. Qui plus est, Mrs Mills et vous avez à peu près la même taille.

Elle aurait pu ajouter qu'elles avaient également le même gabarit, mais cela aurait été vexant pour la corpulente Mrs Mills, qui n'avait pas l'excuse d'attendre un enfant.

—Pourquoi ces vêtements sont-ils si importants? Vous avez piqué ma curiosité, admit Mrs Morgan.

—Parce que, une fois à l'intérieur de la cellule, vous les enlèverez pour laisser apparaître ceux que vous portez maintenant. Puis vous échangerez quelques mots avec William et demanderez qu'on vous ouvre.

—D'accord, acquiesça Mrs Morgan avant de se rembrunir et de répéter les instructions pour s'assurer qu'elle les avait correctement comprises. Donc, j'entre dans la cellule, j'enlève les habits en trop et je redescends?

—Précisément.

—Et c'est tout?

—Si vous vous acquittez de cela, tout sera parfait, Mrs Morgan. Il ne vous restera plus qu'à héler une chaise à porteurs et à vous fondre dans la foule par les rues encombrées de Londres.

—Bon, commença Mrs Morgan en lissant son chignon couleur de jais, cela ne me semble pas trop difficile.

Jane pria pour que sa nouvelle amie pense toujours ainsi le moment venu.

—Ensuite, c'est à votre tour d'entrer en scène, Mrs Mills. Il est indispensable que vous vous présentiez en sanglots avec un mouchoir que vous tiendrez comme cela.

Jane lui montra le geste qu'elle attendait d'elle à l'aide d'un mouchoir ordinaire qu'elle avait pris dans le tiroir de William à Terregles, puis elle affecta de pleurer comme une Madeleine. Sous aucun prétexte vous ne devrez montrer votre visage. Il est capital que les gardes ne puissent pas vous identifier.

Mrs Mills regarda les deux autres d'un air ahuri avant de revenir à Winifred.

—Pourquoi?

—Je vais vous le dire. Quand vous serez à l'intérieur de la cellule, vous demanderez à William de se retourner, puis vous enlèverez votre manteau et votre jupe pour enfiler ceux qu'aura laissés sur place Mrs Morgan.

Cette dernière précision sema la confusion dans l'esprit de ses trois complices tandis que de minuscules perles de glace s'abattaient contre le carreau.

—Il grêle! annonça inutilement Cecilia en frissonnant.

Mrs Mills se leva pour rajouter des bûches dans l'âtre puis revint s'asseoir.

—Très bien, voyons si j'ai bien tout compris. Je quitte mon manteau et ma jupe, puis j'enfile les vêtements apportés par Mrs Morgan. Et ensuite?

—Vous quittez la cellule.

—Et c'est tout?

—Oui, vous aurez accompli votre mission. Je vous conseille de quitter la Tour le plus vite possible. Cette fois encore, une chaise à porteurs est le plus indiqué.

—Et que deviennent mes propres vêtements? Ils restent dans la cellule de votre mari?

—Eh, eh, c'est maintenant que tout se joue! s'exclama Winifred au comble de la joie.

Ses amis commençaient à comprendre.

—Mrs Mills, vous arrivez en larmes, vous laissez les vêtements avec lesquels vous êtes venue et ressortez à visage découvert, les yeux complètement secs. En fait, vous devrez veiller à ce que les gardes remarquent le changement, de manière à leur faire accroire, s'ils vous posaient des questions, que vous êtes, non la deuxième visite, mais la première, dont vous porterez les habits!

Jane balaya le visage de ses amies du regard afin de s'assurer qu'elles la suivaient toujours. Son plan était bien plus complexe que William ne l'avait cru en le jugeant d'une simplicité enfantine. C'était une ruse, un tour de passe-passe semblable à l'art du prestidigitateur qui incite l'œil crédule à voir quelque chose qui n'est pas là. Les magiciens le savent : divertir l'attention du spectateur est la clé du succès.

— C'est alors que mon cher époux, poursuivit Jane en esquissant un sourire navré, revêtira à son corps défendant la tenue laissée par Mrs Mills.

Ici encore, elle aurait pu ajouter que la forte carrure de son mari serait amplement dissimulée par les vêtements de la corpulente Mrs Mills, mais elle n'en fit rien, préférant insister sur un autre aspect de l'échange.

— Le fait que vous soyez très grande est ici crucial, car votre jupe et votre manteau doivent le vêtir au mieux.

— Le comte sortira sous l'apparence de Mrs Mills ? s'enquit Mrs Morgan qui avait tout compris.

— Exactement ! répondit Winifred avec un grand sourire.

Jane fut soulagée que son plan soit intelligible à celles qui étaient censées y jouer un rôle.

— Il fera semblant de sangloter comme si sa visite au condamné n'avait pas calmé son chagrin, mais le seul but de ce stratagème sera de dissimuler son visage.

Les trois amies allaient d'étonnement en étonnement.

— Quelle ingéniosité ! s'exclama Cecilia en rompant pour une fois avec sa réserve habituelle. Et ensuite, j'imagine que le comte me rejoindra dans une voiture de louage ?

— Vous avez deviné ! répondit Jane en se réjouissant que son amie ait deviné la suite. Les gardes seront enclins à se montrer complaisants, du moins je l'espère. Le tout est qu'ils ne s'aperçoivent de rien pendant quelques minutes.

— Et vous ? s'enquit Cecilia en se rembrunissant.

— Eh bien, je ne pourrai me permettre aucun écart, Cecilia, car Mrs Morgan a raison : la décision du roi sera sûrement déjà parvenue à la Tour. À supposer qu'il consente à accorder sa grâce à quelques-uns, je sais d'avance que William ne sera pas de ceux-là. De sorte qu'à notre arrivée, ils s'attendront à ce que je sois affligée. Je compte bien ne pas les décevoir et feindrai de vouloir dire un dernier adieu à mon fidèle époux, tout en pressant ma servante et mes amies, sous prétexte que je souhaite soumettre une ultime requête à la Chambre des lords. Grâce à cette ruse, les gardes ne devraient pas redoubler de zèle à notre égard.

— Je comprends que cela vous fournit une excuse pour ne pas vous attarder, ma chère comtesse, mais qu'adviendra-t-il de votre mari, en supposant que nous parvenions à le faire sortir ? s'enquit Mrs Mills.

— Je compte sur vous pour nous indiquer une maison discrète près de chez vous, où lord Nithsdale pourra se cacher. Cecilia m'attendra, ainsi que l'étiquette l'exige, mais entre-temps, elle aura conduit le comte en sécurité dans une voiture sans fenêtre ou une chaise rapide.

Mrs Morgan fit un signe de la main pour signifier qu'elle désirait prendre la parole.

— Une maison discrète n'est pas un problème, intervint-elle. Mais que ferez-vous, chère amie, seule dans la Tour, pendant que nous serons ici ?

— Je jouerai la comédie ! répondit Jane d'un ton ferme.

—En résumé, commença Cecilia, nous misons sur la liesse des gardes qui sont censés ne pas s'apercevoir que deux femmes entrent dans la cellule et que trois en ressortent ?

—En un mot, oui ! confirma Jane. C'est téméraire, je l'admets, mais simple.

—Qu'arrivera-t-il, cependant, s'ils vérifient ? s'enquit Mrs Morgan en caressant son ventre rond tandis que, selon toute vraisemblance, son bébé changeait de position.

Jane, ou plutôt Winifred, n'y fut pas insensible.

—J'ai fait en sorte que la seule personne pouvant être questionnée soit vous, ma chère Mrs Mills, quand vous sortirez avec les vêtements de rechange, expliqua-t-elle en gratifiant l'intéressée d'un regard bienveillant. Si cela arrivait, les gardes ne découvriraient rien d'autre qu'une visiteuse ordinaire, ajouta-t-elle.

—Milady, il me semble que nous avons besoin d'aide supplémentaire, répliqua Mrs Mills. Permettez que je mette mon mari dans la confidence. Comme vous le savez, il est entièrement dévoué à votre cause et considère que le comte mérite une grâce. Je pense que s'il l'attendait à l'extérieur avec un attelage prêt à partir, nous aurions plus de chance d'évacuer la Tour sans danger. Mon mari est plus à même de trouver un endroit discret pour le vôtre.

Jane convint qu'il ne serait pas superflu, en effet, de bénéficier de la présence sur place d'une personne de confiance supplémentaire. De plus, deux hommes pouvaient se déplacer plus rapidement dans les rues de Londres.

—C'est d'accord ! Merci, acquiesça-t-elle.

—Je vais l'appeler, répliqua Mrs Mills, non sans un certain soulagement.

On fit donc appeler Mr Mills. Celui-ci était un homme placide au visage buriné par les années qu'il avait passées en mer en tant que capitaine de vaisseau. À cause de ses rides profondes, on avait l'impression qu'il portait en permanence un masque empreint de gravité. Le tout était contrebalancé par des yeux bleus intelligents et rieurs dont le regard avenant inspira confiance à Jane.

—Eh bien ma foi…, commença-t-il lorsque ces dames lui eurent exposé leur plan. C'est ce que j'appelle une excellente mystification! déclara-t-il en tirant de la poche de son gilet une petite boîte en écaille de tortue relativement peu profonde au couvercle incrusté d'ivoire.

Il l'ouvrit d'une chiquenaude et prit une pincée de tabac à priser qu'il inhala sous les yeux de l'assistance avant de recommencer l'opération avec son autre narine. Après moult reniflements et clignements d'yeux, il remisa la boîte dans sa poche d'une main experte.

—Et que pense le comte de cette brillante idée? s'enquit-il.

Jane inspira.

—Il s'est montré aussi intrigué que vous, Mr Mills, répondit-elle.

Le vieux loup de mer gloussa.

—J'admire votre cran, milady!

—J'avoue avoir honte d'entraîner votre épouse et Mrs Morgan dans cette aventure, mais la réussite de mon plan repose sur la concordance de leurs tailles. Je pense sincèrement qu'il ne leur arrivera rien de fâcheux. Personne ne les reconnaîtra par la suite. Quant à vous-même, si vous consentiez à attendre simplement l'arrivée de mon mari dans la voiture en compagnie de Miss Evans, je vous chargerais également de lui trouver une retraite sans ostentation. Voilà. Plus la cachette sera discrète, mieux cela vaudra.

—C'est certain! convint Mr Mills. Je crois que j'ai exactement l'endroit qu'il vous faut…

—Ainsi vous serez des nôtres? s'enquit Jane.

—Sans hésitation!

Tapotant la main de sa femme, il ajouta:

—Il est hors de question que mon épouse cavale dans les rues de Londres de la manière la plus hardie dans le but de sauver un homme d'honneur pendant que je reste chez moi à me tourner les pouces! Ma chère comtesse, sachez que j'ai le plus grand respect pour votre mari et que je suis de ceux qui sont consternés par la façon indigne dont le roi vous a traitée.

—Alors, merci, Mr Mills, répliqua Jane pour couper court avant qu'ils ne changent d'avis, en se levant et en frappant dans ses mains de bonheur. William vous rejoindra donc dans la voiture où il fondra en larmes dans vos bras telle une épouse éplorée.

Après un bref silence, elle ajouta:

—Êtes-vous prêts à tenter l'aventure, mes amis?

Conquises par l'enthousiasme et l'aplomb de la comtesse, les trois femmes lui signifièrent aussitôt qu'elles étaient prêtes d'un hochement de tête.

—Quand partons-nous? s'enquit de façon prévisible Mrs Morgan.

—Sur-le-champ, répondit Jane en produisant un ultime effet de surprise, dont le but était d'enrayer tout processus de repentir chez ses alliées. Mais d'abord, munissons-nous des vêtements nécessaires à l'opération.

Avec la permission de Mrs Mills, Jane fouilla dans la commode de celle-ci et en tira un grand mouchoir bordé de dentelle – l'un des accessoires majeurs de leur petite conspiration – que son amie lui prêta volontiers.

—J'aurai également besoin de vos articles de toilette.

—Pardon, comtesse ?

—Oui, de la poudre de riz, du rouge à lèvres…

—Oh, j'y suis. C'est ici. Servez-vous.

Mrs Mills indiqua la table de toilette et le miroir qui se trouvaient derrière un paravent.

Jane glissa ce dont elle avait besoin dans une petite trousse de toile, puis elle descendit au rez-de-chaussée.

—Cecilia, s'il vous plaît, envoyez quelqu'un arrêter deux carrosses. Nous partons immédiatement. Mrs Mills et Mrs Morgan, si vous voulez bien monter avec moi ? Oh, ne vous étonnez pas si je vous appelle par d'autres noms, mais continuez de jouer votre rôle à la lettre.

Quelques minutes plus tard, Jane, Mrs Morgan et Mrs Mills étaient installées dans l'un des deux carrosses pendant que Cecilia et Mr Mills empruntaient un itinéraire différent dans l'autre, en ayant préalablement convenu du point de rendez-vous secret où William devait les rejoindre.

Pendant la majeure partie du trajet qui les menait à la Tour de Londres, Jane s'assura que Winifred entretenait une conversation enjouée, toujours dans le but de détourner l'esprit de ses amies de toute velléité de revenir sur leur décision, voire de s'interroger sur l'opportunité ou les conséquences de l'opération. Elle avait volontairement choisi de faire un grand détour qui passait par un lieu qu'elle avait précédemment repéré de loin. Lorsque le carrosse passa dans un bruit de sabots devant le bâtiment inachevé de la cathédrale Saint-Paul, Jane constata avec étonnement que, même le soir, l'édifice servait autant de lieu de culte que de marché. Malgré l'heure relativement tardive et le froid, les libraires et les amoureux y régnaient encore en maîtres.

Le carrosse s'enfonça plus avant dans le désordre labyrinthique du quartier médiéval de la capitale, aux rues tantôt plongées dans la pénombre, tantôt éclairées par le halo des bougies qui flambaient aux fenêtres d'immeubles délabrés. Les rez-de-chaussée, qui abritaient la plupart du temps des tripots où l'on jouait aux dés, des bordels et des auberges, étaient particulièrement en piteux état.

Jane reconnut les prostituées. Les unes étaient adossées contre un coin de mur, les autres attendaient le client qu'elles conduiraient aussitôt le long d'un dédale de ruelles, d'autres encore échangeaient simplement des ragots avec les copines. Elle aperçut des veilleurs de nuit épuisés qui traînaient leur lanterne en invectivant les gosses des rues et d'autres silhouettes suspectes qui appartenaient probablement à des pickpockets ou à des voleurs. Elle vit les ramasseurs d'excréments humains charger leurs carrioles, une écharpe serrée sur la bouche et le nez. Les ratiers étaient également de sortie et sifflaient leurs petits chiens qu'ils faisaient monter dans les immeubles infestés de rats.

Un silence poignant happa les passagères à mesure qu'elles prenaient conscience du but de cette escapade nocturne et que leur destination approchait. Non loin de la Tour, Jane s'affranchit de toute appréhension pour s'absorber dans la contemplation muette du paysage.

À proximité de l'entrée, elle put constater qu'une surveillance renforcée avait été placée aux avant-postes. Par chance, les gardes reconnurent l'épouse du comte. Après avoir décliné son identité, elle fut autorisée à entrer avec ses deux amies. Puis le hallebardier fit signe au cocher de ces dames d'avancer. Les sabots des chevaux résonnèrent bruyamment lorsque le carrosse s'engagea sous la voûte en ogive. Jane eut alors l'impression que le monstre de pierre s'apprêtait à les dévorer toutes crues. La voiture grimpa le sentier en pente puis bifurqua pour s'engouffrer sous la tour dite « sanglante ». Jane pointa le doigt en direction de la fenêtre à barreaux de William. Puis l'équipage atteignit enfin les appartements du gouverneur.

— Vous vous souvenez de ce que vous devez faire ? s'enquit Jane avec un calme inattendu en regardant fixement ses deux amies.

Celles-ci hochèrent la tête. Toutes deux avaient visiblement une peur bleue, mais Jane s'en réjouit, car c'était l'état d'esprit idéal pour la tâche qu'elles devraient accomplir.

Elles descendirent du véhicule et congédièrent le cocher. Elles rentreraient avec Cecilia et Mr Mills qui attendaient, non sans quelque appréhension, le prisonnier évadé à l'extérieur de la Tour.

— Mrs Mills, si vous voulez bien attendre ici, dans l'entrée, suggéra Jane d'un ton vif.

Puis, se tournant vers Mrs Morgan, elle ajouta :

— Prête ?

Mrs Morgan hocha la tête avec un mélange de frayeur et de détermination.

— Il y a deux étages à gravir, prévint Jane, soucieuse de l'enfant que portait son amie.

— Ça ira, répliqua Mrs Morgan tandis que toutes trois se mettaient en route.

Jane prit le bras de son amie afin de l'aider.

— En haut, nous tournerons à gauche. Il ne restera ensuite qu'une vingtaine de pas jusqu'à la cellule de William. Prenez un air aussi morose que possible ! Mais surtout, évitez de croiser les regards, la mit-elle en garde.

Bras dessus bras dessous, Jane et Mrs Morgan traversèrent la salle du Conseil, déjà connue de Jane, et passèrent devant le poste de garde en retenant leur souffle. Jane jeta un coup d'œil à l'intérieur et aperçut plusieurs femmes venues rendre visite à leurs maris hallebardiers avec leurs enfants. Elles se réchauffaient devant un bon feu. Deux des gardes reconnurent la comtesse et la saluèrent au passage d'un geste de la main, et Jane sut alors qu'elle n'avait pas dépensé son argent en vain. Le garde prénommé Hugh, qui avait dû s'absenter, tourna soudain à l'angle, manquant de faire sursauter la jeune femme de peur. Mais celle-ci évita la collision de justesse.

— Comtesse ! s'exclama-t-il d'un air sombre en avisant la présence de Mrs Morgan. Madame…, salua-t-il en s'inclinant légèrement avant de revenir aussitôt à Winifred. Je suis vraiment désolé.

Jane sanglota de manière convaincante.

— Ç'a été un choc terrible, comme vous vous en doutez. Cela m'apprendra à préjuger de la bonté du roi. Mon seul désir à présent est de tenir mon mari une dernière fois dans mes bras.

Le garde se racla la gorge.

— Les lords Derwentwater, Kenmure, Widdrington, Nairn, Carnwarth et, hum… votre mari, seront conduits à Tower Hill demain à midi, madame. Mais j'ai obtenu la permission de sir George Moseley de vous laisser le voir brièvement, vous et vos amies.

Jane déglutit et s'efforça de contenir sa peur.

—Merci encore, Hugh, pour ce menu privilège.

Le but de cette remarque était de dissuader le garde de s'intéresser de trop près à Mrs Morgan.

—Pardonnez la gaieté de mes compagnons et de leurs familles, milady, mais votre générosité en est la cause.

—Oh, ne vous excusez pas. Je suis sûre que les rires des enfants réconforteront mon époux en ces heures funestes, lui assura-t-elle en poussant la muette Mrs Morgan en avant. J'ai suivi vos recommandations et n'ai fait monter qu'une personne à la fois.

Le garde hocha la tête.

—Écartez-vous et laissez passer la comtesse et ses amies à leur gré, ordonna-t-il en s'adressant au hallebardier de faction devant la porte de William.

Excellent ! songea Jane.

—Bonne nuit, Hugh… et merci encore.

Hugh fit mine de vouloir dire quelque chose, mais il ne trouva pas les mots et opta pour une courte révérence avant de se retirer. Le geôlier ouvrit la porte de la cellule, et Jane se hâta de pousser Mrs Morgan à l'intérieur avant de s'y glisser à son tour et de vérifier que l'on refermait bien la porte derrière elle.

Chemise boutonnée, barbe rasée de près et cheveux attachés, William attendait dos contre le mur près d'un guéridon. Son gilet était entrouvert, et sa veste, qu'il avait époussetée et nettoyée des salissures accumulées, pendait au dossier de la chaise. Il avait un regard égaré, et son visage était blême dans la lueur de l'unique bougie. Les deux époux se regardèrent en silence pendant un moment, créant une tension insoutenable, puis Winifred se jeta dans les bras de son mari.

—Je me demandais si vous réussiriez, lui glissa-t-il à l'oreille.

Pour toute réponse, elle l'embrassa puis rompit leur étreinte.

—William, commença-t-elle, voici Mrs Morgan, une amie au courage extraordinaire.

Le comte baisa la main de la visiteuse.

—Mrs Morgan, si ce plan fonctionne, je vous serai redevable d'une dette dont je crains de ne jamais pouvoir m'acquitter.

Mrs Morgan était aux anges.

Jane avait compté sans l'immense pouvoir de séduction que William exerçait sur la gent féminine. Winifred lui rappela en pensée que son mari attirait facilement le regard des femmes. Jane ne l'avait pas connu en dehors de l'intimité de cette cellule. Le voir se comporter en présence d'autres personnes était instructif.

La main sur la poitrine, Mrs Morgan était rouge comme une pivoine.

—Comment aurais-je pu refuser, monsieur le comte? Votre épouse est très convaincante, et je constate à présent que la cause en vaut la peine, complimenta-t-elle avec un petit rire de gorge qui acheva de dissiper ses appréhensions. Toutefois, je suis à présent dans l'obligation de vous demander de vous tourner, lord Nithsdale, car je dois me déshabiller…, gloussa Mrs Morgan avant de se calmer.

Jane était abasourdie de voir Mrs Morgan flirter avec l'époux de Winifred!

—William… Permettez que je récapitule encore une fois pendant que Mrs Morgan enlève sa jupe.

Le comte se tourna puis se mordit la lèvre.

—J'ai peine à croire que cela peut marcher, susurra-t-il en ranimant ses doutes.

—Je vous en supplie, William, faites exactement ce que je vous dis. Rappelez-vous, je connais bien les habitudes des gardes. La sympathie de la plupart d'entre eux m'est acquise. En ce moment même ils boivent et mangent en famille avec nos économies. Faites-moi confiance. Nous ne disposons que de quelques heures pour vous éviter le billot.

William laissa échapper un soupir.

—Mon sort est entre vos mains, ma chère et tendre.

—Suivez exactement mes indications, insista-t-elle. À la lettre !

—Je le jure ! répliqua-t-il, la main sur le cœur.

Jane jeta un coup d'œil par-dessus l'épaule du comte.

—Mrs Morgan est prête, annonça-t-elle. Il nous faut partir à présent. Tenez-vous prêt à suivre scrupuleusement mes instructions à mon retour.

—Votre retour ? Mais d'où ? s'enquit William d'un air de nouveau perplexe et dubitatif.

—Faites-moi confiance, rétorqua Jane avec l'énergie débordante de Winifred, qui demanderait à être jugulée si elle entendait réfléchir posément et garder les bons réflexes.

Ce n'était pas le moment d'épuiser cette pauvre Winifred. Amies et mari étaient sous l'emprise de son charisme, c'est pourquoi le moindre faux pas pouvait s'avérer catastrophique. Sans attendre la réponse de William, elle poussa Mrs Morgan vers la sortie en criant à la cantonade afin de détourner l'attention du hallebardier.

— Par pitié, je vous en conjure, implora-t-elle en aiguillonnant Mrs Morgan, allez chercher ma gouvernante au plus vite, car je dois introduire une ultime requête dans la soirée. C'est ma dernière chance, sanglota-t-elle à pleins poumons.

Lorsque, pressée par Jane, Mrs Morgan passa en toute hâte devant la salle des gardes, nul ne fit attention à elle. Quand elles furent de nouveau en sécurité à l'extérieur, Jane ressentit un immense soulagement.

— Arrêtez une chaise à porteurs et rentrez chez vous! ordonna-t-elle. N'oubliez pas: vous n'êtes pas sortie de la soirée! Pensez à donner la consigne à vos domestiques.

À ces mots, Jane fit signe à Mrs Mills qui attendait dans l'entrée. Son cœur battait la chamade à présent, car l'opération entrait dans sa phase la plus délicate.

— Commencez à pleurer, susurra Jane en prenant le bras de son amie avant de l'embarquer dans l'ascension des deux étages.

Tête baissée, le visage dûment dissimulé derrière un immense mouchoir, Mrs Mills émit un gémissement à fendre l'âme qui confondit Jane par son réalisme. Malgré sa peur, mais peut-être aussi en raison du plaisir qu'elle prenait à cette aventure, Mrs Mills jouait son rôle à merveille, et Jane lui en sut gré, s'amusant même de la situation lorsqu'elles passèrent devant les gardes au regard compatissant.

Comme on pouvait s'y attendre, le hallebardier de faction, gêné par ces pleurs, détourna les yeux pendant que Jane faisait entrer Mrs Mills dans la cellule puis refermait la porte.

— Continuez de gémir! ordonna-t-elle devant un William abasourdi. Tournez-vous! ajouta-t-elle d'un ton péremptoire dû au stress du moment.

Le comte obtempéra comme si l'ordre émanait de Dieu.

— Déshabillez-vous, Mrs Mills, et enfilez la jupe et le manteau de Mrs Morgan, murmura-t-elle tandis que son amie réalisait un véritable exploit d'actrice en étouffant ses sanglots de manière que ne subsiste qu'une sourde plainte. Allons, plus vite !

Pendant que Mrs Mills se changeait, Jane farda William à l'aide du maquillage qu'elle avait réuni à la hâte et transporté sous son manteau.

— Winifred, est-ce vraiment…, protesta sans conviction le comte.

— Cessez de bouger, mon amour, et souvenez-vous de votre promesse.

Le comte fit une moue déconfite, mais Jane continua d'appliquer poudre et rouge à lèvres, sans oublier de dissimuler les sourcils noirs de William sous une couche de peinture blanche au plomb, ancêtre du fond de teint.

Lorsqu'elle eut terminé, elle recula pour admirer son œuvre.

— Personne ne se laissera abuser à moins de dix pas, mais je n'ai pas l'intention de laisser les gardes vous approcher. Maintenant, William, écoutez-moi attentivement.

Jane lui expliqua hâtivement et en peu de mots que c'était à son tour de jouer et qu'il devait se montrer aussi doué pour la comédie et aussi courageux que leurs deux complices.

Puis elle jeta un coup d'œil à Mrs Mills qui continuait à gémir dans les habits de Mrs Morgan et lui signifia son approbation d'un geste de la tête.

— Bien joué ! Prête ?

Mrs Mills sourit jusqu'aux oreilles et tendit le mouchoir à Jane qui le prit.

— Vous savez ce que vous devez faire, mon ange ? s'enquit Jane en s'adressant à William.

Ce dernier fit la grimace puis acquiesça en prenant la jupe et le manteau.

— Vous aurez également besoin de ceci pour les convaincre que vous êtes celle qu'ils ont vue entrer en sanglots, ajouta-t-elle en lui tendant le mouchoir en dentelle. Vous avez entendu Mrs Mills ? Faites comme elle, et la liberté est assurée !

Prenant Mrs Mills par le bras, elle lança d'un air grave :

— Je reviens William, ne tardez pas !

Puis les deux amies sortirent et repassèrent devant les gardes en pressant le pas.

— Ma chère Catherine, commença-t-elle, de nouveau décomposée, en recourant au premier prénom qui lui traversait l'esprit, je vous en conjure, allez en toute hâte chercher ma gouvernante. Je la soupçonne de n'avoir pas vu passer l'heure et d'avoir oublié que je dois soumettre ma dernière requête. Si j'échouais à la présenter à temps, nous risquerions l'irréparable, car c'est ma dernière chance de m'attirer les bonnes grâces du roi. Je vous en prie, dites-lui de se hâter, car je ne vivrai plus jusqu'à ce qu'elle vienne.

Jane et Mrs Mills retraversèrent la salle du Conseil sans encombre. Jane dévala pratiquement la première volée de marches tandis que Mrs Mills avançait en titubant.

— Vous avez réussi ! s'exclama Jane à voix basse en frappant dans ses mains de gratitude. Maintenant, faites-moi le plaisir de vous sauver. Mais d'abord, prévenez votre mari qu'il doit se tenir prêt à entrer en scène. Merci de tout cœur !

— Bonne chance, chère comtesse, répliqua Mrs Mills, tout sourires, en se dépêchant de descendre le deuxième escalier.

Jane sentit son cœur s'emballer plus que jamais, mais elle garda courageusement son sang-froid. La phase la plus risquée et la plus hardie de son plan allait commencer. Bien résolue à ne pas faiblir malgré sa peur, elle fit volte-face et regagna la cellule de William en s'épongeant désespérément les yeux et en faisant en sorte que le dos de Winifred soit courbé sous le poids du chagrin.

Jane fut prise au dépourvu et dut retenir le rire de Winifred lorsque celle-ci avisa son mari aux prises avec une jupe qu'il s'efforçait tant bien que mal d'enfiler. Elle laissa néanmoins échapper un gloussement qui dut passer pour un sanglot de l'autre côté de la porte, même s'il trahissait un soupçon d'excitation. Jane obligea Winifred à se mordre le doigt pour retrouver sa concentration.

William se retourna et, l'index dressé vers le ciel afin de prévenir tout commentaire sarcastique, lui jeta un regard noir. Sans lui laisser le temps d'ouvrir la bouche, Winifred lui fit un baisemain.

—Notre calvaire tire à sa fin, mon chéri, susurra-t-elle. Gardez confiance!

L'œil du comte se radoucit et fut traversé d'une lueur mélancolique tandis qu'il se penchait pour voler un baiser à sa femme.

—Même si je n'ai pas le choix, vous me donnez le sentiment que je suis bien plus courageux que je ne le suis en réalité.

Il soupira puis ajouta :

—Le garde va revenir d'un moment à l'autre avec des bougies neuves pour éclairer la dernière nuit du condamné à mort.

Jane jeta un coup d'œil au soir qui tombait. Il fallait s'enfuir avant le retour du bon hallebardier. Elle se dépêcha d'attacher le manteau sur les épaules de William et de tirer la capuche sur ses yeux.

— Gardez le mouchoir sur votre visage et souvenez-vous de pleurer comme une femme. Imitez Mrs Mills.

— Je ne suis pas certain d'y arriver…

— Vous y arriverez! l'interrompit-elle sèchement en le prenant par les poignets. Pensez à ce que j'ai enduré lors de mes fausses couches. Vous vous souvenez de mes larmes? Pensez à ces instants et faites comme si vous y étiez. Vous pouvez me croire quand je vous dis que les gardes ne chercheront pas à vous consoler: ils ne sauront plus où se mettre.

William hocha la tête devant l'insistance de sa femme.

— Le Tout-Londres saura que je me suis évadé déguisé en femme!

— Le Tout-Londres nous applaudira, grommela-t-elle.

Mais soudain le comte secoua la tête en signe de dénégation.

— Je ne peux pas!

Winifred le dévisagea avec un mélange d'épouvante et de perplexité.

— Vous ne pouvez pas ou vous ne voulez pas? s'enquit-elle dans un murmure de colère.

— Les deux! répondit-il d'un ton sec. Voulez-vous vraiment qu'on dise que votre mari est un lâche qui n'a pas hésité à se déguiser et à enfiler des jupons pour échapper aux conséquences de ses actes?

— Vous avez prouvé votre mérite en tant qu'homme. Vous n'avez rien à gagner en perdant votre belle tête virile.

— Je serai la risée de Londres!

— Non, monsieur, parce que vous aurez fait un pied de nez au roi protestant.

Le comte regarda sa femme dans les yeux et secoua la tête d'un air de défi.

— Pas de cette manière, rétorqua-t-il d'un ton sans appel que Winifred connaissait bien, avant de commencer à se déshabiller.

C'est alors que, folle de rage, Jane, à sa grande surprise et à celle de la comtesse, administra une gifle cinglante au condamné.

— Comment osez-vous tout foutre en l'air ? susurra-t-elle en grimaçant.

William fut sans doute plus choqué d'entendre le mot « foutre » dans la bouche d'une femme que par la gifle cuisante qu'il avait reçue.

— Je vous rappelle que quatre femmes ont courageusement mis leur nom, leur réputation et leur vie en jeu pour vous sauver ce soir ! Inutile de vous leurrer, William : nous sommes tous dans le même bateau, et tous passibles de la peine de mort pour haute trahison parce que nous avons essayé de vous sortir vivant de ce trou à rats dont personne n'a jamais réussi à s'échapper.

La joue encore rougie sous le fard par les cinq doigts de la jeune femme, Nithsdale regarda celle-ci d'un air ébahi.

— Vous serez un lâche si vous restez et un héros jacobite si vous défiez le roi et ses sbires. Maintenant, partons ! Et je ne veux plus rien entendre !

Jane ne parvenait pas à déchiffrer l'expression de William, mais elle sut néanmoins qu'il renonçait à s'entêter lorsqu'il laissa échapper un grand soupir.

— Pardonnez-moi…

— N'en parlons plus. Tout ce que je vous demande est de jouer à l'amie éplorée pendant quelques minutes pour échapper à la hache du bourreau. Vous ferez ainsi bien plus pour la cause jacobite que si vous mouriez en martyr sous les quolibets de la populace. Faites-le pour nos enfants et aussi par amour pour moi.

—Je suis prêt, Win. Allons défier la mort!

—Venez, ordonna-t-elle en le prenant par le bras et en lui plaçant la main qui tenait le mouchoir devant le visage. Commencez à gémir… Rappelez-vous: vous venez à peine de dire adieu à tout jamais à un condamné que vous aimez comme un frère.

Jane sentit soudain le cœur de Winifred marteler dans sa poitrine et jusque dans ses tempes. Elle pria pour que la comtesse ne fasse pas un malaise. Mais elle avait appris à se fier à la courageuse Winifred.

Elle ouvrit la porte et mit un pied dehors. Le hallebardier de faction avait disparu. Il s'affairait avec trois autres geôliers devant la salle des gardes, barrant involontairement le passage aux deux complices. Au bras de Jane, William se raidit.

—Penchez la tête et pleurnichez, susurra la jeune femme.

À son grand étonnement, les sanglots du comte étaient plutôt convaincants. Elle entama donc une longue litanie de consolations.

—Excusez-moi, messieurs, commença-t-elle d'une voix fébrile en se frayant un chemin entre les quatre sbires, mais je dois raccompagner mon amie si durement éprouvée.

Le ressort de l'opération consistait à créer la confusion chez les gardes afin qu'ils perdent le compte du nombre de visiteuses qui étaient ressorties de la cellule.

—Oh, ma pauvre Betty, ma gouvernante se fait l'instrument de ma ruine en ne venant pas. Soyez gentille, courez la chercher et ramenez-la-moi. Vous savez où je loge. Je vous en supplie, n'économisez pas vos forces! Faites vite, sinon tout est perdu!

Si le temps ne lui avait pas aussi cruellement manqué, elle aurait sans doute montré à William comment marcher avec une jupe. Rendu pataud par l'encombrant vêtement, celui-ci trébucha tandis qu'ils passaient le poste de garde et s'apprêtaient à traverser la salle du Conseil. Il heurta la muraille avec l'épaule, mais eut la présence d'esprit de laisser échapper un juron assez haut perché pour être crédible. Les hallebardiers accoururent. Parmi eux se trouvait le dénommé Hugh.

— Madame ? Votre amie est-elle blessée ?

William poussa un gémissement, et Jane eut soudain les jambes en coton. Mais celles-ci se dérobèrent pour de bon sous l'effet de la peur lorsqu'elle s'aperçut que la capuche du comte avait glissé. Pendant ce temps, Hugh continuait d'approcher. Il suffirait que le brave garde aperçoive le visage grimé du condamné pour qu'il découvre la supercherie.

Jane poussa un cri perçant comme cela arrive parfois à une femme lorsqu'elle a atteint son seuil de tolérance. À vrai dire, elle ne jouait pas la comédie, car ils risquaient d'être démasqués d'un instant à l'autre. Par bonheur, les sbires furent si abasourdis par ce déchaînement d'émotivité de la part d'une dame qu'ils pensaient jusque-là d'un calme olympien qu'ils s'immobilisèrent.

— Miss Betty, par pitié, ressaisissez-vous ! Ne me laissez pas choir dans un moment pareil ! implora-t-elle d'une voix stridente et haletante en serrant « Betty » contre elle afin de lui remettre sa capuche. Je ne sauverai jamais William si vous ne trouvez pas ma gouvernante ! insista-t-elle en propulsant le comte loin de la lumière des torches, dans la zone d'ombre qui bordait l'escalier.

— Madame ? répéta le bon garde.

— Pardonnez-moi, Hugh, je ne sais plus que faire, déclara-t-elle sans se retourner. Il faut que je raccompagne mon amie Betty.

À ces mots, William sanglota suffisamment fort dans les aigus pour renforcer l'illusion. Le visage dissimulé derrière son mouchoir, la capuche sur les yeux, il pencha la tête en avant pour paraître plus rabougri que jamais, se servant de Winifred comme d'une canne et avançant à petits pas, tandis que Jane remerciait Hugh d'un geste de la tête et hâtait la marche pour traverser la salle du Conseil avec une terrifiante impression de déjà-vu. La tête de la jeune femme se mit à tourner à cause de l'adrénaline qui lui agitait le sang.

Puis, dans l'air glacial qui s'engouffrait du dehors et leur caressait le visage, les deux complices descendirent les marches qui les conduisaient vers la liberté. *Nous y sommes presque !* songea Jane. *Non, ça y est… Il est sauvé !*

Ils dévalèrent le second escalier en manquant de se rompre le cou.

— N'arrêtez pas de pleurer ! Gardez la tête baissée ! glissa-t-elle à l'oreille du comte.

Mais son cœur faillit s'arrêter lorsque, au détour d'un virage, ils aperçurent une escouade de gardes qui se tenait au bas de la seconde volée de marches. Face à cette présence imprévue, William redoubla de gémissements. La ruse fonctionna à merveille, et les sbires, reconnaissant le visage affligé de leur généreuse comtesse, leur ouvrirent eux-mêmes la porte.

— Direction la sortie ! lança Jane en soutenant le comte jusqu'au bas de la pente herbeuse tandis que les gémissements devenaient plus rares.

Ils n'eurent pas le temps de s'embrasser ni de se souhaiter bonne chance. Cecilia et Mr Mills attendaient, tapis dans l'ombre de la herse. En un instant, le couple couvrit la distance qui les séparait de leurs amis, et Jane leur remit son précieux compagnon. Elle escorta la voiture d'un geste de la main jusqu'à ce que celle-ci disparaisse à toute vitesse dans le dédale de rues qui constituait alors les quartiers est de Londres.

Jane s'aperçut que les oreilles de Winifred s'étaient mises à siffler. Elle avait le visage en feu à cause de l'excès d'émotions fortes et de la nausée. Les deux comparses devraient attendre un peu avant de se laisser aller à leur joie commune.

— *Nous avons réussi, Winifred !* s'exclama Jane en son for intérieur, car elle jubilait.

— *Encore un dernier obstacle à franchir, Jane…*, répliqua une voix en pensée.

En effet, il restait un dernier obstacle, et non des moindres. Celui-ci se rapportait sans conteste à la phase la plus éprouvante de son plan décousu.

Cette fois, Jane n'eut pas besoin de simuler la peur, car elle n'était pas du tout rassurée à l'idée de devoir faire demi-tour, retourner au pas de course jusqu'aux appartements du gouverneur et remonter les deux étages. Malgré une très forte envie de courir se réfugier dans la relative sécurité que semblait lui promettre l'obscure ruche londonienne, elle ne se défila pas. Une odeur de cuisine échappée de la salle des gardes lui chatouilla les narines tandis qu'elle gravissait le premier escalier en traînant les pieds au son d'un brouhaha de voix où se mêlaient le bavardage des enfants et le rire assourdi des épouses, sans oublier les bruits des pas lourds des hallebardiers sur le plancher de bois. Ces détails lui avaient échappé lorsqu'elle avait accompli son tour de passe-passe. Elle ressentait à présent ce que ressent tout illusionniste lorsque la fantasmagorie atteint son point culminant.

Elle gravit la deuxième volée de marches, se sentant soudain oppressée par les murs de la prison qui semblaient se resserrer autour d'elle comme s'ils voulaient lui rappeler que la Tour pouvait devenir sa geôle.

Après avoir traversé une nouvelle fois la salle du Conseil en s'épongeant intentionnellement les yeux et en continuant de sangloter tout en arborant une mine contrariée, elle fit semblant de se ressaisir avant de passer à l'ultime scène de larmes à laquelle s'attendaient sûrement les gardes.

Le hallebardier préposé à la cellule de William n'était toujours pas retourné à son poste, mais traînassait à proximité.

— Ne vous dérangez pas, je connais le chemin, dit-elle à mi-voix. C'est notre ultime adieu, ajouta-t-elle avec une telle tristesse dans la voix que le garde fut contraint de détourner les yeux en se raclant la gorge pour se donner une contenance.

— Vous ne serez pas dérangés, madame.

— Merci, susurra la jeune femme.

Puis elle entra dans la cellule abandonnée.

Dos à la porte, elle s'efforça de calmer les battements de son cœur. Le stress de l'évasion lui avait laissé une forte migraine. Or, il était plus que jamais indispensable qu'elle ait les idées claires.

Allez! s'admonesta-t-elle. *C'est dans tes cordes! William est sauvé. Il attend Win. Il est vivant! Nos deux Will sont en vie!*

Puis elle obligea Winifred à respirer plusieurs fois longuement et profondément, jusqu'à ce que la sensation de vertige disparaisse et qu'elle soit de nouveau prête.

C'est parti pour le dernier acte, Winnie! s'exclama-t-elle intérieurement.

Elle se prépara à entrer dans son personnage en songeant qu'il ne lui restait plus, aussi drôle que cela paraisse, qu'à entretenir l'illusion. L'inattention des gardes et la confiance qu'ils avaient dans l'admirable comtesse feraient le reste.

—William, mon amour, commença-t-elle d'une voix à fendre le cœur, serrez-moi une dernière fois dans vos bras.

—Chuuut…, mon adorée, répliqua-t-elle du ton le plus grave qu'elle put. Ne pleurez pas. Je retourne auprès de mon Seigneur la conscience tranquille.

Jane entretint ainsi une fausse conversation entrecoupée de gémissements entre Winifred et son mari invisible, prêtant sa voix aux deux protagonistes et changeant alternativement de rôle. Ce faisant, elle imagina la calèche du comte se faufilant à travers les quartiers pauvres, à moins que les passagers n'aient déjà abandonné l'encombrant véhicule pour continuer plus commodément à pied dans les ruelles sales et mal éclairées. Elle ignorait où Mr Mills avait l'intention de cacher Nithsdale, même si elle subodorait que plus la cachette serait douteuse et crasseuse mieux cela vaudrait. Mais peu importait, l'essentiel étant que le roi ne l'y retrouve pas!

Au bout d'une quinzaine de minutes de ce petit manège, et après avoir contemplé, avec angoisse, le crépuscule qui descendait sur la capitale, Jane estima que William avait eu le temps de s'éloigner suffisamment de la Tour. La gorge serrée par la peur d'être découverte par le garde qui viendrait d'ici peu apporter sa ration de bougies neuves au condamné, elle se redressa et dit bonsoir à son mari d'une voix tremblante qu'elle n'eut pas besoin de simuler.

Entrouvrant légèrement la porte, elle tourna la tête vers l'intérieur.

— Je cours, monsieur, car je crains que ma domestique ne soit tombée dans quelque embarras, et moi seule peux présenter cette requête au roi en votre nom.

Elle gratifia la chambre vide d'un sourire larmoyant et ajouta :

— Si les gardes m'y autorisent, j'essaierai de revenir un peu plus tard dans la soirée. Si j'échouais, soyez certain, mon amour, que je serais là aux premières lueurs de l'aube, avec, je l'espère, de bonnes nouvelles.

Le garde se tenait devant la porte, mais il avait le dos tourné par égard pour la comtesse. Plus loin, un autre sbire – un valet de chambre, sans doute – apprêtait des bougies en les coupant à la base afin de les fixer solidement sur des bougeoirs en étain.

Jane posa les yeux sur le cordon usé du loquet et retint son souffle d'épouvante. Il n'y avait plus une seconde à perdre. Jouant le tout pour le tout, elle l'arracha sans bruit en tirant d'un coup sec, puis elle tendit l'oreille pendant que le clapet retombait dans l'encoche, condamnant la cellule de l'intérieur.

— Mon brave, héla-t-elle d'une voix hésitante qui n'était pas feinte.

Le hallebardier et le valet se retournèrent en même temps, mais ce dernier se sentit plus particulièrement sollicité et s'inclina.

— Oui, madame ?

— Mon époux est dans le recueillement et demande qu'on ne le dérange pas cette nuit. Il ne requiert pas de bougies pour communier avec Dieu.

Le valet cligna des yeux, interloqué.

—Il ne veut pas être dérangé ce soir… pas même pour son dernier repas?

—Surtout pas pour de la nourriture, confirma-t-elle en prenant conscience qu'elle tremblait. Il insiste pour prier dans le noir.

—Comme vous voudrez, madame, répliqua le valet en s'inclinant de nouveau.

Elle jeta un coup d'œil au garde qui hocha également la tête avant de reprendre son poste, sa hallebarde dans la diagonale de la porte.

—Merci à tous les deux. Il ne me reste plus qu'à vous dire bonsoir. Ne soyez pas trop pressés de venir chercher mon mari, prévint-elle, car je m'en vais de ce pas soumettre une ultime requête au roi.

Hugh vint à sa rencontre lorsqu'elle passa devant la salle des gardes.

—Milady, salua-t-il, soyez assurée de ma plus profonde compassion.

Pressée de s'enfuir, Jane se contenta de hocher la tête.

—Permettez que je vous raccompagne, suggéra-t-il.

Et Jane n'eut d'autre choix que d'accepter.

Il la raccompagna jusqu'à l'extérieur de la Tour où une petite file de carrosses attendait. Le garde l'aida à monter dans l'un d'entre eux, et Jane, qui ne put s'empêcher d'éprouver des remords à son sujet, lui souhaita en secret de ne pas faire les frais de son subterfuge.

Elle fit néanmoins exprès de jeter un dernier coup d'œil à la fenêtre de son mari, comme si elle ne devait plus le revoir.

—Merci. Vous vous êtes montré si compréhensif.

Le garde s'inclina de nouveau.

—En route! lança-t-il au cocher, et Jane apprécia le cahot réconfortant de l'attelage qui s'ébranlait, l'éloignant à toute allure de la Tour.

Elle se demanda à quel moment les geôliers découvriraient l'évasion. Cédant à une impulsion morbide, elle regretta de ne pas être une mouche pour assister à l'ouverture de la chambre vide.

Chapitre 30

Nous aimons tous quand les histoires finissent bien. C'est pourquoi Ellen commençait à croire que l'aventure de William Maxwell connaîtrait un heureux dénouement.

— Il respire par lui-même, à présent, rappela-t-elle en serrant la main de Diane. Votre fils est un brave garçon qui se débrouille tout seul !

La chambre de Will semblait vide depuis que l'on avait retiré les appareillages. Sans l'écran qui continuait d'indiquer le tracé de son rythme cardiaque, la perfusion qui était reliée à son bras et la poche de stomie posée au bord du lit, le visiteur néophyte aurait pu penser que le jeune homme dormait tout simplement. Pour le moment, sa respiration était profonde et régulière ; il avait le visage serein. Ellen avait déjà observé le même phénomène chez d'autres patients : tout se passait comme s'ils émergeaient soudain de nulle part et s'apprêtaient à s'éveiller, même si, médicalement parlant, ils étaient toujours dans le coma.

Si on lui avait posé la question, Ellen aurait volontiers admis qu'elle n'avait jamais été aussi heureuse pour la famille d'un malade, même si son bonheur était dû, en grande partie, à la joie qu'elle se faisait d'être la première personne que Will verrait lorsqu'il rouvrirait enfin les yeux. La jeune infirmière n'ignorait pas qu'une telle pensée était indigne d'une grande professionnelle. Pourtant, nuit après nuit, au fil de ses veilles silencieuses, un lien s'était bel et bien créé entre elle et son patient, un lien qui pouvait s'avérer nuisible à son travail. Le faible qu'elle avait pour le bel Américain fauché dans sa prime jeunesse était notoire dans le service, mais ce que ses collègues ignoraient, c'était qu'elle éprouvait une tendresse toujours plus grande pour lui. Peu importait, après tout, qu'il se réveille à Londres et la prive ainsi de ses vacances aux États-Unis. Tout ce qu'elle désirait, à présent, était entendre le son de sa voix. Peut-être prendraient-ils une coupe de champagne ensemble un de ces jours. Ce serait une belle façon de la remercier des soins qu'elle lui avait prodigués. Cette rêverie la fit sourire, car elle n'était pas sans savoir que le beau jeune homme avait une fiancée, même si le propre des chimères consiste à faire précisément abstraction des obstacles. Ce film était le sien, et elle était libre d'en faire ce qu'elle voulait, avec seulement Will et elle dans les rôles principaux !

Elle se racla discrètement la gorge et se concentra de nouveau sur le patient qu'était, d'abord et avant tout, Will. Elle arrêta son regard sur la tension révélatrice de sa bouche. Quant à ses yeux, ils se déplaçaient sous ses paupières de manière moins anarchique, bien que toujours relativement incohérente. Enfin, il avait perdu cet affreux relâchement des tissus du visage qui rappelait l'expression des cadavres. Will était à deux doigts de renaître.

Les traits de Diane Maxwell s'affaissèrent soudain en une grimace qu'Ellen interpréta comme étant le signe du soulagement et de la joie mêlés. La mère du jeune homme reprenait espoir. Puis l'infirmière jeta un coup d'œil au père de Will qu'elle avait appris à respecter depuis quelques jours. Certes, l'homme était un ours, mais elle avait trouvé ses marques avec lui et n'était plus blessée par sa manière d'être. Peu d'hommes, en effet, étaient capables de vous regarder dans les yeux et de vous demander de les excuser pour leur comportement, ainsi que l'avait fait John Maxwell la veille au soir.

— J'ai été injuste envers vous tous, avait-il dit, et j'ai honte de ma conduite. Je sais que vous faites absolument tout pour sauver Will.

Ellen avait tout particulièrement apprécié la façon dont, pour la première fois depuis l'arrivée du patient, Maxwell avait renoncé à son attitude de robot, pour manifester spontanément son affection à sa femme.

— Il se réveille, ma chérie, restons confiants…, assura-t-il en serrant sa femme contre lui sous les yeux attendris de la jeune infirmière.

— Oui, il se réveille, Mr Maxwell, intervint cette dernière. Votre fils est solide, Mrs Maxwell. Regardez comme son teint est beau.

Par souci d'apaisement, Ellen avait laissé de côté la menace de séquelles qui continuait de planer sur son patient.

À l'inverse, la mère du jeune homme ne semblait penser qu'à ça.

— À présent, je m'inquiète au sujet des dommages neurologiques, gémit-elle. Pardonnez-moi, mais la perspective que mon fils n'ait plus toutes ses facultés…

—Diane, la tança son mari, hier encore nous vivions dans la peur de le perdre, et regarde-le à présent… Nous ferons face quand il ouvrira enfin les yeux, ajouta-t-il en cherchant l'approbation d'Ellen.

Cette dernière acquiesça en esquissant un semblant de sourire qui se voulait encourageant.

—Vous devriez aller vous reposer, tous les deux. Je suis de service ce soir. Comme vous le savez, votre fils est mon patient préféré. C'est pourquoi je m'éloigne rarement de sa chambre, rappela-t-elle en s'adressant, tout sourires, à la mère de Will.

Diane prit une bouffée d'air et laissa échapper un petit gloussement douloureux avant de tapoter le bras de son mari.

—Merci, Ellen, vous êtes son ange gardien.

L'ange en blouse blanche hocha la tête, ravi que son dévouement soit reconnu.

—Toujours pas de nouvelles de Jane ? s'enquit Ellen.

—Nous l'attendons d'un moment à l'autre, mentit le père de Will en se raclant la gorge.

Jane se plaqua contre le dossier en cuir du carrosse sans se soucier de ce qui se passait à l'extérieur. C'était à peine si les bruits et les images de la rue frappaient ses sens. Tout son champ de conscience semblait envahi par les battements sourds du cœur de Winifred dans sa poitrine et dans sa tête migraineuse. Ses oreilles bourdonnaient comme une ruche un jour de récolte. Ses yeux vitreux fixés droit devant, elle regardait sans ciller l'obscurité, s'étonnant encore de la réussite de sa ruse. En outre, chacun des complices avait réussi à quitter les lieux sans encombre, et – du moins l'espérait-elle – sans être blessé ni arrêté.

Tandis que l'auguste forteresse aux épaisses murailles imprenables disparaissait au loin, Winifred recommença à trembler de manière incontrôlable en claquant des dents, ce qui ne fit que rajouter au tintamarre intérieur qu'endurait déjà Jane, même si cette dernière était passablement euphorique. *Mon plan enfantin a marché!* s'exclama-t-elle en son for intérieur. *Mais tout est-il déjà terminé?*

—*Non! répondit Winifred en pensée. L'exécution est prévue pour demain. Laissons passer cette date funeste et gardons William à l'abri en attendant. Ensuite, nous le mettrons réellement en sûreté.*

—*«Réellement en sûreté»?* répéta Jane.

—*Oui, loin de l'Angleterre!*

—*En Écosse?*

—*Sur le continent. Sous la protection de l'Église de Rome.*

Cet échange ramena Jane à la précarité de sa propre situation. Si William Maxwell s'en tirait sain et sauf, Will s'en tirerait également, avait assuré le voyant Robin. Mais qu'adviendrait-il d'elle? Resterait-elle coincée dans les couloirs du temps? Comment ferait-elle pour retrouver sa propre époque? Comment elle-même et Winifred recouvreraient-elles leur intégrité respective?

La voiture atteignit Duke Street où Mrs Mills et Mrs Morgan lui réservèrent un accueil triomphal.

—C'était une idée de génie, ma chère amie! pépia cette dernière à l'oreille de la jeune femme pour ne pas être entendue du cocher.

Après cet accueil chaleureux, les deux amies se ressaisirent afin de ne pas retarder la comtesse. Mrs Mills avait déjà fait préparer le bagage de Winifred.

—Tenez, dit-elle en lui remettant le sac accompagné d'un mot de sa main. La chaise à porteurs est prête. Faites-vous conduire à cette adresse. Ne révélez pas votre nom aux porteurs. Je leur ai dit de vous attendre à l'angle là-bas ; ainsi, ils ne sauront même pas d'où vous venez.

Jane serra ses deux amies dans ses bras.

— Je suis sans voix. Comment pourrai-je vous remercier ?

— Votre visage rayonnant est amplement suffisant, répondit Mrs Mills en mettant son doigt sur sa bouche. Maintenant, sauvez-vous ! Et soyez prudente. Cecilia et mon mari sont avec le comte.

Jane hocha la tête et les serra de nouveau très fort.

— Remerciez bien chaleureusement votre cher et tendre époux pour son aide. Je vous tiendrai informée, d'une manière ou d'une autre.

Les porteurs prirent à vive allure, et dans un cahot infernal, la direction d'un quartier pauvre de Londres situé non loin de Smithfield et s'arrêtèrent dans Byward Street, à quelques encablures de… la Tour de Londres.

Jane fut soudain prise de nausée. *Pourquoi ici ?* se demanda-t-elle. Tout semblait indiquer que Winifred n'était guère plus rassurée.

— Vous êtes sûre que c'est ici que vous voulez aller, milady ? s'enquit l'un des porteurs en fronçant les sourcils lorsque Jane déchiffra l'adresse à sa place. L'entrée est dans cette ruelle.

Ils se trouvaient dans une rue commerçante d'où partait une venelle mal éclairée conduisant à un portail à peine visible. La jeune femme s'arma de courage.

— Oui, ça ira, merci. Je suis venue rendre visite à une amie et je ne compte pas rester longtemps.

— Vous voulez qu'on vous attende ? C'est un quartier malfamé !

Jane secoua la tête en se félicitant que sa capuche lui dissimule une partie du visage. Elle ne souhaitait nullement que ces porteurs se souviennent de son faciès ni de l'adresse.

—Non, mais je vous remercie pour l'attention.

Elle leur donna un pourboire plus généreux que nécessaire dans l'espoir qu'ils arrêteraient leur journée de travail plus tôt qu'à l'ordinaire et oublieraient cette course dans la boisson.

Les deux porteurs la saluèrent d'un doigt sur la visière et s'en allèrent. Aussitôt, Jane descendit la ruelle d'un bond et s'arrêta devant la porte d'un immeuble sordide d'où s'échappait une odeur d'urine ou d'animal en décomposition. Une commère coiffée d'un couvre-chef malpropre et vêtue de haillons recouverts d'un tablier taché lui ouvrit.

—Vous êtes Mary? s'enquit cette dernière.

Jane la dévisagea d'un air perplexe.

—Euh…

—La femme de Gillam? insista l'autre en cherchant ses mots.

Guillaume! s'exclama Jane intérieurement en comprenant enfin. *William en français!* C'était ainsi que l'on appelait le comte à la cour de France.

—Oui, je suis Mary, répondit Jane en souriant au souvenir de la sœur de Nithsdale qui portait ce prénom. Où est mon mari?

—Dans la tourelle avec votre sœur. C'est petit, mais c'est ma chambre la plus calme. Vous restez combien de temps?

—Quelques nuits tout au plus.

—Quoi qu'il en soit, vous aurez une très belle vue de là-haut, comme votre mari l'a demandé, annonça la commère en sifflant par le vide laissé par ses incisives inférieures.

— Avec vue sur Londres ? Comme c'est charmant ! Merci.

— Non, pas sur Londres, madame ! gloussa la logeuse. Sur Tower Hill où seront exécutés les rebelles jacobites.

Jane perçut que le corps de Winifred se figeait sur le perron branlant, mais ce n'était pas à cause du froid. Jusque-là, elle avait cru que Mr Mills aurait privilégié la discrétion dans sa recherche d'un endroit pour cacher Nithsdale, mais il était clair que la logeuse avait reconnu ce dernier.

— Bien joué, milady, la félicita la logeuse. Nous autres, on n'a pas apprécié comment le roi vous a traitée. C'est peut-être comme ça qu'y traitent leurs comtesses en Allemagne, mais pas chez nous ! Personne ne viendra vous embêter ici. Vous serez entre amis.

Jane fut soulagée.

— Vous êtes très aimable, remercia-t-elle d'une voix tremblante.

L'hôtelière acquiesça.

— Personne ne viendra vous déranger là-haut… En attendant que tout ce chambardement se calme, vous pouvez nous faire confiance. Votre secret sera bien gardé, et vous serez en sécurité.

Malgré la fatigue de Winifred, Jane se sentit rassérénée par ces paroles, tandis que la comtesse sautillait presque. Elle gravit quasiment en courant les quatre volées de marches étroites qui la séparaient de son mari. Elle frappa à la porte tandis que ses oreilles se mettaient à siffler, mais elle n'aurait su dire si c'était à cause de la montée ou de l'excitation.

— Qui est-ce ? s'enquit William.

— C'est moi.

La porte s'ouvrit d'un coup sur la large silhouette du comte qui sourit jusqu'aux oreilles.

L'émotion les submergea tous deux.

— Vous avez encore du fard sur les pommettes, fit remarquer Winifred en riant et en versant des larmes de joie. Je regrette pour la gifle…, s'excusa-t-elle en effleurant sa joue.

— N'en parlons plus, mon ange. C'était indispensable pour que je mette mon orgueil de côté.

Jane se laissa longuement étreindre sous les traits de la comtesse. Aucune parole n'aurait pu exprimer ce que ressentaient ces deux êtres qui s'aimaient et renouaient avec la chaleur l'un de l'autre. De plus, c'était un réconfort bien mérité pour Jane que de savoir que ses propres efforts et les risques encourus par Winifred, qui avait mis sa vie, sa réputation et ses finances en danger, avaient porté leurs fruits.

Ces pensées lui vinrent en même temps qu'une certaine nostalgie des caresses de Julius, dont le souvenir accapara toute son attention pendant que Winifred et William savouraient leur intimité retrouvée.

Soudain, Cecilia rompit le charme :

— Pardonnez-moi, commença-t-elle en sortant de l'ombre avant de s'éclaircir la voix et d'essuyer ses larmes. Mr Mills est déjà parti. Quant à moi, je vais également vous laisser tous les deux. Votre logeuse a laissé du vin, du pain et du fromage – de quoi faire un dîner frugal. Je reviendrai demain vous apporter des nouvelles, après les exécutions.

— Ma chère Cecilia, vous êtes l'amie et la complice la plus fidèle qui soit ! s'exclama Jane tandis que Winifred prenait la servante dans ses bras. Merci pour tout !

— Prenez soin d'elle, monsieur le comte, ordonna Cecilia en s'adressant à William tout en désignant son épouse d'un signe de tête. Je ne connais personne d'aussi courageux et persévérant. Elle a tout simplement pris la situation en main et nous a insufflé sa ténacité à toutes.

—Je suis un homme chanceux…, reconnut William en embrassant la main de sa femme avant de saluer brièvement Cecilia. De vous avoir toutes les deux! ajouta-t-il.

Jane soupçonna la servante d'être rouge comme une pivoine, mais elle ne put s'en assurer lorsqu'elle l'embrassa dans la faible lumière des bougies.

—À demain… Reposez-vous! conseilla Cecilia en ébauchant un petit sourire entendu, car elle se doutait que c'était sûrement la dernière chose à laquelle songeait son amie.

Jane ressentit soudain une vague appréhension. *Non, non…,* pensa-t-elle. *C'est hors de question!* Elle n'avait pas l'intention de s'allonger et de penser aux gloires de l'Angleterre, ou plutôt de l'Écosse, pendant que…

Par bonheur, après le départ de Cecilia, William insista pour que Winifred se repose.

—Je suis épuisée, admit-elle.

—Plus que cela, fit-il remarquer. Vous avez le regard fiévreux. Il est grand temps que je prenne de nouveau soin de vous. Vous êtes une femme incroyablement brave et astucieuse.

À ces mots, Winifred s'affirma au détriment de Jane et lui ravit le privilège de répondre.

—William, commença-t-elle, je ne vous laisserai plus jamais me quitter.

—Soyez tranquille, je ne partirai plus. Je révère ma foi, Winnie chérie, mais Dieu me pardonne, j'aime encore plus ma femme et mes enfants.

Tout excités, ils se souvinrent ensemble à mi-voix des événements de la soirée en buvant à petites gorgées dans le même verre de vin et en mangeant avec parcimonie. Mais l'envie de se restaurer les quitta lorsque la conversation aborda les jacobites qui avaient été moins chanceux que William. Jane aurait préféré s'effacer, adopter le rôle d'observatrice, mais Winifred, malgré sa volonté de reprendre possession de son propre corps, n'avait pas encore assez de forces pour en assumer le poids.

—William, pourquoi cet endroit ? s'enquit Jane en laissant son regard errer autour de la pièce humide et confinée. Je crois que votre cellule à la Tour était plus grande.

William acquiesça d'un hochement de tête.

—En effet, j'ai mesuré, confirma-t-il en faisant allusion à la cellule en question. Mr Mills avait trouvé un endroit à Smithfield, mais j'ai insisté pour rester à proximité de Tower Hill.

—Est-ce bien sage ? s'enquit prudemment Jane.

—Sincèrement, Win, croyez-vous que le gouverneur aura l'idée de me chercher dans Tower Hamlets ?

Elle secoua la tête tandis qu'elle commençait à comprendre.

—Si tant est qu'il ait déjà découvert votre évasion, il a plusieurs heures de retard sur son fugitif. J'imagine qu'il orientera immédiatement les recherches vers les docks.

—Exactement. Qui plus est, je ne pense pas que Moseley s'apercevra de ma disparition avant le petit matin ; et alors, il ne se donnera très probablement pas la peine de me faire rechercher. Il supposera que j'approche déjà les côtes françaises.

—Ce qui signifie que nous restons terrés ici ?

William hocha la tête.

— Nous sortirons en cachette dans quelques jours, lorsque les exécutions auront eu lieu.

Le comte soupira, semblant brusquement démuni.

— Lord Derwentwater est si jeune, gémit-il. Au moins, moi, j'avais connu la vie et l'amour.

— Il m'a paru très calme pendant le verdict, se souvint Jane prudemment.

— C'est sans doute parce qu'il a plus de courage que nous tous réunis, à l'exception de mon épouse adorée. Le pire est qu'il n'est même pas particulièrement porté sur la religion. Il a rejoint la rébellion sur les injonctions inquiètes de sa femme et de sa belle-famille, des gens pieux au point d'en devenir fanatiques.

William fit la grimace et ajouta :

— Sa vie était toute tracée, son avenir radieux… Mais cela ne l'a pas empêché de lier son destin à celui des jacobites, sans aucun doute contre son gré.

Jane sentit la culpabilité étreindre la gorge de Winifred.

— J'ai rencontré l'une de ses connaissances en chemin.

— Ah oui ?

— Un dénommé Julius Sackville. Lord Sackville, pour être exacte. Ce nom-là vous dit-il quelque chose ?

William réfléchit en plissant les yeux.

— J'ai entendu parler de lui, en effet. Je crois me souvenir que c'est un homme richissime. Il est possible que nos pères se soient fréquentés. Maintenant que j'y pense, il me semble que Derwentwater a évoqué le fait qu'il attendait une visite de son ami, mais Sackville n'a pas été autorisé à le voir. Je suppose qu'il était présent le jour du verdict… Mais j'ignore à quoi il ressemble.

— Je regrette de ne pas avoir eu l'occasion de lui souhaiter bonne chance à Londres, avoua Jane, davantage pour elle-même que pour William Maxwell. Je présume que c'était l'unique but de son voyage, et que c'est la raison pour laquelle nos chemins se sont croisés.

Désireuse d'oublier Julius, elle s'efforça ensuite de parler d'autre chose.

— Et Kenmure dans tout ça? s'enquit-elle.

William changea de sujet sans opposer de résistance.

— Il a atteint la cinquantaine, et il est fortement mis en cause dans le complot visant à organiser un débarquement des Français. Il jouait le rôle de porte-parole pour la cour de Saint-Germain-en-Laye et faisait la navette entre la France et l'Écosse.

— C'est pour cela qu'il doit répondre de ses actes?

— Je ne crois pas qu'aucun d'entre nous doive répondre de ses actes de la manière dont le roi d'Angleterre l'a décrété! Mais Kenmure a choisi de s'engager; il s'est voulu l'un des chefs du complot qui visait à renverser le trône et à laisser la France prendre le contrôle. Derwentwater est innocent d'une certaine manière, n'était son aspiration puérile à jouer les héros.

— Kenmure a-t-il de la famille?

— Oui, en effet. Son drame est d'avoir été nommé à la tête des troupes des Lowlands alors qu'il n'avait aucune expérience militaire. Il était condamné à l'échec. Il laissera derrière lui une femme et quatre enfants en bas âge: trois garçons et une fille.

Laissant échapper un soupir, il ajouta:

— Si seulement je pouvais…

— N'en dites pas davantage, William, l'interrompit Jane. Je ne sais même pas où vos compagnons sont enfermés.

Le comte obtempéra.

— Sans doute leurs épouses ne les aiment-elles tout simplement pas assez…, suggéra-t-il en s'efforçant en vain de conjurer la tristesse qui menaçait de les engloutir. Venez, Winnie chérie, que je puisse dormir à nouveau près de vous et me persuader que je ne rêve pas.

Ils s'allongèrent l'un à côté de l'autre sans ôter leurs habits sur le minuscule lit d'enfant et ne tardèrent pas à trouver leurs aises comme seuls savent le faire les amoureux. Même les effluves de choux bouilli qui remontaient des entrailles de l'immeuble ne parvinrent pas à les distraire du bonheur d'être ensemble et d'avoir échappé à la hache du bourreau.

Ils se reposèrent ainsi en silence pendant quelques minutes.

— Je dois dire, Win chérie, que je ne vous connaissais pas ce langage fleuri, avoua William tandis que les paroles irritées que Jane avait eues à son égard lui revenaient en mémoire.

Ils s'esclaffèrent, et le lit commença à grincer sous leurs rires, tandis que Jane se demandait si elle parviendrait à faire oublier sa propre vulgarité à cette pauvre Winifred.

Quelques minutes plus tard, Winifred s'endormit et sombra dans un sommeil sans rêve. Jane fut ravie par le silence qui s'ensuivit, tout heureuse de se laisser bercer par la respiration régulière du beau galant qui la serrait contre son corps ferme et musclé. Elle imagina qu'elle était dans les bras de Will, mais, à son grand dam, c'est le visage de Julius Sackville qui lui apparut. Accablée par la culpabilité, Jane renonça à garder les yeux ouverts et se laissa emporter par le sommeil profond de Winifred.

Le comte William Maxwell de Nithsdale se réveilla en sursaut au son funèbre des cloches et se souvint à grand-peine du rêve étrange qui l'avait visité. Il se noyait, ou bien on le noyait, étendu au fond d'une rivière ou de quelque océan… Il avait cru percevoir la lumière réfractée du soleil sur la surface mouvante de l'eau. Entouré par l'obscurité, plus il s'était efforcé d'atteindre la lumière qu'il convoitait, plus celle-ci avait semblé l'attirer à elle.

Les détails de son rêve s'étaient déjà effacés de sa mémoire. Une main tendue d'en haut ? Quelqu'un l'exhortant à la saisir ? William avait l'esprit trop embrumé. Peut-être avait-il attrapé fermement cette main et était-il remonté à toute allure en apnée jusqu'à ce qu'il émerge du miroir argenté de la surface. Pendant toute la durée de son rêve avait retenti un bruit rythmé. Il n'aurait su l'identifier, car il n'avait jamais rien entendu de semblable auparavant. Une sorte de cliquetis incessant pareil à un hurlement.

Il avait ouvert les yeux d'un coup en suffoquant, aux prises avec l'angoisse ; puis il s'était tourné sur le côté, soulagé de retrouver la silhouette familière de son épouse. *Winifred chérie…* Le rêve s'était déjà enfui, s'évanouissant comme des lambeaux de brume dans la chaleur du soleil. Quant au son qu'il entendait à présent, c'était le lointain tintement d'une cloche.

Robin jeta un coup d'œil à sa montre sans ralentir le pas, puis Big Ben commença à sonner, comme si la grande horloge avait attendu le signal du voyant. À cet instant précis, la chronologie cosmique reprit brusquement ses droits, ainsi que l'avait prévu Robin. Il sourit à son reflet en passant devant la devanture d'un restaurant, mais la vitrine, au lieu de renvoyer l'image d'un homme de petite taille et sec avec une écharpe de couturier rayée, lui montra une lavandière appartenant au passé. Robyn, c'était elle, lui rendit son regard. Lorsque le carillon retentit, le voyant sut que les deux William Maxwell s'étaient réveillés.

Au même moment, Will reprit vaguement conscience avec l'impression d'avoir entendu une cloche sonner le glas. Il tendit les mains vers elle, et eut la sensation de se propulser dans l'eau à la recherche de quelque chose. Mais de quoi? Que cherchait-il? Sa première pensée fut la suivante : *C'est pour moi que sonne le glas!* C'est alors qu'il reprit pleinement ses esprits.

D'abord trop effrayé pour ouvrir les yeux, il se sentit rapidement submergé par une surcharge sensorielle. Ce qu'il avait pris pour une cloche était le bip d'un appareil. Des voix sourdes retentirent alentour; on s'agitait, comme au travail. Il avait conscience d'être couché dans un lit inconfortable. Une lumière brilla à sa gauche, mais celle-ci était également voilée, à l'image des voix. D'ailleurs, ces dernières s'étaient tues, comme si les visiteurs s'étaient éloignés.

Les pensées les plus obscures défilèrent également dans son esprit. Il crut s'entendre susurrer intérieurement le prénom Winifred. Mais sa propre petite voix fut aussitôt recouverte par un murmure plus sonore venu de l'endroit où il se trouvait.

—Il se réveille… Bonjour, mon joli!

C'est ainsi que Will Maxwell rouvrit les yeux sur une année nouvelle et un visage inconnu.

—Will? Je m'appelle Ellen. Je suis votre infirmière. Bienvenue parmi nous! Votre famille est ici.

Le magnifique sourire de la ravissante infirmière sortit de son champ de vision et fut remplacé par un visage qu'il reconnut immédiatement.

— Salut, fils !

Sans doute pour la première fois de sa vie, Will vit les lèvres de son père trembler d'émotion. Il s'aperçut également que celui-ci avait vieilli.

— Où est maman ? s'enquit Will d'une voix rauque.

— Je suis là ! s'écria Diane.

Le jeune homme tourna lentement la tête pour regarder sa mère.

Elle aussi semblait avoir vieilli de dix ans. Ses cheveux n'étaient pas crêpés ; quant à son maquillage, il était réduit au minimum et baigné de larmes.

Plus loin, derrière sa mère, se tenait l'infirmière qui lui sourit de nouveau en essuyant une larme. Il parvint à peine à déchiffrer son badge.

— Bonjour Ellen, salua-t-il avant de lui faire un clin d'œil.

La jeune femme gloussa et tapota sa poitrine à l'endroit du cœur pour signifier à Will qu'il battait un peu plus fort à cause de lui.

Will Maxwell sourit jusqu'aux oreilles.

Chapitre 31

Jane se réveilla au son d'un éclat de voix, les yeux ensommeillés. Désorientée, affolée, elle battit des paupières à plusieurs reprises, d'abord à cause du plafond qu'elle ne reconnut pas, puis, reprenant peu à peu ses esprits, à cause de la place vide dans le minuscule lit d'enfant.

—William ! s'écria-t-elle.

—Voilà, ma chérie, répliqua le comte en apparaissant soudainement dans son champ de vision. Notre dévouée logeuse nous a fait monter de l'eau fraîche.

Lui tendant une tasse, il ajouta :

—Buvez. Vous devez avoir la gorge sèche.

Jane but à petites gorgées en se frottant les yeux et en considérant la svelte silhouette de William tandis que celui-ci retournait se placer, en chemise et caleçon, près de l'étroite fenêtre de la tourelle. Sentant Winifred frissonner, Jane prit le manteau sur lequel elle avait dormi – et qui avait servi à l'évasion de William –, l'enfila en le faisant légèrement traîner par terre et se mit en quête du pot de chambre. Que s'était-il donc passé pour que, non seulement cet objet lui soit devenu parfaitement familier, mais qu'en plus elle ne voie aucun inconvénient à satisfaire une envie pressante devant un homme ?

—Par ici ! indiqua ce dernier, lorsqu'il comprit son intention, en désignant l'angle de la pièce où se trouvait un petit paravent.

Quelques instants plus tard, Jane rejoignit le comte près de l'unique fenêtre, dont les petits carreaux crasseux brouillaient légèrement la vue, et lui prit la main. Elle appréhendait de suivre le regard du comte, car elle en connaissait la destination. Puisant dans ses réserves de courage, elle se mordit douloureusement la lèvre pour se convaincre qu'elle pouvait affronter ce spectacle. N'avait-elle pas déjà vu quantité de cadavres durant son périple ? La morsure acheva de la réveiller, puis, de son point de vue atrocement privilégié, elle posa les yeux sur Tower Green, l'esplanade où une foule s'était déjà rassemblée.

Elle s'appuya contre William pour pallier une soudaine faiblesse qui lui avait fait perdre ses moyens. Le comte passa un bras autour de ses épaules et la serra contre lui avant d'embrasser ses tempes afin de l'apaiser.

Malgré cela, ce fut Jane qui éprouva le besoin de prononcer des paroles réconfortantes.

—Vous n'avez pas à vous sentir coupable, murmura-t-elle.

—Je dois admettre que je me suis réveillé sans la moindre mauvaise conscience. C'est pour cette raison que j'ai honte. Est-ce méprisable d'éprouver du soulagement à l'idée de ne pas être à leur place ?

La jeune femme secoua la tête en vacillant à l'idée du supplice auquel William avait échappé.

—C'est plus naturel que méprisable. Mais si le sort avait voulu que vous vous réveilliez dans votre cellule plutôt qu'ici, je suis certaine que vous auriez mobilisé toute votre énergie pour affronter le bourreau avec courage.

William soupira.

—J'espère que je serais resté stoïque jusqu'à la fin… Et si ça n'avait pas été le cas? Et si…

—William, arrêtez! Vous êtes ici, non là-bas. Vous ne pouvez rien y changer. Et vous n'êtes pas maître de la destinée de vos compagnons.

—Leur destin était pourtant le mien! insista-t-il d'un air sombre.

—J'y ai remédié, rappela-t-elle d'un ton appuyé. Il faut vous faire une raison. Que nous ayons réussi à déjouer les projets du roi est une victoire en soi.

Le comte hocha la tête.

—J'espère que mes compagnons partagent votre avis.

—Je ne veux plus en parler. Nous avons tous fait des choix, moi-même y comprise.

William l'embrassa délicatement, puis il détourna les yeux, visiblement préoccupé.

—C'est certain, mais même si cela vous indispose, je tiens à assister à leur martyre.

—Pourquoi? s'enquit Jane en laissant Winifred revenir au premier plan.

—Ce n'est que justice. Ils ont fait preuve de bravoure à Preston, de courage au procès, et doivent à présent se montrer héroïques face à l'atroce supplice qui les attend. Je peux au moins essayer d'égaler leur force de caractère en leur rendant hommage à distance.

Jane déglutit. À l'évidence, le comte espérait qu'elle en ferait autant. Elle hocha la tête.

—Je ne suis pas certaine d'en avoir la force…

—Nous le leur devons tous les deux.

Le secrétaire du roi haussa un sourcil.

—Il est dans une furie épouvantable!

George Moseley, gouverneur de la Tour, avait la bouche affreusement sèche et ne parvenait pas à faire passer la boule qui lui serrait la gorge de honte et constituait à ses yeux une accusation permanente. Il émit un toussotement rauque.

—J'en assume l'entière responsabilité, bien entendu.

Le secrétaire réussit à hausser le même sourcil encore plus haut, lui imprimant la forme d'un accent circonflexe dirigé vers sa perruque poudrée et coiffée en arrière au-dessus de son front ridé.

—Il est convaincu que ce résultat n'aurait pu se produire sans complices internes.

Moseley renâcla et resta sans voix face à cette accusation qui l'étonnait. Le secrétaire lui épargna la peine de chercher ses mots en esquissant un geste apaisant afin de réprimer l'indignation croissante du gouverneur.

—Sir George, votre fidélité n'est pas remise en cause, mais il est nécessaire que vous paraissiez devant Sa Majesté et que vous lui donniez votre version des faits. Je vous conseille de ne pas vous étendre. Comme vous le savez, le roi n'aime pas converser en anglais. Je traduirai pour vous en français.

—Bien sûr. Merci, répliqua Moseley en dissimulant derrière une révérence de bon ton sa réticence à recourir au français à la cour d'Angleterre.

—Suivez-moi.

Le secrétaire le conduisit dans les somptueux appartements du roi où il reconnut aussitôt le souverain. Celui-ci portait une longue perruque grise qui se dressait si haut au-dessus de sa tête qu'elle faisait gagner quelques centimètres à cet homme de petite taille. Sa Majesté se tenait près de l'âtre dans une posture qui suggérait qu'il était indifférent à la chaleur du feu. Ses joues flasques étaient rouges, mais de rage. De vives prunelles donnaient tout son éclat à un visage blafard et poudré au nez épaté et droit typique de la dynastie des Hanovre. Les lèvres charnues du souverain, qui rappelaient ordinairement celles d'un chérubin, étaient pincées en cette heure extrêmement matinale. Un regard furieux et impérieux irradiait de ses yeux semblables à deux cailloux noirs qui paraissaient plus petits que d'habitude, en partie à cause de la fatigue. Sir George fut quelque peu décontenancé face au courroux à peine déguisé du souverain.

Le roi ne dit rien. Il n'avait pas besoin de parler. La question avait déjà été posée. Sa Majesté attendait la réponse. Le silence ressemblait à un monstre menaçant de rompre à tout instant la laisse par laquelle le roi le retenait.

Moseley s'inclina de manière recueillie, les yeux fixés sur le plancher. Le secrétaire esquissa un semblant de sourire sans desserrer les dents, mais il ne réussit qu'à produire une sorte de rictus et s'inclina aussitôt de tout son poids comme un pendu au bout d'une corde.

—Sir George, commença-t-il d'une voix crispée, si vous voulez bien soumettre votre explication à Sa Majesté…

Moseley fut soulagé de pouvoir enfin rompre le silence. Il se racla la gorge et, se refusant à détourner lâchement les yeux, il fixa courageusement du regard l'homme en colère qui lui faisait face. Il s'exprima avec exactitude, narrant les événements tels qu'ils lui avaient été rapportés par le chef des gardes, ne s'interrompant que pour laisser le temps au secrétaire de traduire rapidement en français.

Le roi écouta son récit sans détourner un seul instant son regard perçant de sir George. À l'exception du mouvement des flammes qui dansaient dans la cheminée située derrière le souverain et du mouvement des lèvres du secrétaire, rien ne bougeait dans la pièce dont le calme semblait annoncer la tempête.

Sa Majesté rétorqua quelque chose au secrétaire dans un français débité à toute vitesse sur un ton empli de dégoût.

—Le roi exige que les cinq geôliers qui étaient de faction soient relevés de leurs fonctions et se voient définitivement interdire l'accès de la Tour.

Sir George eut une pensée pour les familles de ces hommes qui seraient condamnées à la pauvreté, à moins qu'il puisse les aider à trouver un autre emploi. La perte de Hugh, son chef des gardes, l'attristait particulièrement, car c'était un homme réellement bon qui traitait les prisonniers avec respect. Tandis que le secrétaire et le roi échangeaient à voix basse quelques mots qui ne furent pas traduits, Moseley calcula mentalement que les hallebardiers congédiés totalisaient à eux tous presque un siècle au service de la Tour. C'était donc une lourde perte en termes d'expérience et de fidélité.

Aucun d'entre eux ne méritait de perdre son emploi. De l'aveu du gouverneur, lady Nithsdale avait intrigué plus admirablement encore que n'importe quel homme. Son plan, qui était simplissime au point d'en devenir grotesque, avait eu raison de la vigilance de ses hommes parce qu'elle leur était apparue d'emblée complètement désarmée. Cette femme réservée et impassible n'avait à aucun moment trahi la ruse qui se dissimulait derrière une apparence délicate et, de fait, fragile. Sans doute aurait-il dû se douter qu'elle ne manquait pas de courage au vu du périple qu'elle avait accompli depuis l'Écosse dans des conditions qui auraient incité la plupart des hommes à se réfugier au grand galop à l'auberge la plus proche.

À vrai dire, en y songeant, il ne put s'empêcher d'éprouver de l'admiration pour la comtesse. D'ailleurs, comment ne pas encenser une telle bravoure ? D'autant que lady Nithsdale avait, au passage, ridiculisé le roi, lequel s'était montré extrêmement discourtois envers elle.

Les deux hommes avaient terminé leurs messes basses et se raclaient la gorge.

Sir George fit un signe de tête au secrétaire.

—Ayez l'obligeance d'informer Sa Majesté que je suis prêt, ainsi qu'il sied, à lui remettre officiellement ma démission.

À son grand étonnement, le roi lui répondit directement, en anglais de surcroît !

—Ce ne sera pas nécessaire, déclara-t-il d'une voix suave qui tranchait avec ses traits toujours empreints de colère.

Moseley ne s'était pas attendu à tant de magnanimité, mais il fut néanmoins déconcerté par ce qui suivit.

—Pour quelqu'un dans la situation de lord Nithsdale, poursuivit le roi George dans un anglais parfait quoique hésitant, c'était ce qu'il y avait de mieux à faire.

À ces mots, le roi tourna le dos à ses sujets, puis, sur un signe de tête du souverain, le secrétaire fit sortir en toute hâte le gouverneur.

— Je crains que Sa Majesté ne se montre pas aussi magnanime à l'égard de la téméraire épouse du comte, expliqua le secrétaire.

— Elle a fait ce qu'aurait désiré tenter n'importe quelle épouse fidèle et aimante, sauf que la plupart n'en auraient eu ni le talent ni le courage.

— Sans doute…, répliqua le secrétaire d'un ton indifférent en reconduisant Moseley par un dédale de couloirs jusqu'à l'entrée discrète par laquelle il était entré. Il reste que la comtesse a blessé l'orgueil de Sa Majesté et que son acte a gravement compromis son autorité.

Moseley émit un soupir.

— À mon sens, elle aura seulement cherché à retenir son attention.

— Nul doute qu'elle y est parvenue, en plus de s'attirer la bienveillance de la cour, ce qui est perçu comme une critique envers la Couronne. En tout cas, l'évasion de Nithsdale a sûrement épargné bien des tracas à Sa Majesté.

Un sourire sans joie passa comme une ombre sur le visage du secrétaire qui s'éclaircit la voix et ajouta :

— En réalité, le roi aurait déclaré que la comtesse lui a rendu un immense service. Et, de fait, j'imagine que l'exécution du mari n'aurait fait qu'affaiblir Sa Majesté davantage.

Moseley soupira de nouveau. Malgré la colère du roi, qui lui apparaissait à présent entièrement dirigée contre un beau brin de femme qui aimait suffisamment son époux pour braver tous les dangers, il sembla au gouverneur que tous – le souverain, son secrétaire et lui-même – étaient d'accord : l'évasion de Nithsdale simplifiait les choses.

—Je sais que vous devez attendre de recevoir les papiers officiels, sir George, mais je dois également vous informer que les lords Widdrington, Nairn et Carnwarth échapperont à la justice du roi. Sa Majesté a signé leur décret de grâce.

Moseley se sentit soudain libéré d'un poids.

—Et Kenmure et Derwentwater? s'enquit-il d'une voix pleine d'espoir.

Le secrétaire secoua la tête.

—Pas de grâce pour ces deux-là, je le crains, ni pour Nithsdale. J'espère que le comte a eu la bonne idée de s'embarquer pour sa précieuse France, parce que sa tête sera chèrement mise à prix!

L'avenir de lord Nithsdale n'était plus du ressort du gouverneur de la Tour. Il supposa que le comte était en sécurité, car si sa femme avait été assez habile pour l'arracher à la prison la plus réputée du pays au nez et à la barbe d'une escouade de hallebardiers, elle aurait suffisamment d'astuce pour le maintenir hors de danger.

Non, s'il avait de la peine, c'était pour les deux jacobites qui s'apprêtaient à affronter le plus cruel destin. Moseley savait que Derwentwater s'était montré confiant concernant sa grâce. Il était anglais, après tout, et si considérablement riche et puissant que le roi ne pourrait manquer de le gracier pour employer son zèle à des fins plus utiles dans le Nord.

—Bon, je ferais mieux d'aller dire à lord Derwentwater de préparer son discours d'adieu, annonça le gouverneur en guise de prétexte pour quitter le palais.

Le secrétaire haussa les épaules.

—L'exécution aura lieu comme prévu.

Moseley hocha la tête. Il avait cinq heures devant lui.

Chapitre 32

Les gardes attendaient depuis plusieurs heures et s'affairaient autour de Tower Hill en plaisantant avec la foule qui s'attroupait et qu'ils contenaient à l'extérieur de l'estrade principale. Celle-ci, remarqua Jane, serait visible depuis l'allée drapée de tissu noir qui avait été spécialement construite pour abriter les prisonniers lorsqu'ils marcheraient vers le supplice.

Elle déplaça son regard vers le billot qui trônait de toute sa masse au milieu de la fatidique plate-forme sous un linceul noir tandis que la tension et l'effervescence montaient d'un cran. Dans très peu de temps, la bille de bois serait au centre de l'attention générale.

Jane fut de nouveau prise de nausée, mais elle jugea inutile de demander à William de lui épargner ce spectacle. Elle aurait pu feindre un évanouissement, une crise de larmes, s'enfuir de la pièce en courant, mais les paroles du comte la hantaient. Sans doute avait-il une bonne raison de vouloir assister solennellement à l'exécution de ces hommes.

— Derwentwater sera le premier, annonça William d'une voix étranglée que Jane ne lui connaissait pas.

Cela la tira de ses pensées nébuleuses et la ramena à l'horreur du moment présent. Elle chercha l'estrade du regard et aperçut le jeune comte anglais qui venait d'émerger de l'allée couverte, blême mais apparemment calme.

Le couple vit qu'il déroulait une feuille de papier et en faisait la lecture. Jane estima que l'opération lui prit moins d'une minute. Elle assista avec une sorte d'impuissance fascinée au dévoilement du billot et à l'avancée du jeune et bel aristocrate. Celui-ci se pencha en avant et l'examina, effleurant sa surface du bout des doigts.

La peur s'empara de Jane et sa tête se mit à tourner. Elle éprouva soudain de la difficulté à trouver son souffle, comme si l'air restait bloqué quelque part dans les poumons de Winifred, lui rendant la respiration douloureuse.

Elle assista avec un mélange de peur et de fascination à la remise du manuscrit par Derwentwater à un tiers que William identifia comme étant le shérif de Londres. Puis le noble condamné échangea quelques paroles avec le bourreau en désignant le billot qui faisait environ six pouces de haut.

William Marvell avait pendu un certain nombre de détenus – tous criminels – depuis le jour où il avait été recruté par Moseley à la forge de John Robbins, et il s'était accoutumé – voire, dans une certaine mesure, fermé – aux efforts des condamnés qui s'accrochaient désespérément à leur dernier souffle de vie. Mais jusqu'à cette troisième semaine de février de l'an 1716, on ne lui avait encore jamais demandé de trancher le cou d'un homme.

C'était, en quelque sorte, son baptême du feu.

Il n'avait jamais rechigné à la besogne. Les animaux naissaient et mouraient, et il en allait de même pour les êtres humains. Ce jour-là, sa tâche consistait simplement à décapiter les condamnés au lieu de leur faire subir le long et cruel supplice qui consistait à pendre, éviscérer et écarteler les malheureux. Quel n'avait pas été son soulagement lorsque, dans les premières heures du jour, le gouverneur de la Tour lui avait confirmé que ce devait être une mort rapide.

« Je veux du travail propre, avait déclaré Moseley d'un air sombre lors de l'entretien qu'ils avaient eu une heure auparavant. Ces hommes sont droits, ils se sont sacrifiés pour leur cause. Toutefois, ils ont offensé la couronne d'Angleterre et doivent à présent payer pour leur trahison. Un seul et unique coup, Marvell. La populace n'a pas besoin de spectacle. »

Marvell avait hoché la tête en silence.

« Je présume, Marvell, que si tu manies le marteau avec autant de dextérité que l'affirme ton employeur, tu peux aussi manier la hache ? » Il se souvenait de ces mots. Il savait désormais manier la hache avec fiabilité et précision. Cela dit, trancher le cou d'un homme n'était pas la même chose que scinder une courge ou casser une bûche, objets qu'il avait trouvés plus avantageux pour s'entraîner que les citrouilles recommandées par le gouverneur.

Marvell considéra le jeune aristocrate – il n'avait pas trente ans – qui le regardait avec un sourire éblouissant et se demanda où cet étonnant garçon, dont l'existence dorée allait prendre fin d'un moment à l'autre, trouvait la force de sourire à son bourreau. Ne sachant répondre à sa propre question, il observa le condamné tandis que celui-ci passait la main sur le billot.

L'air égaré avec lequel le jeune aristocrate avait fait son apparition s'était dissipé lorsqu'il avait lu le discours qu'il avait préparé. Il avait déclaré avoir rallié la cause jacobite sur l'instigation de ses amis et s'en repentir à présent, même s'il affirmait mourir pour son roi, sans mentionner lequel, avait remarqué Marvell.

Le condamné s'approchait à présent de ce dernier.

— Comment t'appelles-tu, bourreau ? s'enquit Derwentwater en le regardant fixement de son regard bleu.

Marvell remarqua que le jeune homme avait les yeux exorbités à cause de la peur. C'était bien compréhensible.

Le bourreau déclina son identité.

— Et quand tu ne tues pas les gens, Marvell, que fais-tu ?

— Je suis forgeron, monsieur.

— Honorable profession.

Marvell ne répondit rien. Il n'ignorait pas que ceux qui allaient mourir aimaient parler, créer un lien avec leur exécuteur. D'ordinaire, cela procédait d'une jovialité forcée provoquée par l'épouvante ; mais dans le cas de cet aristocrate, c'était également dû à la nécessité de sauver l'honneur aux yeux de sa famille et d'obliger les colporteurs de ragots à admettre qu'il avait courageusement regardé la mort en face.

— Tu as une famille ?

— Non, monsieur, mais grâce à…

Il s'interrompit juste à temps, lorsqu'il prit conscience de l'indécence de la situation.

— Grâce à l'argent que tu gagneras en me coupant la tête ? lui souffla Derwentwater comme si la suite des événements pouvait avoir un quelconque intérêt pour lui.

—Oui, monsieur. Avec mes gages, je pourrai rentrer au village, passer la bague au doigt de ma fiancée et ouvrir ma propre forge.

—C'est bien, c'est très bien, William Marvell. Je me réjouis d'apprendre que ma décapitation servira à quelque chose, murmura Derwentwater. Veille sur ta femme… et encore plus sur tes enfants quand tu en auras. Ils sont la prunelle de nos yeux. Le reste a peu d'importance.

—Comptez sur moi, monsieur, promit Marvell.

—À présent, bourreau, veux-tu bien ôter cette aspérité sur le billot ? car je ne voudrais pas qu'elle m'égratigne le cou.

Marvell s'approcha de la bille et passa la main sur l'irrégularité du bois que lui désignait minutieusement lord Derwentwater. Noblesse oblige, il acheva de dégrossir le billot.

—Merci.

Le jeune aristocrate souriait, mais ses yeux avaient perdu leur aspect vitreux et étaient désormais voilés par l'épouvantable assurance de sa mort imminente. Son timbre de voix était monté dans les aigus, trahissant son angoisse.

Se rapprochant de l'exécuteur, il ajouta :

—Fais ton travail promptement, Marvell, je t'en prie, implora-t-il à l'oreille du bourreau. Tu trouveras deux guinées dans cette poche. C'est ma contribution pour tes gages.

Puis il se détourna pour quitter son manteau et son gilet, tous deux taillés dans un velours noir comme l'ébène.

—Si tu le permets…, commença-t-il en s'adressant toujours à Marvell et en ôtant sa perruque blonde comme les blés avant de la lui remettre. Je tiens absolument à ce que tu la gardes. Je doute d'en avoir encore besoin.

Marvell prit soudainement conscience que, durant le déroulement de cette petite dramaturgie, il avait complètement oublié la présence de la foule, notamment à cause du silence qui régnait dans ses rangs en lieu et place des vociférations habituelles. Il jeta un coup d'œil circulaire pour échapper au spectacle du jeune homme qui s'agenouillait et se plaçait de manière à lui faciliter la tâche. Il contempla les visages de ces gens venus en nombre assister à la mort d'un homme qui, semblait-il, était tenu en estime par le peuple. Les femmes qui se tenaient sous l'échafaud avaient la mine éplorée, quelques-unes essuyaient même déjà leurs yeux tandis que les messieurs affectaient un air solennel de circonstance. Cela ne fit qu'accroître la nervosité de Marvell qui aurait préféré rater sa première décapitation avec un condamné conspué par la foule. Un tranchage approximatif aurait même rendu l'expérience encore plus excitante pour les spectateurs.

Marvell souleva la hache. Derwentwater avait pris tout son temps pour se placer correctement sur le ventre, le menton posé dans l'arrondi creusé dans le bloc de bois de manière à ne pas voir venir le coup. Il avait également entamé une prière qu'il récitait à voix basse.

Le moment était venu d'en finir.

Marvell jeta un dernier coup d'œil au tranchant de la hache afin d'affermir sa position et remarqua que le fil de la lame étincelait dans la lumière délavée de l'hiver, signe qu'elle était bien affûtée.

Le coup devait être rapide mais modérément fort, l'essentiel étant de frapper avec précision tout en restant bien ferme sur ses jambes pour garantir la souplesse du mouvement de balancier. Marvell repéra l'endroit où devait porter la lame sur la nuque frêle du jeune homme et se mura intérieurement pour ne pas se laisser déconcentrer lorsque la foule retiendrait son souffle tandis qu'il lèverait la hache. Il avait l'intention de tenir sa promesse et d'expédier le généreux aristocrate au paradis sans bavure.

Le bourreau prit une longue inspiration qu'il retint dans ses poumons tandis qu'il faisait un pas en avant ; puis il leva la hache au-dessus de sa propre tête, à bonne distance de Derwentwater.

Il entendit le condamné prononcer ses dernières paroles :

— … reçois mon âme !

Puis il le vit mettre les bras en croix – c'était le signal convenu – et attendre que la hache s'abatte.

Le rapport le plus étroit que Jane avait eu avec la mort remontait au décès du chien de la famille – alors âgé de quatorze ans et perclus d'arthrite – à qui on avait « redonné des ailes » comme avait expliqué Hugh Granger à ses filles adolescentes.

« C'est parce que nous aimons Pirate que nous le faisons, avait-il épilogué, tandis que Juliette sanglotait bruyamment et que Jane pleurait en silence. Il comprend. On ne peut pas continuer à le laisser souffrir comme ça, les filles. S'il supporte la douleur, c'est seulement pour nous… parce que nous ne voulons pas qu'il nous quitte. Mais le moment est venu de lui dire au revoir. »

À ces mots, Juliette avait pleuré encore davantage, mais Jane avait séché ses larmes et hoché la tête.

« Je ne veux plus qu'il souffre », avait-elle murmuré, et son père l'avait gratifiée d'un doux sourire triste.

« Voilà une petite fille courageuse ! Je sais que je peux compter sur toi quand il faut faire face. »

Elle n'avait pas obligé Winifred à détourner les yeux lorsque Derwentwater avait mis les bras en croix, geste qu'elle avait correctement interprété comme étant le signal convenu entre le bourreau et le condamné avant le coup mortel. Elle n'avait pas non plus crié lorsque le bourreau avait soulevé la hache au-dessus de sa propre tête dans un mouvement circulaire avant de l'abattre avec un maximum de vélocité et de puissance de manière à trancher le cou du jacobite au visage juvénile le plus efficacement possible.

Jane se doutait que la tête avait été coupée, mais elle ne l'avait pas vue rouler, ni tomber. Elle s'était demandé si elle aurait un haut-le-cœur lorsque le bourreau la soulèverait pour l'exhiber devant la foule. Elle avait lu quelque part que, contrairement à l'idée répandue, le but d'un tel acte n'était pas d'obtenir l'assentiment du peuple, ni même de divertir celui-ci. On exhibait la tête parce que les gens croyaient que, après ce genre d'exécution, il fallait environ neuf secondes au cerveau pour prendre conscience de ce qui venait d'arriver. Neuf secondes que la Couronne entendait mettre à profit pour que la victime souffre jusqu'au bout grâce à ce qui lui restait de lucidité.

Le bourreau était un colosse aux biceps semblables à ceux des haltérophiles ; ses cheveux noirs étaient attachés en arrière par une queue-de-cheval, et, pour compléter le tableau, il arborait une barbe hirsute. Jane l'épia tandis qu'il se baissait pour ramasser la tête. Il la souleva par sa blonde tignasse ébouriffée et montra le regard mourant de Derwentwater à la foule emplie d'effroi avant de la tourner vers le corps décapité.

C'est en apercevant les traits avachis du jeune homme enjoué et plein de candeur qu'avait été Derwentwater quelques instants auparavant que Jane fut submergée par l'horreur effroyable de la scène. Elle eut un haut-le-cœur et courut jusqu'aux commodités.

—C'est terminé! murmura William d'une voix étouffée. J'espère qu'il n'aura jamais eu vent de mon évasion.

Jane savait que Winifred désirait rester auprès de son mari, aussi inspira-t-elle profondément avant de retourner lui prendre la main. Elle tourna le regard à temps pour voir les parents et les amis du défunt gravir l'échafaud en soulevant de la sciure sous leurs pas tandis qu'ils se mouvaient lentement et avec recueillement afin d'aller envelopper la tête dans un linge. Elle remarqua que le bourreau manipulait celle-ci avec délicatesse et un respect manifeste tandis qu'il la déposait dans le blanc linceul étendu devant lui. Jane se posa mille questions au sujet de la vie personnelle d'un bourreau. Celui-ci faisait-il des cauchemars à cause de son travail? Aimait-il sa besogne? Était-ce pour lui un moyen de réaliser ses rêves? Elle ne parvenait pas à discerner ses traits avec précision, mais le fait qu'il n'ait pas cherché à faire de l'exécution un spectacle, ni à exalter son propre rôle, semblait indiquer qu'il n'était pas complètement dépourvu de décence.

Il faut bien que quelqu'un le fasse…, songea-t-elle, tandis que les idées fusaient dans son esprit. Elle posa distraitement les yeux sur les personnes qui s'activaient avec circonspection autour du corps de Derwentwater, l'installant dans un linceul noir qui, à cette distance, ressemblait à de la fourrure, peut-être de zibeline. Elle s'interrogea au sujet de la vie domestique du bourreau. Était-il amoureux? Disait-il la vérité à sa bien-aimée au sujet de son travail? Quand il rentrait à la maison, y retrouvait-il des bambins babillards qu'il faisait sauter sur ses genoux ? Prenait-il soin de se laver et de se changer afin que le sang des victimes ne pénètre jamais à l'intérieur de son foyer ?

Ces questions vont te rendre folle, Jane ! s'admonesta-t-elle.

Elle haussa les épaules et les laissa retomber posément en vidant ses poumons dans l'espoir d'évacuer la tension accumulée.

—James a fait preuve d'un très grand courage, fit-elle remarquer en pressant le bras de William, car elle savait qu'il avait besoin d'entendre des paroles réconfortantes.

—J'espère que j'aurais été aussi courageux à sa place. Il aura fait preuve de dignité jusqu'au bout !

Jane comprit que William retenait ses larmes.

—Le châtiment initial a été commué en une exécution rapide, ce dont nous devrions être reconnaissants. Imaginez que le roi ait tenu sa promesse de le faire pendre, éviscérer et écarteler !

Mais William ne fut pas sensible aux paroles compatissantes de son épouse.

—Quel lamentable gâchis !

—Oui, c'est du gâchis ! Et c'est pourquoi il est inutile d'extrapoler sur votre hypothétique attitude face au bourreau. Regardez-les, William, suggéra-t-elle en pointant la foule du doigt, ils ont déjà oublié votre ami Derwentwater. Ils sont prêts pour le deuxième acte : l'exécution de Kenmure ! Se soumettre à la justice du roi n'a jamais fait avancer personne. La mort de ces deux nobles ne sert qu'à soulager la colère d'un homme et à laver sa honte devant l'audace des jacobites. Il se sert de cet échafaud à une tout autre fin que le but avoué, à savoir que l'Allemand entend faire comprendre aux Anglais qu'il est là pour rester, qu'il se fiche de parler la langue du pays qu'il gouverne et qu'il écrasera tous ceux qui se rebelleront contre son autorité.

— Dans ce cas, mon évasion ne peut que l'avoir humilié encore davantage ! Il me pourchassera jusqu'à la mort.

Jane inclina la tête d'un côté, puis de l'autre, tandis qu'elle réfléchissait à la question.

— Est-ce seulement le cadet de ses soucis ? Il a fait impression sur le peuple en faisant exécuter deux des chefs jacobites les plus populaires. Qu'un troisième s'en soit tiré lui est indifférent. Je crois même que nous lui avons rendu un singulier service. Il semblerait que mon intervention au palais Saint-James m'ait valu l'indulgence des courtisans, tandis qu'ils ont désavoué l'attitude du roi. Il est probablement soulagé de ne pas devoir exécuter l'époux de celle qui est devenue l'héroïne populaire du Tout-Londres. Quant aux petites gens, elles adorent quand le vilain s'en tire indemne !

Ce fut au tour de William de soupirer.

— Mais le roi vous pardonnera-t-il ? s'enquit-il.

La comtesse haussa les épaules.

— Pour tout vous dire, j'en doute. C'est pourquoi nous devons quitter le pays.

— Quand ?

— Ils ont sûrement déjà lancé les recherches. Quoi qu'il en soit, je crois que nous gagnerions à attendre que le sang des jacobites ait fini de sécher sur le sol de Tower Hill, que l'humiliation cinglante de votre évasion se dissipe et que la blessure causée par mon stratagème se referme. Le roi désire avant tout que le public tourne la page. D'ici quelques jours, ils relâcheront leur vigilance dans le port et sur les routes qui vont vers le nord, alors ce sera à nous de jouer.

— Où irons-nous ?

— Ma foi, j'imagine qu'ils s'attendent à ce que les Nithsdale retournent en Écosse ou s'embarquent pour la France, car il est évident que rester en Grande-Bretagne revient à vous faire capturer de nouveau par la Couronne.

— Dans ce cas, il nous faut oublier l'une et l'autre destination.

Elle acquiesça.

— J'en ai déjà discuté avec Mrs Mills. Je lui demanderai de nous réserver deux places pour l'Italie.

Chapitre 33

CE FUT MRS MILLS, ET NON CECILIA, QUI SE GLISSA TARD ce soir-là dans la chambre glaciale de William et de Winifred. Ils avaient jugé que Cecilia, qui était déjà venue, risquait d'éveiller les soupçons si on la reconnaissait.

Winifred était de nouveau malade et repoussait tendrement les gestes pleins de sollicitude de William lorsqu'un coup retentit à la porte.

La décapitation de lord Kenmure en grand uniforme s'était déroulée, presque à tous égards, à l'exact opposé de celle du jovial Derwentwater, si ce n'est que Kenmure garda également son sang-froid. Derwentwater avait saisi cette ultime occasion de s'exprimer pour plaider sa cause ; Kenmure, au contraire, avait décliné l'invitation et s'était contenté de gagner l'extrémité sud de l'estrade pour réciter une courte prière.

Jane avait vu le bourreau hocher la tête tandis que lord Kenmure faisait ses adieux à ses partisans et semblait refuser qu'on l'aide à retirer son manteau et son gilet. Il avait néanmoins accepté une bande de linge blanc dont il s'était servi comme d'un serre-tête afin d'empêcher sa chevelure de tomber sur sa nuque et de s'assurer que le bourreau percevrait distinctement l'endroit où devrait porter le coup mortel. Jane avait remarqué qu'il glissait ce qui devait être des pièces de monnaie dans la main du bourreau avec lequel il avait échangé quelques mots.

Elle se souvenait à présent qu'elle avait ressenti un goût amer au moment où l'homme à la hache avait invité, presque à regret, le condamné à s'avancer jusqu'au billot d'un geste extrêmement courtois, digne et bienveillant. Debout à côté d'elle, William était resté tout raide. Cette fois, elle n'avait pas trouvé les paroles rassurantes qui auraient pu diminuer sa culpabilité.

Tout s'était passé comme si lord Kenmure n'avait pas voulu prolonger son propre martyre, car il s'était aussitôt exécuté avant de mettre à son tour les bras en croix. Le bourreau, Jane s'en souvint, avait sans doute été pris au dépourvu par l'empressement de sa victime, et, bien qu'il eût soulevé sa hache avec la même adresse que précédemment, cette fois-ci, il avait raté son coup ! Peut-être Kenmure avait-il bougé… On ne manquerait pas d'en débattre dans les auberges et les bordels, les maisons de café, les tavernes et salons de thé de la capitale. Le corps de Kenmure avait tressailli au moment de l'impact, libérant un jet de sang, mais la tête de cet obstiné n'était pas tombée. Jane se souvint de la manière dont les jambes du jacobite avaient labouré le sol recouvert de paille et de sciure tandis que le bourreau relevait brusquement sa hache. La tête de l'aristocrate avait été tranchée à la deuxième tentative, puis le bourreau avait observé le rituel consistant à présenter le corps mutilé à la tête du condamné.

Winifred s'était de nouveau précipitée derrière le paravent pour vomir. Puis, l'estomac vide et affaiblie, elle s'était assise sur le petit lit d'enfant et s'était interrogée.

Il lui semblait que quelque chose n'allait pas. Elle avait vomi assez souvent dans sa vie pour savoir que, cette fois, c'était différent, car c'était douloureux. Par ailleurs, elle avait l'intuition que sa nausée n'était pas seulement due au funèbre spectacle dont elle avait été témoin.

Depuis quand Winifred n'avait-elle pas eu ses règles ? Jane n'aurait su le dire. La comtesse avait été si malade ces dernières semaines qu'elle avait sûrement mis tout retard sur le compte de son malaise. Ses dernières règles devaient dater d'avant son départ d'Écosse.

Êtes-vous enceinte ? s'enquit Jane intérieurement, mais Winifred ne répondit pas, préférant se concentrer sur William.

—Ce sont les deux coups portés à ce pauvre Kenmure qui vous auront rendu malade, mon ange, suggéra le comte.

Elle n'osa pas lui avouer qu'elle avait fermé les yeux pour le second et qu'elle n'en était pas fâchée ! Elle avait compris que le deuxième coup avait été assené lorsque la foule avait poussé un cri de soulagement.

Ce dernier résonnait encore à ses oreilles quand Mrs Mills s'embrouilla avec ses gants, commençant d'abord par les retirer avant de les remonter lentement sur ses longs doigts blêmes lorsqu'elle s'aperçut qu'il faisait aussi froid dans la petite chambre qu'au-dehors.

—J'ai vérifié que l'on ne me suivait pas, annonça-t-elle en haletant, car elle avait monté les marches en toute hâte. En outre, tous ceux qui savent que vous logiez chez moi, milady, croient que vous avez quitté Londres depuis longtemps. J'ai fait en sorte de ne pas les détromper.

Winifred la prit dans ses bras.

— Pourquoi vous être risquée à venir ? s'enquit-elle en fronçant les sourcils.

— Pour d'excellentes raisons. J'ai entendu dire ce soir que même si les lords Widdrington, Nairn et Carnwarth ont été graciés, le Couronne offre une grosse récompense pour votre tête, monsieur le comte.

Jane et William échangèrent des regards inquiets.

— Vous vous en êtes tirés avec une audace folle, mes chers amis, mais j'ai l'impression qu'il ne serait pas sage de tenter davantage le diable. Il est impératif que vous quittiez tous deux le pays.

Jane hocha la tête.

— Nous avions évoqué l'Italie, rappela-t-elle à son amie.

— Si je m'en souviens ! Je me suis permis de prendre d'ores et déjà contact avec une connaissance qui travaille à l'ambassade de Venise.

Son regard anxieux passa de l'un à l'autre.

— Je suis certaine que nous pouvons vous faire traverser la Manche et passer en France où vous ne devrez pas vous attarder, mais où la reine Marie Béatrice vous aidera sûrement à gagner l'Italie dans les plus brefs délais. Je suggère que vous embarquiez pour ce pays dès demain avant l'aube.

— William partira seul, rectifia Jane à son propre étonnement, car c'était Winifred qui, s'affirmant de plus en plus, avait parlé.

Le comte et Mrs Mills la dévisagèrent, quelque peu interloqués.

— Oublieriez-vous notre fille Anne ? Sans compter qu'il s'agit d'un véritable exil. Nous sommes en possession de papiers importants et de bijoux que j'ai enterrés et que je dois récupérer si nous voulons que notre fils ait un héritage.

—Nous pourrons envoyer quelqu'un chercher Anne, et sans doute ma sœur pourrait-elle déterrer les papiers, ma chérie. Je ne pense pas que nous devrions prendre le risque de…

William ne termina pas sa phrase, car lui et Mrs Mills avaient compris à la moue de Winifred qu'il ne servait à rien de la contredire sur ce point. *C'est étrange…*, songea Jane. Car elle non plus n'insista pas auprès de Winifred, même si elle aurait été heureuse de fuir l'Angleterre afin de mettre le plus de distance possible entre elle et le danger avant de faire le point sur la situation et de chercher un moyen de retourner dans le Londres des années 1970. Mais pour l'instant, c'était Winifred qui avait le dernier mot. Bien sûr, Jane s'était rendu compte, à diverses reprises, que Winifred refaisait surface. Ce jour-là, cependant, Jane eut le sentiment que, pour la première fois, la comtesse était totalement présente et dirigeait les opérations.

—*Jane, ma douce amie…*, susurra Winifred en pensée. *Nous devons aller chercher Anne et récupérer les papiers.*

—*Serez-vous assez forte pour cela ?*

—*Vous me donnez de la force !*

—*Vous devez sûrement me détester. À votre place, je me détesterais…*

—*Vous avez sauvé la vie de mon mari grâce à votre ingénieux stratagème et à votre bravoure, et à moi aussi, par la même occasion, sans compter que vous avez assuré l'avenir de ma famille. Comment pourrais-je vous détester ?*

—*Mais vous reprenez l'ascendant à présent…*

— Il semblerait, oui.

— Cela signifie-t-il que je peux rentrer chez moi ?

— Qui sait, ma précieuse ? Je souhaite que ce soit le cas, autant pour votre sauvegarde que pour la mienne. Quoi qu'il en soit, je dois retourner en Écosse, et j'espère que vous m'y aiderez.

— Vous n'avez quand même pas l'intention de rentrer en Écosse toute seule ? s'enquit William d'un ton un peu condescendant en interrompant sans le savoir ce singulier dialogue intérieur.

Jane devina qu'il marchait sur des œufs. Après tout, sa femme n'avait-elle pas prouvé à maintes reprises qu'elle était tout à fait capable de relever les défis qu'on lui lançait ? Le comte n'avait sans doute pas oublié la gifle qu'il avait reçue à la Tour… sans compter le langage fleuri de Winifred. Jane se retint de rire en y repensant, car tout indiquait que le comte s'affirmait de nouveau dans son rôle de chef de famille qui prend les décisions.

— C'est exactement mon intention ! confirma Jane de la voix ferme de Winifred. Je n'enverrai pas un tiers quérir notre fille, qui risquerait de servir de monnaie d'échange. J'irai la chercher moi-même et la mènerai en lieu sûr avec les papiers de la famille.

— Dans ce cas, je…

— Non, William, vous ne m'accompagnerez pas !

Cette fois, Winifred prend vraiment les choses en main ! pensa Jane.

— Vous me ralentiriez, poursuivit la comtesse. Nous devons vous trouver une cachette. Trop de gens ont déjà risqué énormément pour vous sauver la vie. Ne laissez pas votre orgueil ruiner ces efforts. Vous êtes un fugitif, et nous allons vous placer sans tarder entre les mains des Vénitiens. Je vous rejoindrai d'ici quelques semaines, mais nous devons d'abord assurer notre avenir.

Puis elle se tourna vers Mrs Mills qui avait suivi la conversation sans rien dire mais avec attention.

—Parfait, mes amis! Je vais prendre les dispositions nécessaires. Tenez-vous prêts à partir à la faveur de la nuit. Je vous enverrai deux chaises à porteurs. Vous devrez vous faire vos adieux ici, car vous partirez dans des directions opposées. Comtesse, vous rentrerez à Duke Street provisoirement.

Jane hocha la tête. Elle était enthousiaste à l'idée de reprendre la route. Elle avait acquis le sentiment qu'elle était elle-même à la croisée des chemins et désirait rentrer chez elle le plus rapidement possible.

Pour être honnête, elle avait également envie de se débarrasser du comte. Il était d'une compagnie agréable et encore plus agréable à regarder, mais sa vie était déjà assez compliquée. Elle devrait seulement lui dénier ses droits conjugaux pendant quelques heures encore en veillant naturellement à ne pas détériorer les relations du couple.

Tous deux serrèrent Mrs Mills dans leurs bras.

—Cinq heures tapantes! insista cette dernière.

Le comte et la comtesse acquiescèrent.

—Voici de la nourriture et du vin, dit-elle en désignant un petit panier. Ne vous montrez dans la rue sous aucun prétexte. Vous êtes en sécurité ici, mon mari me l'a certifié, mais au-dehors, il y a des malheureux qui vous dénonceraient pour un quignon de pain. Quant à vous, monsieur le comte, votre portrait et votre description figurent dans le *Flying Post;* c'est pourquoi je vous engage à la prudence.

Elle les considéra tous deux avec le plus grand sérieux.

Lorsqu'elle eut tourné les talons, Jane soupira exagérément de fatigue.

— Bien, je suppose que nous ferions mieux de nous reposer, suggéra-t-elle, devinant qu'il était aux environs de 21 heures, car William allumait déjà une autre bougie.

Il se taisait : sans doute était-il vexé ; Winifred argua que son mari avait besoin d'être consolé. Mais Jane n'en tint pas compte et obligea la comtesse à se retirer.

— Je vous en prie, mangez, suggéra Jane. J'ai assez mangé tout à l'heure et je n'ai plus du tout faim.

— Je n'ai pas faim non plus, répliqua William en se retournant pour lui faire face.

Jane n'avait pas besoin de le connaître mieux pour deviner la signification de son regard.

— Pas maintenant, mon chéri, commença-t-elle. Ce fut une journée pleine de sang et de larmes.

— L'amour guérit de tout, murmura-t-il, en lui prenant les mains pour les embrasser tendrement avant de couvrir son cou et les lobes de ses oreilles de baisers tout en la serrant ardemment dans ses bras.

La tête de Jane se remit soudain à tourner.

— *Je ne peux pas!* gémit-elle en pensée.

— *Vous le devez!* rétorqua Winifred.

— *C'est entre vous et lui!* objecta Jane tandis que la comtesse commençait à fondre de plaisir sous les baisers de son mari.

— *Je vous en prie, Winifred, épargnez-moi cela… C'est injuste! La situation est déjà suffisamment compliquée.*

— *Ma chère Jane, c'est vous qui avez compliqué ma vie. Croyez-vous un instant que je désire partager avec vous ce moment d'intimité? Oubliez-vous lord Sackville et la manière dont vous m'avez compromise?*

Au fond d'elle, Jane savait que le reproche était justifié. Ses ébats avec Julius s'étaient déroulés en compagnie de Winifred. Comment avait-elle pu se convaincre du contraire?

Winifred entendit la pensée de Jane.

— *Oubliez-nous pendant que je m'occupe de satisfaire le désir de mon mari… et le mien.*

Cela fut rapidement conclu, et dès lors, Jane s'effaça; mais lorsqu'elle se manifesta de nouveau, tandis que leurs corps étaient plaqués l'un contre l'autre et que William ronflait à son oreille, une question lui brûla les lèvres.

À l'exception de leurs visages et de leurs mains, leurs corps n'étaient pas directement en contact car ils avaient tous deux gardé leurs vêtements en prévision de leur fuite nocturne. Le vent glacial et piquant qui sifflait à l'extérieur de leur mansarde et s'insinuait dans la pièce les avait également dissuadés de se déshabiller.

— *Quelle heure est-il?* se demanda Jane.

— *Probablement près de 2 heures du matin*, répondit Winifred.

— *Comment le savez-vous?*

La comtesse gloussa.

— *C'est un don étrange que j'ai depuis l'enfance. Je regrette de ne pouvoir m'en servir pour gagner de l'argent*, soupira-t-elle rêveusement. *D'ailleurs, je regrette de ne pas gagner mon propre argent, car nous serons bientôt des exilés sans le sou qui dépendront de la bienveillance des catholiques du continent.*

— *L'Europe n'est pas à court de catholiques!* murmura Jane.

Un silence gêné s'ensuivit.

—*Je vous demande pardon de vous avoir obligée à partager ce moment d'intimité.*

C'était l'ouverture que Jane attendait, et sans doute était-ce la raison pour laquelle la comtesse l'avait faite si volontiers. La question qui taraudait Jane ne pouvait plus attendre.

—*Winifred, vous êtes plus présente que jamais depuis mon arrivée.*

—*En effet.*

—*Je m'en réjouis, et j'espère que c'est le signe que le moment approche pour moi de vous quitter.*

—*D'où venez-vous, Jane? J'ai surpris vos pensées de temps à autre et ne les ai pas comprises. Cependant, j'ai de plus en plus le sentiment que vous venez du futur,* confia Winifred d'un ton extrêmement perplexe.

Jane lui dévoila son époque.

—*C'est dans plus de deux cents ans…,* murmura la comtesse avec stupéfaction. *C'est inconcevable pour moi.*

—*En effet, et je n'essaierai pas de vous expliquer à quoi ressemble mon époque.*

En revanche, elle lui conta les circonstances de sa venue.

—*Ainsi vous vous apprêtez à épouser Will Maxwell?* répéta Winifred, pleine de stupeur.

—*Ils sont tous les deux inextricablement liés à travers la descendance,* répliqua Jane.

—*C'est remarquable! Je n'aurais jamais pu le croire si je n'étais pas celle à qui c'est arrivé. Cependant, vous n'avez pas répondu à ma question. Désirez-vous vraiment l'épouser? Je crains de ne percevoir que de la réticence en vous.*

—*Je le dois.*

—*Pourquoi?*

— *Voyez vous-même le mal que je me suis donné pour que ce mariage ait lieu.*

— *Ce n'est pas une réponse, Jane.*

Cette dernière fit une moue dédaigneuse.

— *Vous vivez en un temps et dans une société où l'on se marie à l'intérieur de sa classe pour des raisons financières et familiales décisives.*

— *Je me suis aussi mariée par amour. J'ose espérer qu'à toute époque l'amour est primordial. Qu'est-ce que la vie sans l'amour?*

— *« L'amour… »*, répéta Jane comme si elle entendait ce mot pour la première fois.

— *Aimez-vous Will Maxwell?*

— *Bien sûr!*

— *Je n'en suis pas convaincue. L'amour, au sens romantique du terme, est une sorte de folie qui fait que l'on perd son propre intérêt de vue, qui fait que l'on est prêt à mourir pour l'autre le cas échéant.*

— *C'est bien ce que je disais: j'ai risqué ma vie pour Will.*

— *Vous avez risqué votre vie pour vous-même, Jane! C'est votre propre vie qui vous importe, non la sienne.*

— *Ne dites pas cela!*

L'accusation lui avait coupé le souffle comme un coup de poing dans l'estomac.

— *Trop tard: c'est dit! Je le pense vraiment. J'ai appris à vous connaître par l'entremise de notre étrange relation. C'est vous-même que vous vous efforcez de sauver, non Will Maxwell. Si vous finissez par l'épouser, ce sera pour donner un semblant de sens à votre vie, non parce que vous l'aimerez en toute conscience.*

— *Je ne suis pas d'accord.*

— *C'est votre droit. Mais je vous ai vue dans les bras de quelqu'un d'autre et j'ai aussi partagé vos pensées au sujet de Will.*

Elles sont loin d'égaler vos sentiments pour Sackville! Votre fiancé vous trouble beaucoup moins que Julius Sackville. Vous pouvez toujours vous figurer que vous avez chassé ce dernier de vos pensées, mais moi qui partage votre esprit, ma chère, je puis vous dire qu'il y est omniprésent. Vous sentez encore sa caresse, ses baisers... Vous n'êtes pas près d'oublier cette étreinte.

— *Vous faites fausse route, Winifred.*

— *Vraiment? Dans ce cas, pourquoi êtes-vous rouge de honte, car ce n'est pas moi qui rougis?*

Le moment était venu pour Jane de poser la question cruciale qui la hantait.

— *Winifred, je n'ai pas votre expérience, mais avez-vous insinué tout à l'heure que vous étiez enceinte?*

La comtesse hésita l'espace d'un instant.

— *J'ai fait de nombreuses fausses couches durant ma vie conjugale, Jane. Mais j'ai toujours su quand j'attendais un enfant, bien avant même les premiers coups de pied. Je vomis généralement abondamment.*

— *Vous êtes sûre que c'étaient des vomissements dus à la grossesse et non à... à l'épuisement?*

— *Même vous, Jane, n'avez aucun doute sur la question.*

Jane poussa un soupir. Winifred ne lui épargnait rien. Mais c'était assez de vérités amères pour un seul jour. La nausée la reprit comme une houle prête à déferler à la première occasion. Elle en avait assez entendu et dit sur elle et son fiancé. Mieux valait continuer de faire l'autruche, même si la perspicacité avec laquelle Winifred avait détecté ses mensonges l'avait profondément contrariée. Will était son radeau de sauvetage. Soit elle s'accrochait à lui, soit elle coulait. Julius et la succession d'aventures qu'elle avait vécues et qui, au bout du compte, lui apparaîtraient, espérait-elle, comme un rêve, un voyage hors du corps, comme l'expression de pouvoirs magiques, ne comptaient tout simplement pas. Personne, et Will moins que tout autre, n'en saurait rien une fois qu'elle serait rentrée chez elle ; le temps passant, elle pourrait même se convaincre que tout cela était arrivé à Winifred, et non à elle. De plus, c'était du visage de Winifred que Julius était tombé amoureux ; c'était son corps qu'il avait désiré. Jane n'existait pas pour lui.

— *Ma foi,* commença cette dernière, *je suis très heureuse pour vous et j'espère que cette grossesse se passera bien, même s'il faut s'attendre à des difficultés durant les semaines que durera le voyage en Écosse et la traversée vers la France.*

— *Je ne veux pas y penser. Agir est suffisant.*

Une autre question se fit jour dans l'esprit de Jane. Elle n'avait pas l'intention de la poser, mais elle se formula dans sa pensée avant qu'elle n'ait le temps de la passer sous silence.

— *Je croyais que les nausées matinales, comme on les appelle, ne se produisaient que dans les premiers mois.*

— *D'après mon expérience, c'est exact.*

— *Mais vous en avez souffert pendant toute votre grossesse ?*

— *Non.*

Winifred semblait sur la réserve, mais également légèrement cachottière, comme si elle essayait de faire comprendre quelque chose à Jane.

— *Je ne comprends pas.*

— *Ah non ?*

Jane se rembrunit intérieurement tandis que les pièces du puzzle s'assemblaient dans son esprit.

C'est le corps de Winifred qu'il désirait! se répéta-t-elle. Puis elle ajouta: *C'est le corps de Winifred qu'il a poss…*

Elle comprit tout à coup.

Un goût amer se répandit dans la bouche de Winifred, mais la culpabilité était bien celle de Jane. À l'amertume de la prise de conscience succéda un bourdonnement d'oreilles, lui-même suivi par l'accélération du pouls de Winifred.

—*Julius est-il le père?* s'enquit-elle, tandis que les deux femmes échangeaient leur effroi respectif.

—*Il ne peut s'agir de personne d'autre*, répliqua la comtesse d'un ton calme mais non sans émoi.

Jane eut un hoquet, mais Winifred n'émit pas le moindre son: elle contrôlait au plus près le cours de la conversation.

—*En êtes-vous certaine?* insista Jane inutilement en s'accrochant lamentablement à ses illusions, car elle savait que Winifred ne lui aurait pas menti.

Cette dernière prit néanmoins la peine de répondre:

—*Vous vous êtes donnée à Julius à un moment où je n'étais pas en mesure de me refuser à lui ni de m'opposer à vous.*

—*Winifred… je…*, s'interrompit Jane en éprouvant un mélange de honte, de colère et de consternation. *Tout s'est passé ce jour-là comme si moi-même je n'avais eu aucun contrôle sur les événements.*

—*Cela me paraît évident!*

—*Êtes-vous furieuse contre moi?*

C'était la deuxième question bête.

—*Si je suis furieuse contre vous parce que je porte un enfant? Non. Si je suis furieuse parce qu'il n'est pas de mon mari? Oui! Furieuse de me sentir souillée? Oui!*

Elle avait parlé sans emportement, réprimant toute émotion superflue, comme elle le faisait sans doute depuis que Julius l'avait embrassée pour la première fois. *À moins,* se dit Jane en y songeant – et elle estimait en cela être dans le vrai –, *à moins que Winifred n'ait pu exprimer son sentiment tout simplement parce qu'elle avait été reléguée à l'arrière-plan.*

— Qu'allez-vous faire ? s'enquit Jane tout haut, d'une voix fluette et confuse.

— *Que puis-je faire, sinon donner naissance à cet enfant et l'aimer ? C'est le mien après tout. Je vois cela comme une grâce que me fait Dieu pour récompenser mon désir d'être de nouveau mère, de donner la vie et d'aimer cette nouvelle vie sans réserve.*

— *Mais peut-être que, comme vous avez fait des fausses couches par le passé, cet enfant ne survivra pas...*

— *C'est un deuil que je ne souhaite à aucune femme.*

— *Bien sûr.*

Jane se serait volontiers mordu la langue si celle-ci avait été la sienne et non celle de Winifred. Qu'avait-elle donc à proférer des paroles aussi puériles ? D'autant plus que l'une des raisons pour lesquelles elle avait accepté d'épouser Will était, elle s'en souvenait parfaitement, de pouvoir fonder sa propre famille !

— *Me pardonnez-vous ?*

— *Que dois-je vous pardonner ? Votre insensibilité ou le fait de m'avoir mise enceinte ?*

— *Les deux.*

— *Sans vous, Jane, mon mari ne serait plus là pour aimer et élever notre enfant.*

— *Et Julius ?*

— Les paroles, une fois prononcées, et les actes, une fois posés, ne peuvent être abolis. Chaque instant du passé n'est constitué que de cela. Julius appartient à votre passé, non au mien.

— Je ne suis pas une femme aux mœurs légères. Je ne sais pas ce qui m'a pris. C'était comme si j'étais une autre personne.

À ces mots, toutes deux gloussèrent un peu tristement.

— Peut-être devriez-vous y réfléchir davantage. Personne n'agit sans raison. Quant à moi, la mienne est cet enfant. J'ai toujours voulu plus de deux enfants, et nous avons eu notre lot de deuils à cet égard. William a tant souffert ces derniers temps qu'il ne fera peut-être pas le calcul, du moins j'espère. Cela ne dépend pas de moi ; mais je franchirai les obstacles quand ils se présenteront. Si je peux l'accepter, vous devriez pouvoir arrêter de bouder.

Même si c'était un reproche, c'était un reproche généreux. La bonté de Winifred était-elle donc infinie ?

— Et si c'est une fille, je l'appellerai Jane.

— Je ne sais pas quoi dire, sinon que je m'engage à vous conduire saine et sauve jusqu'en Écosse.

— Merci, Jane chérie. Je crains de devoir compter une fois de plus sur votre robustesse.

— Ne parlons plus jamais de Julius Sackville, conclut Jane, espérant ainsi mettre un point final au chapitre.

— Cela n'empêchera pas l'intimité que vous avez partagée avec lui de rester à jamais enfouie dans votre mémoire, quelles que soient l'époque et l'incarnation qui seront les vôtres.

Chapitre 34

Jane avait passé le reste de la nuit éveillée, nuit durant laquelle la présence intérieure de Winifred s'était de nouveau amenuisée tandis que son corps avait succombé à la faiblesse qui le poursuivait constamment. Une fois encore, Jane devrait se montrer résistante pour la comtesse. Mais l'heure n'était plus aux discussions, même s'il était clair que William n'avait pas encore dit son dernier mot.

Ce fut Mr Mills qui se glissa dans leur chambre aux petites heures du jour afin de leur expliquer son plan pour la fuite de William.

— Vous resterez caché dans les appartements de l'un des domestiques à l'ambassade de la République de Venise.

— Pendant combien de temps ? s'enquit William en fronçant les sourcils.

Mr Mills haussa les épaules, mais ce fut Jane qui répondit :

— Pendant tout le temps qu'il faudra, William. Nous n'avons pas pris tant de risques pour tout compromettre au dernier moment. Nous voulons que vous arriviez sain et sauf sur le continent.

Jane perçut que le comte détestait être bousculé et que son orgueil se rebellait. Sans doute le soulagement d'être toujours en vie laissait-il peu à peu la place au désarroi du fugitif. Manifestement, la mauvaise conscience ne le quittait plus… ni la honte d'avoir échappé à la hache du bourreau.

— William, je vous en prie, pour le salut des jacobites qui continuent de croire en notre cause, pour l'amour de notre fils qui vénérera son père pour son courage et par respect pour les dames – et le gentilhomme! ajouta-t-elle en faisant un signe de tête à Mr Mills – qui ont risqué et continuent de risquer leur vie pour vous, vous devez rester en vie quoi qu'il en coûte!

Face à l'affliction évidente du comte, Mr Mills recula.

Jane n'avait pas eu l'intention d'apprendre la nouvelle à William, mais elle se dit que seul un électrochoc pouvait le faire sortir de son état d'esprit peu coopératif.

Elle le tira vers la fenêtre.

— Il se pourrait que je sois enceinte, annonça-t-elle en ressentant toute l'épouvante de Winifred, qu'elle fit de son mieux pour rassurer. Ne me demandez pas comment je le sais. Nous autres femmes avons un sixième sens pour ce genre de chose; de plus je suis déjà passée par là suffisamment de fois pour…

— Mais nous avons seulement… hier soir! murmura William en tentant de déchiffrer l'expression de Winifred, à la recherche d'une explication.

La comtesse hocha la tête.

— J'ai bien dit: «Il se pourrait…» Vous savez à quel point je tombe aisément enceinte. Ne serait-ce qu'au nom d'une éventualité aussi merveilleuse, je veux que vous ne couriez aucun risque. Je vous aime, William. Quel avantage peut-il y avoir à risquer d'être tué tandis que vous pouvez tant œuvrer pour la cause en vous jouant du roi George et en échappant à ses griffes ? Faites-moi confiance pour la suite, de même que vous m'avez fait confiance jusque-là.

Le comte opina : toute véhémence s'en était allée, et Jane se laissa prendre dans ses bras.

— Pardonnez mon ingratitude, dit-il un ton au-dessus de la normale en jetant un coup d'œil à Mr Mills par-dessus l'épaule de sa femme. Je n'arrive pas à me résoudre à laisser autrui prendre tous les risques.

— Je comprends, mon cher, assura Mr Mills.

Jane rompit leur étreinte.

— À présent, écoutons les détails du plan, suggéra-t-elle.

Mr Mills s'éclaircit la voix.

— Une voiture partira dans quelques jours pour Douvres où se trouve le frère de l'ambassadeur de Venise. L'idée, monsieur le comte, est de vous faire passer pour l'un des valets en livrée vénitienne.

— Et une fois à Douvres ? s'enquit Jane.

— Notre ami de l'ambassade, un dénommé Vezzosi, négociera avec le capitaine d'un petit bateau pour vous faire traverser la Manche.

William acquiesça.

— Merci Mr Mills. Je me réfugierai probablement au collège des Écossais, à Paris, où mon neveu pourra m'héberger en toute discrétion. J'ai hâte de retrouver notre fils !

— Et la famille royale écossaise ? s'enquit Jane.

— J'irai les voir, naturellement, si la reine Marie Béatrice veut bien m'accorder audience à Saint-Germain-en-Laye. Le roi Jacques m'invitera peut-être même en Avignon.

Mr Mills hocha la tête.

— Les chaises à porteurs sont sans doute arrivées. Venez, monsieur le comte, milady. L'aventure commence…

Jane embrassa William, pour la dernière fois, espérait-elle, et, fermant les yeux par pudeur pour le chagrin de Winifred, l'exhorta à descendre le premier.

— Je descendrai dans une ou deux minutes. Faites attention à vous, mon bien-aimé, susurra-t-elle, tandis qu'il disparaissait dans l'escalier.

Tout semblait indiquer qu'une récompense de deux mille livres – somme colossale – était promise pour la capture de lord Nithsdale. Plus inquiétante encore était la nouvelle rapportée par Mrs Mills, selon laquelle la rumeur circulait à la cour que « la comtesse paierait de sa tête si on ne le retrouvait pas ».

— Faites-vous oublier, la mit-elle en garde. En fait, beaucoup trop de gens sont au courant de notre amitié, c'est pourquoi je vais vous installer à une adresse sur Drury Lane, où vous serez infiniment mieux logée qu'à Tower Hamlets.

Comme Winifred prenait un air renfrogné, son amie ajouta :

— Je me fiche comme d'une guigne de ma réputation, vous vous en doutez ; mais il reste que s'il prenait l'envie au monarque d'envoyer des mouchards pour surveiller cette maison, vous risqueriez d'être arrêtée alors que vous touchez au but. Restez à Drury Lane pendant quelques jours, ensuite vous partirez pour l'Écosse. Vous savez que je vous y aiderai.

Ayant inauguré sa nouvelle retraite en compagnie de Cecilia, Jane se cacha pendant deux jours jusqu'à ce que Mrs Mills annonce à Winifred que William avait quitté le pays sain et sauf par la mer et foulait déjà le sol français. Les trois amies tombèrent dans les bras les unes des autres en versant des larmes de joie.

—Nous avons réussi! s'exclama Jane.

—La victoire vous revient, Winifred. Votre plan était sans faille, ingénieux et simple. Votre mari peut être fier de vous.

Jane haussa les épaules.

—Je ne me prononcerais pas. En tout cas, nous pouvons enfin prendre la route. Avec un peu de chance, la lettre que j'ai envoyée à la duchesse de Buccleuch aura préparé notre arrivée sans encombre en Écosse.

—Je ne suis toujours pas certaine que ç'ait été une bonne idée d'annoncer votre arrivée, confia Cecilia.

—Cecilia, malgré la colère publique du roi, en secret, il est ravi de se débarrasser de moi, de William et de tous ceux d'entre nous qui sont liés à la rébellion de l'an dernier. Les épouses des rebelles suscitent beaucoup trop la compassion des bonnes gens, et il ne voudra pas soulever davantage leur indignation en me faisant rechercher. Je doute qu'il ait des preuves formelles de mon implication dans le sauvetage de mon mari. Je n'ai pas paradé, ni imploré la commisération du peuple, et je ne me suis pas non plus gaussée de son évasion. La duchesse de Buccleuch sait que je veillerai à rester à l'écart de la vie publique, et peut-être que si elle parvient à en convaincre le conseiller auprès du ministre de la Justice d'Écosse, on m'autorisera à retourner à Terregles sans être inquiétée.

Cecilia soupira.

—Vous m'avez mal comprise, ma très chère amie. Écrire en avance est une précaution utile, mais cela peut s'avérer à double tranchant. S'ils vous trouvent, ils n'auront pas d'autre choix que de vous arrêter.

—C'est la raison pour laquelle je voyagerai déguisée et coiffée d'une perruque noire.

—En diligence? s'enquit Cecilia en espérant que la réponse serait affirmative.

—À cheval. Nous avons survécu à notre voyage au cœur des rigueurs de l'hiver. Le printemps nous donnera moins de peine, déclara-t-elle en espérant que le temps doux contribuerait à améliorer l'état de Winifred.

Elle laissa cette pensée en suspens, sachant que Winifred serait bientôt au sud de l'Europe où le soleil brillait pendant presque toute l'année et qu'elle pourrait s'y refaire une santé.

Le voyage du retour se déroula beaucoup mieux que le lent périple de l'aller des semaines auparavant. Lorsque Winifred et Cecilia arrivèrent à Terregles, Jane constata que la sœur de William avait déjà commencé à fermer la maison.

Tandis qu'elles s'étreignaient en versant des larmes, l'ancien complice de Jane, le vieux jardinier, leur apprit une nouvelle qui leur glaça le sang.

La tête droite, il se tenait tout près, attendant le bon moment.

Lorsqu'elle eut rompu son étreinte avec Mary, Jane se tourna vers le domestique qui tordait un vieux chapeau dans ses mains.

—Bonjour Bran!

Ce dernier tira sur sa tignasse en s'inclinant.

—Ça fait plaisir de vous voir, madame. L'évasion de monsieur le comte nous a tous réjouis ici.

Jane perçut qu'un large sourire éclairait le visage de Winifred.

—Cher Bran, quoi de neuf ici ?

—Bah, toujours ce vilain vent du sud, madame. Aujourd'hui comme les autres jours. J'ai entendu dire que des soldats avaient passé la frontière.

Jane cilla en s'efforçant de calculer combien de temps elle avait devant elle. Winifred lui fournit la réponse :

—*Quelques heures.*

—Eh bien, ils feront chou blanc ! Merci Bran. Vous savez ce que je suis venue récupérer.

—J'y cours, madame, lança le jardinier en s'inclinant de nouveau. Je vais chercher mes outils.

—Mary, Anne est-elle ici ?

La belle-sœur de Winifred secoua la tête.

—Je n'ai pas voulu risquer de mettre sa vie en danger avec la menace imminente des soldats. Anne est en sécurité à Traquair House où elle vous attend.

Cecilia et Mary couvèrent Winifred du regard tandis que celle-ci posait la main sur son sein de soulagement.

—Je n'en ai que pour quelques minutes avec Bran. Cecilia, emportez le nécessaire. Vous savez que nous ne pouvons pas nous charger. Nous prendrons immédiatement la direction de Peebles.

La perspective de réitérer, presque au mile près, l'itinéraire de l'hiver précédent ne l'enchantait guère, si ce n'était que, cette fois, leur destination n'était pas le Perthshire, puis Londres, mais un port ouvert sur le continent. Winifred était l'instigatrice du plan, et Jane s'en remit à elle, d'autant qu'elle commençait elle-même à perdre confiance pour la première fois depuis leur arrivée en Écosse.

Cecilia et Mary hochèrent la tête. Cette dernière lui remit une lettre.

— C'est pour vous. Elle est arrivée ici. Elle ne porte aucune mention d'expéditeur.

Jane prit la missive et la glissa dans sa poche en congédiant ses deux amies.

— Allez, pressons ! Nous partirons dès mon retour du jardin. Je crois que je vais laisser quelques piécettes d'argent derrière nous.

Tout sourires, elle ajouta :

— Simple précaution. Cecilia, ayez la bonté d'aller chercher mon parfum à la violette, si vous voulez bien. Il semblerait que j'aie égaré mon autre flacon.

Tandis que Jane accompagnait Bran jusqu'au jardin situé derrière la maison, elle s'aperçut que Winifred évaluait différentes possibilités, faisant le tri dans ses pensées dans le but de décider de la meilleure marche à suivre pour la suite. Jusque-là, Jane avait pris les décisions, mais durant leur voyage vers le Nord, elle avait eu la sensation étrange que Winifred la chassait pour de bon.

C'était une impression étrange, difficile à s'expliquer, et Jane s'était abstenue de tout commentaire, car depuis l'aveu de la grossesse de Winifred, elle portait le poids de la culpabilité. Quelle que soit la nature de ce que vivait Winifred, Jane ne pouvait douter que celle-ci reprenait ses droits d'une manière plus organique. Un enfant prenait vie en elle, elle fuyait pour retrouver son mari et ne pouvait s'encombrer d'une jeune femme venue d'un autre siècle.

Jane la comprenait. Mais elle n'avait aucune idée de la manière dont elle pouvait tirer enfin sa révérence et libérer définitivement Winifred, chacune redevenant autonome et retournant à sa propre existence.

Bran disait quelque chose, mais Jane n'avait presque rien entendu.

—« … mon royaume d'Allemagne », aurait dit le roi !

Elle mit un terme à ses cogitations et rassembla ses pensées.

—Hum… oui. Ma foi, j'imagine qu'il n'a jamais vraiment considéré l'Angleterre comme son pays.

—Dans ce cas, il devrait retourner dans le sien !

—Je suis bien d'accord ! s'esclaffa Jane. Et ensuite, que s'est-il passé ? s'enquit-elle en supposant que le vieil homme parlait du départ du roi.

—On raconte qu'il est passé devant un groupe de prisonniers jacobites, milady. Eux, ils espéraient que le dicton qui veut que le roi soit toujours prompt au pardon disait vrai.

Jane secoua la tête.

—Leur appel n'aurait pas été entendu ?

—Hélas, non ! répliqua Bran d'une voix triste. Cependant, un voyageur qui était à Londres nous a raconté qu'un clergyman anglican a été pendu, éviscéré et écartelé parce qu'il avait pris part à la rébellion. Mais il a tant ému la foule avec son discours du condamné que son terrible châtiment a fait plus de convertis que de peureux.

Le jardinier s'arrêta.

—Nous y sommes. Je crois qu'il vaut mieux que ce soit vous qui comptiez les pas, parce que je ne suis pas très sûr de mon arithmétique.

Jane posa une main sur son épaule.

—Bien sûr.

Ils marchèrent posément en comptant à voix haute jusqu'à l'endroit secret.

— J'avais oublié à quel point cet endroit est beau au printemps. Mon dernier souvenir remontait à cette terrible nuit glaciale.

— Quand j'ai eu peur que vous glissiez sur la glace, rappela le jardinier affectueusement. Mais le sol a dégelé. Nous aurons très bientôt récupéré vos biens, assura-t-il avant de se pencher pour creuser.

Jane emplit ses poumons d'air froid qu'embaumait merveilleusement l'herbe tendre qui envahissait le jardin. Les plantes à bulbe commençaient à peine à sortir de terre, et des bourgeons feuillus d'un vert éclatant grossissaient sur les branches alentour. Il faudrait encore attendre un mois ou davantage avant que les fleurs n'éclosent, mais cet avant-goût de printemps donna du baume au cœur à Jane et l'incita à envisager un nouveau départ. Quant à Winifred, elle songeait sûrement à la nouvelle vie qui naissait en elle.

Jane fut si absorbée pendant ces quelques secondes qu'elle manqua presque de remarquer la silhouette qui sortait furtivement du petit bosquet situé au-delà du jardin. L'inconnu pénétra sur les terres attenantes à la propriété, qui étaient couvertes d'arbres et de fleurs sauvages.

Jane cilla, pensant un instant se tromper. Puis, fixant son regard, elle reconnut l'intruse.

Robyn ! s'exclama-t-elle intérieurement en ressentant un creux à l'estomac pareil à celui qui survient lorsqu'on traverse un trou d'air en avion. Comment expliquer la situation à Winifred qui la vivait tout autrement, sur le mode de la nausée ?

— Milady ? s'enquit Bran d'une voix inquiète.

— Tout va bien. Ç'a été une aventure éprouvante, Bran. Et je ne suis pas encore au bout de mes peines. Je pensais au chemin du retour.

—Voulez-vous que j'aille vous chercher quelque chose ? s'enquit-il en lui tendant la petite pochette contenant les papiers.

Jane secoua la tête.

—Non, merci. J'aimerais faire une dernière fois le tour de la propriété, Bran.

Le jardinier s'inclina.

—Souhaitez-vous que je vous accompagne, milady, au cas où vous trébucheriez ?

Jane sourit.

—Je n'en ai pas pour longtemps, Bran. Rentrez. Prenez ceci, si vous le voulez bien, et demandez à Cecilia de le ranger avec mes affaires. Dites-lui que j'arrive. C'est la dernière fois que je vois cet endroit, mon cher Bran. Je veux graver l'image de ce bosquet dans ma mémoire ; j'y ai connu de joyeux pique-niques avec mon mari et mes enfants !

Le vieux domestique comprenait. Il hocha la tête en silence et partit sans se douter que le cœur de sa maîtresse battait la chamade. C'est à peine si Jane sentit le sol sous la semelle de ses bottes ou encore l'humidité qui se déposait sur son manteau tandis qu'elle s'enfonçait dans le sombre bouquet de conifères.

—Robyn ? héla-t-elle, non loin du bosquet.

—Ici ! répondit la mystérieuse lavandière de sa voix familière avant de surgir de derrière le large tronc d'un if noueux.

—Je le savais…, articula Jane qui, sous le coup de l'émotion accumulée durant les quelque deux cents pas de sa courte marche, avait retenu son souffle sans même s'en apercevoir.

Elle avait tant à dire, et pourtant, tout ce qui lui vint fut une sorte de gémissement accompagné de larmes silencieuses.

—C'est vous que je voulais voir, Jane. Il est l'heure.

— « L'heure » ? répéta-t-elle avec des sanglots dans la voix.

— L'heure de retourner là d'où vous venez.

Elle pleura à chaudes larmes, mais toujours en silence, et se demanda si Robyn avait entendu le « merci » qu'elle avait énoncé entre ses dents. Elle n'aurait su dire pourquoi, au milieu d'un tel soulagement, elle eut une pensée pour Julius Sackville.

— *Vous n'en avez pas encore fini avec lui, semblerait-il*, fit remarquer Winifred d'une voix plus présente et plus assurée que jamais.

— *Non… non, ce n'est pas ça*, protesta Jane en enfonçant ses mains dans les poches de son manteau afin de rester concentrée.

Puis elle secoua la tête : la pensée qui lui avait traversé l'esprit s'était soudain envolée.

— *Winifred, serez-vous assez forte ?* ajouta-t-elle.

— *Pour aller jusqu'à Londres, puis à Gravesend et de là sur le continent ? Bien sûr ! Je pars avec mes deux enfants, et puis mon mari et mon fils m'attendent. J'ai pris la décision de me rendre d'abord à Ostende. Je dois y rencontrer ma sœur. Le couvent où elle réside sera un excellent abri et un endroit idéal pour me reposer. J'y resterai jusqu'après l'accouchement. Soyez assurée que je surmonterai toutes les épreuves que voudra m'envoyer le ciel, très chère Jane. Mais vous, vous sentez-vous assez forte pour poursuivre seule ?*

— *Je…*, balbutia Jane.

Il ne lui était pas venu à l'esprit, durant tout le temps où elle avait désiré échapper à cette étrange manière d'exister, que celle-ci pourrait lui manquer.

— *Je ne vous oublierai jamais, ni vous ni votre courage.*

— *C'est votre courage, Jane. Votre force. J'espère que votre peine est apaisée comme l'est la mienne et que vous rencontrerez l'amour et le bonheur dans les bras de celui que vous épouserez. Merci de m'avoir rendu mon mari.*

—*Et Cecilia…*, commença Jane.

—Elle n'en saura rien. Vous ne lui manquerez pas, parce qu'elle ignore que vous étiez ici. Mais vous me manquerez pour deux.

Jane déborda de gratitude et désira que la comtesse en ressente toute la chaleur. Puis elle détourna les yeux de Terregles pour revenir à Robyn.

—Le temps presse, insista la lavandière.

—Comment procède-t-on ?

—Vous rentrez à Peebles, si j'ai bien compris, milady ?

—Oui, répondit cette dernière. Anne m'y attend.

—C'est parfait. Près de Peebles, vous trouverez deux pierres levées positionnées sur l'un des plus antiques alignements de sites, qui relie Stirling à l'île d'Iona. Druides et moines empruntent ce parcours depuis des siècles, mais il est inutile que vous marchiez sur les traces de ces pèlerins. Contentez-vous de suivre mes instructions, et je vous conduirai jusqu'à un lieu pourvu d'une grande puissance spirituelle. De là, Jane, vous continuerez seule.

Chapitre 35

J<small>ANE SUIVIT LE CONSEIL DE</small> R<small>OBYN ET ACHEVA SA COURSE PRÈS</small> d'un énorme rocher sur lequel elle s'assit pour réfléchir à l'étrangeté de sa propre vie. Le plus bizarre était qu'elle se soit accoutumée au froid. Dans son monde à elle, il ne lui serait pas venu à l'esprit de s'asseoir à la sortie de l'hiver au beau milieu d'une lande du nord de l'Angleterre battue par les vents, avec une simple pèlerine, une écharpe et des gants pour se protéger du brouillard. Et pourtant, tel était bien le cas ; et son plus grand souci n'était pas les rigueurs de l'hiver finissant, mais la lettre qu'elle était occupée à lire.

Elle était de Julius. Jane en avait oublié l'existence jusqu'à ce moment.

Ma bien-aimée Jane,

Il m'a été très pénible de vous voir à Westminster, et le lâche que je suis a préféré s'éloigner plutôt que de se torturer. Je crains, Jane, de ne jamais pouvoir échapper à votre souvenir qui me hantera où que j'aille.

J'ignore si nous nous reverrons. J'ai entendu parler du rôle que vous avez joué dans l'audacieuse et éclatante évasion de votre mari, et je jure que je n'aurais pas été plus fier si je l'avais fait sortir de la Tour moi-même. Quelle femme vous faites! Je n'ose imaginer le feu qui brûle en vous! Will Maxwell est un homme chanceux, et, encore une fois, je vous prie de pardonner mon intrusion.

Soyez prudente, ma bien-aimée Jane. «Ma Jane»: c'est ainsi que je vous appellerai toujours dans mon souvenir. Pensez à moi avec bienveillance, et peut-être que la grande trame de la vie n'aura pas la cruauté de me refuser le bonheur de vous revoir un jour.

À cette fin, je compte me rendre à Terregles dans l'espoir de vous y retrouver. Je viendrai quand les feuilles d'automne achèveront de tomber. D'ici là, vous aurez peut-être décidé de votre avenir, et si vous l'envisagez avec William Maxwell, je ne vous importunerai plus. Quelle que soit votre décision, je désire seulement votre bonheur et prie pour que la destinée qui nous lie nous réunisse à nouveau. Dans l'attente de ce jour, je reste vôtre.

JS

Jane termina la courte lettre en pleurant. Mais il était trop tard. Elle devait rentrer chez elle, réintégrer son propre corps et endosser de nouveau l'identité de Jane Granger… Mais pour l'instant, elle attendait…

Naturellement, Cecilia avait protesté à grands cris lorsqu'elle avait appris qu'elle resterait seule à Traquair House avec Anne et la belle-famille de Winifred, même si Jane l'avait suppliée de comprendre.

— J'ai promis à William, avait-elle menti, tout en sachant que la comtesse lui pardonnait ce mensonge.

— Pourquoi le comte voudrait-il que vous vous rendiez dans un endroit aussi désertique ?

Jane avait jeté un coup d'œil complice à Mary, la sœur de William.

— Il s'y est rendu une fois lorsqu'il était enfant, et sans doute croit-il qu'il s'y est produit quelque phénomène d'ordre spirituel. Il ne m'a pas donné d'explication.

Mary avait regardé Winifred avec le plus grand étonnement mais, grâce au ciel, elle avait tenu sa langue.

— Mais quel est le rapport avec ce que vous comptez faire aujourd'hui ? avait insisté Cecilia.

Son inquiétude était réelle, Jane le savait, et c'est pourquoi cette dernière ne manifesta pas à son amie l'irritation qu'elle ressentait.

— Tout simplement ceci : William a la certitude qu'il ne remettra plus les pieds dans ce beau pays, et pour cette raison, il m'a demandé de me rendre là-bas, où il a vécu son plus ancien et son plus vif souvenir d'enfance.

Mary secoua la tête, comme si elle voulait signifier par ce geste qu'elle ne voulait plus écouter de telles fredaines.

— Bon, si c'est important pour lui…

Jane avait esquissé un sourire.

— Merci, ma douce amie. Si vous voulez bien préparer Anne, nous partirons dès mon retour. Je ne serai absente qu'une journée.

—Je vais demander à Angus de vous y conduire, avait proposé Mary.

Et c'est ainsi qu'elle se retrouva debout au beau milieu d'un cercle de pierres levées. Elle avait envoyé Angus au village le plus proche pour acheter de la bière et du fromage pour le voyage du retour à Traquair House : prétexte trouvé avec l'aide de Winifred pour s'assurer de rester seule.

En fait, Jane n'était pas complètement seule, car elle vit peu après une silhouette familière s'approcher. Robyn s'avançait sans effort sur le sentier bordé de fougères sans que les chardons ou les saillies des arbustes s'accrochent à ses bottes ou à sa jupe. Tout se passait comme si elle flottait au-dessus du sol.

—Quel endroit désolé ! fit remarquer la lavandière.

—Où sommes-nous ?

—Les gens d'ici appellent ce lieu « Eynsof », mais c'est en réalité un lieu sans nom. Seuls ceux qui ont grandi dans les environs le connaissent, c'est pourquoi je vous ai remis un plan que j'ai fait. Quant à la signification du nom « Eynsof », c'est la déformation d'un vieux mot hébreu qui désigne ce qui n'a ni commencement ni fin.

—L'infini ?

Pour toute réponse, Robyn haussa les épaules.

—Pourquoi ici ?

—Savez-vous comment fonctionnent les alignements de sites ?

—Pas vraiment. Will a pourtant essayé de m'expliquer…

—En tout cas, vous lui avez accordé assez de crédit pour vérifier la théorie.

Jane fit une moue dubitative.

— La confiance n'a rien à voir avec cela. C'était plutôt à cause du désespoir et de la peur.

— La peur de perdre Will ou la peur de la solitude, de rester célibataire ?

— Tout cela à la fois.

— Il est frappant que vous ne m'interrompiez pas pour protester que c'était par amour.

Jane dévisagea Robyn.

— C'est une expression si galvaudée, un sentiment si convenu.

Robyn ne sembla pas s'émouvoir du nihilisme de Jane.

— Et pourtant, c'est l'amour qui est probablement au centre de la vie de la plupart de vos connaissances. Et sans doute aussi de la grande majorité des gens qui peuplent le monde d'où vous venez.

Jane garda le silence. Elle en avait assez de cette rengaine, assez d'être mise à l'épreuve. Elle avait fait de son mieux pour sauver Will.

— Vous avez dit que nous étions sur le tracé d'une ligne de ley ? s'enquit-elle d'un ton égal, mais en changeant résolument de sujet.

— Effectivement. Nous sommes à cheval sur une ligne qui relie Stirling, en Écosse, à l'île d'Iona, dans les Hébrides intérieures. Elle traverse des sites fortement chargés spirituellement, comme Fortingall Yew, Glenlyon et Tobermory sur l'île de Mull, Tobermory qui signifie « le Puits de Marie ».

— Cette ligne est-elle aussi puissante que celle qui passe par Ayers Rock ?

Robyn sourit comme on le fait devant un ignorant.

— Non, ma chère Jane. C'est la raison pour laquelle vous avez besoin de mon assistance.

—Vous me ramenez chez moi ?

—Oui.

Jane ne put s'empêcher de remarquer le soupir de soulagement émis par Winifred.

—Comment ?

Robyn fouilla dans le petit sac en tricot qu'elle portait en bandoulière et en tira une fiole minuscule.

—Winifred, je dois vous demander de boire ce breuvage. Si je m'adresse à Winifred, Jane, c'est parce que j'ai besoin de sa permission, non de la vôtre.

Jane reprit son souffle.

—*C'est à vous, Winifred !* répéta-t-elle à la comtesse en pensée en se demandant si celle-ci était en mesure de boire la potion.

Ce fut une expérience surréaliste. Winifred ne se fit pas prier et sauta sur l'occasion pour se réapproprier totalement son corps. Jane se sentit expulsée tandis que le vide laissé par elle était peu à peu reconquis sans le moindre effort par la comtesse qui reprit le contrôle de ses mouvements pendant que Jane se retirait. Au début, cette dernière eut un bref mouvement de colère face à l'obligation qui lui était faite de céder la place, mais elle y consentit promptement, sachant qu'elle n'avait pas d'autre choix.

Elle avait perdu la notion du temps et n'aurait su dire si cela avait duré quelques secondes ou plusieurs minutes, mais lorsqu'elle recouvra ses esprits, elle eut une curieuse impression d'apesanteur, comme si elle flottait à l'intérieur d'une bulle. La voix de Robyn lui parvenait toujours, mais comme à travers un long tube étroit. Le son lui parvenait avec une sonorité métallique dans le vide où elle évoluait.

—Winifred ? héla Robyn.

— Oui? répondit Winifred.

— *Bienvenue*[*], salua-t-elle en français, s'étant manifestement doutée que cela ferait sourire la comtesse.

— *Benvenuto* serait davantage de circonstance, étant donné que j'envisage de fuir en Italie.

— Êtes-vous déjà allée en Italie?

Jane supposa que Winifred avait secoué la tête.

— Ma foi, vous n'avez rien à craindre. Vous tomberez amoureuse de Rome. C'est une ville bien plus palpitante que Paris. Et je suis sûre que William sera également de cet avis.

— Je me demande bien pourquoi…

— Vous le découvrirez par vous-même. Merci d'avoir fait preuve de tant d'indulgence envers Jane.

— Elle me l'a rendu au centuple, l'entendit répondre Jane avec sa magnanimité coutumière.

— J'ai cru comprendre qu'elle vous avait fait un cadeau singulier.

Jane eut le sentiment que Winifred baissait les yeux en cet instant. Mais était-ce parce qu'elle était désorientée par les manières directes de Robyn ou parce qu'elle avait véritablement honte? Elle ne le saurait jamais, car Winifred ne répondit pas, et Robyn n'insista pas.

— Le contenu de cette fiole ne fera aucun mal à l'enfant.

— Et à moi?

Jane crut entendre Robyn glousser.

— Il vous fera dormir, mais seulement brièvement. Buvez, à présent, car Angus sera bientôt de retour.

---

[*] En français dans le texte original. (*NdT*)

Jane entendit un lointain bruit de déglutition et se sentit enveloppée dans une sorte de torpeur. Elle eut la tentation de se laisser porter jusqu'aux abîmes du sommeil, mais la voix de Robyn l'interpella.

—*À présent, suivez-moi, Jane.*

—*Je ne sais pas comment faire.*

—*Mais si, vous savez. Lâchez prise... Vous vous souvenez de la tempête au sommet d'Ayers Rock? Vous vous souvenez de la façon dont elle vous a emportée en vous obligeant à vous laisser faire? Aujourd'hui, c'est moi : je suis le vent. Je vous demande de me faire confiance et de lâcher prise.*

—*Robyn, est-ce que tout sera comme avant?*

—*Rien ne l'est jamais.*

—*Nous reverrons-nous?*

—*Je ne saurais le dire.*

—*Pourrai-je vous revoir?* insista Jane, un peu malgré elle, car elle était incapable de laisser une seule de ses questions sans réponse.

—*Le pourrez-vous? Probablement. Est-ce souhaitable? Non. Nous reverrons-nous? Je n'en ai aucune idée.*

—*Comment devrai-je m'y prendre?* insista-t-elle de nouveau, bien décidée à ne pas céder.

—*Grâce à une lézarde dans le miroir...*

C'était une réponse absurde et saugrenue.

—*Ramenez-moi chez moi, Robyn. Adieu, chère Winifred.*

Lorsque Jane revint à elle, elle était ballottée et secouée à la surface d'un sol strié de profondes crevasses. Si impossible que cela lui parût, elle était assise sur le siège passager d'un véhicule, du moins autant qu'elle pouvait en juger. Entrouvrant à peine les yeux, elle fut aveuglée par la lumière vive et crue du soleil. Tout autour d'elle, s'étendait la terre cramoisie du désert australien que parsemaient, çà et là, les taches grisâtres de buissons décharnés rappelant des ajoncs.

Elle se tourna furtivement sur le côté gauche et fit pivoter sa tête afin d'identifier, malgré son éblouissement, celui ou celle qui tenait le volant. Le conducteur portait un uniforme austère gris-vert passablement délavé qui rappelait la végétation qu'ils longeaient. Il tendit son bras cuivré au bout duquel pendait une bouteille.

— Buvez! ordonna-t-il, bien conscient que la jeune femme l'examinait.

— Qui êtes-vous? s'enquit-elle d'une voix rauque.

— Jimbo. Je suis l'un des rangers qui se sont lancés à votre recherche par dizaines.

La couleur de sa peau n'était pas due au seul bronzage. Était-il aborigène? Jane jugea impoli de poser la question. Il la considérait de ses yeux couleur de café noir en esquissant un demi-sourire de ses lèvres charnues entrouvertes sur une rangée de dents blanches bien espacées, ce qui, cela ne faisait aucun doute pour Jane, lui épargnerait les désagréments du détartrage.

— Je suis désolée, s'excusa-t-elle.

— Qu'est-ce qui a bien pu vous arriver, collègue?

« *Collègue* »? se répéta-t-elle.

— Je ne sais pas, répondit-elle sans mentir. J'ai fait l'ascension..., s'interrompit-elle avant d'avaler plusieurs gorgées d'eau. J'ai grimpé, et puis le vent s'est levé d'un seul coup… et… je ne me souviens de pratiquement rien.

— Ça fait des jours qu'on vous cherche! Vous le savez?

Ils roulaient dans un bruit de tonnerre. Jane ne reconnut pas le paysage.

— Où sommes-nous?

— Nous quittons les monts Olgas.

— Les Olgas!

— Ouais, même si je ne comprends vraiment pas comment vous êtes arrivée ici. Vous avez fait environ trente miles à pied, et vous dites que vous ne vous souvenez plus de rien?

Jane secoua la tête, abasourdie. Robyn l'avait ramenée à bon port. Étant donné l'époque et la distance, la faire revenir trente miles à côté du point de départ était une prouesse remarquable.

— Je suis désolée, répéta-t-elle.

L'émetteur-récepteur radio se mit à crépiter, et Jimbo expliqua dans le micro que Jane était de nouveau « *compos mentis* », autrement dit qu'elle avait repris connaissance. Le discours brouillé à l'autre bout semblait intelligible pour Jimbo, mais ce n'était qu'un déluge de sons incompréhensibles pour Jane. D'ailleurs, les répliques du ranger étaient tout aussi absconses.

— Ouais… ouais… nan! Nan, elle en sait rien, mec. Ouais… ouais, d'accord. D'a… environ trente minutes?

Il avait donné à ces derniers mots l'intonation d'une question, même si, en fait, Jane le comprit, c'était une réponse. C'était une manie qu'avaient les Australiens. Jane s'en amusait. C'était un plaisir de les taquiner à cause de cela.

Jimbo raccrocha le micro.

— Ça va? Vous n'avez pas envie de vomir ou autre?

Jane rit bruyamment.

—Je suis soulagée. Merci de m'avoir retrouvée.

—Ouais, eh bien, vous devriez avoir une insolation, collègue. Vous nous avez donné du souci. Votre famille doit s'arracher les cheveux.

—Vous n'avez pas abandonné les recherches… merci.

—Nan, les pisteurs n'abandonnent pas si facilement. Bien que passer plusieurs jours sous ce cagnard soit très dangereux. Pour nous autres rangers, c'est pas du gâteau, même avec tout l'équipement.

Il lui jeta un coup d'œil en grattant les boucles de son épaisse chevelure châtaine aux pointes dorées éparses. Jane se félicita d'avoir été retrouvée par Jimbo.

—C'est sans doute parce qu'on nous élève à la dure au pays de Galles, s'esclaffa-t-elle.

—Il faut croire ! Même si je n'ai aucune idée du pays dont vous parlez. Qu'avez-vous mangé et bu ? s'enquit-il en se grattant de nouveau la tête.

—Je crois que j'avais emporté un peu de nourriture et d'eau, mentit-elle. C'est ça, j'avais gardé du pain du petit déjeuner, des fruits et des barres chocolatées. J'avais aussi une bouteille d'eau, je m'en souviens maintenant, ajouta-t-elle en s'éclaircissant la voix avant de boire à petites gorgées à la bouteille afin d'enrober l'énormité de son mensonge.

—Oh, je comprends mieux alors. Parce que, trois jours sans nourriture, c'est dur pour quelqu'un qui n'y est pas habitué, mais sans eau, c'est impossible.

Jane avait hâte qu'il change de sujet, même si elle se doutait que la question reviendrait probablement sous une multitude de formes dès qu'elle retrouverait la civilisation. Autant donc peaufiner d'ores et déjà son récit de manière vraisemblable, car seul un mensonge serait cru.

La vérité, elle, était grotesque.

Chapitre 36

Londres était enveloppé de cette sorte de crachin quasiment imperceptible qui nécessite rarement l'utilisation d'un parapluie, mais qui tend davantage à s'agglomérer sous la forme de minuscules cristaux sur les épaules des pardessus et à provoquer l'exaspération des dames.

Jane lissa ses cheveux châtain clair, qui étaient trempés et frisottaient à cause de l'humidité de l'air ; puis elle se regarda dans le miroir. Elle n'était pas encore habituée à y trouver son propre visage et non celui de Winifred. Elle avait perdu du poids. *Je ne m'en plaindrai pas !* pensa-t-elle avec une étincelle victorieuse dans les yeux. Elle examina ses «pommettes», comme disait sa mère, qui étaient hautes et arrondies, légèrement rosies, non par le maquillage, mais à cause de l'appréhension, et humidifia ses lèvres sèches. Jane n'avait mis ni rouge, ni brillant, car elle entendait embrasser Will sans avoir à s'excuser de la sensation désagréable et de la coloration produites par une bouche maquillée. Son fiancé avait inlassablement soutenu que ses lèvres avaient la forme parfaite de deux arcs de Cupidon tendus depuis toujours à la recherche de ses lèvres à lui. Elle papillonna lentement des yeux en se remémorant cette anecdote. Will était on ne peut plus romantique.

Que ce soit dû aux semaines passées dans la peau de Winifred ou simplement à un changement d'état d'esprit, le maquillage et la mode lui semblaient soudain futiles. Telle était sa véritable apparence. Elle aimait son visage, surtout maintenant qu'elle l'avait retrouvé. Les hasards de l'hérédité l'avaient gâtée en lui accordant des traits qui correspondaient en tout point au canon de la beauté : contour ovale, lignes symétriques, dentition parfaite et sourcils ni trop fins ni trop épais qui s'élevaient en arc comme sous l'effet du coup de pinceau d'un virtuose au-dessus de deux prunelles dont le gris perle ne laissait pas indifférent. Jane savait que ses yeux agissaient à l'instar d'un aimant et lui conféraient un charme parfois surnaturel. Elle en avait tiré vanité autrefois. Mais ce n'était plus le cas, plus depuis qu'elle avait fait l'expérience directe du surnaturel et avait appris à ses dépens à quel point ce pouvait être une aventure cruelle et sanguinaire.

Elle aurait voulu tout oublier, et pourtant les instants qu'elle avait passés sous les traits de la comtesse de Nithsdale restaient très présents dans son esprit. Déambuler dans le Londres de 1979 lui paraissait étrange à présent, car la ville, par effet de contraste, était d'une propreté aseptisée, même si elle n'aurait pu trouver aucun Londonien pour lui donner raison. Malgré la saleté, la maladie, la pauvreté – auxquelles elle avait été, par bonheur, peu exposée –, le Londres du début du XVIIIe siècle avait quelque chose d'infiniment plus romantique que la métropole négligée et impitoyable qu'elle était devenue. Jane avait songé plus d'une fois que si un passant venait à s'effondrer un après-midi à l'heure de pointe, il serait sûrement piétiné par les voyageurs de banlieue qui circulaient en un flux continu dans les entrailles de la capitale afin de regagner au plus vite la «ceinture verte» et échapper pendant quelques heures à la ville. La loi de la jungle régnait sur les quais du métro, où chacun attendait, en évitant le regard de son voisin, qu'un courant d'air moite annonce l'arrivée du train. Celui-ci entrait dans la station en hurlant et en faisant refluer l'air jusqu'à ce qu'il se répande sur les passagers comme une haleine au goût de métal chaud. Alors seulement les regards se croisaient, le plus souvent belliqueux. «*À quelle hauteur la porte va-t-elle s'arrêter?*» «*Arriverai-je à monter avant toi?*»

Malgré l'invention de la chasse d'eau, que Jane considérait comme l'unique grande avancée technologique de l'espèce humaine, le mode de vie courtois et feutré du XVIIIᵉ siècle lui manquait cruellement. Pourquoi diable s'était-elle imaginé que les femmes de cette époque étaient des créatures effacées, condamnées à vivre en retrait, dont la principale préoccupation était le mariage? Jane aurait pu citer quantité de ses amies dont ce mal-être était le lot commun. Non, les femmes du temps des Nithsdale savaient exactement comment influer sur le jeu social tout en œuvrant à couvert d'une société raffinée qui n'omettait jamais de prendre le thé à 17 heures.

Pour l'heure, Jane subissait dans la rue l'agression de la musique punk, néoromantique et d'autres styles musicaux qui détonnaient en comparaison des ambiances suaves des Carpenters. Cette musique lui était apparue incroyablement moderne peu de temps auparavant, mais depuis son voyage dans le passé, l'idée que ses enfants – à supposer qu'elle en ait un jour – n'apprendraient jamais le piano exactement de la même manière qu'Anne, ni ne danseraient – au cas où elle aurait une fille – aussi gracieusement le quadrille, la rendait presque mélancolique. Souhaiterait-elle seulement apprendre le quadrille ? Saurait-elle coudre correctement ? Jane se demanda si elle enseignerait à son hypothétique fille, dès son plus jeune âge, à gérer un patrimoine. Elle avait entraperçu un monde où le téléphone n'existait pas, tandis qu'à son époque on pouvait espérer – à en croire les spécialistes – pouvoir bientôt passer des coups de fil dans la rue depuis un appareil qui tiendrait dans la poche. *Vraiment ? Dans ce cas, l'art d'écrire des lettres disparaîtra sûrement*, pensa Jane en se souvenant des deux missives écrites par Julius Sackville de son écriture penchée, et qu'elle connaissait par cœur, car elle avait pu les rapporter. Elle les avait enterrées à Peebles sur le tracé d'une antique ligne de ley avec le précieux flacon de *Cendres de violettes*.

Ses parents étaient venus l'accueillir à l'aéroport de Manchester dans l'espoir de la ramener promptement au pays de Galles par l'autoroute dans les heures qui suivraient. Toutefois, ils ne semblèrent pas surpris lorsqu'elle déclina leur offre et insista pour qu'ils prennent la direction de Londres. Ils avaient même préparé leurs valises dans cette éventualité.

Le trajet fut tendu. Sa mère était encore trop bouleversée pour s'exprimer avec une quelconque assurance et se contenta de se cramponner à sa fille en lui tenant la main sur la banquette arrière, comme si elle n'avait plus l'intention de la lâcher. Quant à son père, il la tenait affectueusement par le bras de l'autre côté, de telle sorte que Jane était encadrée par ses parents, tous deux sur leurs gardes et bien déterminés à ne pas la perdre de vue. Même Juliette semblait ne pouvoir s'éloigner de sa sœur, à qui elle ne cessait de jeter des coups d'œil furtifs dans le rétroviseur d'un air anxieux, tandis qu'elle conduisait.

Comment Jane aurait-elle pu leur raconter son aventure ? C'était tout bonnement impossible. Elle s'en tint donc à l'astucieux mensonge qu'elle avait peaufiné à la perfection dans l'avion. Une brève conférence de presse avait été organisée dans le Territoire du Nord, durant laquelle Jane s'en était sortie par un regard hébété, de nombreux haussements d'épaules et autant de « Je ne me souviens vraiment de rien… » Afin de donner un os à ronger aux journalistes, elle avait expliqué, d'une voix entrecoupée et avec suffisamment de détails, ce dont elle se souvenait des prémices de son « aventure » au sommet d'Ayers Rock, comme elle disait. Après le déclenchement de la tempête, c'était le trou noir.

Une équipe médicale l'avait examinée entièrement et l'avait déclarée dans une santé étonnamment excellente malgré ce qui lui était arrivé, même si elle montrait tous les symptômes de la déshydratation et de la perte de poids dus au manque de nourriture et d'eau. Jane remercia le ciel pour son aspect fragile, car sinon les illuminés du monde entier auraient à coup sûr crié en chœur qu'elle était un phénomène de la nature.

Pour le moment, elle était à l'hôpital où l'attendait Will, épuisée et pleinement consciente des défaillances de ce corps qu'elle se réhabituait peu à peu à habiter. Elle avait prié ses parents de lui accorder quelques minutes de solitude dans les toilettes afin de rassembler ses idées.

Will avait apparemment rouvert les yeux la veille. Mais il était encore relativement faible, l'avait prévenue Juliette.

Jane avait déjà passé l'épreuve des retrouvailles avec les parents de son fiancé à la réception et leur avait rapidement raconté son histoire, puis elle s'était laissé étreindre et embrasser. Elle se réjouissait que la coïncidence du réveil de Will et de sa découverte dans les monts Olgas ne frappât personne. Elle seule saisissait la magie inhérente à ce concours de circonstances. Avec un peu de chance, Winifred et William seraient de nouveau réunis et vivraient en sécurité. Elle avait sauvé la tête du comte ainsi qu'elle en avait reçu la mission ; en échange, la grâce de revenir à la vie avait été accordée à son fiancé.

La vie ne tient qu'à un fil…, songea-t-elle en s'efforçant de redonner du lustre à ses cheveux dorés comme le miel. C'était ainsi que Will la préférait : les cheveux détachés, afin qu'il puisse jouer distraitement avec ses mèches tout en regardant un film ou les caresser tendrement en faisant l'amour.

Son reflet sembla soudain se mettre à trembler dans la glace, et, l'espace d'un instant, elle eut l'effroyable impression que la silhouette de Julius se tenait derrière elle et la dévisageait avec ce regard ténébreux légèrement blessé pour lequel elle tombait sous le charme. C'était sans doute le fruit de son imagination. Elle cligna des yeux et tout redevint normal ; seul son visage constellé de taches de rousseur était visible dans le miroir. Le léger bronzage qu'elle avait rapporté d'Australie conférait un éclat supplémentaire à sa beauté.

—Julius, susurra-t-elle dans le miroir, il faut me laisser tranquille à présent.

C'est alors que Juliette passa la tête dans l'entrebâillement de la porte qui protesta en grinçant. —Jane ? Qu'est-ce que tu fais ? On t'attend ! Les infirmières ont dit que Will attendait la famille assis dans son lit.

—Il sait que je suis là ?

Juliette secoua la tête en souriant avec jubilation.

—Tout le monde retient son souffle d'excitation. Diane est déjà en train de fixer la date du mariage avec maman. Je n'arrive plus à les tenir, mais ils sont si contents, Jane. Ça, c'est une fin heureuse ou je ne m'y connais pas! Même si, je dois l'admettre, il m'est arrivé de douter que ça arrive un jour.

Jane déglutit. Elle ne pouvait confier à sa sœur dans quel état nerveux elle se trouvait, et elle pouvait encore moins avouer à Diane et à John qu'elle s'était conduite comme une traînée et avait trompé leur fils pendant que celui-ci était à deux doigts de la mort.

Jane opina.

—Tu es toute pardonnée, Juliette.

Cette dernière entra et prit sa sœur dans ses bras.

—Il a fallu que je croie t'avoir perdue pour me rendre compte d'à quel point je t'aime, Jane.

Jane ne s'était pas attendue à cette déclaration, mais elle n'opposa aucune résistance à cette étreinte et serra Juliette avec émotion.

—Tu… vous m'avez tous manqué. Je suis désolée si je vous ai semblé si préoccupée. Il me semblait très important d'aller en Australie à ce moment-là.

Juliette hocha la tête et inspira bruyamment par le nez.

—Ça alors, te voilà devenue sentimentale avec ta sœur! ajouta Jane.

Juliette avait les yeux embués de larmes.

—Ouais, bon, ce n'est pas une raison pour t'y habituer. Viens, ton prince charmant s'est réveillé et attend ton baiser! s'exclama-t-elle, tout sourires. Tu dois être dans un tel état!

—Oui, répliqua Jane d'une voix un peu trop claironnante. Je me pinçais pour m'assurer que je ne rêvais pas quand tu es arrivée.

—Le docteur Evans veut d'abord te parler. Il veut aussi que tu entres seule dans la chambre.

Jane se rembrunit.

—Il t'expliquera, conclut Juliette en traînant sa sœur dans le petit coin réservé à l'accueil des soins intensifs.

Le visage de Jane s'éclaira lorsqu'elle aperçut la figure rayonnante de l'infirmière prénommée Ellen.

—Vous êtes revenue! s'exclama-t-elle en s'avançant pour lui donner une accolade à laquelle Jane ne s'attendait pas.

Apparemment, tout le monde avait envie de la prendre dans ses bras.

—Il semblerait que votre magie ait marché, lui glissa à l'oreille l'infirmière. Vous arrivez à temps, parce que j'allais lui demander de m'épouser à votre place, dit-elle en plaisantant.

Jane recula, résolue à ne pas pleurer malgré ses lèvres tremblantes. Elle hocha la tête, déglutit à grand-peine, et fournit un gros effort pour ne pas craquer.

—Cette magie m'a beaucoup coûté.

—J'imagine, répliqua Ellen avec un sourire compatissant. Le docteur Evans a demandé à vos deux familles d'attendre un peu. Nous pensons que ce serait trop bouleversant pour Will si vous entriez tous en même temps.

—Je suis tout à fait d'accord. Pour être honnête, je ne m'attendais pas à tant d'émotions dès aujourd'hui.

Comment aurait-elle pu avouer à Ellen qu'un autre homme venu d'un siècle passé occupait ses pensées?

— Je veux qu'on me laisse seule avec lui.

— Il a parlé brièvement avec ses parents aujourd'hui.

Faisant un pas en avant, l'infirmière ajouta :

— Depuis, il se repose, et nous avons tenu tout le monde à l'écart. Évidemment, ses parents sont impatients de pouvoir le voir, mais le docteur Evans leur a parlé avant que vous n'arriviez et il les a prévenus qu'il y avait un risque de surcharge émotionnelle pour Will. Allez, venez parler au docteur, ensuite vous pourrez rester avec Will seul à seul.

Ellen jeta un coup d'œil par-dessus son épaule aux familles qui trépignaient d'impatience.

— Excusez-nous. Il n'y en a pas pour longtemps.

Evans les attendait dans le couloir. En apercevant Will qui dormait dans son lit, Jane retint son souffle. Blond et beau à fendre le cœur, il ressemblait à un ange immobile. Hélas, les craintes de la jeune femme se confirmèrent : elle n'était pas aussi heureuse de le voir que Juliette l'avait été de revoir sa sœur. L'homme qu'elle désirait n'était pas dans ce lit. Comment trouverait-elle jamais les mots justes pour le lui avouer, alors qu'il revenait de très, très loin pour elle seule, de même qu'elle était revenue pour lui.

Julius..., pensa-t-elle en sanglotant intérieurement tandis que les larmes coulaient sur ses joues, larmes que tout un chacun aurait cru, à juste titre, être des larmes de joie.

— Bonjour Jane, salua le docteur Evans avec un sourire radieux. Content de vous revoir. Nous avons appris avec soulagement votre retour saine et sauve parmi nous.

Le docteur surprit la jeune femme en la serrant à son tour très fort dans ses bras. Que se passait-il aujourd'hui ?

— Mais dites-moi, vous êtes grosse comme un moineau. Pas étonnant que vous vous soyez envolée d'Ayers Rock.

— Vous y êtes allé ?

— Non seulement j'y suis allé, mais j'ai fait l'ascension et j'ai inscrit mon nom au sommet ! Ça a été une expérience fabuleuse ! Pas aussi spectaculaire que la vôtre, bien sûr.

— Assurément, insinua Jane.

Mais l'allusion échappa au médecin.

— Jane, il faut que vous sachiez qu'il est encore un peu dans le flou.

— Le contraire serait étonnant.

— Ce que j'essaie de vous dire, c'est que nous ne sommes pas encore en mesure d'évaluer les dégâts.

— Oh, je vois. Il parle, n'est-ce pas ?

— Oui, mais il est confus.

— Est-ce qu'il sait quand même où il est ?

— Il sait qu'il est à l'hôpital et qu'il a été blessé, mais il ne se rappelle absolument pas l'accident. Il a reconnu ses parents, mais il ne les pas revus depuis. C'était il y a seulement quelques heures. Depuis, il a surtout dormi.

Ellen pressa le bras de Jane.

— Il nous a fait rire ce matin avec une anecdote de son enfance, lorsque toute sa famille s'était réunie autour de son lit de malade pour fêter Noël dans sa chambre au lieu de le laisser tout seul à l'étage.

Jane sourit.

— Et c'est alors qu'il a vomi sur sa grand-tante Esme, acheva-t-elle.

— Il raconte bien les histoires, gloussa Ellen.

Evans esquissa un sourire engageant.

— Prête ? Ne le brusquez pas. Il est peut-être préférable de ne pas lui raconter votre disparition.

Jane lui lança un coup d'œil ironique.

— Vous avez raison, il vaut mieux que je garde cela pour moi pour l'instant.

Elle trouva étrange que personne n'ait mentionné que Will l'avait demandée, mais cette considération s'envola lorsque Evans la fit entrer dans la chambre individuelle de son fiancé.

Ellen leur emboîta le pas.

Les machines que Jane avait vues lors de sa dernière visite avaient disparu. Les cheveux de Will avaient gardé leur blondeur, mais ils paraissaient plus foncés et plus ternes après tous ces jours passés dans un lit d'hôpital. Les pointes dorées de ses cils étaient rabaissées exactement comme chaque matin avant le réveil, se souvint Jane. Lui aussi avait perdu du poids, et il avait le visage légèrement creusé. De longs sillons avaient remplacé ses anciennes fossettes d'expression. Il était toujours aussi beau qu'avant, si ce n'est qu'il n'était plus que l'ombre du garçon incroyablement joyeux et toujours souriant dont elle s'était amourachée.

Nous y revoilà ! pensa-t-elle. *Amourachée, fascinée, entichée, mais jamais amoureuse !* Winifred avait vu juste. Même Robin, le voyant, avait remarqué qu'elle ne parlait jamais d'amour lorsqu'il était question de Will. Son cœur battait la chamade de crainte que l'imposteur qu'elle était assurément devenue ne soit démasqué.

Appartenait-elle au xxᵉ siècle ou à 1716 ? Qui était-elle ?

— Réveillez-vous, Will, entonna Ellen en secouant doucement le convalescent. Vous avez un visiteur de marque !

Jane se sentit de trop. Debout au pied du lit, elle agrippa les barreaux de métal et regarda le jeune homme s'humidifier les lèvres tandis qu'il émergeait de sa somnolence en gémissant.

— Charmante Ellen, je vais devoir vous épouser, marmonna-t-il d'une voix endormie sans ouvrir les yeux.

L'infirmière le gratifia d'un sourire ardent avant de jeter un regard confus à Jane.

— Tout est normal, assura Evans en s'adressant à cette dernière. Le sommeil est un bon remède. Il va rester somnolent pendant quelque temps encore.

Jane hocha la tête.

— Hier, il a été lucide pendant une vingtaine de minutes. Ce matin, dix. Cela évolue chaque jour.

Il haussa les épaules et ajouta :

— Ce n'est pas aussi régulier que l'arithmétique. Will nous revient, mais à son propre rythme, non au nôtre, même s'il est sans aucun doute sorti du coma. Ce qui est l'essentiel.

— À vous de jouer, Jane, suggéra Ellen en se tournant vers la jeune femme. C'est votre voix qu'il a besoin d'entendre. Nous avons espoir que vous, plus que tout autre, le rendrez vraiment à lui-même.

Jane dissimula sa réticence en se forçant à prendre la place d'Ellen au chevet de Will. C'est alors que la grande question de sa vie s'imposa à elle :

Est-ce ce que tu veux, Jane ?

Mais qui avait parlé ? Elle crut reconnaître la voix de Robin, mais il était plus probable qu'elle s'enfonçait doucement dans la folie pour se tourmenter ainsi. Pourquoi remettait-elle en question ses actes, ses intentions ? *Rappelle-toi ce que tu as fait pour vivre ce moment!* hurla-t-elle intérieurement. *Il faut croire que c'est ce que tu désires le plus au monde, sinon, pourquoi aurais-tu consenti à tous ces sacrifices?* Malgré cela, son double, ou la petite voix qui ne la laissait pas en paix, poursuivit:

— *Sois honnête. Dis-lui!* lui ordonna-t-elle.

— Essayez de lui parler, Jane, conseilla vivement le docteur Evans. Faites-lui entendre le son de votre voix.

Jane se racla la gorge et s'aperçut que son visage était baigné de larmes.

— Will…, commença-t-elle d'un ton hésitant.

Ellen en avait profité pour rejoindre le docteur au pied du lit d'où ils lançaient des sourires réconfortants assortis de hochements de tête destinés à l'encourager à persévérer.

— Hé, Will, essaya-t-elle de nouveau en s'essuyant les joues. C'est moi, Jane. Tu m'as manqué. Allez, réveille-toi pour moi.

Will s'agita et cligna des yeux sans les ouvrir complètement. Il articula quelque chose d'une voix rauque que Jane ne comprit pas. Elle jeta un coup d'œil interrogatif à Ellen.

— C'est normal, répéta l'infirmière d'une voix douce en joignant les mains en un geste rassurant. Continuez, Jane.

Cette dernière effleura le corps de son fiancé et en sentit la chaleur à travers la chemise de nuit fournie par l'hôpital. Cette épaule lui rappela des souvenirs: elle en connaissait chaque muscle et chaque creux. Elle savait que sous son pouce se trouvait une cicatrice argentée qu'elle connaissait bien: il se l'était faite en tombant, un jour qu'il faisait de l'escalade en montagne. Cette épaule lui faisait toujours un peu mal en hiver, car lors de cette chute dans les Rocheuses, il se l'était cassée.

— Will, réveille-toi! s'exclama-t-elle en le secouant avec circonspection. C'est Jane. Je suis là. Tout le monde est là!

Jetant un nouveau coup d'œil à Ellen, Jane comprit que l'infirmière pensait à ce qu'il convenait de dire en tant que fiancée. Elle prit sa respiration et se pencha tout près de Will.

— Je t'aime, mon chéri.

Cela sonna aussi faux à ses oreilles qu'à son cœur. Elle ravala sa honte, mais personne, dans la pièce, ne semblait avoir remarqué son imposture, à commencer par William, qui commença cependant à ouvrir les yeux.

Il battit plusieurs fois des paupières.

— Et voilà! s'exclama Ellen.

Jane s'était toujours demandé pourquoi le personnel hospitalier parlait excessivement fort, mais, en l'occurrence, le but était de canaliser l'attention d'un patient ou d'insister sur un point particulier auprès de la compagne de celui-ci.

— Bonjour, Will, entonna Ellen gaiement en allant se placer de l'autre côté du lit afin de le secouer avec plus de fermeté.

Le jeune homme était tout à fait réveillé à présent et se frottait les yeux.

— Salut Ellen.

— Ici, indiqua l'infirmière en pointant du doigt, à l'intention de Jane, le gobelet en plastique posé sur la petite table de chevet. Donnez-lui à boire, lui conseilla-t-elle. Il faut boire, Will. Vous avez besoin de vous réhydrater.

Jane fit ce qu'on lui demandait et prit le gobelet muni d'une paille insérée dans le couvercle. Evans aida Will à redresser la tête tandis que Jane plaçait la paille entre ses lèvres en hochant la tête. Il but à toutes petites gorgées sans détacher ses yeux bleus vifs de Jane. Celle-ci avait oublié le pouvoir de séduction de ce regard empreint d'une innocence sous-jacente. C'était ce même regard qui la pénétrait jusqu'à l'âme tandis que Will buvait à la paille.

Jane esquissa un sourire lorsqu'elle sentit enfin un peu de la pression retomber en elle. *Adorable Will!* Elle savait que William était fou amoureux d'elle. Elle savait que rien n'importait plus à ses yeux que leur mariage et la vie commune qui s'ensuivrait sous le même nom et avec l'envie partagée de fonder une famille.

« J'ai assez d'amour pour deux », avait-il lancé malicieusement lorsqu'il avait évoqué la question du mariage pour la première fois, et Jane l'avait dévisagé en ressentant un léger malaise, parce qu'il allait trop vite en besogne à son goût.

« Je t'assure, tu m'aimes déjà. C'est juste que tu ne t'en rends pas encore vraiment compte. J'ai une bonne longueur d'avance sur toi, c'est tout, ma chérie. J'ai la conviction que notre amour est de ceux qui inspirent les poètes et les romanciers. »

Jane s'était alors esclaffée. Will avait toujours eu le don de la faire rire, et il était toujours plus facile d'aimer quelqu'un doté du sens de l'humour.

—Je ne trouve pas mes mots, avoua Jane. J'ai cru que tu ne te réveillerais jamais. Je suis allée à Ayers Rock pour toi, Will. Je savais que cela te ramènerait à moi. Les lignes de ley… J'ai tant de choses à te raconter…, s'interrompit-elle en rompant sa promesse de ne pas mentionner ses péripéties, avant de s'abstenir d'aborder tout sujet en lien avec la magie et l'éveil spirituel. De fait, il était difficile de prévoir la réaction de l'homme de science et de son infirmière pragmatique qui se tenaient à l'autre bout du lit.

—Ayers Rock ? bredouilla Will en serrant la paille entre ses dents blanches.

Jane acquiesça avec un sourire déchirant, tandis que de maudites larmes trahissaient une fois de plus son émotion.

—Oui, s'esclaffa-t-elle. Je me suis laissé emporter par notre crise mystique.

Avisant la perplexité du jeune homme, elle ajouta :

—L'essentiel est que tu sois là, et moi aussi.

Will émit un soupir et abaissa le gobelet pour le prendre à deux mains sans le serrer. Il cilla et se rembrunit quelque peu.

—Euh… pardonnez-moi, mais qui êtes-vous déjà ?

Jane en eut le souffle coupé et resta bouche bée.

—Euh…

Elle jeta un coup d'œil à Ellen, qui resta interdite et continua d'observer Will attentivement. Quant à Evans, il réfléchissait en tirant sur sa barbiche, mais il s'abstint également de croiser le regard de Jane.

—Je suis censé vous connaître, n'est-ce pas ? s'enquit Will d'un air plein de regrets.

Jane déglutit, mais en vain : sa gorge resta sèche.

—C'est moi, Will.

Un voile d'embarras recouvrit le visage du jeune homme, bouleversant momentanément la perfection de ses traits.

—Je suis désolé. Le docteur Evans m'a dit que j'avais reçu un coup sur la tête et que c'était normal si j'avais des trous de mémoire. Vous avez dit vous appeler Jane ?

Jane hocha la tête, abasourdie.

Will fronça les sourcils et, comme un enfant, sembla faire un effort pour se souvenir de son prénom.

—C'est le noir complet! déclara-t-il en haussant les épaules. Votre nom ne me rappelle rien. Enfin, je veux dire, je devrais m'en souvenir, mais…

L'air désemparé, il ajouta :

—Mais je ne pourrais pas vous distinguer d'une étrangère dans la rue. De toute façon, je suis fou amoureux d'Ellen, annonça-t-il, tout sourires, avec la puérilité d'un petit garçon qui s'attend à ce que tout le monde se réjouisse de ses propres sentiments sans se douter du mal qu'ils peuvent causer.

C'était dur à entendre, surtout dit sur ce ton. Jane se redressa et eut l'impression que son monde s'effondrait.

—Nous allions nous marier, lâcha-t-elle d'un filet de voix presque inaudible.

—Non! s'exclama-t-il, stupéfait. Je… je… n'en ai aucun souvenir, ajouta-t-il d'un air contrit. Je suis vraiment désolé, mais j'ai tout oublié.

Son désarroi redoubla. Il commença à secouer la tête en appelant du regard le docteur et Ellen au secours. Ses prunelles bleues se mirent à briller d'angoisse tandis qu'il prenait sa tête entre ses mains en écartant ses longs doigts, avec lesquels, se souvint Jane, il l'avait autrefois caressée et taquinée. Comment avait-il pu oublier?

—J'ai passé la nuit à essayer de me souvenir, mais je ne me rappelle pas grand-chose au-delà de mes années d'études.

—Quoi? ne put s'empêcher de s'exclamer Jane.

—Ne forcez pas, Will, tempéra Evans. La mémoire est capricieuse. Votre cerveau se remet d'un choc. Il est fort probable qu'il faudra un peu de temps avant que vos souvenirs vous reviennent.

Le médecin jeta un coup d'œil à son infirmière, et Jane comprit qu'ils venaient d'échanger un signal muet.

—Mes parents attendent-ils à côté? s'enquit Will en s'efforçant fébrilement d'éviter de croiser le visage livide de Jane.

—Oui, mon joli, répondit Ellen. Voulez-vous que j'aille les chercher?

—Oui, mais seulement eux.

L'infirmière lança un regard de profonde commisération à Jane, puis elle fit le tour du lit pour poser une main sur son épaule. Elles n'échangèrent aucune parole.

—Tu veux que je m'en aille? demanda Jane d'une voix chevrotante.

Elle savait qu'il ne servait à rien de le harceler, mais, jusque-là, elle n'avait songé qu'à son retour et à la question de savoir si elle voulait reprendre sa vie où elle l'avait laissée, et il ne lui avait jamais traversé l'esprit que quelqu'un – et Will moins que tout autre – puisse la lui enlever.

Le jeune homme tourna enfin de nouveau son regard vers Jane, et celle-ci décela une profonde souffrance dans ses yeux.

—Je suis vraiment désolé. Vous êtes très belle, mais je me sens un peu perdu.

Il fronça les sourcils et ajouta:

—Je ne suis pas sûr de pouvoir faire semblant.

—Non, ce n'est pas ton genre, répliqua Jane. Il est même parfois arrivé que ton honnêteté absolue me mette mal à l'aise.

Ils échangèrent un sourire affligé.

—Au point de me dire que tu m'aimais assez pour deux!

Il la regarda en secouant la tête.

—Je suis désolé.

— Moi aussi, dit-elle avec douceur en se raclant la gorge avant de se lever et de l'embrasser doucement sur le front comme elle l'aurait fait avec un enfant. Porte-toi bien, Will. Je t'envoie tes parents.

— Jane ? héla-t-il en lui prenant la main.

Elle leva les yeux et croisa son regard.

— Vous avez dit quelque chose au sujet des lignes de ley. C'est une question qui me passionne. En fait, je crois bien que je suis spécialiste des noyaux énergétiques.

— Oui, je sais, répliqua-t-elle en lui caressant la main. Tu es aussi un géophysicien et un géologue bien connu.

Il la dévisagea avec une légère pointe d'effarement dans le regard. Son visage se radoucit, maintenant qu'ils avaient laissé de côté la question de savoir si elle était sa fiancée ou l'un des agents sanitaires de l'hôpital.

— Tu as une approche originale des formations terrestres, ajouta Jane en souriant. Je crois que tu as clairement toujours souhaité explorer le lien spirituel qui unit les anciennes lignes aux grands noyaux énergétiques.

— C'est juste, confirma-t-il en laissant échapper un soupir. Du moins me semble-t-il.

Il gloussa, et ils échangèrent un regard où se lisaient leurs regrets mutuels.

— J'ai découvert les lignes de ley dans le *National Geographic* quand j'étais enfant. Aussi loin que je me souvienne, j'ai toujours envisagé la possibilité qu'elles détiennent une sorte de… de pouvoir magique, mais personne ne voulait me croire.

— Moi si, rectifia Jane, puis, sans se poser de question, elle se pencha en avant et l'embrassa tendrement sur la bouche.

—Au revoir, Will.

Il serra sa main.

—Merci de votre compréhension, Jane. Peut-être qu'un jour…

—Ou peut-être pas…, nuança-t-elle d'une voix douce. Ne t'en veux pas. Cette aventure nous a changés tous les deux.

Ellen revint avec les parents de Will à sa suite, et Diane pleurait déjà à chaudes larmes, peut-être parce que l'infirmière lui avait rapporté le fiasco des retrouvailles. John posa des yeux abattus sur sa belle-fille.

—Il a besoin de temps, murmura-t-il en s'adressant à cette dernière lorsqu'ils se croisèrent. Jane hocha la tête et arbora un sourire vaillant.

Dans le vestibule, ses parents l'accueillirent les bras ouverts, prêts à l'enlacer et à compatir. Mais Jane savait que son introspection ne faisait que commencer.

Chapitre 37

Les parents de Jane rentrèrent au pays de Galles pour la semaine en promettant de revenir le week-end suivant tandis que leurs deux filles restaient à Londres. Jane insista pour se réinstaller à l'hôtel où elle était précédemment descendue avec Will, mais elle surprit tout le monde en ne faisant aucun effort pour se rendre à l'hôpital, préférant laisser à Will toute la liberté que le docteur Evans estimait nécessaire. Durant les jours qui suivirent leurs épouvantables retrouvailles, Jane se laissa traîner d'un endroit à l'autre par Juliette.

Cette dernière organisa de paisibles excursions journalières dans les galeries d'art, au musée, à Kew Gardens : bref, partout où Jane pouvait se distraire en évitant l'oppression de la foule. C'est ainsi qu'elles esquivèrent le métro pour prendre le taxi lors de tous leurs déplacements, pique-niquèrent dans les parcs et se couchèrent de bonne heure avant de s'assoupir devant des rediffusions de sitcoms antédiluviens. Elles dînèrent dans des restaurants méconnus des aficionados, fréquentèrent des cafés insolites et flânèrent dans les étages de chez *Liberty* et de chez *Hamleys*, de chez *John Lewis* et de chez *Selfridges*. Mais elles n'achetèrent rien, car elles voulaient seulement tuer le temps.

Tuer le temps… Vais-je tuer le temps pendant le reste de ma vie ? se demanda Jane en regardant Juliette choisir leur pique-nique pour le déjeuner dans l'un des frigos de chez *Marks & Spencer*.

—Jambon et rouleaux de printemps ? demanda Juliette en soulevant les aliments.

Jane haussa les épaules.

—Parfait !

—OK, maintenant il nous faut du cidre sans alcool pour aller avec, annonça sa sœur en l'entraînant vers le rayon boissons.

Jane la suivit consciencieusement… pour tuer le temps… ensevelir ses pensées… régler son compte au destin.

—Pas de soda à la pomme, marmonna Juliette aux oreilles de Jane. Si on prenait de la bonne vieille eau minérale ?

Sans attendre la réponse, elle mit une bouteille dans le panier en pointant du doigt le rayon gâteaux.

—Pas de pique-nique sans biscuits au chocolat ! ajouta-t-elle.

Jane ne répondit pas. Elle aurait préféré un fruit, mais quelle importance, vraiment ? En fait, plus rien n'avait d'importance. C'est bien là son problème. Elle était devenue apathique et indifférente à tout. Même se faire aimer de Will l'indifférait.

D'ailleurs, n'avait-elle pas réintégré son époque dans le seul but de se prouver qu'elle n'aimait pas ce garçon ? Mais celui-ci l'avait devancée, inversant la situation. C'était une douloureuse libération. Et ensuite ?

—Je ne peux pas me faire aimer de lui à nouveau, déclara Jane en regardant Juliette dans les yeux, tandis qu'elles attendaient à la caisse.

— Quoi ? s'enquit Juliette en faisant la moue. Jane, ça fait à peine une semaine qu'il est sorti du coma. Laisse-lui le temps.

— À quoi bon ? Pourquoi l'obliger à donner ce qu'il n'éprouve pas ?

— Tu ne sais pas s'il n'éprouve rien pour toi.

— Il ne ferait pas la différence entre une femme et un morceau de savon, comme disent les Australiens. En l'occurrence, il me prend pour le morceau de savon ! Il ne sait même pas quoi en faire. Il apprécie Ellen, son infirmière, bien plus que moi ! Je ne leur en veux pas, tout ce que je dis c'est que…

— Deux livres quarante, s'il vous plaît, annonça la fille derrière le tapis roulant.

Juliette lui tendit un billet de cinq livres, et la caissière lui rendit sa monnaie avant de donner à Jane un sac en plastique qui contenait leur déjeuner.

Juliette s'empressa de faire sortir sa sœur du magasin.

— Tu ne peux pas continuer comme ça ! s'exclama-t-elle.

— Continuer comment ? C'est vous tous qui devriez arrêter. Will ne me reconnaît pas. Je suis une étrangère pour lui. Et, pour être franche, il commence à me paraître étranger aussi.

— Jane, arrête ça. Tu ne lui as pas donné une vraie chance.

— De se souvenir de moi ?

— Et de quoi d'autre ?

— Et ensuite ?

Juliette la regardait à présent comme si elle était bornée.

— D'après toi, il n'y a plus qu'à reprendre la vie où nous l'avons laissée ? ajouta Jane.

— Pourquoi pas ?

— Parce que ce n'est pas comme ça que ça marche. Quelque chose s'est cassé. Moi-même, j'ai changé. Si Will me revenait complètement à présent, c'est moi qui hésiterais.

— Des deux, c'est toi qui as toujours tergiversé ! lui reprocha Juliette.

Jane regarda alentour, mais la foule de Covent Garden était indifférente à leur polémique.

— Écoute, commença-t-elle, je ne t'en ai pas encore parlé, ni à maman ni à papa, mais j'ai eu John Maxwell au téléphone hier soir.

Juliette plissa les yeux.

— Will veut rentrer aux États-Unis. Ellen les accompagnera au titre d'infirmière privée pendant quelque temps.

— Oh, c'est du John tout craché !

— Non, ce n'est pas seulement lui. C'est le choix de Will. John et Diane sont tout aussi désemparés que nos parents, mais, évidemment, ils veulent ce qu'il y a de mieux pour leur fils. Je pense que c'est le bon choix.

— Tu as l'intention de le laisser partir sans rien essayer ? s'enquit sa sœur d'un ton incrédule.

— Que veux-tu que je fasse ?

— Que tu te battes pour qu'il reste avec toi.

Jane secoua la tête, car elle seule savait à quel point elle s'était déjà battue pour Will, même si personne ne pourrait jamais le comprendre, en cette vie du moins.

— Il ne me reconnaît pas. En plus, Juliette, il n'a jamais su que mon amour n'était pas total.

Juliette suffoqua comme un poisson hors de l'eau.

— Tu es folle ! Le chagrin te rend folle, Jane. Tu dis n'importe quoi.

—Tu as sans doute raison, mais je vois très clairement la situation à présent. Si nous tenions, c'était grâce à l'amour de Will. Je ne savais pas ce que c'était que d'avoir le souffle coupé par une émotion amoureuse, jusqu'à ce que…

—Jusqu'à ce que quoi ?

Jane s'affola.

—Jusqu'à aujourd'hui, je ne m'étais jamais avoué que Will ne me faisait pas vibrer.

—Jane, arrête ! Will est un type formidable. Tout le monde l'adore…

—Tout le monde, sauf moi… Je l'aime, mais pas comme une future épouse, pas de cet amour qui fait renoncer à sa propre vie pour l'autre.

—On n'est pas au théâtre ! Personne ne renonce à sa vie pour…

—Si… Certaines femmes risqueraient leur vie pour l'homme qu'elles aiment.

—Seulement dans les films et dans les livres !

Jane haussa les épaules. Elle était mieux renseignée que sa sœur.

—Quoi qu'il en soit, c'est cet amour-là que je cherche. Je veux avoir des étoiles dans les yeux quand mon amoureux m'embrasse ; je veux ne jamais être séparée de lui ; je veux l'aimer au point de ne plus pouvoir me passer de lui. Je n'ai jamais connu cela avec Will, Juliette. Jamais… Mais à cause de la solitude, ou parce que j'en avais assez de ne pas former un couple solide, ou encore par crainte de finir vieille fille, j'ai cru que l'amour de Will suffirait. Il m'a aimée, veinarde que je suis, exactement comme j'aurais voulu l'aimer ; mais maintenant qu'il n'a plus rien à me donner, nous ne pouvons plus nous voiler la face. Tu ne t'en rends pas compte ? Will mérite une meilleure épouse que moi, il mérite une femme qui l'idolâtrera ! Il est intelligent et drôle, et beau à pleurer. Les astres se sont fortuitement alignés pour me permettre de ne pas commettre l'erreur de ma vie ! Et de nous sauver tous les deux de mon amour inexistant.

Juliette leva les bras au ciel.

— Tu es vraiment tombée sur la tête en Australie ! Tu m'énerves !

Jane esquissa un sourire peiné.

— Ce n'est pas nouveau.

— Que comptes-tu faire ?

— Je pars pour l'Écosse.

— Oh, mais enfin, Jane…

Jane tendit le sac de courses à sa sœur.

— J'appellerai maman et papa de King's Cross.

— Mais pourquoi pars-tu ?

— J'ai quelqu'un à voir.

— Jane, je t'en prie…

Mais Jane s'éloignait déjà. Elle envoya un baiser à Juliette avant de tourner au coin et de se fondre dans la foule de Covent Garden, sans prendre le temps de réfléchir à deux fois à cette folle et brusque décision.

Finalement, elle appela ses parents depuis un pub dans le Perthshire et essaya de leur expliquer, malgré les larmes de sa mère, qu'elle était en quête de quelque chose d'important pour elle.

— Mais qu'est-ce que c'est, ma chérie ?

— Je ne peux pas t'expliquer, maman. Mais je sais que quand je l'aurai trouvé, je serai enfin heureuse.

—Oh, Jane… Je ne sais pas ce qui t'est arrivé sur ce rocher en Australie, et je ne sais pas non plus pourquoi Will a eu cet accident, mais je voudrais que tu rentres à la maison et que tu nous laisses prendre soin de toi.

Catelyn pleurait comme une Madeleine ; aussi, Hugh, qui avait écouté la conversation depuis l'autre poste, prit-il la relève.

—Jane, c'est papa.

—Papa, s'il te plaît, essaie de comprendre. Je dois essayer.

—Essayer quoi ? Nous ignorons ce que tu es partie faire.

—Des recherches historiques, répondit-elle sans mentir. C'est un projet que j'ai lancé. Je dois retrouver quelqu'un.

—Ah ? Pourquoi ne pas l'avoir dit plus tôt ?

Tournant la tête pour s'adresser à sa femme, il ajouta :

—Elle a un projet de recherches.

Des voix étouffées parvinrent à l'oreille de Jane à l'autre bout du fil.

—Je ne sais pas, répondit son père en parlant à côté du combiné. C'est sans doute complémentaire à son doctorat. Elle avait parlé de reprendre les études.

—Tu vas étudier en Écosse, c'est bien ça ? s'enquit-il en s'adressant de nouveau à sa fille.

—En quelque sorte. En tout cas, c'est en Écosse que je commence mes recherches.

—Bon, et tu seras absente longtemps ?

—Je n'en sais rien, papa.

—Très bien. C'est plutôt vague, mais tant que tu t'occupes… Je ne voudrais surtout pas que tu souffres de solitude ou que tu déprimes.

—C'est tout le contraire, papa. J'y trouve un sens à ma vie.

—Dans ce cas, c'est parfait. Appelle si tu as besoin de quoi que ce soit.

—Juliette est avec vous?

—Oui.

—Je voudrais parler à Juliette seule à seule.

—Jane?

C'était enfin Juliette.

—Ils se sont tous les deux éloignés?

—Oui. Bon sang, qu'est-ce qui se passe?

Jane inséra un autre rouleau de pièces qu'elle tenait prêt.

—Je risque de ne pas rentrer de sitôt. Écoute… Je sais que tu vas me prendre pour une folle, mais peux-tu te souvenir d'un nom pour moi?

—De quel nom?

—Sackville. Julius Sackville. Né en 1680. Fais des recherches sur lui quand tu auras le temps.

—Que dois-je chercher?

—Rien de précis. Souviens-toi seulement de son nom, insista Jane. Et s'il t'intrigue, fais des recherches.

—Tu sais, tout ça ne tient pas debout. En fait, nous nous faisons de nouveau un sang d'encre pour toi.

Jane comprit au son de la voix de Juliette que sa sœur l'accusait en filigrane de se montrer injuste, de chercher à se faire remarquer.

—Promets-le-moi.

—Julian…

—Julius!

—Julius Sackville. C'est bon. J'ai compris. 1680. Je l'ai noté sur un bout de papier. Tu es contente? Quand penses-tu donner de tes nouvelles?

—Je ne sais pas… Oh, Juliette…

—Quoi?

—Je ne délire pas. Je ne suis ni déprimée, ni suicidaire. C'est plutôt l'inverse, en fait. Et je t'aime.

—Waouh! Prendrais-tu de la drogue, par hasard?

Jane s'esclaffa.

—L'amour est une drogue, rétorqua-t-elle.

Cette repartie fit immédiatement retomber la tension, et le rire de Juliette parvint aussitôt à l'oreille de sa sœur.

—Appelle-nous.

Jane raccrocha, le sourire aux lèvres. Elle se sentait bien mieux qu'elle ne l'aurait cru, mais sans doute était-ce parce qu'elle était la seule à savoir que c'était la dernière fois qu'elles se parlaient.

Chapitre 38

Jane se tenait à l'intérieur de Traquair House qui, malgré trois cents ans de transformations successives, lui restait néanmoins familière. Son cœur s'était mis à battre la chamade dans un regain d'espoir lorsqu'elle s'était échappée du groupe de touristes pour se rendre dans la chambre où elle avait passé sa première nuit dans la peau de Winifred. Elle s'était attendue à trouver la porte fermée, mais le loquet n'avait opposé aucune résistance, et la porte avait cédé à la faible pression de la jeune femme. Manifestement, les propriétaires actuels ne comptaient pas avec l'indiscipline des visiteurs qui ne respectaient pas les panneaux indiquant que telle partie de la maison était interdite au public.

La pièce abritait toujours une chambre à coucher, mais en plus moderne. Malgré cela, des meubles d'époque avaient été conservés, dont la magnifique table de toilette de fabrication française avec son miroir, où Jane avait scruté le visage de la comtesse. À présent, c'était son propre reflet que Jane Granger y contemplait – ou celui de son fantôme, car elle avait le teint vraiment blafard. Elle considéra la maigreur de ses bras et de son buste dans le col en V de son tee-shirt. Ses pommettes, dont elle avait été si fière lorsqu'elle avait réintégré le XXᵉ siècle, étaient désormais un peu trop saillantes ; et les contours de son crâne se laissaient deviner sous son front creusé.

Quelqu'un s'esclaffa vers l'avant de la maison, où les autres touristes s'en retournaient probablement en empruntant l'allée privée. Dans combien de temps s'apercevrait-on de sa disparition ? Quand ils dénombreraient les effectifs dans le minibus ? Au mieux, elle avait environ une demi-heure devant elle, sans doute moins.

Robyn n'était pas là. Pourquoi Jane avait-elle pensé l'y trouver ?

Le désespoir, la culpabilité, la honte, l'espoir même : tout avait concouru à lui causer du tourment ces dernières et terribles semaines durant lesquelles elle avait cherché des réponses. Elle avait la certitude d'avoir pris la bonne décision concernant Will, mais elle en conservait une nostalgie qui l'attristait. Malgré cela, elle avait franchi un pas décisif deux jours auparavant en abandonnant sa famille avant de s'embarquer pour un long voyage en train et de faire le tour des demeures historiques de la région de Perth. Elle avait dû visiter deux autres manoirs avant d'arriver à Traquair House et d'éprouver de nouveau quelque regret en redécouvrant ces lieux intimes aux noms familiers. Elle était furieuse contre elle-même de vouloir rattraper le passé à tout prix et, il fallait bien l'admettre, de façon désespérée. Elle était également furieuse contre Will, malgré toute la meilleure volonté du monde, de l'avoir laissé choir après tout ce qu'elle avait fait pour lui.

Tout aurait été tellement plus simple s'ils étaient tombés dans les bras l'un de l'autre à son réveil, se susurrant des paroles réconfortantes tandis que leurs familles respectives auraient poussé d'heureux soupirs de soulagement. Faisant fi des traditions et du cérémonial, elle l'aurait épousé dès le lendemain et se serait épargné bien des soucis.

—Quels soucis? s'enquit une voix que Jane connaissait bien, tandis qu'elle faisait volte-face, mais ne trouvait personne.

—Robin? héla-t-elle sans parvenir à dissimuler sa nervosité… ou son enthousiasme claironnant.

—La colère ne mène à rien.

—Où êtes-vous?

—Je vous avais prévenue que la magie exige toujours un sacrifice, répondit le voyant alors que Jane suivait le son de sa voix jusqu'au miroir où son lumineux reflet l'attendait. Le prix qui vous était demandé pour le sauvetage de Will était de renoncer à lui.

—Je lui ai sauvé la vie, rappela la jeune femme, à court d'arguments. Je regrette qu'il ne m'ait pas sauvée à son tour.

—Il l'a fait, Jane, en ne vous reconnaissant pas.

—Se souviendra-t-il de moi un jour?

Le voyant secoua la tête.

—Non, et j'ignore s'il serait retombé amoureux de vous. En tout cas, la balle aurait été dans votre camp.

—Robin, je me sens perdue.

Robin hocha la tête.

—C'est pour cette raison que vous êtes venue chercher des réponses?

Jane reprit son souffle.

—Oui. Je voudrais être comme Winifred et William. À présent que j'ai goûté à cet amour, je sais que Will et moi ne l'avons jamais connu.

—Pourquoi êtes-vous revenue ici?

—Ne me forcez pas à vous le dire.

—Ah, si, il le faut.

Jane rougit.

—À cause de la lettre.

—La lettre de Julius Sackville.

Elle s'assit sur le tabouret devant la glace et scruta le visage de son étrange compagnon.

—Il a dit qu'il se rendrait à Terregles à la fin de l'automne. Il pensait qu'alors le sort de mon mari aurait été décidé.

Jane connaissait la phrase de Julius par cœur: « *D'ici là, vous aurez peut-être décidé de votre avenir…* »

—Et à votre avis, qu'entendait-il par ces mots soigneusement choisis?

—Probablement que si nous étions toujours mariés, toujours heureux ensemble, il ne m'importunerait plus.

—Et dans le cas contraire?

—Il ne l'a pas précisé.

—Ma foi, c'est insoluble, Jane, parce que, en 1716, Winifred et William sont toujours mari et femme.

—Où sont-ils?

—Parfaitement heureux à Rome.

Jane déglutit.

—Et l'enfant?

Soudain, pour la première fois depuis qu'elle avait quitté le corps de Winifred, elle comprit la deuxième cause de son mal-être, de son sentiment de mise à l'écart, de son incapacité à reprendre le cours de sa vie et, surtout, de son impression de vide. Elle avait laissé croire à son entourage que tout cela se rapportait à Will, mais elle savait que Julius en était l'origine. C'est seulement lorsqu'elle s'enquit de la santé de l'enfant qu'elle prit conscience qu'elle était également en deuil du bébé qu'elle et son sauveur avaient conçu ensemble.

Robin lui rendit son regard et hésita un instant.

—Avant que vous ne fassiez sa rencontre, Winifred avait connu de nombreuses grossesses qui n'avaient pas abouti. Elle a fait une nouvelle fausse couche pendant l'éprouvant trajet qui la menait en Belgique, où elle se rendait pour rendre visite à sa sœur Lucy – la mère supérieure de son couvent.

—Oh! s'exclama Jane, sans trop savoir si elle devait s'en réjouir ou s'en attrister.

—Tout est pour le mieux, affirma Robin d'un air sévère. Les choses auraient été très compliquées autrement.

Jane acquiesça, tandis que le rouge lui montait de nouveau aux joues.

Il ne lui restait plus qu'à poser la question qui lui brûlait les lèvres :

—Robin, puis-je y retourner ?

Le voyant hésita de nouveau.

—J'accepte d'en payer le prix, s'empressa d'ajouter la jeune femme d'une voix qui se voulait détachée.

Mais Robin se montra plus austère encore.

—Julius a parlé de la trame de la vie, comme vous l'avez fait un jour. Dans sa lettre…

Elle s'interrompit pour reprendre lentement son souffle, avant de continuer :

—Voilà, il espérait que nous nous reverrions un jour.

—Nourrissez-vous également cet espoir ?

Jane jeta un regard triste au miroir.

— Je dois le retrouver. Il le faut.

— Vous risqueriez de ne plus jamais revoir votre famille.

— Je sais…

Le miroir scintilla, et Robin se trouva soudain devant elle en chair et en os, faisant sursauter la jeune femme.

— En êtes-vous sûre, Jane ? Avez-vous vraiment envie de vieillir dans une époque antérieure à votre naissance ?

Les premiers signes de la magie commencèrent à envahir la pièce, mais Jane hocha posément la tête.

— Je veux vieillir avec l'homme que j'aime. N'est-ce pas le but même de la grande trame de l'existence, des mille et un fils de l'amour, des relations qui se nouent à travers le temps afin de donner forme à la vie que nous vivons ?

— En effet, il me semble avoir déjà entendu cela quelque part, répliqua le voyant sans parvenir à réprimer un petit sourire en coin.

— Je veux connaître l'amour d'un homme que j'aimerais en retour. Ce n'était pas le cas avec Will. C'était une histoire d'amour à sens unique, et il méritait mieux ; c'est peut-être pour cette raison que la vie a retissé sa part de la trame commune. Je veux devenir Mrs Jane Sackville… Saurez-vous me renvoyer à son époque ?

— Julius Sackville était amoureux de Winifred. Êtes-vous sûre de pouvoir vous faire aimer de lui, Jane ?

Cette dernière haussa les épaules. Robin avait le don de déceler ses peurs.

— Je ne peux que l'espérer… Je pense que si nous nous rencontrions, nous aurions notre chance. N'est-ce pas l'essence même de l'amour, l'espoir ?

Robin confirma d'un geste de la tête.

—Bon, si vous êtes absolument certaine, il faut partir immédiatement.

—Robin, partout où je me tourne dans cette époque, je ne rencontre que déception après déception.

—Comprenez-moi bien, la seule raison pour laquelle j'accepte de vous aider à défaire la trame de votre propre vie pour la retisser ailleurs est que je n'aurais jamais dû y toucher pour commencer.

—Mais vous l'avez fait, et je vous en suis reconnaissante. Je ne regrette rien, si ce n'est la peine que j'ai causée à ma famille.

Elle se souvint du désarroi de ses parents lorsqu'elle leur avait annoncé qu'elle repartait en voyage tout en refusant de répondre à leurs questions.

—Je leur ai écrit une longue lettre dans le train, reprit-elle. Que j'ai postée dès mon arrivée dans le Perthshire. Je leur explique tout ce que je n'ai pas réussi à leur dire au téléphone… comme je m'y attendais. C'était trop dur. Mais si vous me renvoyez auprès de Julius, je leur écrirai une autre lettre depuis le passé pour leur dire de ne pas me laisser faire ce voyage en Cornouailles en 1978. Ainsi, je ne rencontrerai jamais Will, et rien de tout ça n'arrivera.

—Vous me rendez perplexe à présent, avoua Robin.

Secouant l'index en signe de mise en garde, il ajouta :

—C'est précisément la raison pour laquelle il ne faut jamais essayer de modifier le déroulement de la vie des gens ou de leur destinée. Bouleverser le cours de l'histoire est dangereux. Je doute que vous existiez en 1978, Jane, car vous êtes sur le point de modifier le cours de leur vie à eux aussi.

— Dans ce cas, je leur épargnerai de la souffrance.

Robin eut la bienveillance de ne pas lui rappeler que ses parents devraient vivre, dans un cas comme dans l'autre, avec le deuil de leur fille, et se contenta de hausser les épaules.

— Le transfert de toute votre personne sera douloureux.

— Je suis prête à l'affronter, répliqua-t-elle vaillamment, en priant pour ne pas se dédire.

— Ma foi, vous savez quoi faire ensuite ?

— Les pierres levées ?

Robin hocha la tête.

Chapitre 39

LE VOYAGE DU RETOUR DANS LE PASSÉ FUT EXTRÊMEMENT long et pénible, et Jane dut totalement lâcher prise. Plus de pensées, de lumière ni d'obscurité, plus aucun son, plus aucun contrôle sur rien, si ce n'était la douleur qui l'anéantissait corps et âme et lui arrachait des cris que nul ne pouvait entendre. Elle n'aurait su dire pendant combien de temps cela avait duré lorsqu'elle redevint elle-même, d'abord tremblante et en sueur à cause de l'effort, puis reprenant peu à peu haleine et calmant les battements de son cœur.

Une fois que l'effroi du transfert temporel fut passé, Jane leva les yeux : Robin avait été remplacé par Robyn, et toutes deux se tenaient dans les jardins de Terregles. Elle remarqua qu'on avait fermé les volets de la maison avant d'en verrouiller la porte.

—Contente de vous voir, Jane ! salua Robyn en couvrant le corps nu de la jeune femme d'un manteau.

—Ça fait mal ! gémit Jane.

—On vous avait prévenue qu'il en était ainsi quand le corps était transféré.

Jane grimaça et leva la tête vers la lavandière depuis le sol où elle avait atterri.

— Je me sens différente.

Robyn lui tendit la main afin de l'aider à se lever avant d'ajuster son manteau.

— Vous l'êtes ! Vous appartenez à ce siècle, désormais.

Jane mit sa main en visière pour se protéger du soleil qui brillait de mille feux. L'été s'annonçait : le temps avait continué à s'écouler depuis son départ.

— La maison est vide ?

— Fermée à clé depuis la fuite des Maxwell, mais j'imagine que leur fils reviendra faire valoir ses droits le moment venu, quand il sera en âge, car le roi a refusé de la confisquer. En attendant, la sœur de William et son mari ont rangé l'intérieur.

Jane hocha la tête.

— J'espère que Winifred a laissé quelques robes.

— Venez, je sais comment entrer, l'invita Robyn en faisant signe à Jane de la suivre.

À présent, Jane ressentait ses propres émotions et éprouva un grand soulagement et une joie soudaine de revoir Terregles. Elle n'avait passé que peu de temps dans la demeure des Nithsdale, mais cela avait été suffisant pour qu'elle s'imprègne des sentiments de Winifred. C'est pourquoi l'endroit lui parut familier et accueillant, malgré le vide qui y régnait. Jane eut une pensée pour Sarah et ce cher Bran. Où étaient-ils à présent ? Elle espérait les retrouver bientôt.

Robyn la devançant, elle se laissa guider à l'intérieur du corps de logis, ouvrant volets et fenêtres à guillotine, tirant les tentures afin de faire entrer, là où le bonheur avait autrefois régné, la lumière somptueusement douce de cet après-midi estival.

— Je vais ôter les draps de protection. La maison va reprendre vie.

— Êtes-vous à ce point certaine qu'il viendra? s'enquit Robyn.

— Il viendra.

— Et s'il ne venait pas?

— Je ne regretterais pas d'être ici, si c'est ce à quoi vous pensez.

— Vous vivrez ici?

— Je n'ai pas le choix. C'est vous-même qui me l'avez dit. J'ai des amies à Londres : Mrs Mills, Mrs Morgan. Même si elles ne savent pas encore que nous sommes amies! Mais elles ne tarderont pas à l'apprendre. Et puis, il y a ces chers Mary et Charles à Traquair… et même Mr et Mrs Bailey, ou encore Mr et Mrs Leadbetter, si je souffre vraiment de solitude! gloussa-t-elle.

Elles gravirent l'escalier en faisant craquer sous leurs pas la vieille menuiserie brunâtre avant de s'arrêter au premier étage, où étaient accrochés des portraits individuels de William et de Winifred. Cette dernière la regardait avec une expression sereine. Ses beaux cheveux d'or étaient tirés en arrière et ondulaient légèrement sur ses tempes.

Jane embrassa le bout de ses doigts et les posa sur l'image de la comtesse.

— Bonjour, chère Winifred!

Puis elle envoya un baiser à William.

— Will, comment allez-vous?

— Bravo, Jane, on dirait que vous faites déjà partie des meubles! fit remarquer Robyn.

Jane soupira et esquissa un sourire.

—Je me sens chez moi. Et voici mes fidèles amis.

—Vous devriez écrire sans tarder à Mary en lui donnant une bonne raison pour justifier votre présence ici.

Jane acquiesça.

—Je lui dirai que je suis une vieille amie de Winifred, car seule une vieille amie pourrait savoir où est caché l'argent.

Elle gloussa et ajouta :

—Même si je vais devoir me montrer économe.

Dans la chambre de Winifred, où Jane pénétra pour la première fois, elle découvrit la garde-robe de son amie au complet et acquit la certitude qu'elle ne manquerait jamais de vêtements, car les deux femmes avaient une taille similaire. Jane laissa errer son regard sur le mobilier simple et élégant, et reconnut, plus que dans toute autre pièce de la maison, le bon goût – légèrement influencé par le style français – de la comtesse. Deux fenêtres à meneaux qui s'élevaient du sol au plafond laissaient entrer la lumière dorée de l'après-midi qui se reflétait sur le papier peint des murs, recouverts de grandes feuilles vertes exotiques et de fleurs pâles. Un tapis central au délicat motif floral et aux teintes assorties recouvrait un parquet ciré jusqu'aux pieds du lit à baldaquin niché dans une alcôve. Jane se souvint du lit de William : celui-ci en était le pendant féminin, avec des pommeaux plus raffinés et d'épaisses tentures soyeuses de couleur crème. Sous les lambris, l'enduit avait été rehaussé de peinture vert sauge et crème, tandis que, de chaque côté du lit et entre les fenêtres, des miroirs à la française richement dorés à l'or fin agrandissaient la pièce et la rendaient plus lumineuse. C'était une chambre à la fois féminine et agréable. Jane laissa échapper un soupir. Winifred ne la quittait pas.

Robyn lui fit de nouveau signe d'approcher.

—Venez, j'ai quelque chose pour vous, annonça-t-elle.

Jane traversa le tapis sur la pointe des pieds pour ne pas troubler l'atmosphère qui régnait dans la chambre de la comtesse et s'arrêta près de la table de toilette en noyer. Elle regarda la lavandière soulever le couvercle d'un petit coffret de bois de facture si ordinaire qu'il portait encore les marques laissées par le ciseau de l'artisan.

—Willie l'a fabriqué pour sa mère, expliqua Robyn en répondant à la question muette de Jane.

—C'est agaçant la manière dont vous lisez dans mes pensées, avoua Jane.

—Seulement vos interrogations, rectifia la lavandière.

Elle plongea la main dans le coffret et en retira une liasse de papiers pliés et tachés que Jane reconnut instantanément.

—Les lettres de Julius! s'exclama-t-elle en s'en emparant avec avidité avant de les serrer contre son cœur. Merci! C'est si important pour moi.

Robyn hocha la tête en esquissant un demi-sourire.

—Je m'en doutais. Il y a également ceci, ajouta-t-elle en fouillant de nouveau dans le coffret avant d'en retirer une petite fiole en verre.

Jane se mordit la lèvre pour contenir son émotion et retenir ses larmes.

—C'est le parfum de Winifred…, laissa-t-elle échapper dans un souffle.

—Vous aviez enterré les lettres et le flacon sur le tracé de la ligne de ley à Peebles. Ils ne sauraient être séparés et reviennent à présent à leur propriétaire légitime.

Jane ferma les yeux et huma le bouchon de la fiole. L'odeur familière de *Cendres de violettes* raviva ses souvenirs, et elle se souvint de l'expression meurtrie et soucieuse de Julius, celle-là même qu'il arborait le jour où elle l'avait aperçu au tribunal.

Jane embrassa Robyn.

— Merci. Grâce à vous il ne me quittera pas, même en son absence.

C'est ainsi que débutèrent quatre mois d'une vie tranquille avec Robyn pour seule compagnie et préceptrice des bonnes manières aristocratiques en ce début d'époque georgienne. Pour les curieux, Jane serait une amie très proche du comte et de la comtesse qui les auraient autorisées à utiliser leur maison. Toutefois, elle avait pris la précaution d'écrire à Mary et Charles à Traquair afin de bien leur faire comprendre que, tout en vivant à Terregles, elle y occupait une petite chaumière, non le corps de logis. Une correspondance régulière s'installa rapidement entre elle et Mary, laquelle semblait se réjouir de la présence de quelqu'un pour surveiller la propriété familiale. Jane songea que Mary en avait sûrement averti sa belle-sœur, et cela la fit sourire, car elle savait que Winifred, si elle en avait eu la possibilité, aurait exprimé le désir de la rencontrer. Qui sait... Peut-être qu'un jour elle se rendrait en Italie pour se présenter dans les règles. Mais cela devrait attendre, au moins jusqu'après l'automne.

Jane se souvenait de l'endroit où Winifred avait caché une partie de l'argent familial et l'utilisa pour acheter des semences de légumes. Robyn lui enseigna les rudiments de l'élevage, et l'acquisition d'une vache et de poules lui assura une certaine subsistance. Elle apprit à cuire le pain et à se passer de tout outillage plus sophistiqué qu'une brouette. Bran était réapparu dans sa vie – même s'il semblait à la jeune femme que le jardinier n'en était jamais sorti – et était heureux d'avoir quitté son nouveau foyer dans les Highlands pour aider l'amie de sa maîtresse à entretenir son lopin de terre et s'occuper du domaine. Jane acheta même un cheval qui l'aida à ne pas se sentir complètement prisonnière de Terregles. En dépit de la beauté du cadre, elle menait une vie simple dans sa chaumière ; et, tandis que Robyn lui apprenait à repriser les chaussettes à la lueur d'une bougie, le soir à la veillée, ou qu'elle s'adonnait à sa dernière passion en date – à savoir filer la laine entreposée un peu partout sur les terres des Maxwell –, elle songeait qu'elle n'avait jamais été aussi heureuse ni épanouie avant de mener cette existence rustique.

Jane soutenait à Robyn que, même si elle était souvent seule, elle ne souffrait pas de solitude ; alors qu'avec Will, elle s'était souvent sentie isolée et rongée par la culpabilité.

Cependant, ce fut un déchirement pour Jane, lorsqu'un beau matin, Robyn lui annonça que l'heure était venue pour elle de partir.

— Mais pourquoi ?

— Il le faut…, répondit laconiquement la lavandière. C'est le bon moment.

— Probablement que maintenant je vais me sentir vraiment seule !

— Tout se passera bien, Jane. Vous vous êtes bâti une existence agréable. Sans doute changera-t-elle avec le temps, mais en attendant, je suis certaine que vous êtes capable de prendre soin de vous.

Jane n'ignorait pas qu'elle n'avait pas le droit de forcer Robyn à rester, mais cela ne l'empêcha pas de pleurer lorsqu'elles se prirent dans les bras l'une de l'autre pour se dire adieu.

— Je ne regrette pas de vivre ici, Robyn, mais vous me manquerez.

— Peut-être…, répliqua son amie avant d'esquisser un sourire réconfortant que Jane ne sut pas interpréter.

Quelques heures plus tard, cette dernière se trouvait dans le jardin latéral du corps de logis où elle cueillait des aromates pour le civet qu'elle avait prévu de préparer, car Bran lui avait apporté un couple de lapins qui attendaient, pendus dans le garde-manger. Le brouillard de l'automne semblait nécessiter, en effet, une cuisine plus consistante.

Elle cligna des yeux en regardant dans le soleil couchant et aperçut un cavalier qui s'approchait. Elle crut d'abord que Robyn revenait après avoir changé d'avis, puis elle se souvint que la lavandière était partie à pied.

Tandis que la silhouette gagnait du terrain, elle distingua qu'elle appartenait à un homme. Elle se redressa et lissa sa jupe en se demandant quelle nouvelle pouvait bien lui apporter ce messager. Willie avait-il décidé de rentrer à Traquair House ? À moins que ce ne soit Charles, le beau-frère de Winifred, qui lui rende une petite visite ?

Elle mit sa main en visière et déglutit avec difficulté. La silhouette familière du cavalier manqua de lui arracher des larmes. Refusant d'en croire ses yeux, Jane retint son souffle tandis que le visiteur mettait pied à terre devant la grille d'entrée et s'engageait le long de l'allée principale qui menait à la maison de Winifred en tenant sa monture par la bride. Son chapeau dissimulait ses traits, mais Jane n'eut aucun doute sur son identité. Julius avait tenu parole, alors même qu'il ignorait si sa bien-aimée avait reçu sa lettre.

Depuis que Robyn la lui avait rendue, Jane l'avait portée sur elle comme un talisman. Elle mit la main dans sa poche et effleura le bouchon du flacon de parfum avec son poignet, puis elle fit le tour de la maison pour se poster devant le logis et laissa échapper un soupir qu'elle retenait depuis trop longtemps dans sa poitrine. Son cœur battait de manière désordonnée. Elle inspira lentement et profondément afin de modérer le flot des pensées qui se bousculaient dans son esprit.

C'était l'heure de vérité. En fait, son sort serait à jamais scellé dans les secondes qui suivraient.

— Bonjour, salua-t-il en s'inclinant légèrement. Je m'appelle Julius Sackville.

Le son de sa voix fut comme un baume pour l'âme de Jane.

C'est lui… Il est venu! pensa-t-elle. Il portait même la veste d'équitation avec laquelle elle l'avait connu.

— Je sais qui vous êtes, répliqua la jeune femme en se tenant les mains afin de dissimuler sa nervosité.

Il la considéra d'un air renfrogné.

— Je vous demande pardon, mais… avons-nous été présentés? Jane sourit.

— D'une certaine manière, oui. Vous êtes un ami de lady Winifred, si je ne fais pas erreur?

Julius se racla la gorge.

— Oui. Est-elle chez elle?

— Je crains bien que non, lord Sackville.

Jane perçut l'étonnement du jeune homme devant cette inconnue qui connaissait son titre.

—Le comte et la comtesse vivent désormais à l'étranger, poursuivit-elle. Je suis une amie proche de Winifred, et, à ma connaissance, elle ne reviendra pas à Terregles, pas même pour un bref séjour. Sans doute avez-vous appris qu'ils ont fui le pays ?

Julius baissa la tête.

—Oui.

Jane devina sa déception et en ressentit toute l'accablante détresse.

—Euh… excusez-moi, commença-t-il en s'efforçant de dissimuler sa peine du mieux qu'il pouvait, j'ai promis à Winifred que je lui rendrais visite lors de mon prochain passage dans la région.

—Je m'en réjouis grandement, répliqua Jane en s'efforçant, à son tour, de ne pas rougir.

Sackville la dévisagea.

—Je suis confus, mais je ne connais pas votre nom, mademoiselle.

—Oh, s'esclaffa Jane, c'est moi qui vous dois des excuses, monsieur. Mais d'abord, permettez-moi de vous demander si vous vous souvenez d'une conversation que vous avez eue avec Winifred et au cours de laquelle elle vous a demandé de veiller sur une de ses amies susceptible de se présenter à vous sous le nom de Jane Granger.

Il cilla doucement.

—Je m'en souviens, répondit-il, la gorge rêche.

Jane baissa les yeux.

—Elle vous a demandé, si je ne m'abuse, de prendre le temps de connaître cette personne, de l'écouter loyalement… du moins de lui donner la possibilité de vous expliquer certains faits. Je crois qu'elle a souligné que c'était important.

— Winifred ne m'a pas dit que son amie était si belle !

Après un silence, il ajouta :

— Vous êtes… Jane ?

— Je suis en effet Jane Granger, lord Sackville. J'ai passé l'été à vous attendre, et à présent que l'automne s'installe pour de bon, j'espérais de tout mon cœur que vous viendriez.

Il la dévisagea, médusé.

— Comment se fait-il que vous soyez au courant ?

— C'était dans la lettre que vous m'avez envoyée.

Jane l'observa tandis qu'il méditait sur ses paroles, se les répétant sans doute inlassablement.

— C'est à Winifred que j'ai écrit.

— Non, Julius. Vous pensiez écrire à Winifred, mais c'est à moi que vous pensiez. Votre lettre s'adressait à Jane. Vous m'avez même dit une fois, dans une cabane de bûcheron, que vous ne pensiez qu'à Jane lorsque vous faisiez l'amour à Winifred, parce qu'elle vous semblait différente si vous l'appeliez Jane. J'ai fait un long voyage pour vous retrouver. Et depuis, je n'ai cessé de vous attendre.

Le beau visage de Julius, hâlé par le soleil d'été, blêmit sous les yeux de Jane.

— Comment se fait-il que vous connaissiez cet épisode de ma vie… et de celle de Jane ? Je ne comprends pas.

— Pour la raison extraordinaire, j'en conviens, que je suis Jane. Ça a toujours été moi, Julius.

Le désarroi le disputa au désespoir sur les traits de Sackville.

— Vous avez joué avec moi, mademoiselle. Et avec mon chagrin.

— Non, Julius, mon amour. Je vous expliquerai tout si vous me promettez de m'écouter. Winifred vous a demandé d'écouter Jane jusqu'au bout, de lui donner sa chance.

Lui tendant la main, elle ajouta :

—C'est si merveilleux de vous revoir.

L'éducation du gentleman l'obligea à s'incliner et à baiser courtoisement la main qu'elle lui tendait. Néanmoins, Jane savait que, ce faisant, Julius humait un parfum dont il se souviendrait sûrement. La jeune femme devina qu'il tremblait.

—*Cendres de violettes*, murmura-t-il d'une voix rocailleuse à cause de l'émotion et des souvenirs qui affluaient dans sa mémoire.

Jane sortit le flacon de sa poche.

—Je ne m'en sépare jamais parce que le parfum de Winifred est associé à vous. Je le porte uniquement pour vous.

Julius la considéra d'un air décontenancé, incertain, hanté par l'envie de comprendre.

—Jane ?

—Je suis revenue pour vous. Par pitié, donnez-moi une chance de m'expliquer. Je ne pourrais plus vivre sans vous, sans vos baisers…

—Plus vivre ? murmura Julius, et la jeune femme trembla comme une feuille lorsqu'il effleura timidement ses lèvres.

Jane sut alors que la trame de sa vie était de nouveau complète.

—Je vous aime, avoua-t-elle, et, pour la première fois de ses deux vies, elle le pensait.

Épilogue

JULIETTE GRANGER AVAIT LU ET RELU LA LETTRE SECRÈTE
envoyée sous pli séparé par sa sœur depuis Perth en s'efforçant
désespérément d'en suivre le raisonnement. Ses parents avaient
souscrit aux informations contenues dans la missive que Jane
leur avait adressée personnellement et s'étaient résignés en se
disant que leur fille avait besoin de temps. Toutefois, Juliette
soupçonnait sa sœur d'avoir omis de leur dire la vérité.

*Je vais où je serai heureuse, où je sais qu'un homme qui
m'aime et que j'aime à la folie m'attend.*

Où était cet endroit? Juliette n'en avait aucune idée. Elle
penchait pour l'Australie, car dans quel autre pays Jane aurait-
elle eu l'occasion de rencontrer quelqu'un entre l'entrée de Will
dans le coma et sa sortie? Cela faisait six semaines à présent que
la lettre était arrivée, et le printemps cédait la place à la chaleur
d'un été précoce. L'IRA annonçait des représailles, et une menace
de grèves planait sur le pays. Quant à Juliette, elle portait une

robe d'été et des sandales, et avait un nouveau petit ami dans sa vie. Même s'ils n'en étaient qu'au début de leur relation, celle-ci paraissait sérieuse, et la jeune femme ne se souvenait pas d'avoir été un jour aussi heureuse, d'autant qu'elle commençait à comprendre que les choix de sa sœur ne pouvaient plus nuire à sa propre personne ni à son avenir. *Jane affirme qu'elle est heureuse!* se dit-elle tandis qu'elle patientait dans le hall d'entrée du Victoria and Albert Museum. *À présent, c'est à mon tour!*

Ses sandales à semelle plate claquaient sur les dalles grises et blanches, et le bruit de ses pas se mêlait à celui des autres usagers. Les visiteurs parlaient à voix basse, mais le son de leurs discussions, notamment les rires, était amplifié et résonnait contre les marbres. Une femme émit un rire de crécelle, et Juliette en chercha la provenance. C'est alors que son regard fut de nouveau attiré vers les portes où Pete faisait son entrée.

Ce dernier travaillait dans le mobilier design, ce qui en faisait un personnage intéressant pour Juliette, car elle appréciait son côté légèrement créatif, même si le revers de la médaille était qu'il passait son temps à la traîner dans les musées, y compris par une belle journée comme celle-là.

Elle tapota sur le cadran de sa montre, et le jeune homme la rejoignit en s'esclaffant avant de l'embrasser généreusement et de faire apparaître une rose qu'il tenait cachée dans son dos.

—Je l'ai cueillie spécialement pour toi ce matin!

Juliette esquissa un sourire ravi.

—Je ne suis pas passé inaperçu dans le métro, ajouta-t-il sèchement tandis qu'elle lui rendait son baiser.

—Merci… Grâce à cette fleur, je te pardonne de m'avoir donné rendez-vous dans un musée ennuyeux par une belle journée d'été!

—Ce n'est pas encore officiellement l'été ; et puis j'ai l'intention de t'emmener au parc pour marcher un peu, faire un câlin, manger une glace et faire tout ce que tu veux, et sans tarder, de surcroît ! En plus, poursuivit-il en levant les yeux vers le sommet de la magnifique rotonde à l'italienne qui ressemblait à une pièce montée, comment peux-tu dire que cet endroit est ennuyeux ?

—As-tu prévu de me montrer des tissus du début du XVIIIe siècle ou quelque chose de plus barbant ? se plaignit-elle en faisant semblant de pleurnicher.

—En fait, pas du tout, mais bravo : en plein dans le mille pour ce qui est de l'époque ! la félicita-t-il avec une étincelle dans ses yeux noirs. J'ai une surprise pour toi. Un truc étrange.

— « Étrange » ? répéta-t-elle.

—Début de la période georgienne. Absolument dingue ! Je te promets que quand tu le verras, tu te pinceras pour t'assurer que tu ne rêves pas !

—C'est bon, tu as piqué ma curiosité !

—Deuxième étage. Viens, ordonna-t-il en lui prenant la main. C'est vraiment une coïncidence surprenante. Il faut que je te montre… ça ne prendra que deux minutes. Qui plus est, avec tout le mauvais sang que tu t'es fait au sujet de ta sœur, j'ai pensé que ça t'amuserait un peu.

—Ma sœur ? s'enquit-elle en haut de l'escalier. C'est lié à Jane ?

Pete acquiesça.

—En quelque sorte. C'est juste un truc pour te divertir.

Juliette longea, au côté de son petit ami, des salles illuminées, et elle sut gré à celui-ci de ne pas s'arrêter pour discourir au sujet de la dorure des meubles, de la soie de chine de tel ou tel tissu vieux de presque cinq cents ans, ou encore au sujet de la majestueuse chaise percée si admirablement ouvragée, etc.

Elle remarqua qu'ils passaient d'une chambre à coucher à l'autre en allant des plus anciennes aux plus récentes.

— Par ici, la guida Pete.

Il semblait s'amuser comme un petit fou.

Au sortir d'une exposition temporaire sur les intérieurs privés, un panneau avertit Juliette qu'ils pénétraient à présent dans les salles consacrées à l'époque georgienne. Cela n'avait absolument aucun intérêt pour la jeune femme, mais elle pouvait comprendre l'emballement de Pete pour le mobilier domestique des siècles passés ; aussi se prêta-t-elle au jeu. Elle ne doutait pas que seul l'amour pouvait inspirer une telle abnégation de sa part !

Il la conduisit jusqu'à une vitrine située au fond d'une salle. En chemin, ils passèrent devant tout un assortiment de chaises, de guéridons, de tentures et de petits groupes d'objets domestiques en exposition qui évoquaient les différentes pièces de l'habitat particulier du début du XVIIIe siècle. Des intérieurs appartenant à plusieurs classes sociales étaient représentés, afin de permettre aux visiteurs de se faire une idée de la vie domestique sous le règne de George Ier, depuis les taudis londoniens jusqu'à la demeure cossue d'un propriétaire terrien de province.

— C'est ici ! s'exclama enfin Pete d'un ton triomphant. Tu en penseras ce que tu voudras, mais je suis sûr que c'est le nom dont tu m'as parlé. Sackville, c'est bien cela ?

Juliette suivit le doigt pointé de son bien-aimé qui lui indiquait deux miniatures ovales sur porcelaine. Son regard fut d'abord attiré par l'homme. Il avait les cheveux noirs et des yeux sombres au regard vif et ténébreux. Il ne souriait pas. Pour tout dire, il avait plutôt l'air mécontent de poser, même s'il ne parvenait pas, malgré sa morgue, à faire oublier qu'il était bel homme. Il était vêtu sobrement d'une longue redingote de couleur foncée, devina Juliette, car le portrait s'arrêtait à hauteur de la poitrine. Un foulard de soie lui entourait lâchement le cou. Il ne portait pas de perruque. La jeune femme remarqua que ses cheveux étaient soigneusement ramenés en arrière. Elle eut l'impression qu'il avait posé devant une écurie. Mais déjà son regard glissait vers le portrait de la femme qui faisait pendant à celui de l'homme. Celle-ci était assise dans un décor verdoyant. Elle tenait un nourrisson sur ses genoux et souriait.

Juliette cilla et retint son souffle. La ressemblance avec Jane était évidente.

Pete dit quelque chose, mais Juliette ne s'en aperçut pas immédiatement.

— … tu vois ? « Jane », c'est écrit.

— Quoi ? s'enquit Juliette, sa gorge soudainement aussi sèche qu'un désert.

Elle fixa du regard l'inscription que Pete lui indiquait avec insistance.

Lord Julius Sackville, vers 1720. Lady Jane Sackville (née Granger) et la gracieuse Miss Juliette Sackville.

Le cartel explicatif s'étendait ensuite au sujet de la pratique courante de la peinture sur porcelaine à cette époque, rappelant que les familles de l'aristocratie y recouraient souvent afin de léguer à la postérité des miniatures les représentant. Mais Juliette n'en lut pas une seule ligne. «*Julius, Jane, Juliette! Née Granger! Épouse de Sackville!*» se répéta-t-elle, les yeux rivés sur les noms des personnages. Sackville – Julius Sackville – c'était le nom dont Jane l'avait suppliée de se souvenir. Juliette fut prise de vertige.

—Dis quelque chose, Juliette.

Mais cette dernière ne parvenait pas à décrocher ses yeux du portrait de sa sœur qui la regardait avec un sourire serein.

—Je te laisse seule un moment, suggéra Pete, percevant que sa petite amie n'était pas amusée mais sincèrement bouleversée.

—C'est elle…, laissa-t-elle échapper dans un souffle en plaquant ses mains contre la vitrine avant de suivre les contours du visage de Jane sur la vitre.

—Jane… Je suis en train de faire sa connaissance. Julius Sackville! Tu m'as fait promettre…, susurra-t-elle. Je vous ai retrouvés tous les deux.

Sans même s'en apercevoir, elle pleura en silence. Lorsque Pete revint, il se sentait coupable.

—Oh, ma chérie, je ne voulais pas te…

—Non, non, tu as bien fait. C'est vraiment extraordinaire! Mais maintenant, je dois en apprendre davantage. J'ai besoin de savoir d'où viennent ces portraits.

—Nous sommes en 1979. Tu sais bien que ce ne peut pas être elle, n'est-ce pas? fit-il remarquer avec une moue déconcertée.

—Non, bien sûr, mentit Juliette en se redressant. Viens, allons prendre le soleil. Tu n'avais pas parlé d'une glace? rappela-t-elle afin de faire diversion.

Tandis que Pete s'éloignait, elle se fit la promesse de revenir pour découvrir la provenance de ces miniatures sur porcelaine autrefois propriétés de lord Julius et lady Jane Sackville.

Tu sembles heureuse, Jane, lança Juliette intérieurement, et tandis qu'elle jetait un dernier coup d'œil à sa sœur, elle aurait juré sentir une odeur de violette.

DÉCOUVREZ
COURTNEY MILAN

LA NOUVELLE VOIX
DE LA ROMANCE HISTORIQUE

✣ Le 24 avril 2015 en librairie ✣

 C'EST AUSSI...

... LES RÉSEAUX SOCIAUX

Toute notre actualité en temps réel :
annonces exclusives, dédicaces des auteurs, bons plans...

facebook.com/MiladyRomance

Pour suivre le quotidien de la maison d'édition
et trouver des réponses à vos questions !

twitter.com/MiladyRomance

... LA NEWSLETTER

Pour être averti tous les mois par e-mail de la
sortie de nos romans, rendez-vous sur :

www.bragelonne.fr/abonnements

Milady est un label des éditions Bragelonne.

Achevé d'imprimer en février 2015
N° d'impression 1412.0403
Dépôt légal, mars 2015
Imprimé en France
81121405-1